RITUELS

RITUELS

**Mélanges offerts
à Pierre-Marie Gy, o.p.**

*Études réunies par
Paul De Clerck et Éric Palazzo*

LES ÉDITIONS DU CERF
29, boulevard Latour-Maubourg
75007 PARIS
1990

© *Les Éditions du Cerf*, 1990
ISBN 2-204-04161-0

TABULA GRATULATORIA

(I. — Coetus. II. — Personae)

— I —

ABBAYE DE BELLEFONTAINE . BEGROLLES-EN-MAUGES / ABBAYE DE CITEAUX / ABBAYE D'HAUTECOMBE . CHINDRIEUX / ABBAYE LA JOIE NOTRE-DAME . CAMPÉNÉAC / ABBAYE DE MAREDSOUS . ANHÉE / ABBAYE DE MAUBEC / ABBAYE NOTRE-DAME DES DOMBES . LE PLANTAY / ABBAYE NOTRE-DAME DE GRACE . BRICQUEBEC / ABBAYE NOTRE-DAME DE MELLERAY . LA MEILLERAYE DE BRETAGNE / ABBAYE NOTRE-DAME DE TAMIE . ALBERTVILLE / ABBAYE DES PRÉMONTRÉS DE MONDAYE / ABBAYE SAINT-BENOIT-DU-LAC . CANADA / ABBAYE DE SAINT-MAURICE D'AGAUNE . SUISSE / ABBAYE SAINT-MAURICE DE CLERVAUX . LUXEMBOURG / ABBAYE SAINTE MARIE DE MAUMONT . MONTMOREAU / ABBAYE DE LA TRAPPE . SOLIGNY / ASSOCIATION ST-AMBROISE . MOULINS / ASSOCIAZIONE PROFESSORI DI LITURGIA . PADOVA / BÉNÉDICTINES . MONASTÈRE STE SCHOLASTIQUE . URT / BIBLIOTECA AMBROSIANA . MILAN / BIBLIOTECA DELL'-ABBAZIA DI PRAGLIA . PADOVA / BIBLIOTHÈQUE ABBAYE SAINT-WANDRILLE . CAUDEBEC-EN-CAUX / BIBLIOTHEEK ABDIS AVERBODE / BIBLIOTHÈQUE DIOCÉSAINE . ARRAS / BIBLIOTHÈQUE DIOCÉSAINE . POITIERS / BIBLIOTHEEK NATIONALE RAAD VOOR LITURGIE . PAYS-BAS / BIBLIOTHEEK DER RIJKSUNIVERSITEIT TE LEIDEN . PAYS-BAS / BIBLIOTHÈQUE DE L'ABBAYE . SAINT-MAURICE . SUISSE / BIBLIOTHÈQUE CENTRE SEVRES . PARIS / BIBLIOTHÈQUE DES FONTAINES . CHANTILLY / BIBLIOTHÈQUE DES LETTRES . ÉCOLE NORMALE SUPÉRIEURE . PARIS / BIBLIOTHÈQUE DU MONASTÈRE SAINT-ANDRÉ-DE-CLERLANDE . BELGIQUE / BIBLIOTHÈQUE DES DOMINICAINS . DIJON / BIBLIOTHÈQUE DES DOMINICAINS . RENNES / BIBLIOTHÈQUE DES DOMINICAINS . EVEUX-PAR-L'ARBRESLE / BIBLIOTHÈQUE DES DOMINICAINS DE S-ALBERT-LE-GRAND . CANADA / BIBLIOTHÈQUE DE LA COMPAGNIE DE SAINT-SULPICE / BIBLIOTHÈQUE DE LA FRATERNITÉ S-DOMINIQUE D'ABIDJAN / BIBLIOTHÈQUE DE LA FACULTÉ DE THÉOLOGIE . LOUVAIN LA NEUVE / BIBLIOTHÈQUE DU GRAND SÉMINAIRE . BAYONNE / BIBLIOTHÈQUE DU GRAND SÉMINAIRE CET . CAEN / BIBLIOTHÈQUE DU GRAND SÉMINAIRE . LIÈGE / BIBLIOTHÈQUE DE L'INSTITUT CATHOLIQUE DE PARIS / BIBLIOTHÈQUE DU SAULCHOIR . PARIS / BUCH-UND KUNSTHANDLUNG . RIETBERG / CENTRE D'ÉTUDES SUPÉRIEURES DE CIVILISATION MÉDIÉVALE . POITIERS / CENTRE D'ÉTUDES THÉOLOGIQUES ET PASTORALES . BELGIQUE / CENTRE DIOCÉSAIN . BESANCON / CENTRE DES ÉTUDES DE LA PROVINCE DOMINICAINE DE FRANCE / CENTRE ROMAND DE LITURGIE . SUISSE / CENTRE NATIONAL DE PASTORALE LITURGIQUE / COLLÈGE DOMINICAIN DE PHILOSOPHIE ET DE THÉOLOGIE . CANADA / COMMISSION ÉPISCOPALE DE LITURGIE DU SÉNÉGAL ET DE LA CERAO / COMMISSION LITURGIQUE NATIONALE . MALTE / COMMUNAUTÉ MO-

NASTIQUE PRIEURÉS S-BENOIT . NANS SOUS STE ARME / CONGRÉGATION DU TRÈS
SAINT-SACREMENT . QUÉBEC / CONGERGATIO PRO CULTU DIVINO ET DISCIPLINA
SACRAMENTORUM / COUVENT DES DOMINICAINS . MARSEILLE / COUVENT DES
DOMINICAINS . ROUEN / DEUTSCHES LITURGISCHES INSTITUT . TRIER / DIVI-
NITY LIBRARY . ST-LOUIS UNIVERSITY . USA / DOKUMENTE-VERLAG . OFFEN-
BURG / ÉCOLE FRANÇAISE DE ROME / ÉCOLE DES HAUTES ÉTUDES EN SCIENCES
SOCIALES . PARIS / FACULTÉ DE DROIT CANONIQUE DE PARIS / FEU NOUVEAU .
BELGIQUE / FRÈRES CARMES . TOULOUSE / GRAND SÉMINAIRE DE REIMS /
INSTITUT D'ÉTUDES THÉOLOGIQUES . BRUXELLES / INSTITUT HISTORIQUE ALLE-
MAND DE PARIS / INSTITUT DE RECHERCHE ET D'HISTOIRE DES TEXTES . PARIS /
ISTITUTO DI LITURGIA PASTORALE . PADOVAJESUITEN - KOLLEG . INNSBRUCK /
LIBRERIA DE LA FACULTAD DE TEOLOGIA . GRANADA / LIBRAIRIE VRIN . PARIS
/ LIBRAIRIE GEORGES . TALENCE / LIBRARY PONTIFICAL INSTITUTE OF MEDIE-
VAL STUDIES . TORONTO / MISSION DE FRANCE / MONASTÈRE STE FRANÇOISE
ROMAINE . LE BEC-HELLOUIN / MONASTÈRE DES BÉNÉDICTINES . RIXENSART /
OFFICE DU LIVRE . FRIBOURG / PARISEKO EUSKALDUNEN APEZARI 86-90 / PHI-
LOS.-THEOLOGISCHE HOCHSCHULE DER FRANZISKANER UND KAPUZINER MUNSTER
. RFA / PONTIFICIO ISTITUTO LITURGICO « S. ANSELMO » . ROME / PROVINCIA
FRANCISCANA DE LA SANTA FE DE COLOMBIA . BOGOTA / REVUE BIBLIQUE .
ÉCOLE BIBLIQUE ET ARCHÉOLOGIQUE DE JÉRUSALEM / REVUE ESPRIT ET VIE - L'AMI
DE CLERGÉ / REVUE THOMISTE . TOULOUSE / RUUSBROECGENOOTSCHAP .
ANVERS / ST-PIETERSABDIJ STEENBRUGGE . BELGIQUE / ST-JOHN'S SEMINARY
LIBRARY . USA / SCRIPTORIUM ORDINIS CISTERCIENSIUM MONASTERII BMV IN
ZWEITHL / SECRETARIADO NACIONAL DE LITURGIA . PORTUGAL / SÉMINAIRE
FRANÇAIS / SÉMINAIRE UNIVERSITAIRE DE LYON / SÉMINAIRE LA CASTILLE . LA
CRAU / SERVICE NATIONAL DU CATÉCHUMÉNAT . PARIS / SOCIÉTÉ DES BOLLAN-
DISTES . BRUXELLES / STIFTSBIBLIOTHEK ST-GALLEN . SUISSE / THE LITURGY
COMMITTEE OF THE SCOTTISH EPISCOPAL CHURCH / UNIVERSITÉ DE FRIBOURG.

– II –

E. AIKÄÄ . HELSINKI / PÈRE J. L. ANGUE . CNPL / Q. ARGUILLÈRE . PARIS /
H. J. AUF DER MAUR . INSTITUT FUR LITURGIEWISSENSCHAPT UNIVERSTÄT .
WIEN / G. AUSTIN, O.P. . CATHOLIC UNIVERSITY OF AMERICA . WASHINGTON /
Mᵍʳ P. BAER, O.S.B. . ROTTERDAM / J. BALLAND . REIMS / Mᵉʳ F. BARBU . ANCIEN
ÉVÊQUE DE QUIMPER ET DE LEON / B. BAROFFIO, O.S.B. . ROME / G. BARTHE .
ROQUEFORT LES PINS / J. BAUMGARTNER . FRIBOURG / R.-H. et A.-M. BAUTIER .
PARIS / H. BECKER / P. BEGUERIE / A. BEHAGUE / K.J. BENZ . INSTITUTUM
LITURGICUM RATISBONENSE / N. BERIOU . PARIS / J. L. BERNARD . PARIS /
P. BERNARD . ÉCOLE NORMALE SUPÉRIEURE . PARIS / PÈRE G. BEYRON . CNPL
/ A. BLIJLEVENS . PROF. À L'UNIVERSITEIT VOOR THEOLOGIE EN PASTORAAT,
HEERLEEN . PAYS-BAS / D. BOETON / PÈRE L. M. BOLLA . CAMEROUN / F. BOMB,
S.J. / Mᵉʳ R. BOUDON . ANCIEN ÉVÊQUE DE MENDE / T. BOUMANSOUR . LEUVEN
/ PÈRE F. BOUSQUET / PÈRE J. O. BRAGANCA . UNIVERSITÉ CATHOLIQUE .
LISBONNE / H. BRAKMANN . F. J. DOELGER-INSTITUT . BONN / S.R. I. M. BRAULT
. CNPL / C. BRESSOLETTE / J. BRIEND / H. BRINCARD / F. BROSSIER / M. BRULIN
. CNPL / B. BURKI . PASTEUR À NEUCHATEL ET CHARGÉ DE COURS À L'UNIVER-
SITÉ DE FRIBOURG / PÈRE R. BUYSE, O.M.I. . BELGIQUE / L. CAALS O. PRAEM .
RECTOR COLLEGII S. NORBERTI . ROME / R. CABIE . PROF. DE LITURGIE A LA

FACULTÉ DE THÉOLOGIE . TOULOUSE / F. CALLU . BIBLIOTHÈQUE NATIONALE / Mgr P. CARRIÈRE . ANCIEN ÉVÊQUE DE LAVAL / G. CATTIN . UNIVERSITA DI PADOVA . ITALIE / J. CELLIER . EX DIRECTEUR DU CENTRE NATIONAL DE PASTORALE LITURGIQUE / M. CHANDLER, O.F.M. C.A.P. / M. N. COLETTE / E. COTHENET / C. COUPRY . PARIS / Mgr J.D. CRICHTON / REV. A. CZONKA . HONGRIE / H. CUNY . SAINT DIE / CURÉ DE NOTRE-DAME-DE-LA-CROIX DE MENILMONTANT . PARIS / CARDINAL G. DANNEELS . ARCHEVÊQUE DE MALINES . BRUXELLES / CARDINAL DECOURTRAY . ARCHEVÊQUE DE LYON / ABBÉ C. DEFRANCE . MONTBRISON / L. DEISS . VAUCRESSON / E. P. DEJONG . SECR. DE LA COMMISSION LITURGIQUE DES PAYS-BAS / PÈRE M. DEGRAEVE . CNPL / M. N. et Y. DELAVESNE . PARIS / A. DENNERY . PARIS / D. DERECK . BELGIQUE / S. DE SMET, S.J. . KATHOLICHE UNIVERSITEIT . LEUVEN / P. D'HAESE . SECR. NATIONAL DE LA COMMISSION LITURGIQUE NEERLANDOPHONE DE BELGIQUE / REV. M.S. DRISCOLL . USA / DOM J. DUBOIS . PARIS / PÈRE C. DUCHESNEAU . CNPL / M. DUCHET-SUCHAUX . PARIS / REV. M. R. DUDLEY . GB / ABBÉ J. DUFRASNE, VICAIRE ÉPISCOPAL . PRÉSIDENT DU SÉMINAIRE . BELGIQUE / J. P. DUGUÉ, P.S.S. / J. P. DURAND, O.P. . FACULTÉ DE DROIT CANONIQUE . PARIS / L. DUVAL-ARNOULD . ROME / D. DYE . ROME / T. EGLOFF . SUISSE / T. W. ELICH . AUSTRALIE / P. ENZO . CONSIGLIERE DEL C.A.L. . ITALIE / I. ESSIG . VERSAILLES / M. EUZEN . BREST / J. ÉVENOU . CONGRÉGATION POUR LE CULTE DIVIN . VATICAN / R. FALSINI . UNIVERSITA CATTOLICA . MILAN / Mgr FAVREAU . ÉVÊQUE DE NANTERRE / P. FARNES . FACULTATD TEOLOGIA . BARCELONE / PÈRE P. FAURE . CNPL / Mgr C. FEIDT . ARCHEVÊQUE DE CHAMBÉRY . PRÉSIDENT DE LA COMMISSION ÉPISCOPALE DE LITURGIE ET DE PASTORALE SACRAMENTELLE / J. FLOC'H . CHATEAULIN / J. FRADET . USA / PÈRE J. FRENDO O.P. . MALTE / ARCHIPRÊTRE A. FYRILLIAS . LIVRY-GARGAN / J. P. GAILLARD . PARIS / Mgr A. GAND . TEMPLEMARS / P. GASNAULT . PARIS / V. GATTI . MILAN / SŒUR M. GAUDIN . NANTES / J. M. GAUDRON / M. M. GAUTHIER . DIR. CORPUS DES ÉMAUX MÉRIDIONAUX . CNRS / C. GEFFRE . PARIS / J. GELINEAU, S.J. . ÉCUELLES . CNPL / REV. M. GILLIGAN . USA / L. GIGON . BESANÇON / G. GILSON . LE MANS / R.P. P. GLEESON, O.P. . IRLANDE / DR. PROF. A. GERHARDS . BONN / P. MC GOLDRICK / P. GONTIER . AIX-EN-PROVENCE / A. GOOSSENS . ANVERS / DR. G. M. HAIR . ÉCOSSE / PÈRE P. GUENELEY . LONS-LE-SAUNIER / R. GUERREIRO . PARIS / Mgr P. M. GUILLAUME . ÉVÊQUE DE SAINT-DIE / REV. J. A. GURRIERI . USA / PÈRE J. Y. HAMELINE . CNPL / A. HÄNGGI . ANCIEN ÉVÊQUE DE BALE / G. HÉBERT . PARIS / ABBÉ J. HEINRICH . BRUYÈRES / J. F. HENDERSON . CANADA / PROF. DR. D. HILEY . UNIVERSITÉ DE RATISBONNE / D.R. HOTETON . CANADA / A. HOLLAARDT, O.P. . HOLLANDE / L. HOLTZ . DIRECTEUR DE L'IRHT / J. C. HUGUES . GRAND SÉMINAIRE DE VANNES / H. ILLO . CANTOR MUSICUS NOTARIUS / L. JOCQUE . CORPUS CHRISTIANORUM / J. JONCHERAY . INSTITUT SUPÉRIEUR DE PASTORALE CATÉCHÉTIQUE . PARIS / N. JUN . JAPON / R. KACZYNSKI . MUNICH / H. P. KENNEDY . IRLANDE / LE PROTOPRESBYTRE A. KNIAZEFF / UNIV. PROF. DR. B. KLEINHEYER . REGENSBURG / DR. M. KLOCKNER . TRIER / PROF. DR. F. KOHLSCHEIN . UNIVERSITAT BAMBERG / G. W. KOWALSKI . INSTITUT CATHOLIQUE . PARIS / M. P. LAFFITTE . BIBLIOTHÈQUE NATIONALE . PARIS / DR. J. LAMBERTS . HEERLEN/LEUVEN / M. LANGLOIS . SERVICE ARCHÉOLOGIQUE DÉPARTEMENTAL DES YVELINES / A. LAPLANTE, P.S.S. . JAPON / N. LE BOUSSE . PARIS / PÈRE A. LECLERCQ . BEAUVAIS / L. LEUSSEN . PROF. DE LITURGIE ET SACRAMENTOLOGIE . LEUVEN / J. L. et N. LEMAÎTRE . PARIS / PÈRE B. LE FRANC . PARIS / C. LÉONARDI . ITALIE / PÈRE R. LEVET . CHAPELAIN À NOTRE-DAME DE LA GARDE DE MARSEILLE / J. LONGÈRE . PARIS / PROF. G. LUK-

KEN . THEOLOGISCHE FACULTEIT TILBURG . PAYS-BAS / O. MABILLE . LILLE-
BONNE . DON C. MAGNOLI . ITALIE / B.D. MARLIANGEAS, O.P. . CNPL / FRÈRE
F. MARNEFFE-LEBREQUIER . PROVINCIAL DE LA PROVINCE DE FRANCE /
Mᵍʳ E. MARCUS . ÉVÊQUE DE NANTES / CARDINAL MARTY . MONTEILS / P. H. MA-
TAR / C. MC KEE . CHILDREN'S HOLISTIC INSTITUTE FOR LITURGICAL DEVELOP-
MENT . USA / J. MC GUINNESS . IRLANDE DU NORD / Mᵍʳ R. MEINDRE .
ARCHEVÊQUE D'ALBI / PÈRE J. C. MENOUD . CNPL / M. METZGER . BERGBIETEN
/ R. MOINEAU . CNPL / J. B. MOLIN / PÈRE M. MONCAULT . CNPL / F. MÜTHE-
RICH . MUNICH / S. NADUTHADAM . PARIS / B. NEUNHEUSER . MONACHUS
LACENSIS / E. B. NILSEN . OSLO / D. NORBERG . STOCKHOLM / E. OBERSON .
CERBY / A. ODERMATT / I. ONATIBIA . FACULTAD DE TEOLOGIA . VITORIA .
ESPAGNE / M. PARISSE . GÖTTINGEN / PROF. PEREIRA . FACULTÉ DES LETTRES
DE LISBONNE / PASTEUR G. PFALZGRAF . RITTERSHOFFEN / Mᵍʳ P. PICAN .
BAYEUX / G. PINCKERS . LIÈGE / A. PLANET . VALENCE / G. POISSON . PARIS
/ P. PORTER . ST MANDÉ / C. S. POTTIE, S.J. . CANADA / FRÈRE P. PRETOT .
ABBAYE DE LA PIERRE QUI VIRE / DR. M. PROBST, S.A.C. . VALLENDAR / J. F. PU-
GLISI, S.A. . ROME / M. QUESNEL . PARIS / Mᵍʳ P. RAFFIN . ÉVÊQUE DE METZ /
G. RAMIS . PALMA DE MALLORCA / M. REGAN . ARCHDIOCESE OF ST ANDREWS
AND EDIMBURGH . ÉCOSSE / I. RENAUD-CHAMSKA . PARIS / PROF. DR. H. REN-
NINGS . TRIER / C. RENOUX . EN CALCAT / REV. T. RICHSTATTER, O.F.M. / PÈRE
D. RIBALET . CNPL / J. C. RICHARD . DIRECTEUR DE RECHERCHE C.N.R.S. .
SAINT-GUILHEM-LE-DÉSERT / PÈRE D. RIMAUD . CNPL / J. ROCACHER . TOU-
LOUSE / A. M. ROGUET . PARIS / J. ROSE . PARIS / P. ROUMANET . MARSEILLE
/ G. ROUSSEAU . TOURS / J. B. RYAN . NEW YORK / O. SARDA . CNPL /
H. SCHNEIDER . MONUMENTA GERMANIAE HISTORICA . MUNICH . BENEDICTS'S
MONASTERY . AUSTRALIE / O. DE SAINT-CHAMAS . NEUILLY-SUR-SEINE /
P. SAINT-ROCH . PONT. IST. ARCHEOLOGIA CRISTIANA . ROME / P. J. SANDSTROM
. LEUVEN / T. SARRAZIN . LILLE / Mᵍʳ M. SAUDREAU . ÉVÊQUE DU HAVRE /
G. SAVORNIN . ANCIEN DIRECTEUR DU CNPL / J. SCLAFER . DEPARTEMENT DES
MANUSCRITS . BIBLIOTHÈQUE NATIONALE / M. SCOUARNEC . QUIMPER /
N.-J. SED . PARIS / M. LE CHANOINE E. SEILER . DÉLÉGUÉ ÉPISCOPAL POUR
L'ENSEIGNEMENT RELIGIEUX POSTPRIMAIRE, SECRÉTAIRE DE LA COMMISSION
NATIONALE DE LITURGIE DU LUXEMBOURG / M. SELLE . ROTTACH-EGERN /
PROF. M. SMOLIK . YOUGOSLAVIE / E. P. SOKPAH . TOGO / M. SOT . PARIS /
B. SOUDE / G. STEEL . USHAW COLLEGE . GB / P. STIRNEMANN . PARIS / ABBÉ
C. STUCKI . RESPONSABLE DE LA FORMATION LITURGIQUE À GENÈVE / C. TEYS-
SEYRE . LOURDES / M. N. THABUT . VERSAILLES / PÈRE M. THIBAULT . CNPL /
FRÈRE M. THURIAN . TAIZÉ / D. TOHILL, O.P. . ST CHARLES SEMINARY . INDE /
C. TRAETS . PROF. A LA FACULTÉ DE THÉOLOGIE, KATHOLIEKE UNIVERSITEIT .
LEUVEN / J. TREMBLAY . STE-LUCE / M. TURRINI . ITALIE / UNIV. PROF. DR.
H.B. MEYER, S.J. . INNSBRUCK / P. VALDRINI . PARIS / M. VANSTEENKISTE .
PARIS / J. VAN DER SPEETEN . SECRETAIRE TIJDSCHRIFT VOOR LITURGIE .
BELGIQUE / A. VAUCHEZ . UNIVERSITÉ DE PARIS X-NANTERRE / A. VERGOTE .
LEUVEN / A. VERHEUL . LEUVEN / A. VERNET . PARIS / Mᵍʳ J. VILNET . LILLE
/ B. VIOLLE . PARIS / A. VOLKER . MINDEN / W. et C. E. VOS . STUDIA LITURGICA
/ ABBÉ A. WARTELLE . PARIS / E. WEBER . PROF. À L'UNIVERSITÉ DE PARIS-
SORBONNE / H. WEGMAN . PROF. FACULTÉ DE THÉOLOGIE UTRECHT . PAYS-BAS
/ DR. L. WEIL . BERKELEY . USA / C. WIENER . IVRY-SUR-SEINE / P. WITTWER
. ZURICH / G. WOOLFENDEN . GB

AVANT-PROPOS

Est-ce un geste rituel d'offrir à un savant un volume de *Mélanges*? Si oui, les liturgistes francophones ne l'ont pas accompli avec une fréquence exagérée ces dernières années. La qualité des travaux du père Pierre-Marie Gy, le rayonnement de sa pensée, surtout en histoire de la liturgie où son autorité est reconnue dans le monde entier, ainsi que son influence dans les diverses institutions qu'il a dirigées ou qui ont fait appel à ses compétences, toutes ces raisons justifient amplement, nous semble-t-il, l'initiative prise par les enseignants de l'Institut supérieur de Liturgie et dont on tient ici en main le résultat.

A cette entreprise, il est cependant un autre motif encore, qui n'est pas de l'ordre de la raison : c'est l'aspect attachant de l'homme. Tous ceux qui ont eu la chance de travailler avec lui ont, un jour ou l'autre, admiré la cordialité de cet homme intelligent, l'humour de ce travailleur, la fidélité de ce frère prêcheur.

Pour lui rendre hommage, nous avons fait appel à ses collègues, liturgistes, historiens, théologiens, en privilégiant ceux de sa génération, ceux aussi qui ont pu tisser avec lui des liens d'amitié, sans oublier les enseignants de l'Institut qu'il a dirigé si longtemps. A notre regret, certains n'ont pu accepter la proposition. A tous, nous avons demandé d'apporter une contribution qui se situe à la fois dans le champ de leur compétence et dans un des domaines de recherche du père Gy. Le titre de l'ouvrage, dans sa brièveté, voudrait mettre en relief l'axe même du livre et des travaux de celui à qui on l'offre.

Nous tenons à remercier très cordialement les personnes et les institutions qui ont permis la réalisation de ce projet, particulièrement la Province dominicaine de France et le couvent Saint-Jacques, l'Institut catholique de Paris, et le Centre national de Pastorale liturgique, sans oublier les Éditions du Cerf qui ont assuré la confection du volume.

Il nous tient particulièrement à cœur d'évoquer ici le nom d'un des initiateurs de ce projet, Niels-Krogh Rasmussen, o.p. Dès le mois de mars 1987, nous en avions évoqué ensemble l'idée; quatre jours encore avant sa mort survenue le 29 août suivant, il écrivait une lettre esquissant le profil des *Mélanges*. Qu'il soit associé à l'hommage rendu aujourd'hui à son maître, qui voyait en lui son meilleur disciple.

Pour offrir ces *Mélanges*, nous n'avons attendu aucune date particulière. Manière de dire que tout moment est bienvenu pour honorer celui à qui nous les présentons, et pour lui souhaiter une heureuse poursuite de ses activités.

Eric PALAZZO   Paul DE CLERCK

PRÉFACE

du

frère Yves CONGAR

Ce volume n'est pas une *Festschrift* selon la coutume allemande, qui veut qu'on offre un volume d'hommage pour les soixante, soixante-cinq, soixante-dix ans du Professeur. Il est plutôt l'hommage de disciples, d'amis, de collègues dans l'enseignement et la recherche, hommage rendu aux mérites d'un éminent serviteur de la liturgie. Ces mérites, j'ai l'honneur et la grande joie de dire publiquement quels ils sont, au moins vus par les yeux d'un confrère et d'un ami qui suit le travail du père Gy depuis de longues années.

Personne n'a toutes les qualités, mais le père Gy en allie plusieurs et d'assez rares. Ainsi, à la fois, le souci de l'érudition la plus avertie et une réelle préoccupation pastorale. Pour l'érudition, je citerai d'abord cette note pittoresque. En voyage, il profite souvent de quelques heures disponibles entre deux trains pour consulter un manuscrit repéré dans un catalogue de bibliothèque et qu'il avait demandé d'avance qu'on lui préparât. Parfois il s'agit simplement de vérifier une variante ou une correction : souci du chartiste, probité du savant... Plus d'une fois, venant me visiter aux Invalides, il avait pris comme lecture durant le trajet en métro le *Registrum* de saint Grégoire le Grand ou l'édition critique des lettres de saint Léon.

La carrière scientifique du père Gy s'appuye sur une solide formation en histoire et en théologie. Dans le domaine historique, c'est au moyen âge qu'il a consacré le plus de travaux, avec un souci marqué pour le répertoire, la classification et la typologie. Sa thèse de doctorat en théologie, restée malheureusement inédite, dresse le répertoire des Rituels manuscrits des bibliothèques publiques de France. Ce travail, dont le seul titre évoque le nom du grand Leroquais, forme pour ainsi dire la colonne vertébrale de l'œuvre du père Gy. Une bonne part de ses articles s'y rattache. Une autre, plus doctrinale, est consacrée à la théologie médiévale et notamment à saint Thomas, tandis que la troisième partie provient de son travail au *Consilium* romain pour la mise en œuvre de la réforme liturgique de Vatican II. On sait le temps et l'énergie que le père Gy a consacrés à cette grande œuvre : il était consulteur de la Commission liturgique préparatoire au concile, il

le fut au *Consilium* dès la première heure, et l'est toujours à la Congrégation pour le culte divin.

J'ai parlé de souci pastoral. Notre danger à nous, intellectuels, un danger
auquel je crains d'avoir personnellement parfois succombé, est de croire
que tout est fait quand nous avons donné la bonne formule. Or, il est vrai
qu'une règle est nécessaire, et il est bon que la pratique suive la loi, non
l'inverse. Sauf que, dans les domaines relatifs comme l'est celui de la
liturgie, la règle doit être adaptée pour être vraiment applicable : l'Église et
les congrégations religieuses ne manquent pas de le faire. Cependant,
combien de fois un confrère, qui aide des paroisses chaque samedi et
dimanche, m'a dit : le père Gy devrait venir voir comment se présentent
les choses : il constaterait que ses belles théories sont à côté ou au-dessus
des réalités concrètes !

Je puis et dois dire ici quelque chose. Sachant la part active et très estimée
que le père Gy a prise, à Rome, dans le travail du *Consilium*, je lui ai
plusieurs fois demandé : les textes et les rubriques ont-ils été essayés avant
d'être promulgués ? Il m'a répondu affirmativement et ajouté qu'on avait
tenu compte des critiques exprimées. J'ajoute que les conférences épiscopa-
les disposent de la faculté de prendre certaines options. Mais, quitte à
manquer à la discrétion, je dirai que le père Gy lui-même va célébrer les
fêtes dans une paroisse avec laquelle, par sa famille, il a quelque lien. Il le
fait dans une intention pastorale.

Cette union du théorique et du pratique, du savoir et du faire, n'est-elle
pas impliquée par le statut du C.N.P.L., qui publie *La Maison-Dieu* ? Le
père Gy en est membre depuis 1949, et directeur-adjoint depuis 1965.
N'est-elle pas exigée aussi à l'Institut supérieur de liturgie auquel le père Gy
a présidé de 1964 à 1986 ? S'agissant de cet Institut, je voudrais apporter
mon modeste témoignage. Que ce soit aux États-Unis, au Canada, en
Espagne, j'ai trouvé que les meilleurs liturgistes, les plus actifs étaient
d'anciens élèves de cet Institut.

Je voudrais dire encore deux choses pour achever de faire connaître
l'homme auquel ces *Mélanges* sont offerts, cela, bien sûr, sans violer le
sanctuaire de sa vie privée, vie de prières, d'affections, sans doute de
combats.

C'est d'abord l'enracinement « catholique » de ses intérêts et de ses
activités. Souci théologique, par exemple dans l'élaboration du programme
de l'Institut (enseignement sur les sacrements). Cela entraîne un intérêt
pour l'ecclésiologique, dont je mesure l'étendue aux questions précises que
le père Gy me pose quand il vient me visiter. L'ecclésiologie est nécessairement œcuménique; mentionnerai-je la participation active du père, chaque
année, aux journées liturgiques de Saint-Serge, ainsi qu'à la « Societas
liturgica » dont il assuma la présidence en 1971-1973 ? Il ne peut exister
d'Église (ni de liturgie) sans implications et structures canoniques. Je
noterai seulement à ce propos sa collaboration amicale avec le professeur
Jean Gaudemet, et le fait que le père Gy est professeur associé à la Faculté
de droit canonique. Enfin, toutes ces choses ont une dimension historique;

la participation de nombreux historiens à ce volume montre assez qu'il est reconnu comme un des leurs.

J'ai annoncé une deuxième chose. Depuis 1986, le père Gy est directeur du cycle des études du doctorat à l'U.E.R. de théologie et de sciences religieuses de l'Institut catholique de Paris. C'est une évidente marque de confiance. Cela suppose aussi l'accueil des candidats, la proposition de thèmes et de pistes de travail, l'indication d'une première documentation et de solutions possibles, et tous les étudiants savent la disponibilité que le maître leur manifeste, au milieu de ses activités surabondantes. Cette responsabilité le met aussi en relation avec le département d'histoire des religions et d'anthropologie religieuse de l'Université de Paris-Sorbonne (Paris-IV), ce qui favorise le rayonnement de la théologie parmi les universitaires de notre pays.

Ai-je été indiscret ? N'ai-je pas commis ce péché, grave pour un thomiste, de privilégier la personne par rapport à l'objet ? On ne m'a pas demandé une étude de liturgie, mais une présentation de celui à qui ces études savantes sont dédiées. On acceptera que le cœur ait eu la parole avant la plus haute science.

HOMMAGE

du
cardinal Eduardo MARTINEZ SOMALO,
préfet de la Congrégation pour le culte divin
et la discipline des sacrements

Les collaborateurs du père Pierre-Marie Gy ont eu l'heureuse idée de lui offrir un volume de *Mélanges*, comme un hommage bien mérité pour ses travaux dans les domaines théologique, liturgique et historique. La Congrégation pour le culte divin et la discipline des sacrements se fait une joie de s'associer à cet hommage rendu à l'un de ses fidèles collaborateurs.

Le père Gy, en effet, a pris une part active à la grande entreprise de la réforme liturgique, dès ses débuts. D'autres diront l'activité féconde du père Gy dans l'enseignement de la liturgie, dans la direction de l'Institut supérieur de liturgie, dans l'éveil de vocations de liturgistes et les orientations des recherches en vue du doctorat, dans les travaux du Centre national de pastorale liturgique, dont il est directeur-adjoint depuis sa création, dans l'œuvre de traduction des textes liturgiques en français, dans les multiples contacts et les liens noués avec des personnes du monde de l'Université, des lettres, des arts, de la culture dans ses diverses expressions.

Je voudrais simplement rappeler qu'au service de l'Église et du Saint-Siège le père Gy n'a ménagé ni sa peine ni son temps. Dès 1960, il fut nommé consulteur près de la Commission liturgique préparatoire au concile et, à ce titre, il participa aux travaux de deux sous-commissions, chargées de préparer le texte du schéma sur la messe et sur la restauration de la liturgie. Pendant le concile, après la discussion du schéma sur la liturgie, il fut chargé de faire le point sur la situation pour les journalistes dans la salle de presse du Saint-Siège.

La constitution *Sacrosanctum Concilium* promulguée, il fallait passer à son application. Le père Gy fut nommé dès le 22 février 1964 consulteur du *Consilium*, créé dans ce but par Paul VI le mois précédent. Dès lors, le temps et les activités du père Gy durent se partager entre Paris et Rome ou les divers lieux où furent établies les réunions de travail des groupes spécialisés. Sans entrer dans le dédale des travaux, il suffira d'évoquer les divers « chantiers » auxquels il prit part ou dont il eut une responsabilité particulière en tant que « relator » : ils recouvrent presque tout le domaine de la réforme liturgique.

Autour de l'Eucharistie, ce fut la révision de l'*Ordo missae*, les nouvelles prières eucharistiques, la lettre circulaire *Eucharistiae participationem*, le rite pour la distribution de la communion par un ministre extraordinaire.

Autour des autres sacrements, ce fut la préparation ou la mise au point des Rituels de la confirmation, de l'onction des malades, du mariage.

Responsable du domaine des Bénédictions, le père Gy a collaboré aussi aux Rituels de la consécration des vierges, de la profession religieuse, de la consécration du chrême et de la bénédiction des huiles, au livre des Bénédictions. Il prit encore une part importante à la préparation du Rituel des funérailles et à l'Instruction sur la musique sacrée.

Nommé consulteur de la nouvelle Congrégation pour le culte divin le 12 septembre 1969, charge qu'il a conservée depuis lors, le père Gy a poursuivi le travail de restauration liturgique, avec la préparation de *Praenotanda* pour une nouvelle édition du Rituel des ordinations, avec la responsabilité de la préparation d'une nouvelle édition du Rituel du mariage, d'une refonte du Rituel des exorcismes et d'une édition complète du Rituel romain.

Devant cet ensemble de travaux au service de la réforme liturgique, on peut se demander comment le père Gy a pu accomplir paisiblement ses autres tâches. Sans doute a-t-il lui-même livré quelque chose de son secret en disant dans une homélie, à l'occasion du vingt-cinquième anniversaire de l'Institut de liturgie dont il assurait la direction : « Le liturgiste est d'abord un liturge, c'est-à-dire quelqu'un qui croit et qui célèbre au milieu de l'Église, *in medio Ecclesiae*, et son étude est comme intérieure à son activité célébrante, intérieure à la célébration de l'Église dans laquelle il est engagé. La liturgie, comme savoir chrétien, c'est la célébration réfléchissant sur son propre sens » (*LMD* 149, 1982, p. 15).

Je ne saurais mieux dire ce qui a été la tâche et ce qui demeure la vocation du père Gy. A l'occasion de l'hommage que lui rendent ses collaborateurs, ses disciples et ses amis, je suis heureux de joindre la reconnaissance du Saint-Siège et l'attachement de cette Congrégation, avec mes vœux personnels pour que se poursuive une collaboration précieuse et fidèle.

HOMMAGE

de
Monseigneur Paul GUIBERTEAU
Recteur de l'Institut catholique de Paris

Le recteur de l'Institut catholique de Paris ne peut que se réjouir de l'initiative prise par les collègues et amis du père Gy de publier un volume de *Mélanges* destiné à l'honorer.

Il ne revient pas au recteur de tresser des couronnes et de comparer les mérites, du moins peut-il dire, même s'il n'est ni *théologien*, ni *liturgiste*, ce qu'il voit, ce qu'il entend, ce qu'il ressent.

A vrai dire, la réputation du père Gy n'était plus à faire lorsqu'il devint en 1964 directeur de l'Institut supérieur de liturgie de l'Institut catholique de Paris : d'autres diront l'importance et la variété de ses recherches et de ses écrits, sa compétence d'*historien* et de *théologien*, son rôle de *peritus* de la Commission liturgique préconciliaire et celui de consulteur de la Sacrée Congrégation *Pro cultu divino*. Je ne puis que souligner son influence et son action comme directeur de l'Institut supérieur de liturgie de 1964 à 1986, puis comme directeur du cycle des études du doctorat de 1986 à ce jour.

Sa carrure physique, sa démarche mesurée et lente, son constant effort pour exprimer clairement et avec justesse la phrase complexe disant au mieux la vérité la plus complète et la plus nuancée, forcent son interlocuteur au respect et à l'écoute. Sans jamais s'emporter, il ne craint pas de dire ce qu'il pense être vrai. Mais tel est son souci de la mesure et du raisonnable dans l'affirmation de ce qu'il croit, que même un opposant occasionnel ne pourrait que l'entendre et en faire son profit. D'autant que le verbe s'accompagne d'un sourire des lèvres et des yeux, volontiers malicieux, décourageant d'avance l'agresseur. Sa persévérance et son obstination dans l'activité quotidienne vont de pair avec son acquiescement aux décisions prises par les autorités et avec sa compréhension des situations concrètes des personnes.

Passion de la vérité, discernement des esprits, force et qualités de cœur, on comprendra aisément quel rôle le père Gy joue ainsi auprès de ses collaborateurs, de ses collègues et de ses étudiants. Présentant à tous sa vision large et juste des *choses de la foi*, appuyée sur une étude minutieuse et perpétuellement approfondie des sources de la Révélation, à coup sûr, il est l'un des théologiens les plus respectés, les plus estimés, les plus écoutés de notre U.E.R. de théologie.

Qu'il en soit remercié au nom de tous. Grâce à lui, pendant plus de vingt années, l'Institut supérieur de liturgie de la *Catho* de Paris a vu croître son rayonnement national et international, les études et recherches se poursuivre, les professeurs et étudiants offrir leur compétence au service de l'Église universelle.

Connu et apprécié dans le monde entier et à Rome particulièrement, il sait répondre par un dévouement constant aux sollicitations les plus diverses : cours, conférences, séminaires, retraites, conseils...

Sa récente promotion de *maître en théologie* dans l'ordre de Saint-Dominique a justement reconnu ses mérites et son talent.

Cette reconnaissance officielle nous réjouit et nous honore. Nous y joignons celle de tous à l'Institut catholique, pour tout le labeur accompli pendant plus de trente années.

Puis-je enfin exprimer le merci tout particulier d'un *nouveau* recteur ?

Merci, père Gy, de l'accueil reçu, des conseils donnés, de la confiance et de l'amitié accordées dès le premier jour.

Demeurez longtemps parmi nous : nous savons bien que vous êtes l'un des plus solides *piliers* de l'U.E.R. de théologie, *construit sur le roc*.

HOMMAGE

du
protopresbytre Alexis KNIAZEFF
recteur de l'Institut Saint-Serge

Les premières rencontres de l'Institut de théologie orthodoxe Saint-Serge et du R.P. Pierre-Marie Gy remontent aux années cinquante. C'était le temps des premiers contacts officiels entre les théologiens catholiques et orthodoxes. Ils ont commencé à la fin de la dernière guerre. Ils eurent lieu d'abord au Centre d'études Istina, boulevard d'Auteuil à Boulogne, puis au couvent d'études du Saulchoir, à Évry-Petit-Bourg. C'est là que se sont tenues les sessions sur la primauté de Pierre et la procession du Saint-Esprit. C'est là que nous avons fait connaissance avec le P. Pierre-Marie Gy dans l'humble fonction du père hôtelier.

Ses condisciples, ses confrères, ses étudiants, ses proches collègues et collaborateurs, tous ceux qui, de plus près que nous, ont pu suivre l'ascension du père Gy comme liturgiste et théologien, parleront de son œuvre et le présenteront comme jeune professeur au Saulchoir puis à l'Institut supérieur de liturgie dont il devait devenir le directeur, comme président de la « Societas Liturgica », comme expert à la Commission postconciliaire de la liturgie, comme consultant de la Congrégation pour le culte divin, etc.

En ce qui concerne ses amis de l'Institut de théologie orthodoxe Saint-Serge, c'est-à-dire nous-mêmes, qu'il reçoive notre reconnaissance pour le remarquable essor qu'il a su donner parmi les liturgistes catholiques à nos Semaines d'études liturgiques où, après Dom Bernard Botte, il a été le représentant et le porte-parole de ceux qui appartiennent à l'Église romaine. Merci, très cher père Gy, pour votre précieuse collaboration et votre aide attentive dans la recherche des conférenciers possibles, catholiques et aussi protestants, merci pour vos conseils avisés et fraternels dans le choix des sujets, par lesquels vous nous faisiez sentir les centres d'intérêt des liturgistes d'Occident. Merci de nous initier par vos propres conférences à la liturgie latine et de nous montrer combien cette liturgie, tout comme celle d'Orient, conduit la communauté des croyants devant Dieu et lui fait participer d'ores et déjà aux mystères du Royaume à venir.

Il nous plaît de rappeler ici que le 26 juin 1985, à sa 33ᵉ Semaine

d'études liturgiques, l'Institut Saint-Serge remettait au R.P. Pierre-Marie Gy
le diplôme de docteur en théologie *honoris causa.*

L'hommage rendu par ce diplôme au théologien et au liturgiste et la
profonde reconnaissance à l'ami de l'Institut Saint-Serge sont plus que
jamais actuels.

HOMMAGE

de
Jean-Louis ANGUÉ
directeur du C.N.P.L.

C'est avec fierté et reconnaissance que le Centre national de pastorale liturgique s'associe à l'hommage rendu à son directeur-adjoint. Dès sa fondation, en 1965, à la suite du C.P.L., le C.N.P.L. put en effet bénéficier de la compétence unanimement reconnue du père Gy, qui venait alors de remplacer Dom Botte à la tête de l'Institut supérieur de liturgie.

Cette collaboration, précieuse et même devenue indispensable au fil des années, a sans doute enrichi pastoralement les travaux scientifiques du père Gy ou guidé l'orientation de ses recherches, mais elle a surtout permis au C.N.P.L., sous la conduite de la Commission épiscopale de liturgie, de garder le cap d'une interprétation authentique de la réforme liturgique et d'en proposer une mise en œuvre à la fois audacieuse et réfléchie.

On voudra bien permettre à l'actuel directeur du C.N.P.L., qui s'honore d'avoir été l'élève du père Gy, de livrer son propre témoignage d'estime et d'affection à son ancien maître, sous la forme empruntée au récipiendaire « de trois remarques, plus une... ».

Tout d'abord, au sein du C.N.P.L., le père Gy apparaît comme l'homme de science, dont la documentation est constamment rafraîchie par une prodigieuse capacité de lecture : qui ne connaît l'énorme serviette bourrée de livres qu'il traîne partout avec lui ? Sa maîtrise de l'histoire et de la théologie de la liturgie, son esprit de synthèse, la sûreté de son jugement apportent la garantie et le sérieux voulus dans l'élaboration commune de décisions ou dans l'analyse de la conjoncture. Cependant, aucune trace chez lui de dogmatisme ni de vanité : il est, au contraire, pour chacun des collaborateurs du C.N.P.L. un conseiller attentif et toujours prêt, un partenaire d'une grande courtoisie, parfois même un joyeux complice à l'humour incisif.

Son peu d'inclination pour les questions pratiques ou les détails de la vie courante ne doit pas laisser croire que le père Gy se cantonne dans le rôle de l'observateur lointain ou du savant distrait; il est aussi, à sa manière, un homme d'action, d'une action mûrement pesée et réfléchie. En témoigne le véritable don qu'il possède de mettre son érudition au service de la manifestation des enjeux théologiques ou spirituels sous-jacents aux pratiques pastorales apparemment les plus banales. Mais surtout ses familiers connaissent bien son attachement à rechercher les moyens concrets de faire passer des orientations qu'il croit justes. Loin pourtant d'échafauder des plans dans le calme d'un bureau, il n'a jamais craint de se porter avec courage vers les situations difficiles ou conflictuelles : alors sa longue expérience et sa subtilité d'esprit lui permettent de proposer des solutions équilibrées, dont le délié déconcerte parfois ou que certains, sans doute trop carrés, souhaiteraient moins nuancées.

Enfin le père Gy est vraiment un homme d'Église. En devenant spécialiste de la liturgie, c'est le cœur même de l'Église, son mystère, qu'il a servi et vénéré. Sa large fréquentation de la notion de sacrement lui a fait découvrir qu'il n'y a qu'une seule Église, sous diverses facettes, et qu'il serait funeste d'opposer en elle le mystère et l'institution, le « sensus fidelium » et le magistère, le progrès et l'enracinement. De même, ses nombreux séjours à Rome comme consulteur de la Congrégation pour le culte divin ou ses rencontres avec les liturgistes protestants et orthodoxes du monde entier lui ont donné le sens d'une Église vraiment catholique, ouverte à toutes les cultures, riche de sensibilités diverses et de traditions théologiques différentes. S'il donne à certains l'impression de prendre systématiquement le parti de ceux qui ont des responsabilités de gouvernement, ce n'est vraiment pas par ambition, mais c'est sa manière à lui de prendre ses responsabilités et surtout d'aimer l'Église, sa Mère.

Avec le père Gy, il est de bon ton d'ajouter une remarque finale. Elle sera toute personnelle et empreinte d'une grande reconnaissance. Il n'est guère facile d'avoir à diriger ou animer une équipe de personnes plus âgées ou plus expérimentées que soi. Mais je dois dire que le père Gy m'a beaucoup facilité la tâche et qu'il a toujours fait montre à mon égard d'une parfaite loyauté et d'une disponibilité totale. Pour cela et pour bien d'autres choses encore, bravo et merci, père Gy !

LISTE DES COLLABORATEURS

François AVRIL, conservateur en chef au département des manuscrits de la Bibliothèque nationale.

François BOESPFLUG, o.p., membre de la direction des Éditions du Cerf, Paris.

Jacques BRIEND, professeur à l'U.E.R. de théologie et de sciences religieuses, Institut catholique de Paris.

Louis-Marie CHAUVET, maître-assistant à l'Institut supérieur de liturgie, Institut catholique de Paris.

Antoine CHAVASSE, professeur honoraire à la Faculté de théologie catholique de Strasbourg.

Jean CLAIRE, o.s.b., maître de chœur à Solesmes, directeur de la *Paléographie musicale* et des *Études grégoriennes*.

CORPUS TROPORUM (G. BJÖRKVALL, G. IVERSEN, R. JACOBSSON), Stockholm.

Irénée-Henri DALMAIS, o.p., professeur honoraire à l'Institut supérieur de liturgie, Institut catholique de Paris.

Paul DE CLERCK, directeur de l'Institut supérieur de liturgie, Institut catholique de Paris.

Anselme DAVRIL, o.s.b., chargé d'enseignement à l'Institut supérieur de liturgie, Institut catholique de Paris.

Ferdinando DELL'ORO, s.d.b., professeur à l'Università Pontificia Salesiana, section de Turin.

Joseph DORÉ, directeur de l'U.E.R. de théologie et de sciences religieuses, Institut catholique de Paris.

Balthasar FISCHER, professeur honoraire à la Faculté de théologie catholique de Trèves.

Jean GAUDEMET, professeur honoraire à l'Université de droit, d'économie et de sciences sociales de Paris, directeur d'études à l'École pratique des Hautes Études.

Miguel S. GROS, professeur à l'Institut de liturgie de Barcelone, directeur des *Archives* de Vich.

Angelus A. HÄUSSLING, o.s.b., directeur de l'*Archiv für Liturgiewissenschaft*, professeur de liturgie et de théologie sacramentaire à la *Philosophisch-Theologische Hochschule* des Salésiens de Don Bosco, Benediktbeuern.

Carol HEITZ, professeur à l'Université de Paris-X Nanterre.

Albert Houssiau (Mgr), évêque de Liège, ancien professeur invité de l'Institut supérieur de liturgie, Institut catholique de Paris.

Michel Huglo, maître de recherches honoraire au C.N.R.S.

Pierre Jounel (Mgr), professeur honoraire à l'Institut supérieur de liturgie, Institut catholique de Paris.

Georg Kretschmar, professeur à la Faculté de théologie protestante, Munich.

Jacques Le Goff, directeur d'études à l'École des Hautes Études en sciences sociales.

Hervé Legrand, o.p., professeur à l'U.E.R. de théologie et de sciences religieuses, Institut catholique de Paris.

René Mouret, chargé d'enseignement à l'Institut supérieur de liturgie, Institut catholique de Paris.

Éric Palazzo, Université de Paris-X Nanterre, assistant à l'Institut supérieur de liturgie, Institut catholique de Paris.

Roger E. Reynolds, professeur au Pontifical Institute of Mediaeval Studies, Toronto.

Pierre Riché, professeur émérite à l'Université de Paris-X Nanterre.

Jean-Marie Sellès, doctorand à l'Institut supérieur de liturgie, Institut catholique de Paris.

Thomas J. Talley, professeur de liturgie au General Theological Seminary, New York.

Jean Vezin, directeur d'études à l'École pratique des Hautes Études, section IV.

ARTICLES

SIGLES UTILISÉS

AH	Analecta hymnica, Leipzig
ALW	Archiv für Liturgiewissenschaft, Regensburg
AnBoll	Analecta Bollandiana, Bruxelles
AThR	Anglican Theological Review, New York
BA	Bibliothèque augustinienne, Paris
CAO	Corpus antiphonalium officii, Rome
CChr	Corpus christianorum seu nova Patrum collectio, Turnhout
CCSL	Corpus christianorum series latina, Turnhout
CJC	Codex juris canonici
CLB	Collectanea biblica latina, Rome
COD	Conciliorum œcumenicorum decreta, Bologne
CSCO	Corpus scriptorum christianorum orientalium, Louvain
CSEL	Corpus scriptorum ecclesiasticorum latinorum, Vienne
CT	Corpus troporum, Stockholm
DA	Deutsches Archiv für Erforschung des Mittelalters, Cologne-Graz
DACL	Dictionnaire d'archéologie chrétienne et de liturgie, Paris
DBS	Dictionnaire de la Bible, supplément, Paris
DC	Documentation catholique, Paris
DS	Dictionnaire de spiritualité, Paris
DTC	Dictionnaire de théologie catholique, Paris
DZKR	Deutsche Zeitschrift für Kirchenrecht, Tübingen
DzS	Denzinger-Schönmetzer, Enchiridion symbolorum, Fribourg
ELit	Ephemerides liturgicae, Rome
EThL	Ephemerides theologicae lovanienses, Louvain
FKDG	Forschungen zur Kirchen- und Dogmengeschichte, Göttingen
FRLANT	Forschungen zur Religion und Literatur des Alten und Neuen Testaments, Göttingen
HBS	Henry Bradshaw Society, Londres
HF	Grégoire de Tours, Historia Francorum
HThR	The Harvard Theological Review, Cambridge Mass.
JAMS	Journal of the American Musicological Society, Richmond, Va.
JEH	The Journal of Ecclesiastical History, Londres
JLW	Jahrbuch für Liturgiewissenschaft, Münster
JThS	The Journal of Theological Studies, Londres
LD	Collection « Lectio divina », Cerf, Paris

LEF	Lex ecclesiae fundamentalis
LJ	Liturgisches Jahrbuch, Münster
LMD	La Maison-Dieu, Paris
LO	Collection « Lex orandi », Cerf, Paris
Mansi	J.D. Mansi, Sacrorum conciliorum nova et amplissima collectio, Florence-Venise
MGH	Monumenta Germaniae historica inde ab 500 usque ad a. 1500, Hanovre-Berlin (SRM : scriptores rerum merovingicarum)
MS	Mediaeval Studies, Pontifical Institute of Mediaeval Studies, Toronto
NC	Credo de Nicée-Constantinople
NRTh	Nouvelle revue théologique, Tournai-Louvain-Paris
NTS	New Testament Studies, Cambridge-Washington
OAKR	Österreichisches Archiv für Kirchenrecht, Vienne
OBO	Orbis biblicus orientalis, Fribourg
OrChr	Oriens christianus, Wiesbaden
OCA	Orientalia christiana analecta, Rome
OCP	Orientalia christiana periodica, Rome
OrSyr	L'Orient syrien, Paris
PL	J.-P. Migne, Patrologia latina, Paris
POr	Patrologia orientalis, Paris
PRE	Pirqué de Rabbi Eliezer, Paris
PsA	« Quicumque » dit du Pseudo-Athanase
QD	Questiones disputatae, Fribourg
QFR	Quellen und Forschungen zur Reformationsgeschichte, Gütersloh
RB	Revue biblique, Paris
RBén	Revue bénédictine, Maredsous
RDC	Revue de droit canonique, Strasbourg
REDMF	Rerum ecclesiasticarum documenta, Series maior, Fontes, Rome
RHEF	Revue d'histoire de l'Église de France, Paris
RHLR	Revue d'histoire et de littérature religieuses, Paris
RivAC	Rivista di archeologia cristiana, Rome
RQ	Römische Quartalschrift für christliche Altertumskunde und für Kirchengeschichte, Fribourg-en-Brisgau
RSPT	Revue des sciences philosophiques et théologiques, Paris
RSR	Recherches de science religieuse, Paris
RThom	Revue thomiste, Paris
SC	Collection « Sources chrétiennes », Paris (même sigle, en *italique* : Vatican II, Sacrosanctum Concilium)
SdA	Symbole des apôtres
SLS	Studia latina Stockholmiensia, Stockholm
SPCK	The Society for Promoting Christian Knowledge, Londres
Speculum	Speculum. A Journal of Mediaeval Studies, Cambridge Mass.

SVRG	Schriften des Vereins für Reformationsgeschichte, Gütersloh
ThStK	Theologische Studien und Kritiken, Gotha
TRE	Theologische Realenzyklopädie, Berlin-New York
TThSt	Trierer theologische Studien, Trèves
TThZ	Trierer theologische Zeitschrift, Trèves
TU	Texte und Untersuchungen zur Geschichte der altchristlichen Literatur, Leipzig-Berlin
VIEG	Veröffentlichungen des Instituts für europäische Geschichte, Mayence-Wiesbaden
Vig Chr	Vigiliae christianae, Amsterdam
VT	Vetus Testamentum, Leyde
WA	M. Luther, Werke, Kritische Gesamtausgabe (Weimarer Ausgabe)
WMANT	Wissenschaftliche Monographien zum Alten und Neuen Testament, Neukirchen
ZAW	Zeitschrift für die alttestamentliche Wissenschaft, Berlin
ZKTh	Zeitschrift für katholische Theologie, Innsbruck
ZThK	Zeitschrift für Theologie und Kirche, Tübingen

BIBLIOGRAPHIE DU P. PIERRE-MARIE GY

I. ARTICLES

1. « Carême », dans l'encyclopédie *Catholicisme*, t. II, Paris 1950, col. 547-555.

2. « Projets de réforme du bréviaire », *LMD* 21, 1950, 110-128.

3. « Les rites de la communion eucharistique », *LMD* 24, 1950, 141-160.

4. « Signification pastorale des prières du prône », *LMD* 30, 1952, 125-136.

5. « Quamprimum. Note sur le baptême des enfants », *LMD* 32, 1952, 124-128.

6. « L'Ordre », dans *Initiation théologique* par un groupe de théologiens, t. IV, Paris 1954, 701-720.

7. « Le rite sacramentel du mariage et la tradition liturgique », *RSPT* 38, 1954, 258-263.

8. « Semaine sainte et triduum pascal », *LMD* 41, 1955, 7-15.

9. « Les funérailles d'après le rituel de 1614 », *LMD* 44, 1955, 70-82, repris, avec des modifications, dans A.-G. Martimort (éd.), *L'Église en prière*, 1ʳᵉ éd., Tournai 1961, 515-530.

10. « La réforme de la semaine sainte et le principe de la pastorale liturgique », *LMD* 45, 1956, 9-15.

11. « L'encyclique "Musicae sacrae disciplina" et la pastorale liturgique », *LMD* 45, 1956, 143-157.

12. « Le rituel du mariage », dans *Compagnie de Saint-Sulpice : Bulletin du Comité des Études*, t. II, n° 14, 1956, 246-266.

13. « Remarques sur le vocabulaire antique du sacerdoce chrétien », dans *Études sur le sacrement de l'ordre* (LO, 22), Paris 1957, 125-145.

14. « Les origines liturgiques du lavement des pieds », *LMD* 49, 1957, 50-53.

15. « Histoire liturgique du sacrement de pénitence », *LMD* 56, 1958, 5-21.

16. « Expositiones Missae », dans *Compagnie de Saint-Sulpice : Bulletin du Comité des Études*, t. III, n° 22, 1958, 223-232.

17. « Histoire liturgique du sacrement de confirmation », *LMD* 58, 1959, 135-145.

18. « Die Segnung von Milch und Honig in der Osternacht », dans

B. Fischer-J. Wagner (éd.), *Paschatis Sollemnia. Studien zu Osterfeier und Osterfrömmigkeit (Festschrift J.A. Jungmann)*, Bâle-Fribourg-Vienne 1959, 206-212.

19. « Les rites de bénédiction dans le Rituel », dans *Compagnie de Saint-Sulpice : Bulletin du Comité des Études*, t. III, n° 26, 651-659.

20. « Collectaire, rituel, processionnal », *RSPT* 44, 1960, 441-469.

21. « Le mystère pascal dans le renouveau liturgique : esquisse d'un bilan liturgique », *LMD* 67, 1961, 23-32.

22. « L'antiphonaire de l'Office », dans *Compagnie de Saint-Sulpice : Bulletin du Comité des Études*, t. V, n° 32, 1961, 21-28.

23. « Le nouveau rite du baptême des adultes », *LMD* 71, 1962, 15-27.

24. « Qu'est-ce qu'un catéchumène ? », *LMD* 71, 1962, 28-31.

25. « L'ordination diaconale dans le rite romain », dans *Compagnie de Saint-Sulpice : Bulletin du Comité des Études*, t. VI, n° 36, 1962, 38-45.

26. « Les premiers bréviaires de Saint-Gall (deuxième quart du XIᵉ s.) », dans W. Dürig (éd.), *Liturgie, Gestalt und Vollzug (Festschrift J. Pascher)*, Munich 1963, 104-113.

27. « Rénovation liturgique du mariage », dans *Liturgie et Missions* (33ᵉ semaine de missiologie, Louvain 1963), Louvain 1964, 132-143.

28. « Le renouveau liturgique dans le monde », *LMD* 74, 1963, 39-45.

29. « Esquisse historique de la Constitution conciliaire *De sacra liturgia* », *LMD* 76, 1963, 7-17 (reproduit, avec des additions, dans J.-P. Jossua-Y. Congar (éd.), *La Liturgie après Vatican II. Bilans, études, prospectives* (Unam Sanctam, 66), Paris 1967, 111-126.

30. « Lectures de la messe et liturgie comparée », dans *Compagnie de Saint-Sulpice : Bulletin du Comité des Études*, t. VII, n° 44, 1963, 286-298.

31. Collaboration au « Commentaire complet de la Constitution conciliaire sur la liturgie », *LMD* 77, 1964, 30-41, 110-113, 125-127, 128-132, 159-176.

32. « Le motu proprio *Sacram Liturgiam* du 25 janvier 1964 », *LMD* 78, 1964, 145-147.

33. « Les traductions françaises du missel : compte rendu du travail », *LMD* 83, 1965, 158-167.

34. « The Word of God in the Liturgy », dans C. Braga-A. Bugnini (éd.), *The Commentary and the Instruction on the Sacred Liturgy*, trad. V.P. Mallon, New York 1965, 107-109.

35. « Vie liturgique de l'Église », dans *Histoire générale des Églises de France, Belgique, Luxembourg, Suisse*, Paris 1966, 385-396.

36. « Commentaire de l'Instruction *In edicendis normis* », *LMD* 85, 1966, 206-211.

37. « La question du système des lectures de la liturgie byzantine », dans *Miscellanea liturgica in onore di S.E. il Cardinale G. Lercaro*, t. II, Rome 1967, 251-261.

38. « The Vernacular in the Mass », dans *Studies in Pastoral Liturgy* III, Dublin 1967, 11-28.

39. « La nouvelle prière eucharistique de la liturgie anglicane », *LMD* 94, 1968, 139-142.

40. « Ordres et fonctions dans l'assemblée liturgique », dans *Compagnie de Saint-Sulpice : Bulletin du Comité des Études*, t. XI, n° 52, 1968, 180-189.

41. « Le nouveau rituel romain du mariage », *LMD* 99, 1969, 124-143.

42. « Le nouveau rituel des funérailles », *LMD* 101, 1970, 15-32.

43. « Un document de la Congrégation pour la Doctrine de la Foi sur le baptême des petits enfants », *LMD* 104, 1970, 41-45.

44. « La troisième Instruction pour une juste application de la Constitution conciliaire sur la liturgie », *LMD* 104, 1970, 167-171.

45. « Commentaire de la Notification de la Congrégation pour le Culte divin sur le Missel romain, la Liturgie des Heures et le Calendrier », *LMD* 107, 1971, 54-58.

46. « Le Sanctus romain et les anaphores orientales », dans *Mélanges liturgiques offerts au R.P. Dom Bernard Botte*, Louvain, 1972, 167-174.

47. « Die Taufkommunion der kleinen Kinder in der lateinischen Kirche », dans H. Auf der Maur-B. Kleinheyer (éd.), *Zeichen des Glaubens. Studien zu Taufe und Firmung, Balthasar Fischer zum 60. Geburtstag*, Zurich-Einsiedeln-Cologne 1972, 485-491.

48. « L'Office des Brigittines dans le contexte général de la liturgie médiévale », dans *Nordiskt Kolloqvium II i Latinsk liturgiforskning*, Stockholm 1972, 13-24.

49. « Histoire et éléments permanents de la prière chrétienne » (à propos de J.A. Jungmann, *Christliches Beten in Wandel und Bestand*, Munich 1969), *LMD* 109, 1972, 137-139.

50. « Problèmes de théologie sacramentaire », *LMD* 110, 1972, 129-142.

51. « La responsabilité des évêques par rapport au droit liturgique », *LMD* 112, 1972, 9-24.

52. « Le nouveau rituel romain des malades », *LMD* 113, 1973, 29-49.

53. « L'œuvre scientifique de Dom Botte », *LMD* 114, 1973, 141-146.

54. « Le précepte de la confession annuelle (Latran IV, c.21) et la détection des hérétiques. S. Bonaventure et S. Thomas contre S. Raymond de Peñafort ? », *RSPT* 58, 1974, 444-450.

55. « La théologie des prières anciennes pour l'ordination des évêques et des prêtres », *RSPT* 58, 1974, 599-617.

56. « Les bases de la pénitence moderne », *LMD* 117, 1974, 63-85 (reproduit dans *Liturgie et rémission des péchés* (Conférences Saint-Serge 1973), Rome 1975, 115-137).

57. « Le statut ecclésiologique de l'apostolat des Prêcheurs et des Mineurs avant la querelle des Mendiants », *RSPT* 59, 1975, 79-88.

58. « L'unification liturgique de l'Occident et la liturgie de la Curie romaine », *RSPT* 59, 1975, 601-612 (reproduit dans *Liturgie de l'Église particulière et liturgie de l'Église universelle* (Conférences Saint-Serge 1975), Rome 1976, 155-167).

59. « Typologie et ecclésiologie des livres liturgiques médiévaux », *LMD* 121, 1975, 7-21.

60. « L'œuvre liturgique de Josef Andreas Jungmann », *LMD* 121, 1975, 159-165.

61. « La nouvelle Congrégation pour les sacrements et le culte divin », *LMD* 124, 1975, 7-13.

62. Article « Liturgie : 5. Liturgies occidentales (du Ve s. à Vatican II) », *DS* t. IX, fasc. 62-63, 1975, col. 899-912 (reproduit dans le volume *Liturgie et vie spirituelle*, Paris 1977, 56-83).

63. « Évangélisation et sacrements au Moyen Age », dans Ch. Kannengiesser-Y. Marchasson (éd.), *Humanisme et foi chrétienne*. Mélanges scientifiques du centenaire de l'Institut catholique de Paris, Paris 1976, 565-572.

64. « Montaillou et la pastorale sacramentelle », *LMD* 125, 1976, 127-132.

65. « Le mariage en France aujourd'hui » (à propos de L. Roussel, *Le Mariage dans la société française contemporaine*, Paris 1975), *LMD* 127, 1976, 161-173.

66. « La réforme liturgique de Trente et celle de Vatican II », *LMD* 128, 1976, 61-75.

67. « La liturgie dans les églises au Moyen Age », dans *Art et Liturgie au Moyen Age* (Exposition), Paris 1976, 19-21.

68. « Fonctionnement et signification de la prière universelle en Occident », *LMD* 129, 1977, 148-152.

69. « Eucharistie et "Ecclesia" dans le premier vocabulaire de la liturgie chrétienne », *LMD* 130, 1977, 19-34.

70. « La notion chrétienne d'initiation », *LMD* 132, 1977, 33-54.

71. « Le sacrement de mariage exige-t-il la foi ? La position médiévale », *RSPT* 61, 1977, 437-442.

72. « Ceremoni, liturgi, kultus. Udkast til disse ords historie i nyere tid », *Lumen. Katolsk teologisk Tidskrift* 20, 1977, 222-226.

73. « Quand et pourquoi la communion dans la bouche a-t-elle remplacé la communion dans la main dans l'Église latine ? », dans *Gestes et paroles dans les diverses familles liturgiques* (Conférences Saint-Serge 1977), Rome 1978, 117-121.

74. « La notion de validité sacramentelle avant le concile de Trente » (Mélanges J. Gaudemet), *RDC* 28, 1978, 192-202.

75. « Liturgie et piété populaire dans le Moyen Age postcarolingien », *Nordisk Kolloqvium IV i Latinsk Liturgiforskning*, Oslo 1978, 46-52.

76. « Espace et célébration comme question théologique », *LMD* 136, 1978, 39-46.

77. « L'Eucharistie dans la tradition de la prière et de la doctrine », *LMD* 137, 1979, 81-102.

78. « Les anciennes prières d'ordination », *LMD* 138, 1979, 93-122 (traduit en anglais dans W. Vos-G. Wainwright (éd.), *Ordination Rites*, Rotterdam 1980, 70-93).

79. « Le sacrement de pénitence d'après le Rituel romain de la pénitence de 1974 », *LMD* 139, 1979, 125-138.

80. « Le précepte de la confession annuelle et la nécessité de la confession », *RSPT* 63, 1979, 529-547.

81. « Les paroles de la consécration et l'unité de la prière eucharistique selon les théologiens de Pierre Lombard à S. Thomas d'Aquin », dans G.J. Bekes-G. Farnedi (éd.), *Lex Orandi Lex Credendi. Miscellanea in onore di P. Cipriano Vagaggini,* Rome 1980, 221-233.

82. « L'Office du Corpus Christi et S. Thomas d'Aquin. État d'une recherche », *RSPT* 84, 1980, 491-507.

83. « La lettre *Dominicae Cenae* de Jean-Paul II sur l'Eucharistie », *LMD* 141, 1980, 7-36.

84. « Dom Bernard Botte (1893-1980) », *LMD* 141, 1980, 167-169.

85. « Théologie sacramentaire des Pères dans le lectionnaire de la Liturgie des Heures », *LMD* 143, 1980, 137-151.

86. « Le christianisme et l'homme devant la mort », *LMD* 144, 1980, 7-23.

87. « Le texte original de la *Tertia Pars* de la *Somme théologique* de S. Thomas d'Aquin dans l'apparat critique de l'édition léonine; le cas de l'Eucharistie », *RSPT* 65, 1981, 608-616.

88. « Le vocabulaire liturgique latin du Moyen Age », dans (Colloques internationaux du C.N.R.S. :) *La Lexicographie du latin médiéval et ses rapports avec les recherches actuelles sur la civilisation du Moyen Age* (1978), Paris 1981, 295-301.

89. « La place de l'Ange dans la liturgie de Vatican II », dans *Colloque sur l'Ange (26-28 juin 1981),* Pont-à-Mousson 1981, 179-186.

90. « La liturgie et la formation des futurs prêtres », *Bulletin de Saint-Sulpice* 7, 1981, 174-183.

91. « La *lex orandi* dans la liturgie des funérailles », *Communio* 6/1, janvier 1981, 72-77.

92. « La formule "Je te baptise" *(Et ego te baptizo)* », dans *Communio Sanctorum. Mélanges offerts à J.-J. von Allmen,* Genève 1982, 65-72.

93. « Rapports entre sources liturgiques et sources non liturgiques au Moyen Age », dans *Nordisk Kolloqvium V for Latinsk Liturgiforskning (14-17 juni 1981),* Aarhus 1982, 79-83.

94. « L'Ordinaire de Mende, une œuvre inédite de Guillaume Durand l'Ancien », dans *Liturgie et Musique (IXᵉ-XIVᵉ s.)* (Cahiers de Fanjeaux, 17), Toulouse 1982, 239-249.

95. « La réforme liturgique de Vatican II en perspective historique », dans P. Jounel-R. Kaczynski-G. Pasqualetti (éd.), *Liturgia opera divina e umana. Studi sulla riforma liturgica offerti a S.E. Mons. A. Bugnini in occasione del suo 70° compleanno,* Rome 1982, 45-58.

96. « L'Office du *Corpus Christi* et la théologie des accidents eucharistiques », *RSPT* 66, 1982, 81-86.

97. « The Liturgist's Task », dans K. Stevenson (éd.), *Liturgy Reshaped* (Mélanges G. Cuming), Londres 1982, 1-3.

98. « La relation au Christ dans l'Eucharistie selon S. Bonaventure et S. Thomas », dans J. Doré (éd.), *Sacrements de Jésus-Christ*, Paris 1983, 69-106.

99. Articles « Benedictional », « Benedictions », « Collectarium », dans *Dictionary of the Middle Ages*, t. II et III, New York 1983.

100. « Les tropes dans l'histoire de la liturgie et de la théologie », dans G. Iversen (éd.), *Research on Tropes (Proceedings of a Symposium organized by the Royal Academy of Literature, History and Antiquities and the Corpus Troporum, Stockholm June 1-3 1981)*, Stockholm 1983, 7-16.

101. « Les livres liturgiques de l'Église de Mende », dans *Mens concordet voci. Mélanges pour Mgr Martimort*, Paris 1983, 497-507.

102. « Histoire de la liturgie en Occident jusqu'au concile de Trente », dans A.-G. Martimort (éd.), *L'Église en prière* (nouvelle édition), t. I, *Principes de la liturgie*, Paris 1983, 57-73.

103. « Les changements dans les *Praenotanda* des livres liturgiques à la suite du Code de droit canonique », *Notitiae* 20, 1983, 556-561.

104. « La Pénitence et la Réconciliation », dans A.-G. Martimort (éd.), *L'Église en prière* (nouvelle édition), t. III, *Les sacrements*, Paris 1984, 116-131.

105. « La Bible et la Liturgie au Moyen Age », dans P. Riché-G. Lobrichon (éd.), *Le Moyen Age et la Bible* (Bible de tous les temps, 4), Paris 1984, 537-552.

106. Articles « Hymnes », « Liturgie », « Sacrements », « Sacrifice eucharistique », dans *Dictionnaire des religions*, Paris 1984.

107. « L'influence des chanoines de Lucques sur la liturgie du Latran », Mélanges Antoine Chavasse, *RSR* 58, 1984, 31-41.

108. « Culte et culture. Point de vue théologique », *LMD* 159, 1984, 83-89.

109. « L'Institut supérieur de Liturgie de Paris », *Notitiae* 21, 1984, 568-569.

110. « Sacraments and Liturgy in Latin Christianity », dans B. McGinn-J. Meyendorff (éd.), *Christian Spirituality. Origins to the Twelfth Century* (World Spirituality : An Encyclopedic History of the Religious Quest, 16), New York 1985, 365-381.

111. « La réforme liturgique et les sacrements aujourd'hui », *Les Quatre Fleuves* 21-22, 1985, 115-122.

112. « Les fonctions liturgiques des laïcs », dans (Congregazione per il Culto Divino :) *Atti del Convegno dei Presidenti et Segretari delle Commissioni nazionali di Liturgia (Città del Vaticano, 23-28 ottobre 1984)*, Padoue 1986 (texte publié également dans *Notitiae* 20, 1984, 796-805 ; *LMD* 162, 1985, 43-54).

113. « Les définitions de la confession après le quatrième concile du Latran », dans *L'Aveu. Antiquité et Moyen Age* (Table ronde, École française de Rome, 1984), Rome 1986, 283-296.

114. « Le *Corpus Antiphonalium Officii* et les antiphonaires carolin-

giens », dans (Colloques internationaux du C.N.R.S. :) *Grégoire le Grand (Chantilly, 16-19 septembre 1982)*, Paris 1986, 645-648.

115. « Le problème de la confirmation dans l'Église catholique », *LMD* 168, 1986, 7-13.

116. « De trinitaire structuur van het liturgisch gebed », *Tijdschrift voor Liturgie* 70, 1986, 416-419.

117. « Les quartodécimans et les origines de la fête chrétienne de Pâques », *Le Monde de la Bible* 43, 1986, 39.

118. « La doctrine eucharistique dans la liturgie romaine du haut Moyen Age », dans *Segni e riti nella Chiesa altomedievale occidentale*, Spolète 1987, 533-554.

119. « L'inculturation dans la liturgie romaine ancienne », dans *Médiations africaines du sacré*, Kinshasa 1987, 473-482.

120. « Les répons de l'Office nocturne pour la fête de S. Martin », dans G. Farnedi (éd.), *Traditio et Progressio. Studi liturgici in onore del Prof. Adrien Nocent O.S.B.*, Rome 1988, 215-223.

121. « Le trésor des hymnes », *LMD* 173, 1988, 19-40.

122. « Odnowa liturgiczna we Francji » (Le mouvement liturgique français), *Ruch Biblijny i Liturgiczny* (Cracovie) 41, 1988, 168-177.

123. « "Sacrosanctum Concilium" dans l'espace francophone », *Notitiae* 25, 1989, 73-74.

124. « La liturgie des chanoines réguliers de Saint-Ruf », dans *Le Monde des chanoines (XIᵉ-XIVᵉ s.)* (Cahiers de Fanjeaux, 24), Toulouse 1989, 181-193.

125. « La Papauté et le droit liturgique aux XIIᵉ et XIIIᵉ s. », dans Christopher Ryan (éd.), *The Religious Roles of the Papacy : Ideals and Realities, 1150-1300* (Papers in Mediaeval Studies, 8), Toronto 1989, 229-245.

126. « La liturgie entre la fonction didactique et la mystagogie », *LMD* 177, 1989, 7-18.

127. « Tradition vivante, réforme liturgique et identité ecclésiale », *LMD* 178, 1989, 93-106.

128. « L'inculturation de la liturgie chrétienne en Occident », *LMD* 179, 1989, 15-30.

129. « Les mots de l'Eucharistie », *Catéchèse* 118-119, 1990, 47-52.

130. « Les *Origines du culte chrétien* de Mgr Duchesne (1889). Une grande date dans les études liturgiques », *LMD* 181, 1990.

Sous presse

131. « La géographie des tropes dans la géographie liturgique du Moyen Age carolingien et postcarolingien », dans *Quatrième Colloque européen sur les tropes*, Pérouse 1987.

132. « The Missal of a Church adjacent to the Lateran », dans *Congrès international de musicologie*, Melbourne 1988.

133. « La mise en page du Canon de la messe et du bréviaire », dans J. Vezin (éd.), *La Mise en page des livres au Moyen Age.*

134. « The Catholic Liturgy within the Unity of the Living Tradition », *Music and Liturgy* 1989.

135. « Ecclésiologie de la cathédrale », *Actes du Congrès scientifique pour le IXe centenaire de la dédicace de la cathédrale de Braga*, Braga 1990.

136. « Different Forms of Liturgical Libelli », dans *Memorial Rasmussen*, Washington D.C. 1990.

137. « Du baptême pascal des petits enfants au baptême quamprimum » *Mélanges P. Riché*, Paris 1990.

II. BULLETINS

Dans la *Revue des sciences philosophiques et théologiques*

1. « Bulletin de liturgie », 34, 1950, p. 58-73.
2. « Bulletin de liturgie », 36, 1952, p. 290-324.
3. « Bulletin d'histoire des doctrines chrétiennes : Moyen Age », 37, 1953, p. 521-536.
4. « Bulletin de liturgie », 38, 1954, p. 582-612.
5. « Bulletin de théologie dogmatique (en collaboration avec A. Patfoort) », 39, 1955, p. 687-688, 694-710.
6. Collaboration au « Bulletin de théologie dogmatique », 41, 1957, p. 550-552.
7. « Bulletin de liturgie », 42, 1958, p. 152-169, 736-748.
8. Collaboration au « Bulletin de théologie dogmatique », 43, 1959, p. 723-724, 731-736.
9. Collaboration au « Bulletin de théologie dogmatique : sacrements », 47, 1963, 322-330.
10. « Bulletin de liturgie », 63, 1979, p. 289-299, 601-613.
11. « Bulletin de liturgie », 64, 1980, p. 279-290.
12. « Bulletin de liturgie », 66, 1982, p. 463-477.
13. « Bulletin de liturgie », 67, 1983, p. 312-320.
14. « Bulletin de liturgie », 68, 1984, p. 265-273.
15. « Bulletin de liturgie », 69, 1985, p. 310-319.
16. « Bulletin de liturgie », 70, 1986, p. 271-280.
17. « Bulletin de liturgie », 71, 1987, p. 115-122.
18. « Bulletin de liturgie », 72, 1988, p. 313-324.
19. « Bulletin de liturgie », 73, 1989, p. 104-114.

III. RECENSIONS

1. Recensions diverses dans *Bulletin thomiste*, VII, 1943-1946 (publié 1952), n°s 1283-1287.

2. Recensions diverses dans *Bulletin thomiste*, VIII, 1947-1953 (publié 1954), n⁰ˢ 159-162, 217, 2210-2213, 2227, 2228, 2232-2300, 2319-2330, 2477.

3. Recensions diverses dans *Bulletin thomiste*, IX, 1954-1956 (publié 1958), n⁰ˢ 127, 128, 355, 356, 1716-1720.

4. Recension de A. Stenzel, *Die Taufe. Eine genetische Erklärung der Taufliturgie*, Innsbruck 1958, *LMD* 58, 1959, p. 147-148.

5. Recensions diverses dans *Bulletin thomiste*, X, 1957-1959 (publié 1961), n⁰ˢ 1737-1738, 1746-1754, 1776-1789.

6. Recension de Ph. Sellier, *Pascal et la liturgie*, Paris 1966, *LMD* 87, 1966, p. 157-158.

7. Recension de I. Furberg, *Das Pater Noster in der Messe*, Lund, 1968, *LMD* 103, 1970, p. 154-155.

8. Recensions de H. Vinck, *Les Réformes liturgiques de 1911-1914*, Paris 1971 ; A. Goossens, *Alliance et Grâce. Le sacrement de l'eucharistie selon Gabriel Biel (1410-1495)*, Paris 1971, *LMD* 109, 1972, p. 172-174.

IV. PRÉFACES

1. J.-B. Molin, P. Mutembe, *Le Rituel du mariage en France du XII⁰ au XVI⁰ siècle*, Paris 1974, p. 5-6.

2. J.-B. Ryan, *The Eucharistic Prayer*, New York-Paramus-Toronto 1974, p. 1-2.

3. P. De Clerck, *La « prière universelle » dans les liturgies latines anciennes*, (Liturgiewissenschaftliche Quellen und Forschungen, 62), Münster 1977, p. XIII-XIV.

4. P. Rocha, *L'Office divin au Moyen Age dans l'Église de Braga*, Paris 1980, p. VII-IX.

5. J.-J. von Allmen, *Célébrer le salut. Doctrine et pratique du culte chrétien*, Paris 1981, p. 9-10.

6. *Tropaires de la Bibliothèque nationale* (catalogue d'exposition), Paris 1985, p. 1-2.

7. E. Cothenet, *Exégèse et liturgie*, Paris 1988, p. 7-8.

UNE CURIEUSE ILLUSTRATION
DE LA FÊTE-DIEU :
L'ICONOGRAPHIE DU CHRIST
PRÊTRE ÉLEVANT L'HOSTIE
ET SA DIFFUSION

François AVRIL

Les étapes de l'adoption de la Fête-Dieu (ou *Corpus Christi* ou Saint Sacrement de l'autel) dans la liturgie romaine sont bien connues : promulguée une première fois par le pape Urbain IV dans la bulle *Transiturus* du 11 août 1264, l'institution de la fête fut renouvelée solennellement lors du concile de Vienne de 1311 par la bulle *Si Dominum* du pape Clément V. En 1318, Jean XXII lui donnait une octave et prescrivait de porter l'eucharistie en procession solennelle [1]. Ce n'est qu'à partir de cette époque, semble-t-il, que la célébration de la Fête-Dieu se répandit largement dans la pratique religieuse [2]. Comme l'a bien mis en évidence le père Gy, l'instauration de la nouvelle fête fut l'occasion pour la papauté d'affirmer son rôle prééminent dans le domaine liturgique : la bulle de 1264 comportait en effet en annexe les textes de l'office et de la messe que le pape entendait voir utilisés pour cette fête dans toute la chrétienté. Suivant le témoignage d'un contemporain, Ptolémée de Lucques, ces deux formulaires liturgiques

---

1. Pour un historique de l'adoption de la Fête-Dieu, on se reportera à l'article de R. Naz sur cette fête dans le *Dictionnaire de droit canonique*, t. V, Paris 1953, col. 832-883. Voir aussi C. Lambot, « L'office de la Fête-Dieu. Aperçus nouveaux de ses origines », dans *Revue bénédictine*, t. LIV, 1942, p. 61-66. Pour une importante mise au point récente sur la question de l'office, voir P.-M. Gy, « L'office du Corpus Christi et S. Thomas d'Aquin », *RSPT* 64, n° 4, 1980, p. 491-507.

2. D'après différents témoignages du temps (chronique anonyme parisienne, éd. dans *Mémoires de la Société de l'histoire de Paris*, t. XI, 1884, p. 34; autres chroniques, éd. dans *Recueil des historiens de la France*, t. XXI, p. 143 et 152), la Fête-Dieu ne fut adoptée à Paris qu'en 1318; cf. V. Leroquais, *Les Bréviaires manuscrits des bibliothèques publiques de France*, t. I, Paris, 1934, p. 113. Les dominicains l'inscrivirent au nombre des fêtes célébrées par leur ordre lors du chapitre général réuni à Lyon en 1318. Cf. Leroquais, *op. cit.*, p. XVI et l'article du père Gy cité à la note précédente (p. 491).

étaient le fait de saint Thomas d'Aquin, qui les aurait composés à la demande d'Urbain IV[3].

Une autre conséquence subsidiaire qui découla de l'instauration de la nouvelle fête fut l'apparition dans les manuscrits liturgiques, du moins dans ceux d'entre eux qui étaient enluminés, d'une nouvelle iconographie, ou plutôt de nouvelles iconographies, car ce n'est pas un thème unique, mais bien trois (pour ne s'en tenir qu'aux plus courants) qui furent utilisés tour à tour, dès l'origine, pour illustrer la fête. Il est difficile d'établir en fonction de quels critères les artistes ont choisi tantôt l'une et tantôt l'autre de ces scènes[4].

Un premier type d'illustration qui fut d'emblée très répandu était la représentation de l'institution eucharistique par le Christ au moment de la Cène : entouré des Apôtres disposés en cercle autour d'une table ronde, le Christ de face tient l'hostie sur laquelle il prononce les paroles de consécration. Cette illustration tirée des Évangiles a connu une large diffusion, en France, spécialement, à partir du milieu du XIVe siècle[5]. Certains artistes italiens de la même époque lui ont préféré une variante assez proche, mais

---

3. Cf. P.-M. Gy, art. cit., et, du même, « La papauté et le droit liturgique aux XIIe et XIIIe siècles », dans The Religious Role of the Papacy : Ideals and Realities 1150-1300, éd. par C. Ryan, Toronto 1989, p. 229-245.

4. Un missel-évangéliaire-épistolier adapté à l'usage de la Sainte-Chapelle (Lyon, Bibliothèque municipale, ms. 5122 + Paris, Bibliothèque de l'Arsenal ms. 161 + Londres, British Library, ms. Yates Thompson 34 ; cf. F. Avril, « Trois manuscrits de l'entourage de Jean Pucelle », dans la Revue de l'art, n° 9, 1970, p. 37-48) offre un exemple frappant de la coexistence d'iconographies différentes, à l'intérieur d'un même ensemble : le missel de Lyon et l'évangéliaire de l'Arsenal comportent la scène du Christ prêtre élevant l'hostie (interprétée très différemment dans les deux cas, cf. les fig. 5 et 6 du présent article), tandis que l'épistolier londonien présente, pour la même fête, une représentation de la Cène. Les mêmes variations se constatent dans les manuscrits liturgiques d'un ordre aussi centralisé que celui des Frères prêcheurs : dans le bréviaire de Belleville, la Fête-Dieu est illustrée par la scène du Christ prêtre élevant l'hostie, alors qu'un missel dominicain, à peine postérieur, puisque daté de 1336, comportait la Cène pour illustrer la même fête (Chartres, Bibliothèque municipale, ms. 581, f° 163 ; cf. V. Leroquais, Les Sacramentaires et missels manuscrits des bibliothèques publiques de France, t. II, Paris 1924, p. 243. Ce manuscrit a été détruit pendant la dernière guerre). Pour un aperçu assez superficiel et très incomplet de l'iconographie de la Fête-Dieu dans les manuscrits, voir G. de Boom, « Le culte de l'Eucharistie d'après la miniature du Moyen Age », dans Studia Eucharistica DCC anni a condito Festo SS. Corporis Christi, 1246-1946, Anvers, 1946, p. 326-332.

5. Les plus anciens exemples que j'ai rencontrés de la Cène comme illustration de la Fête-Dieu figurent dans le missel dominicain chartrain et dans l'épistolier parisien, Yates Thompson 34 de la British Library (cf. note précédente). Le premier est daté de 1336, le second étant datable d'après le style des enluminures des alentours de 1350. Également des environs de 1350 est un livre d'heures de la Vaticane (Chigi, D. V. 71) qui comporte la même scène comme illustration du petit office de la Fête-Dieu ; cf. G. Morello, Libri d'ore della Biblioteca apostolica Vaticana, Zurich 1988, fig. 112. D'après le style, ce très intéressant manuscrit est certainement à rattacher à la production toulousaine. La Cène illustre encore l'office ou la messe de la Fête-Dieu dans les manuscrits parisiens du premier quart du XVe siècle (bréviaire de Paris, Châteauroux, Bibliothèque municipale, ms. 2, f° 113 v ; missel de Denis de Moulins, Paris, Bibliothèque de l'Arsenal, ms. 621, f° 215 v ; Heures dites de Charles VI, Vienne, Bibliothèque nationale d'Autriche, cod. 1855, f° 128) : tous ces manuscrits ont été enluminés en tout ou en partie dans l'atelier du maître du duc de Bedford.

distincte, empruntée à l'iconographie byzantine, la Communion des Apôtres : le Christ debout de profil donne la communion aux Apôtres agenouillés devant lui [6].

Une autre illustration directement liée aux particularités liturgiques de la fête a également fait son apparition très tôt et s'est pratiquement imposée de façon quasi exclusive au cours du XVe siècle, du moins dans les manuscrits français : c'est la scène de la procession de la Fête-Dieu, dont les plus anciens témoins que je connaisse remontent également au milieu du XIVe siècle [7] (fig. 1).

Un troisième type d'illustration a été utilisé très tôt pour illustrer la Fête-Dieu. Il exprime de manière allusive le contenu profond de cette commémoration de l'institution eucharistique, à savoir le renouvellement de la présence réelle du Christ lors de chaque célébration de la messe, au moment où le prêtre prononce les paroles de la consécration du Pain et du Vin. La scène comporte deux variantes qui ont trop souvent été confondues, y compris par le chanoine Leroquais, qui se borne à les décrire comme figurant l'élévation de l'hostie. En réalité, si la scène représente bien ordinairement un prêtre officiant devant un autel, élevant l'hostie consacrée, on n'a pas pris garde que dans un certain nombre de cas le prêtre qui tient l'hostie n'est pas n'importe quel prêtre : il s'agit du Christ en personne, bien reconnaissable à son nimbe crucifère, et dont la nature divine est encore soulignée par la présence de l'ange (ou des anges) agenouillé(s) derrière Lui et jouant le rôle de servant de messe.

---

6. La scène du Christ donnant la communion aux Apôtres apparaît dans plusieurs manuscrits liturgiques de Pérouse et de Sienne : Pérouse, Biblioteca capitolare, ms. 13 (Antiphonaire C), f° 47 (cf. A. Caleca, *Miniature in Umbria I. La biblioteca capitolare di Perugia*, Florence 1969, fig. 542 et 544) ; ms. 38 (bréviaire), f° 226 (Caleca, op. cit., fig. 578) ; Sienne, Biblioteca comunale, cod. G.I.14, f° 88, manuscrit enluminé vers 1420 par Andrea di Bartolo (cf. le catalogue *Il Gotico a Siena*. Florence, 1982, reprod. p. 324). Au XVe siècle encore, le peintre Juste de Gand exécutait en 1474 un retable de la Communion des Apôtres pour la confrérie du *Corpus Domini* d'Urbino. Une variante exceptionnelle de la scène se trouve dans une célèbre miniature lombarde datée de 1438 de la collection Cini à Venise (cf. G. Mariani Canova, *Miniature dell'Italia settentrionale nella Fondazione Giorgio Cini*, Vicence, 1978, p. 37-39, n° 76, fig. 76 et pl. D ; bonne reproduction en couleur dans le récent catalogue *Arte in Lombardia tra Gotico e Rinascimento*, Milan, 1988, fig. 8). Dans cette initiale historiée tirée d'un antiphonaire et illustrant l'introït de la Fête-Dieu, le Maître des *Vitae Imperatorum* (je ne crois personnellement pas à l'attribution de cette œuvre à un artiste milanais distinct de ce dernier) a représenté le Christ distribuant la communion aux Apôtres, revêtu des attributs de la papauté, la tiare à triple couronne (*triregnum*) et la chape pontificale !

7. L'exemple reproduit ici fig. 1 provient d'un graduel à usage indéterminé, mais certainement exécuté à Paris vers 1340-1350. Je dois à Hélène Toubert la connaissance de ce manuscrit, conservé à la Bibliothèque des Pères maristes de Rome. Un autre témoin précoce de la procession de la Fête-Dieu apparaît dans un missel de Senlis, de la Bibliothèque de la Faculté de Médecine de Montpellier (ms. 261, f° 27). Il s'agit également d'une production parisienne des alentours de 1340-1350. La procession est également représentée dans deux manuscrits toulousains, le missel de Jean Tissandier évêque de Rieux, antérieur à 1344 (Toulouse, Bibliothèque municipale, ms. 90, f° 246 v) et un missel des ermites de Saint-Augustin daté de 1362 (Toulouse, Bibliothèque municipale, ms. 91, f° 147 v).

Fig. 1. *Procession de la Fête-Dieu*
(Graduel parisien, Rome, bibliothèque des Pères Maristes).

Fig. 2. *Le Christ prêtre élevant l'hostie*
(Bréviaire de Belleville, Paris, Bibl. nat., ms. latin 10484, fol. 86).

Fig. 3. *Le Christ prêtre élevant l'hostie*
(Bréviaire de Charles V, Paris, Bibl. nat., lat. 1052, fol. 157).

Fig. 4. *Le Christ prêtre élevant l'hostie*
(Missel de Saint-Vaast-d'Arras, Arras, bibl. munic., ms. 869, fol. 16).

Fig. 5. *Le Christ prêtre élevant l'hostie*
(Missel de Paris, Lyon, bibl. munic., ms. 5122, fol. 185v).

Fig. 6. *Le Christ prêtre consacrant l'hostie*
(Évangéliaire à l'usage de Paris, Paris, bibl. de l'Arsenal, ms. 161, fol. 139v).

Fig. 6 bis. *Le Christ prêtre élevant l'hostie*
(Missel des principales fêtes, Malibu, J.-Paul Getty Museum, ms. 36, fol. 53v).

Fig. 7. *Le Christ devant l'autel levant l'hostie*
(Bréviaire à l'usage d'Uzès, Paris, Bibl. nat., ms. latin 1046, fol. 214).

Fig. 8. *Le Christ prêtre consacrant l'hostie*
(Heures de Saluces, Londres, British Library, ms. Add. 27697, fol. 206).

Les deux variantes semblent avoir fait leur apparition à peu près simultanément, mais la première a eu une diffusion plus large : on la trouve principalement dans les manuscrits français d'origine méridionale (avignonnais notamment) et en Italie[8]. Elle n'est pas inconnue non plus en France du Nord, où elle tend à se substituer progressivement, à la fin du XIVe siècle, à l'image du Christ prêtre. La diffusion de cette dernière, au contraire, a été relativement restreinte dans le temps et dans l'espace : on la suit des années 1320 à 1390 environ, et on ne la rencontre pratiquement que dans les régions septentrionales de la France, et plus particulièrement en Ile-de-France.

Le traitement de la scène n'est pas uniforme, et l'on constate des différences plus ou moins marquées suivant les cas : en règle générale le Christ est représenté debout, de profil, devant un autel sur lequel repose un calice. Mais il arrive aussi qu'Il soit représenté de dos, le visage caché. Cette solution a été adoptée dans trois manuscrits qui dérivent manifestement d'un modèle commun (fig. 3, 5) (nos 6, 9 et 10 de la liste des témoins donnée ci-après). L'ange servant le Christ peut être figuré mains jointes, mais tient le plus souvent un long cierge torsadé allumé, symbole de la présence réelle du Christ (fig. 2, 3, 5). Exceptionnellement le geste du Christ élevant l'hostie est abandonné, le Christ, bras écartés, prononçant simplement les paroles de la Consécration, tandis que derrière Lui l'ange lève haut la patène (fig. 6). Occasionnellement, un personnage laïc représentant le ou la destinataire du manuscrit, assiste à l'événement (cf. nos 2

---

8. La scène du prêtre à l'autel élevant l'hostie est figurée dès le milieu du XIVe siècle dans un missel avignonnais de style italianisant toscan (Avignon, Bibliothèque municipale, ms. 135, fo 187 v) et dans le missel dit de Clément VII, d'une vingtaine d'années postérieur (Avignon, ms. 136, fo 186). On le retrouve vers 1390 dans le missel dit aussi de Clément VII (Paris, Bibliothèque nationale, ms. latin 848, fo 194) : ici la scène est plus élaborée et comporte de nombreux participants, dont un diacre élevant la patène. Le thème de l'élévation de l'hostie par le célébrant figure également dans divers livres d'heures avignonnais de la fin du XIVe siècle comme illustration de l'office du *Corpus Christi* inclus parmi le cycle des heures pour chaque jour de la semaine (Avignon, Bibliothèque municipale, ms. 225, fo 49 v et Vienne, Bibliothèque nationale d'Autriche, S.n. 9450, fo 223, cf. O. Pächt et D. Thoss, *Die illuminierten Handschriften und Inkunabeln der österreichischen Nationalbibliothek. Französische Schule,* I, Vienne, 1974, *Textband,* ill. 35, *Tafelband,* fig. 276). Le thème est fréquent également en Italie, ainsi vers 1330-1350 dans le très beau missel toscan attribué à Jacopo di Casentino (Florence, Seminario maggiore del Cestello, cod. 235, fo 184 ; cf. le catalogue *Codici liturgici miniati dei Benedettini in Toscana,* Florence, 1982, p. 150) et dans deux bréviaires toscans contemporains (Vallombreuse, Archivio dello Badia, Cod. V. 4, fo 271, cf. *ibid.,* p. 165 ; et Aschaffenburg, Hofbibliothek, ms. 15, fo 150, cf. J. Hofmann et H. Thurn, *Die Handschriften der Hofbibliothek Aschaffenburg,* Aschaffenburg 1978, p. 46). La scène apparaît également à Sienne dans deux graduels enluminés vers 1344 par Lippo Vanni (graduel de Casole d'Elsa, fo 82 v, et Graduel de la cathédrale de Sienne, fo 114 ; cf. *Il Gotico a Siena,* p. 266 et 271). Cette même iconographie fut connue très tôt dans la France du Nord (missel de Saint-Vaast d'Arras, fin XIIIe s. (?), Arras, Bibliothèque municipale, ms. 278, fo 112 v) et s'imposa définitivement à la fin du XIVe siècle (bréviaire de Bourges, vers 1400, Paris, Bibliothèque nationale, ms. latin 1043, fo 235 ; Heures Add. 16997 de la British Library [fo 145] enluminées vers 1410-1415 par le maître de Boucicaut (cf. M. Meiss, *French Painting in the Time of Jean de Berry : The Boucicaut Master,* Londres 1968, fig. 294).

et 14 de la liste ci-après). Enfin dans un cas, d'ailleurs tardif, le Christ est représenté clairement les pieds nus (n° 12 bis).

Voici par catégories de manuscrits liturgiques, une liste qui sans prétendre à l'exhaustivité, paraît assez représentative :

1. Bréviaire de Belleville (Paris, Bibl. nat., ms. latin 10484, f° 86) (fig. 2). Ce bréviaire dominicain, qui fit partie des collections de Charles V, est daté par Leroquais sur la base de considérations liturgiques, entre 1323 et 1326. Ce serait dans ce cas le plus ancien témoin datable du Christ élevant l'hostie, la Fête-Dieu ayant été adoptée par l'ordre dominicain en 1318, et l'office composé par saint Thomas d'Aquin en 1323[9].

2. Bréviaire à l'usage de Paris (Paris, Bibl. nat., ms. latin 13233, f° 661). Office de la Fête-Dieu ajouté vers 1330 à un manuscrit plus ancien vers 1290-1300. Une reine agenouillée assiste à la scène miraculeuse. Cf. Leroquais, *Bréviaires...*, t. III, p. 239 ; *La Librairie de Charles V*, Paris 1968, n° 130.

3. Bréviaire à l'usage des dominicaines de Poissy (Paris, Arsenal, ms. 603, f° 93). Travail parisien du 2e quart du XIVe siècle. Cf. Leroquais, *op. cit.*, t. II, p. 350.

4. Bréviaire franciscain (New York, Pierpont Morgan Library, ms. 149). Travail parisien des alentours de 1350 par l'un des illustrateurs de la Bible moralisée de Jean le Bon, Bibl. nat., ms. français 167. Cf. *Catalogue of Manuscripts ... and Early Printed Books ... now Forming Portion of the Library of J. Pierpont Morgan*, Londres 1908, p. 21, n° 42.

5. Fragment d'un bréviaire parisien du milieu du XIVe siècle (Paris, Bibl. nat., ms. nouv. acq. lat. 887, f° 39). Manuscrit contemporain de la Bible moralisée de Jean le Bon, Bibl. nat., ms. français 167. Cf. Leroquais, *op. cit.*, t. III, p. 411.

6. Bréviaire de Charles V (Paris, Bibl. nat., ms. latin 1052, f° 157) (fig. 3). Christ vu de dos. Enluminé vers 1364-1370 par Jean Le Noir, disciple de Jean Pucelle. Cf. Leroquais, *op. cit.*, t. III, p. 54 ; *Les Fastes du gothique. Le siècle de Charles V*, Paris 1981, n° 287.

7. Bréviaire à l'usage de Bourges (Bourges, ms. 16, f° 277). Manuscrit enluminé vers 1380-1390 par un disciple d'un des enlumineurs de Jean de Berry, le Pseudo-Jacquemart. Cf. Leroquais, *op. cit.*, t. I, p. 152.

8. Missel de Saint-Vaast d'Arras (Arras, ms. 869, f° 16) (fig. 4). Missel des principales fêtes, enluminé dans un style fortement influencé par Pucelle, vers 1330.

9. Missel de Saint-Vaast d'Arras (Paris, Bibl. nat., ms. nouv. acq. lat. 3180, f°73). Copie jumelle du précédent, dans un format plus réduit, enluminé par un disciple très proche de Jean Pucelle. Cf. *Les Fastes du gothique*, n° 243.

10. Missel à l'usage de Paris, adopté à l'usage de la Sainte-Chapelle

---

9. Cf. C. Lambot, art. cit. en n. 1, p. 61 et P.-M. Gy, art. cit., en n. 1, p. 491-492.

(Lyon, ms. 5122, f° 142 v) (fig. 5). Enluminé à Paris vers 1350 dans l'atelier de Jean Le Noir, disciple de Pucelle. Cf. F. Avril, « Trois manuscrits de l'entourage de Jean Pucelle », dans *Revue de l'art*, n° 9, 1970, p. 37-48; *Les Fastes du gothique*, n° 268.

11. Évangéliaire à l'usage de Paris (Paris, Arsenal, ms. 161, f° 139 v) (fig. 6). Manuscrit complémentaire du précédent avec l'épistolier Yates Thompson 34 de la British Library. Cf. F. Avril, art. cit., et *Les Fastes du gothique*, n° 269.

12. Missel de Paris, dit Missel Gotha (Cleveland, Museum of Art). Enluminé vers 1360-1370 à Paris dans l'atelier du maître de la Bible de Jean de Sy. Cf. W. Wixom, « A Missal for a King », dans *Bulletin of the Cleveland Museum of Art*, sept. 1963, p. 171.

12 bis. Missel des principales fêtes, enluminé à Paris (ou à Bourges ?) vers 1400-1410 par le pseudo-Jacquemart (ancienne collection Durrieu, aujourd'hui à Malibu, J.-Paul Getty museum, ms. 36, f° 53 v.). Dans ce manuscrit le Christ est représenté tonsuré et pieds nus (fig. 6 bis).

13. Exceptionnellement la scène du Christ prêtre élevant l'hostie apparaît également dans un bénédictionnaire de Saint-Germain-des-Prés, enluminé là encore dans un style assez voisin de Pucelle vers 1330-1340 (Paris, Bibl. nat., ms. latin 12085, f° 148).

14. La Fête-Dieu a pu être illustrée dans les livres d'heures, dont certains comportent un cycle de courts offices affectés à chaque jour de la semaine, dont celui de la Fête-Dieu. C'est le cas par exemple dans les *Petites Heures* de Jean de Berry, où la fête est évoquée précisément par la scène que nous étudions ici (Paris, Bibl. nat., ms. latin 18014, f° 139). Cf. M. Meiss, *French Painting in the Time of Jean de Berry : The Late XIVth Century and the Patronage of the Duke*, Londres 1967, fig. 128, et le volume de commentaires par l'auteur de ces lignes, accompagnant le récent fac-similé des *Petites Heures*, Lucerne 1989, p. 296-297.

15. La scène apparaît dans un autre livre d'heures important de la même époque, les *Grandes Heures* de Philippe le Hardi (Cambridge, Fitzwilliam Museum, ms. 3-1954, f° 189 v). La miniature cette fois illustre non pas le petit office de la Fête-Dieu, récité le jeudi, mais la messe du Saint Sacrement, qui figure, avec de nombreuses autres messes, à la suite du livre d'heures proprement dit. La scène est l'œuvre d'un des enlumineurs du groupe dit aux Boqueteaux qui ont illustré un grand nombre de manuscrits pour Charles V et la Cour. Pour une description de la scène de ce manuscrit, cf. F. Wormald et P.M. Giles, « Description of Fitzwilliam Museum ms. 3-1954 », dans *Transactions of the Cambridge Bibliographical Society*, vol. IV, 1, 1964, p. 19. Sur la datation de ce manuscrit entre 1376 et 1379, cf. P. De Winter, « The Grandes Heures of Philip the Bold, duke of Burgundy », dans *Speculum*, vol. 57, 1982, p. 786-842 et, du même auteur, *La Bibliothèque de Philippe le Hardi, duc de Bourgogne (1364-1404)*, Paris 1985, p. 63 et 188-189.

16. On trouve la scène du Christ prêtre élevant l'hostie dans un dernier livre d'heures, le ms. latin 10527 de la Bibliothèque nationale (f° 33 v). Il

s'agit d'un manuscrit avignonnais des alentours de 1380-1390. Cf. Leroquais, *Livres d'heures*, t. I, p. 316-321 et *Les Fastes du gothique*, n° 315.

Si nous passons en revue cette série de manuscrits, il en ressort que
l'iconographie du Christ prêtre a eu cours essentiellement dans le domaine
royal au sens étroit du terme, c'est-à-dire à Paris même et dans les régions
avoisinantes : il est symptomatique de constater qu'un grand nombre de ces
manuscrits ont été enluminés par des artistes travaillant au service de la
Cour, Jean Pucelle et ses émules, et que plusieurs d'entre eux ont été
exécutés pour la famille royale (Charles V et ses frères, Jean de Berry et
Philippe le Hardi), ou pour des institutions religieuses en relation étroite
avec la Cour de France, comme le couvent des dominicaines de Poissy.

Est-ce à dire que la scène du Christ prêtre élevant l'hostie ait été
entièrement ignorée ailleurs ? L'exemple du livre d'heures avignonnais
(n° 16) doit nous inciter à la prudence, et plus encore la survivance du
thème, avec des modifications importantes il est vrai, dans deux manuscrits
tardifs de provenance méridionale : l'un est un bréviaire à l'usage d'Uzès,
certainement exécuté en Avignon vers 1460, et qui présente pour la
Fête-Dieu une représentation du Christ levant l'hostie consacrée qui se situe
dans le droit fil des exemples du XIVe siècle que nous venons d'examiner
(fig. 7) [10], à une notable différence près, c'est que le Sauveur n'est plus
revêtu de la chasuble sacerdotale, mais de la simple tunique qu'il porte dans
son iconographie habituelle. Une autre représentation dérivée et tardive de
notre thème est celle dont le peintre des *Heures* de Saluces, Antoine de
Lonhy [11] a illustré l'office du Saint Sacrement, dans la série des petits offices
de la semaine que comporte ce livre d'heures (fig. 8) ; ici le Christ n'est plus
figuré de profil, ni de dos, mais face au spectateur et bénit le calice et
l'hostie que soutiennent deux anges agenouillés devant Lui, deux autres
anges de taille plus grande écartant les pans de la lourde chape dont il est
revêtu. La scène se passe sur le seuil d'un édifice voûté d'ogive symbolisant
l'Église, et l'opposition entre l'ancienne et la nouvelle Loi est fortement
soulignée par la présence de deux statues que leurs attributs bien reconnais-
sables permettent d'identifier avec *Ecclesia* et *Synagoga*. Malgré des différences notables avec la scène du Christ prêtre élevant l'hostie, c'est bien
toujours la même assimilation entre le Christ et le prêtre consacrant l'hostie
qui est ici suggérée, et qui fait apparaître cette miniature comme l'héritière
de celles qui, au siècle précédent, avaient si heureusement traduit en image
l'antienne de l'office de la Fête-Dieu : *Sacerdos in aeternum Christus
Dominus secundum ordinem Melchisedech, panem et vinum obtulit.*

---

10. Sur ce manuscrit, cf. V. Leroquais, *Bréviaires...*, t. III, p. 41-42.
11. Londres, Bristish Library, ms. Add. 27697, f° 206. Sur ce manuscrit, voir C. Gardet,
Les Heures d'Aimée de Saluces et de Catherine d'Urfé sa fille, Annecy, 1985 (Ars Sabaudiae.
De la peinture du Moyen Age en Savoie). Pour l'identification du maître des *Heures* de Saluces
avec Antoine de Lonhy, voir mon récent article, « Le maître des *Heures* de Saluces : Antoine
de Lonhy », dans *Revue de l'art*, n° 85, 1989, p. 9-34.

AUTOUR DE
LA TRADUCTION PICTURALE DU CREDO
AU MOYEN ÂGE (XIIᵉ-XVᵉ SIÈCLE)

François BOESPFLUG, o.p.

Le souci pastoral de la transmission de la foi aux laïcs a-t-il suscité dans l'Occident médiéval un *Credo pauperum* comme il a favorisé très généralement la naissance d'une *Biblia pauperum* ? Dans quelle mesure l'ensemble organique des « vérités à croire pour être sauvé » (les *credendae*) est-il susceptible d'être traduit en images, en une série d'images reliées entre elles comme le sont les articles d'un Credo ? On ne discutera pas, ici, l'aspect théorique, à la fois iconologique et théologique, de cette immense question. Ou plutôt, on voudrait l'aborder en esquissant une « histoire comparée » de la transcription picturale des principales formules de foi en usage dans le christianisme occidental du bas Moyen Âge.

Après avoir rappelé quels furent les principaux symboles de foi de la période considérée (I), on mettra en regard, d'un côté, l'extrême rareté des transcriptions picturales du Credo de Nicée-Constantinople *(NC)*, du symbole *Quicumque* dit d'Athanase *(PsA*, pour Pseudo-Athanase) et de la profession *Firmiter* (F) du Latran IV (II), et, de l'autre, la fortune iconographique du Symbole des apôtres *(SdA)* (III). Ce contraste donnera lieu pour finir à quelques réflexions et hypothèses (IV).

I. Du XIIᵉ au XIVᵉ siècle, quatre symboles ont eu valeur de référence dans la vie de l'Église latine.

Le Symbole des apôtres est le plus court et le plus simple des quatre (le « petit Credo » par opposition au « grand Credo », celui de *NC*). C'est lui qui est appris et récité par cœur, c'est lui qui, dès le IIIᵉ siècle à Rome, est « rendu » lors du baptême *(redditio symboli)* par le baptisé (ou, à une époque plus tardive, par ses parrain et marraine), c'est lui encore que commentent inlassablement pasteurs et théologiens dans une famille d'écrits constituant un genre littéraire à part, regroupant les *De symbolo* et autres *Explanationes symboli* [1]. Le *SdA* assume donc un rôle privilégié dans l'initiation chrétienne, et son appropriation — mémorisation et

---

1. Pour le XIᵉ, cf. A. Wilmart, « La prière du symbole de foi », in *Id.*, *Auteurs spirituels et textes dévôts du Moyen Âge latin*, Études augustiniennes, Paris 1971, 56-73 ; pour le XIIᵉ,

compréhension – semble avoir constitué l'un des principaux objectifs, sinon le but, de la catéchèse à la fin du Moyen Âge[2].

A compter de la fin du XIIᵉ siècle, cependant, c'est un autre Credo, celui dit de Nicée-Constantinople, que la plupart des assemblées chrétiennes d'Occident chantent aux messes des dimanches et des grandes fêtes, voire à toutes les messes[3]. La récitation liturgique de ce texte avant le Pater est prescrite dès la fin du VIᵉ siècle en Espagne wisigothique par le IIIᵉ concile de Tolède (589). Cet usage liturgique est attesté ensuite en Irlande, où on le récite entre l'Évangile et l'Offertoire; puis, vers la fin du VIIIᵉ siècle, dans l'Empire franc, Alcuin semble avoir joué un rôle de premier plan dans son « importation » à la cour de Charlemagne. Il se sera inspiré de sa promulgation par Paulin d'Aquilée au concile provincial de Frioul (796), qui faisait obligation de le savoir par cœur, non seulement aux clercs, mais à tous les fidèles, sans toutefois l'insérer dans le déroulement de la messe. De là, le SdA se diffuserait lentement dans les « pays du Nord » au cours du IXᵉ siècle. Traditionnellement hostile aux innovations liturgiques, l'Église de Rome finira cependant par céder aux instances de l'empereur Henri II; en 1014, le pape Benoît VIII prescrit de chanter le NC ad publicam missam. Qu'est-ce à dire? Les textes des XIᵉ et XIIᵉ siècles témoignent d'une certaine réserve, et limitent sa récitation aux dimanches et aux fêtes mentionnées dans le symbole (quorum in symbolo fit mentio : Jean Beleth). Critère restrictif, qui sera progressivement élargi aux fêtes des apôtres et docteurs, à celles de Jean Baptiste et des saints anges, au temps pascal, etc. D'un diocèse à l'autre, la fréquence de son emploi diffère sensiblement. A la fin du XVᵉ siècle, « c'est l'infini variété dans l'oubli graduel du principe de la mention »[4].

Du fait de ses origines conciliaires (réfutation de l'hérésie arienne à Nicée I en 325, de l'hérésie pneumatomaque à Constantinople I en 381), le NC est porteur d'une précision dogmatique supérieure. Aussi lui a-t-on assigné dès le début de son insertion dans une liturgie occidentale la fonction d'une norme d'orthodoxie, et donc d'une pierre de touche dans

---

cf. G.R. Evans, « The Academic Study of the Creeds in XIIth Century Schools », JThS, oct. 1979, 463-481; pour le XIIIᵉ, on se contentera d'évoquer l'activité de Thomas d'Aquin. En 1260, à la demande de l'archevêque de Palerme, il compose un De articulis fidei et ecclesiae sacramentis (cf. Editori di San Tommaso, Rome 1979); en 1273, il prêche sur ce thème un carême à Naples (In symbolum apostolorum scilicet credo in deum expositio; cf. Le Credo, intr., trad. et notes par un moine de Fongombault, Paris, Nouvelles Éditions latines, 1969).

2. P.-M. Gy, « Évangélisation et sacrements au Moyen Âge », in C. Kannengiesser et Y. Marchasson (éd.), Humanisme et foi chrétienne, Paris, Beauchesne, 1976, 565-572; J.-C. Schmitt, « Du bon usage du "Credo" », in Faire croire, École française de Rome, 1981, 337-361.

3. B. Capelle, « L'introduction du Symbole à la messe », in Mélanges J. de Ghellinck, t. I, Antiquité, Gembloux, Museum Lessianum, 1951, 1003-1027; J.-A. Jungmann, Missarum sollemnia, trad. fr., Paris, t. II, 1952, 233-247.

4. B. Capelle, art. cit., 1027.

les rapports avec schismatiques et hérétiques [5]. Deux autres fonctions s'y ajouteront, ou prendront de l'ampleur : la fonction confessante proprement dite, de déclaration de la foi par le fidèle, fonction impliquée par l'effort de mémorisation du Credo, et sa fonction de louange solennelle au cours des assemblées liturgiques. La suite établira qu'il lui était difficile de poursuivre ces trois lièvres à la fois [6].

A côté de ces deux symboles majeurs, deux autres textes se détachent dans l'ensemble déjà fourni des confessions de foi. Le « Troisième » fut longtemps attribué à saint Athanase le Grand : c'est le *Quicumque vult* [7]. Sa récitation est inscrite au bréviaire, à l'office de Prime. En raison même de cette destination, mais surtout à cause de sa longueur et de son caractère plus abstrait, il ne sortira guère de sa clôture cléricale, et restera l'affaire des théologiens. Qu'une moniale comme Hildegarde de Bingen (1098-1179), qui aimait à se dire ignorante, ait pu rédiger une *Explanatio symboli sancti Athanasi* (*PL* 197, 1065-1080), est une raison parmi d'autres de considérer ses déclarations d'inculture *cum grano salis*.

Le « Quatrième » symbole, le plus récent, est la profession *Firmiter* du Latran IV (1215), promulguée contre l'hérésie albigeoise [8]. L'essentiel de la foi y est si bien exprimé qu'il sera reproduit en tête des *Décrétales* et servira, en Angleterre surtout, mais aussi en France et sans doute en Italie, de canevas d'enseignement [9].

Aucune des autres confessions de foi — celle proposée aux Vaudois, celle de Michel Paléologue au deuxième concile de Lyon en 1274 [10], etc. — n'aura le statut reconnu aux quatre symboles. Et dès la fin du XIVe siècle, l'idée des quatre symboles est abandonnée. Un Denys le Chartreux, au XVe siècle, ne mentionne plus que les trois premiers [11].

II. Le destin iconographique du *PsA* fut très modeste : on compte sur les doigts de la main ses mises en images, en dépit du fait qu'il eut droit à un dessin dans un document d'influence considérable sur le cours

---

5. A la fin du Moyen Âge, le *NC* partage évidemment cette fonction avec le *Quicumque* et la profession *Firmiter* du Latran IV. Mais c'est lui qui est sans cesse repris, et enchâssé, dans les professions de foi « prescrites » successivement aux Vaudois, à Michel Paléologue, promulgué aux conciles d'union, etc.

6. Cf. Jungmann, *op. cit.*, 244 ; les laïcs ne réussirent pas à apprendre par cœur ce texte latin, bien qu'il ait été exigé que chacun confessât la foi tout entière. « Aussi voit-on, dès le Xe siècle, le clergé qui forme le chœur à la grand-messe, chargé du Credo » (246). La solennisation du chant du Credo par la polyphonie aboutira à sa confiscation par la chorale, contre laquelle s'élève Jungmann (*op. cit.*, 247). Cf. *infra*, note 21, et J.-H. Crehan, « What were creeds for ? », *JThS* 26, 1965, 417-420.

7. Cf. J.N.D. Kelly, *The Athanasian Creed*, Londres 1964 ; J. Quasten, art. « Quicumque », *Lexikon für Theologie und Kirche*, 2e éd., t. VIII, 1973.

8. Cf. *DS*, 800-802.

9. Y.-M. Congar, « Saint Thomas et les archidiacres », *RThom* 57, 1957, 657-671, sp. 658-662.

10. *DS*, 851-861.

11. Y.-M. Congar, *art. cit.*, n. 5, p. 660.

Fig. 1. *Psautier d'Utrecht*, Utrecht, bibl. univ., ms. 32, f° 90 v° (v. 830).

ultérieur de l'art religieux occidental, le *Psautier d'Utrecht*. Mise en images, c'est trop dire : le dessin en question ne cherche pas à faire voir le contenu théologique du *Quicumque*, mais se borne à figurer l'assemblée conciliaire censée l'avoir promulgué : soixante-dix-huit Pères formant cercle, et, au centre, des secrétaires avec leurs encriers [12] (fig. 1). Ce type de traduction visuelle, tout comme l'iconographie byzantine des six premiers conciles œcuméniques, témoigne d'emblée d'une préférence bien compréhensible des peintres pour l'aspect visible de l'événement historique — la réunion physique des Pères conciliaires —, tellement plus facile à représenter que la foi sur laquelle ils s'accordent [13]. On retrouvera cette symbolisation par métonymie à propos du Symbole des apôtres. Une autre forme de symbolisation se rencontre pour le Symbole d'Athanase, que l'on pourrait dire de « condensation » : quelques enluminures — des images de la Trinité, ou la représentation d'un évêque en train de réciter ce symbole — orneront son incipit [14] (fig. 2), mais aucune œuvre monumentale ne s'y risquera, sauf erreur, ni aucun cycle d'images. Le seul autre écho que son contenu pourrait avoir eu dans l'art est le « triangle des relations trinitaires », le *scutum fidei*, qui présente une version simplifiée, presque scolaire, du début de son texte. Au total, la récolte iconographique est maigre. Est-ce étonnant ? Ce symbole était trop complexe pour être mémorisé, et l'Église n'en a jamais fait un outil d'enseignement commun.

Plus étonnante est la rareté des illustrations de la profession de foi *Firmiter*. Quelques lettres historiées décorent d'une représentation de la Trinité le début de son texte en tête des *Décrétales* (fig. 3). Mais l'exposition

---

12. Utrecht, ms. 32, f⁰ 90 vᵒ.

13. C. Walter, *L'Iconographie des conciles dans la tradition byzantine*, Paris 1970, 53-55, suggère de rapprocher cette image du synode de Francfort, sans convaincre S. Dufrenne, *Les Illustrations du Psautier d'Utrecht*, Strasbourg 1978, nᵒ 205, p. 63.

14. Un des premiers exemples du type « Trône de grâce », la miniature du Cod. Vind. 755, fᵒ1 vᵒ, de l'Albertina de Vienne, datée du milieu du XIIᵉ s., est construite sur le T du *Te Igitur*. A hauteur de la barre du E, une inscription, *Quicumque vult salvus esse...* A même hauteur, de l'autre côté du T, *Iehsus Christus*. On ne saurait parler encore d'une « illustration » du *Quicumque*. En revanche, c'est bien l'initiale Q[uicumque] du *PsA* qui a pour ornement intérieur un Trône de grâce dans le « Psautier Oscott » (Londres, British Museum, Add. ms. 50000, f⁰ 227 ; XIIIᵉ s.), dans le psautier français conservé à Leningrad, QV I, 72, f⁰ 145 (cf. J.P. Mokretsova et V.L. Tomanova, *Les Manuscrits enluminés français dans les bibliothèques soviétiques*, Moscou 1200-1270, 1983, p. 89 ; vers 1210-1220), etc. Dans le « Bréviaire de Salisbury », ou « Bréviaire du duc de Bedford » (Paris, B.N., lat. 17294, f⁰ 9, entre 1424 et 1435), à côté du texte du *Quicumque*, un évêque, cf. V. Leroquais, *Bréviaires*, III, 279. Relevons enfin une médaille d'argent frappée en 1544 pour le prince de Saxe (conservée à Munich, Staatliche Kunstsammlung, repr. in *Propyläen Kunstgeschichte*, VIII, pl. 325c) ; elle représente une Trinité du type « trône de grâce » ; à son revers, le texte du *PsA* témoigne de l'effort du prince pour surmonter la dualité des confessions romaine et réformée.

Fig. 2. Initiale ornée *(Quicumque vult...)*, psautier d'origine française,
Leningrad, bibl. publ., lat. QV I, 72 (v. 1210-1220).

Fig. 3. Initiale ornée *(Firmiter...),*
Troyes, bibl. munic., ms. 1244, fº 7 (XIIIᵉ s.).

Fig. 4. « ... *Patrem omnipotentem...* » :
marqueterie, dorsal de stalle de la chapelle des Seigneurs,
Sienne, Palazzo Pubblico, par Domenico di Niccolo, après 1415.

de la doctrine qu'il contient n'a jamais suscité de cycle iconographique correspondant[15].

Beaucoup plus étrange encore est le sort fort modeste réservé par l'art au *NC*. Dans le contexte évoqué plus haut, celui d'une véritable « offensive pédagogique » visant à la mémorisation du Credo, et compte tenu du lien traditionnel que l'enseignement de la foi *(fides quae)* entretient avec la liturgie de l'Église, on aurait pu s'attendre à en recenser de nombreuses transcriptions graphiques. Il n'en est rien, jusqu'à plus ample informé. Ici ou là, de nouveau, une image trinitaire décore le début du texte[16]. Pourtant l'art médiéval globalement considéré a boudé ce symbole. Les cycles illustrant de manière suivie, article par article, le contenu du *NC*, sont rares et tardifs, et relèvent presque tous des arts « mineurs » (marqueterie, tapisserie)[17] (fig. 4). Le siècle des Réformes ne changera pas cette situation. Certes, après la diète d'Augsbourg (1530) et la publication de sa fameuse *Confession*[18], le rôle imparti aux textes de confession de foi va se transformer durablement, et accroître encore leur importance. Dans le même temps, cependant, les rapports du texte et de l'image évoluent : cette dernière est contestée ici, et devient là, pour les besoins de la controverse, une réplique, un drapeau de la vraie Église. Comme l'iconographie de Dieu et des relations intra-trinitaires, par ailleurs, a tendance à marquer le pas[19],

---

15. Un manuscrit du XIIIᵉ conservé à la Bibl. munic. de Troyes — un commentaire des *Décrétales* par Bernardin de Compostelle — orne d'un trône de grâce le F de *Firmiter* (ms. 1244, fᵒ 7). En tête d'un « Code justinien » (Italie, XIIIᵉ; Paris, Sainte-Geneviève, ms. 391, fᵒ 4), de nouveau un Trône de grâce. Cf. celui qui figure en tête des *Décrets* de Gratien, B.N., lat. 14318, fᵒ 1 (déb. XIVᵉ). En revanche, la « Trinité du Psautier » placée en tête de la *Compilatio decretalium Gregorii IX*, Auxerre, BM, Inc. E, 44, fᵒ 1 (1481) illustre, comme dans le Credo de Joinville, le « In nomine Sancte Trinitatis », et n'a pas de rapport avec la profession *Firmiter*.

16. La « Paternité » qui orne le début du ms. suppl., grec 52, fᵒ 1, de Vienne (XIIᵉ), est placée en face d'un orant avec l'inscription *Summa Trinitatis* et au-dessus du texte du *NC*. L'image ne saurait passer pour une illustration du *Filioque* : elle représente au contraire la version orientale *(per Filium, a Patre solo)* de la procession du Saint-Esprit.

17. Cf. les vingt-deux stalles marquetées du Palazzo Pubblico de Sienne, par Domenico di Niccolo, entre 1415 et 1428 (F. Boespflug, *Le Credo de Sienne*, Cerf, Paris 1985). Pour la tapisserie, voir D.T.B. Wood, « "Credo"-Tapestries », in *The Burlington Magazine* 131, XXIV, 1914, 247-254 et 309-317 (l'Auteur se soucie peu de préciser lequel des deux Credos est illustré. A le lire, on se persuade cependant que les tapisseries renvoyant au *NC* sont minoritaires; le même flou se retrouve chez A. Michel, *Histoire de l'art*, t. III, 1907, 362 s., dans son chap. sur « La tapisserie aux XIVᵉ et XVᵉ siècles »). La plupart des dictionnaires d'iconographie chrétienne (Réau, Toscano, Schiller) ne réservent aucune place à l'illustration du Credo, ou ne distinguent pas l'illustration du *SdA* de celle du *NC* (par ex. : H.W. Van Os, « Credo », in *Lexikon der christlichen Ikonographie*, Fribourg, Herder, t. I, 1968, 461-464.

18. Cf. P. Mélanchthon, *La Confession d'Augsbourg et l'Apologie*, Paris, Cerf, 1989.

19. Malgré les gravures des Wierix, et la survie honorable de la plupart des types iconographiques (Trône de grâce, Pitié-de-Notre-Seigneur, « Trinité du Psautier »), le XVIᵉ siècle n'invente plus en ce domaine, et la figuration de Dieu est l'objet d'un débat théorique qui ralentit la production. Cf. F. Boespflug, *Dieu dans l'art*, Paris, Cerf, 1984.

Fig. 5. *Le Symbole des Apôtres*, dessin à la plume, psautier d'Utrecht, Utrecht, bibl. de l'univ., ms. 32, v. 830.

l'illustration du *NC* ne profite guère de la mutation en cours[20], sauf, beaucoup plus tard, et par le jeu complexe d'influences combinées, dans les « icônes dogmatiques » de la Russie du XVIIe siècle[21]. Et autant qu'on puisse le dire après un survol, l'art religieux des XVIIIe, XIXe et XXe siècles continuera de bouder la figuration du *NC*[22], alors que ce symbole poursuit sa carrière liturgique.

Pour en revenir au Moyen Âge, ce constat de défaveur picturale où le *NC* fut maintenu ne laisse pas de surprendre quand on sait la fréquence, et la somptuosité, de sa mise en musique − monodique avec le grégorien, et polyphonique à partir du XIVe siècle[23] −, et quand on songe, surtout, à l'extraordinaire succès que l'illustration du *SdA* remporta pendant au moins cinq siècles, du XIIe au XVIe notamment, auprès des artistes et de leurs commanditaires.

III. La plus ancienne traduction que l'on connaisse du *SdA* en un cycle d'images remonte au début du IXe siècle, à l'époque de la fixation du texte de ce symbole *(textus receptus)*[24]. Il s'agit de nouveau d'un dessin à la plume du *Psautier d'Utrecht*. C'est le contenu théologique et historique des douze articles qui s'y trouve représenté. Il est réparti sur neuf scènes (cf. fig. 5 et 6) qui communiquent les unes avec les autres sur la même page,

---

20. Y.-M. Congar, « Note sur les mots "Confession", "Église", "Communion" », in *Irenikon*, XXIII, 1950, 3-36 ; G. Alberigo, « Profession de foi et doxologie dans le catholicisme des XVe et XVIe siècles », in *Irenikon*, XLVII, 1974, 5-26. La fameuse « Profession de foi tridentine », celle de Pie IV en réalité, n'aura pas joué le rôle d'une relance picturale pour le *NC*, étant donné qu'elle le noie dans le « gonflement quantitatif des objets de foi » (G. Alberigo).

21. Par ex. : icône, inv. n° 81 du musée de Recklinghausen (un tableau en quinze compartiments, bordé par le texte intégral du *NC* ; icône de la 2e m. du XVIIe, Moscou, Kolomenskoïe, repr. (partielle) in Alpatov, *Early Russian Icon Painting*, Moscou 1978, 203 et V. Ivanov, *Le Grand Livre des icônes russes*, Paris, Desclée, 1988, n. 89, p. 134 (totalité). Ce type de composition s'introduit en Russie au XVIe s., et contribuera à provoquer de vives discussions sur la légitimité des représentations de Dieu le Père (cf. L. Ouspensky, *La Théologie de l'icône dans l'Église orthodoxe*, Paris, Cerf, 1980, 277-280).

22. Le fameux *Catéchisme en images* du R.P. Bailly, fondateur de la Maison de la Bonne Presse, édité de multiples fois dans la première moitié de ce siècle (et encore reproduit en 1978 par les Éditions Saint-Raphaël de Québec) illustre le *SdA*.

23. C. De Nys, « La messe envisagée comme forme musicale », in *Encyclopédie des musiques sacrées*, Paris, Éd. Labergerie, t. III, 1970, 443-449. L'Auteur situe au XIVe s. le moment où la polyphonie commence de s'emparer de la messe tout entière, et cite la *Messe de Notre-Dame*, de Guillaume de Machaut (apr. 1350). L'âge d'or de la messe polyphonique advient au siècle suivant, avec Dufay, Ockeghem, Obrecht, Josquin Desprez (ou des Prés), et enfin Palestrina. Mais la « confiscation » du chant du Credo par la chorale ou le chœur des religieux pourrait avoir coïncidé avec la progressive publication, entre les XIe et XIVe siècles, des six modes du *Graduale Romanum* (cf. D. von Huebner, « Credo », in *Lexikon des Mittelalters*, III/2, s.d., 339).

24. Bien que la forme ancienne du *SdA* (version R) remonte à la fin du IIe siècle, sa forme actuelle, dite *Textus receptus*, ou version T, ou *forma occidentalis recentior*, apparaît pour la première fois dans un *Ordo Romanus* daté des années 950. Cf. de Ghellinck, *Patristique et Moyen Âge*, t. I (« Les recherches sur les origines du Symbole des apôtres »), Gembloux 1946. A peu de chose près, le texte s'en trouve déjà chez Césaire d'Arles, au VIe siècle.

Fig. 6. *Le Symbole des Apôtres*, psautier d'Utrecht (détail).

au-dessus du texte[25]. Une figure divine anthropomorphe placée au-dessus d'une corolle de nuages, en haut de l'image, rend le premier article *(credo in Deum Patrem omnipotentem)* ; la colombe du Saint-Esprit au-dessus de la tête de Marie, pointant du bec sur le nimbe de l'Enfant Jésus, représente le deuxième *(et in Jesum Christum...)* : ces deux premières figures sont rapprochées jusqu'à n'en faire qu'une seule. Le fait qu'elle évoque à la fois la Trinité et l'Incarnation explique peut-être que l'artiste ait pu se dispenser d'illustrer par une scène spéciale la session du Ressuscité à la droite du Père, ainsi que la foi en la vie éternelle. Comme le symbole lui-même, mais de manière plus mouvementée, le schéma de composition semble tracer une boucle du type *descensus-ascensus*. L'ordre de lecture, au départ, est simple à déchiffrer : le regard doit se porter dans le registre intermédiaire (le Christ devant Pilate, la Crucifixion ; *passus* ; puis passer au registre inférieur, à l'extrême droite, où est évoquée la descente aux enfers ; il lui faut ensuite revenir en arrière, vers l'annonce de la Résurrection aux saintes femmes, devant le Saint Sépulcre ; remonter à la scène de l'Ascension *(ascendit ad caelos)* devant les apôtres assemblés ; redescendre vers une double scène dont nous croyons qu'elle combine descente de l'Esprit[26], « sainte Église catholique », « communion des saints », et Jugement dernier (« d'où il viendra juger les vivants et les morts ») exécuté par l'archange Michel ; de là, repasser vers la gauche où est visualisée « la résurrection de la chair », par des morts en train de s'extraire de leurs tombeaux. Seule « la rémission des péchés » ne fait l'objet d'aucun traitement explicite. En revanche, tel article paraît jouir d'une double mention symbolique (l'Église, « représentée » en Marie, et dans l'assemblée ; le Jugement, évoqué par la session de l'Enfant à la droite du Père, et par saint Michel).

---

25. Utrecht, Bibl. de l'Univ., ms. 32, f° 90 r°. Cf. E.T. Wald, *The Illustrations of the Utrecht Psalter*, Princeton 1932. Sa description est reprise à l'identique par K. Van der Horst et J.H.A. Engelbregt, *Utrecht-Psalter*, Graz 1984, 95. S. Dufrenne, *op. cit.*, 62 et 146-149, après avoir rappelé que cette image du Credo (comme d'ailleurs celles du Pater, du Gloria, et du *Quicumque* dans le même Psautier) correspond à un apport plus tardif réalisé sans modèle (hormis peut-être un cycle christologique), souligne la pauvreté de sa composition, et se demande « pourquoi, sur l'image du Credo, la Vierge présente le Christ enfant en direction du trône, préparé à la droite du Père, alors que le texte évoque le retour glorieux du Fils ressuscité à la gloire du Père ? ». Avant cela, il évoque l'Incarnation : « ...a été conçu du Saint-Esprit, est né de la Vierge Marie. » Notre présentation suggère une réponse : la concision.

26. S. Dufrenne, *op. cit.*, 148-149, parle à ce sujet d'« un tout iconographique original et hétéroclite », parce qu'elle estime que « la Colombe de l'Esprit tient dans son bec un rameau d'olivier », ce qui la conduit à interpréter l'église (= le bâtiment) comme « nouvelle arche du salut ». Rien n'interdit cette dernière interprétation, mais rien ne la suggère, sauf cet hypothétique rameau d'olivier. Au demeurant, il est minuscule ; son examen à la loupe ne permet aucune identification certaine ; mais dès lors que l'on rapproche cette colombe de l'iconographie de la Pentecôte à la même époque, ce qui apparaît dans le prolongement de son bec a toute chance d'être le feu de Pentecôte, dont la division en langues est amorcée par le dessin. L'image s'expliquerait alors sans coup de pouce ; deux apôtres — sans doute Pierre et Paul — président à la prière dans la chambre haute (cf. Ac 2), tandis que le reste des Douze « sort » prêcher, en un groupe compact qui, du fait de sa position en face du groupe des réprouvés, pourrait figurer la communion des saints...

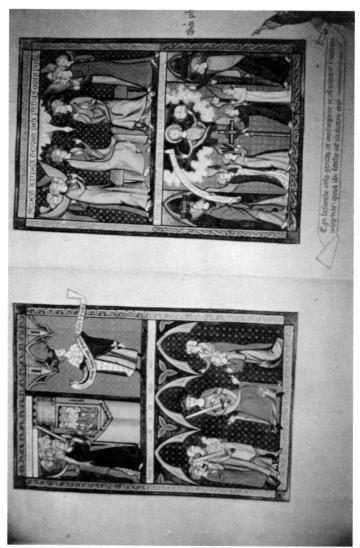

Fig. 7. *Missel à l'usage de Saint-Nicaise de Reims*,
Leningrad, bibl. publique, QV I 72, f° 63 v°-64 r°, v. 1285.

La liberté d'agencement dont l'artiste fait preuve dans cette composition, comme presque partout ailleurs dans ce psautier fameux, est sans équivalent. Certaines des proximités qu'il crée entre les figures sont très parlantes, et constituent des trouvailles, au-delà de la lettre du symbole : ainsi cette manière d'adosser les saintes femmes à l'Église des apôtres. N'ont-elles pas été les premières à qui la Bonne Nouvelle a été annoncée, ne sont-elles pas les « apôtres des apôtres » ? Autre caractéristique qui saute aux yeux : ceux-ci sont présents, mais l'artiste ne s'est pas soucié de les désigner comme les auteurs du Credo.

Ce privilège pictural accordé aux énoncés du « petit Credo » plutôt qu'à ses auteurs inspirés ne fut pas complètement révoqué par la suite, contrairement à ce que l'on a pu écrire [26 bis]. Il est vrai que certaines copies anglaises du *Psautier d'Utrecht*, tel le *Psautier de Cantorbery*, n'ont pas reproduit cette partie de leur modèle. Et bien que nous n'ayons pas eu le loisir de le vérifier de manière systématique, il semblerait par ailleurs que l'organisation spécifique de l'image du petit Credo dans le *Psautier d'Utrecht* n'ait pas eu de postérité dans l'art.

Toutefois le choix qu'elle représente − l'option pour le contenu − se retrouve de loin en loin, notamment dans une famille de manuscrits illustrant le *Credo de Joinville*[27]. Le *Missel à l'usage de Saint-Nicaise de Reims*[28], datant des années 1285-1287, retient ici l'attention, autant par sa qualité artistique que par la richesse de ses images. Il consacre en effet neuf doubles pages à la peinture du petit Credo : les articles sont attribués aux douze apôtres, énumérés selon l'ordre où le canon de la messe les mentionne, et figurés à chaque fois en buste − sauf Philippe, en pied (fig. 7) − dans un angle de compartiment peint, comme autant d'apparitions, de voix venant du ciel ; en marge de l'image illustrant l'article, un prophète et sa banderole ; en face, ou à côté, ou au-dessus, dans un jeu complexe, et variant sans cesse, de correspondances typologiques, une ou plusieurs scènes de l'Ancien Testament sont rendues, qui « préfigurent » le contenu de l'article ; c'est ainsi que l'Annonciation de la naissance du Christ (*unicum Dominum nostrum qui conceptus est de spiritu sancto*) se trouve placée en regard d'Abraham s'agenouillant devant les trois mystérieux visiteurs, la scène de l'Hospitalité étant donc à lire comme une annonce de

---

26 bis. W. Molsdorf, *Christliche Symbolik der mittelalterlichen Kunst*, Leipzig 1926 (repr. Graz 1984), §§ 1022 et 1025 ; l'option pour le contenu aurait complètement disparu après le *Psautier d'Utrecht*, et n'aurait refait surface qu'au XVᵉ siècle.

27. L.-J. Friedmann, *Text and Iconography for Joinville's Creed*, Cambridge (Mass.), 1958 ; l'Auteur signale l'existence d'une trentaine de manuscrits de ce type.

28. Manuscrit conservé à la Bibliothèque publique de Leningrad (QV I, 78). Les pages doubles illustrant le *SdA* se trouvent aux folios 19 vᵒ-20, 21 vᵒ-22, 23 vᵒ-24, 25 vᵒ-26, 59 vᵒ-60, 61 vᵒ-62, 63 vᵒ-64, 65 vᵒ-66, 189 vᵒ-190. Une dixième double page représente divers épisodes du cycle de la Passion (Entrée à Jérusalem, Lavement des pieds, Arrestation, Gethsémani) (fᵒ 189 vᵒ), ainsi qu'un crucifix-arbre de vie. Cf. *Les Manuscrits enluminés français du XIIIᵉ siècle dans les collections soviétiques, 1270-1300*, Moscou 1984 (en russe). Ce ms. relève du modèle « H » de la table proposée par J.A. Gordon, « The Articles of the Creed and the Apostles », *Speculum*, XL, 1965, 634-640 (638).

Fig. 8. *Bréviaire de Belleville*, Paris, B.N., lat. 10483, f° 7.

la naissance d'Isaac, tandis que la Nativité est en face d'une scène double où s'inscrivent deux épisodes — Buisson ardent et Toison de Gédéon — traditionnellement interprétés comme des annonces prophétiques de la naissance virginale du Christ. Il va de soi que le premier article (*credo in Deum Patrem omnipotentem*) ne peut faire appel à aucune annonce dans l'Ancien Testament : aussi la peinture peut-elle se permettre de distinguer Dieu dans son essence — siégeant dans le ciel sur un trône, tandis que les anges déchus sont précipités vers le bas —, et Dieu dans ses œuvres (un Dieu christomorphique debout en paradis, avec la légende *factorem celi et terrae*) ; s'agissant du dernier article (*carnis resurrectionem, vitam eternam*), en revanche, la correspondance peut jouer également avec un passage du Nouveau Testament, voire avec un personnage de l'histoire de l'Église : la résurrection de la chair énoncée par l'apôtre Thaddée et représentée par une Parousie est annoncée conjointement par Ézéchiel, en pied dans la marge près du pli, par Sophonie... et par saint Augustin ; quant à la Vie éternelle, figurée par un banquet au cours duquel l'Épouse embrasse l'Agneau, elle est mise en parallèle avec une parabole du Nouveau Testament, celle des Vierges folles et des Vierges sages.

Réduit cette fois à la portion congrue, le contenu du Symbole est évoqué un demi-siècle plus tard par Jean Pucelle dans le Calendrier des *Heures de Jeanne de Navarre* (vers 1336-1340), la femme de Philippe le Bel, et déjà dans celui du *Bréviaire de Belleville* (avant 1343)[29]. Ici et là, on peut repérer chez l'artiste des innovations modestes, mais suggestives. Dans ce dernier manuscrit, par exemple, au folio 7, Jean Pucelle représente la Foi sous la forme d'une orante auréolée d'un ovale à l'intérieur duquel s'inscrivent de manière très distincte douze points, autant qu'il y a d'articles ; et sur ses bords, de minuscules peintures évoquent explicitement au moins six des articles du Credo (fig. 8). Cette tradition du contenu se poursuit au XVe siècle avec les fresques de San Pietro di Feletto (XVe)[30], le petit tableau à neuf compartiments du musée de l'Œuvre de Sienne[31], des gravures[32] et

29. Paris, B.N., lat 14083, acquis en 1399 par Jean de Berry, cf. V. Leroquais, *Les Bréviaires manuscrits des bibliothèques publiques de France*, Paris 1934, t. III, n° 5999 et M. Meiss, *French Painting in the Time of Jean de Berry« The Late XIV Century and the Patronage of the Duke*, Oxford, Phaidon, chap. VII, p. 135 s. J'emprunte les datations du *Bréviaire de Belleville* et des *Heures de Jeanne de Navarre* à F. Avril, in F. Avril, L. Dunlop, B. Yapp, *Les Petites Heures de Jean, duc de Berry*, Introduction au manuscrit lat. 18014 de la Bibliothèque nationale, Paris, Faksimile Verlag Luzern, 1989, p. 207 s.

30. Je dois de connaître ce cycle à Mme Dominique Rigaux, qui prépare à ce sujet une communication pour le prochain colloque de Saint-Claude (cf. *infra.*, note 40).

31. Taddeo di Bartolo ? Benedetto di Bindo ? Cf. E. Carli, *Il duomo di Siena*, Gênes, Sagep Editrice, 1979, 87-89.

32. P. Kristeller, *Symbolum Apostolicum*. Blockbuch-unicum der K. Hof und Staatsbibl., zu München..., Berlin 1917 : un cycle datant des années 1440 et provenant de la Bavière du Sud-Est. R.S. Field, *Fifteenth Century Woodcuts and Metalcuts from the National Gallery of Art*, Washington, s.d. (1980 ?), n°s 92-99 (huit scènes — d'une série de gravures sur bois qui pourrait en avoir comporté dix-huit — provenant de Franconie, et datant des années 1460-1470).

Fig. 9. Daniel Hopfer, gravure (« Je crois au Saint-Esprit »),
Paris, Bibl. nat., département des Estampes (déb. XVIᵉ s.).

plusieurs tapisseries[33] et se prolonge au-delà de la fin du Moyen Âge, par exemple dans la gravure allemande du XVIe siècle. Les douze tableaux carrés de Daniel Hopfer constituent une série de conception linéaire, très analytique, qui suit le texte du Credo sans en rien omettre. Elle est remarquable, autant par son lexique que par sa syntaxe. La Trinité — une Trinité « triandrique », rendue par trois hommes couronnés identiques — y figure quatre fois (« Et en Jésus-Christ [...] »), « Il est assis à la droite », « Je crois au Saint-Esprit », « en la vie éternelle ») (fig. 9). Dans le souci de ne rien laisser dans l'ombre, plusieurs tableaux couplent deux scènes : Annonciation et Nativité, Crucifixion et Ensevelissement, Descente aux enfers et Résurrection, Ascension et Session à la droite. Inscrit au-dessus de chacun d'eux, la phrase correspondante, et le nom de l'apôtre censé l'avoir dite[34]. Ailleurs que dans les pays germaniques, et dans d'autres formes d'art, on peut glaner des œuvres manifestant que la tradition du contenu ne s'est jamais éteinte dans l'Église posttridentine. Pour ce qui est de la France, par exemple, une option de ce type commande les panneaux sculptés du musée d'Écouen, et au début du XVIIe, les vitraux de Saint-Martin-ès-Vignes à Troyes ou les gravures de N. de Mathonier[35]. Et comme il a été démontré, le « vrai sujet du polyptique d'Anchin » conservé au musée de Douai (v. 1513) est le Symbole des apôtres, qui aurait atteint « la perfection dans l'équilibre » en « nuançant » ce Credo par les précisions du symbole d'Athanase[36].

Cependant ce choix en faveur du contenu avait été concurrencé, au moins dès le XIIe siècle, par une tout autre manière de faire, consistant à visualiser la légende, colportée par deux sermons longtemps attribués à saint Augustin, de l'énonciation « charismatique » du Credo par les Douze le jour de la Pentecôte ou de la Dispersion des apôtres[37]. Vers la fin du XIVe, et au XVe siècle en tout cas, la figuration des apôtres en train d'énoncer le symbole qu'on leur attribue supplante la figuration de son contenu. Quelques miniatures les montrent encore in situ, assis dans la chambre haute dont il est question au livre des Actes (1, 13), tenant chacun une

---

33. Cf. supra, note 15, et H. Göbel, Tapestries of the Lowlands, Hackert Art Books, 1974, fig. 124 (manufacture bruxelloise, déb. XVIe).

34. M. Hébert, Inventaire des gravures des Écoles du Nord, 1440-1550 (Bibliothèque nationale, département des Estampes), Paris, t. II, 1983, n° 2705 (les vignettes 1 et 2 ont été interverties), et W. Wagner, « Beiträge zum graphischem Werk Daniel Hopfers », Zeitschrift für Kunstgeschichte, XX, 1957, p. 239-259.

35. Pour ces œuvres françaises, cf. J. Thirion, « Le Credo du musée d'Écouen », Revue de l'art, p. 40-41 (1978), p. 109-120.

36. R. Genaille, « Le vrai sujet du polyptique d'Anchin », Bulletin de la Société de l'histoire de l'art français, Paris 1964, p. 7-24 (sp. 11).

37. H. de Lubac, La foi chrétienne, Essai sur la structure du Symbole des apôtres, Paris, Aubier Montaigne, 12969 (chap. I : « Histoire d'une légende »).

Fig. 10. Manuscrit « De Predis », bibl. royale de Turin, 1476.

Fig. 11. *Somme le Roi*, Lille, bibl. munic., ms. 116, f° 1.

Fig. 12. Peinture sur bois, Vielle-Louron (Hautes-Pyrénées).

banderole où s'inscrit l'un des articles de la foi [38] (fig. 10). D'autres les font voir en buste, regroupés comme les rois d'un Arbre de Jessé (fig. 11). Ailleurs que dans les arts du livre, en particulier dans la peinture et la statuaire, les apôtres sont le plus souvent représentés indépendamment du cadre historique d'origine, debout, en des silhouettes hiératiques soulignant qu'ils enseignent présentement : ainsi en va-t-il dans de nombreux porches d'églises bretonnes [39].

L'illustration du Symbole des apôtres semble surtout vouloir lier son sort au jeu des correspondances typologiques entre l'Ancien et le Nouveau Testaments. A côté des apôtres, elle fait voir un même nombre de prophètes, également munis de banderoles, ou surmontés d'inscriptions, les premiers annonçant par leurs oracles ce que les seconds ont révélé par les articles du symbole [40]. Il arrive que ceux-ci soient mis en relation avec autant de passages des épîtres de saint Paul [41], ou que les Douze soient représentés en face d'un Arbre de Jessé, avec douze rois [42] (fig. 12). Pour suggérer que les oracles et leurs porteurs se répondent deux à deux, les artistes ont eu recours à divers regroupements — en les rangeant par paires (un apôtre et

---

38. Miniature, ms. « De Predis », daté de 1476, Bibl. royale de Turin. On trouve une illustration du *SdA* dans le *Psautier de la reine Ingeburge* (Chantilly, musée Condé, ms. 1695), et dans une *Somme le Roi* du XIVe s., Lille, Bibl. municipale, ms. 116, f° 1 (je dois à Mme Odile Lépinay, de l'I.R.H.T. Orléans, de connaître cette lettre historiée). Dans le ms. lat. 9473 de la B.N., au f° 105, une miniature de la Pentecôte montre douze banderoles légendées qui jaillissent de la Colombe du Saint-Esprit et se déploient jusqu'aux douze apôtres à genoux.

39. V.-H. Debidour, *La Sculpture bretonne, Étude d'iconographie religieuse populaire,* Rennes 1953. Pour la peinture, mentionnons les tableaux du Maître d'Alkmaar, repr. in *Katalog der deutschen und niederländische Gemälde bis 1550,* Wallraf-Richartz Museum, Cologne 1969, n°s 68 et 69.

40. Cf. les vingt-quatre miniatures (f°s 7 à 30) du *Psautier du duc de Berry* (fin XIVe), Paris, Bibl. Nat., ms. fr. 13091, repr. et analysées par M. Meiss, *op. cit.* (The late), *ibid.* Pour cette famille d'images, cf. E. Mâle, *L'Art religieux à la fin du Moyen Âge en France,* A. Colin, 1908 (1re éd.), 1969 (6e éd.), p. 246-253 (« Le Credo des prophètes et le Credo des apôtres »). Sa liste d'exemples est complétée par H. de Lubac, *op. cit.,* p. 41-46, et dernièrement par P. Lacroix, *Bulletin monumental,* 146/1, 1988, p. 42-43, et *Id.,* « Le thème iconographique des stalles de Saint-Claude : Apôtres et Prophètes au Credo, son rayonnement européen », *Société d'émulation du Jura, Travaux 1988,* 1989, p. 85-120... qui a recensé plus de trois cents occurrences du thème dans toutes les formes d'art, (dont une quinzaine d'ensembles de stalles sculptées, parmi lesquels le premier en date, celui de Saint-Claude, 1448-1465, a été à moitié détruit par le feu en 1983). Un colloque international se prépare sur ce thème, qui se tiendra du 24 au 26 septembre 1990 à Saint-Claude (Jura). P. Lacroix, conservateur des Antiquités et Objets d'art, en est la cheville ouvrière.

41. Cf. *infra,* note 47.

42. Ainsi des peintures sur les voûtes en bois de l'église de Vielle-Louron (près de Saint-Lary, Hautes-Pyrénées) : du Christ debout, en bas, sortent comme d'un tronc les douze apôtres. En haut, Dieu le Père apparaît en buste. En bas, une inscription répartie en deux cartouches : « Lbre *(sic)* de Notra Foy, è, La Sinbola des Apotres 4.E. Credo in unum Deum. » Un roi est à genoux en prière, « Le Roy Octabianus, G. XI », qui devrait permettre une datation précise de l'œuvre. W. Molsdorf, *op. cit.,* § 1023, mentionne de même une peinture murale à Saint-Léonard de Francfort, datant des années 1500, où les apôtres sont disposés en buste comme dans un Arbre de Jessé.

le prophète qui lui correspond), ou en les disposant face à face, comme les deux moitiés d'un chœur monastique. L'ordre de succession des apôtres et leur « mariage » avec les douze prophètes varient[43]. L'idée cependant demeure inchangée, c'est l'harmonie (« l'accordance ») des deux Testaments qui est représentée, l'apostolicité de la foi, la merveille de son énonciation, beaucoup plus que le contenu du Credo lui-même. Du moins ce qu'il énonce est-il médiatisé dans l'image par ses énonciateurs.

Ainsi, l'image des apôtres tient lieu d'image de la foi des apôtres. L'éclipse du contenu n'est pas totale : ceux-ci portent des banderoles. Elles constituent pour ainsi dire leur attribut commun. Les voyant, le spectateur qui savait l'existence de la légende devait les associer immédiatement au texte du Credo. S'agissait-il toujours de les déchiffrer ? On est en droit de soupçonner que dans certaines de ces compositions, les banderoles étaient vides au départ, et faisaient mémoire de l'énonciation du SdA non pas explicitement, avec des caractères dûment écrits, mais implicitement, et par allusion. De nos jours, en tout cas, nombre d'entre elles sont vides. Faut-il y voir une parabole ? Les méfaits du temps n'autorisent sans doute pas cette inférence : une banderole est normalement faite pour être remplie. Il reste que l'hommage principal de l'image médiévale n'aura pas été décerné aux « locutions », mais aux « locuteurs ».

Entre les deux options iconographiques, des ponts furent jetés par l'art. Mais peu nombreux. Le *Missel à l'usage de Saint-Nicaise de Reims* en est un exemple, où les faveurs du pinceau vont au contenu. Le traitement du *SdA* par *Le Vergier de Soulas* (vers 1300) et les manuscrits apparentés, avec la figuration du contenu des articles dans les médaillons du milieu de la page bordée par les douze apôtres et les douze prophètes[44], constitue un point d'équilibre (l'énonciation et l'énoncé occupent le même espace), et une manière de synthèse. Les regroupements qu'opérait le *Psautier d'Utrecht* font place à une illustration où la correspondance est stricte entre le médaillon et l'article : *Majestas Domini* et Vierge à l'Enfant, bien distincts, illustrent respectivement le premier et le deuxième article. Une Annonciation figure la conception ex *Maria virgine*. La Passion est rendue par un Christ en croix, seul; la Résurrection par un Christ à l'étendard, sortant du tombeau; successivement, ensuite, une Ascension (on ne voit que les pieds du Christ s'élevant), un Christ-Juge au torse dénudé, une Pentecôte pour dire la foi au Saint-Esprit; l'article de la sainte Église catholique est représenté par un saint (un pape ?) tenant une crosse (?) et portant une « maquette » d'église; la rémission des péchés, par un ange debout, tenant la balance de la justice de Dieu; la résurrection de la chair, par des défunts qui sortent de la tombe, comme dans le *Psautier d'Utrecht*; en revanche, la vie éternelle a droit à un médaillon spécial : une figure

---

43. Cf. C.F. Bühler, « The Apostles and the Creed », *Speculum*, XXVIII, 1953, p. 335-339, et le travail de Gordon, cité *supra*, note 27.

44. Paris, B.N., fr. 9220, f° 13 v°. D'après F. Avril, *op. cit.* (*supra*, n. 29), n. 16, p. 217, le *Vergier* proviendrait d'Artois, v. 1300. Cf. J.C. Schmitt, « Les images classificatoires », à paraître dans *Bibliothèque de l'École des chartes*, n° 100.

frontale de saint nimbé, en pied, les mains jointes, traduit la vision béatifique. Illustration « linéaire », là encore, sans audace particulière, mais beaucoup plus facile à lire que celle du *Psautier d'Utrecht*, plus synthétique que celle de Hopfer. Elle eût pu devenir populaire : elle ne fera cependant pas école. Non que son principe s'évanouisse complètement : un même type de combinaison se retrouve de loin en loin — par exemple, au XVᵉ siècle, notamment sur les voûtes siennoises de Lorenzo Vecchietta [45], sur une tapisserie conservée au Vatican [46]. Mais l'équilibre atteint sera le plus souvent rompu au détriment du contenu théologique. Témoin l'espace réduit (un pennon triangulaire dans la main de la Vierge) où est cantonné le contenu de chaque article dans les *Petites Heures* et les *Grandes Heures du duc de Berry* [47], comme il l'était déjà dans l'œuvre de Jean Pucelle (fig. 13). Tant que vivra la légende de la promulgation inspirée du Symbole par les apôtres — voire plus tard, mais dans l'art populaire —, et jusqu'au démantèlement de cette légende vénérable sous les coups de l'érudition des humanistes, l'évolution ira dans le sens d'une accumulation de correspondances encouragée par le nombre douze : en plus des prophètes, seront représentés les douze patriarches, les sibylles, les mois de l'année, les signes du zodiaque, certains Pères de l'Église et certaines « autorités » médiévales, etc. [48]

IV. Pour fragmentaires qu'elles soient, les observations rassemblées ci-dessus suggèrent quelques remarques au sujet des relations entre la culture-en-textes et la culture-en-images pendant la période considérée.

L'idée que celle-ci serait de part en part le reflet de celle-là, on l'admet de mieux en mieux, tient de l'axiome. Certes, il constitue un bon point de départ et fait souvent la preuve de son efficacité heuristique. En témoignent les travaux pionniers d'un E. Mâle [49]. Mais il est des cas où le chercheur doit en contrôler soigneusement la pertinence, sinon s'en libérer. Il y va non seulement de l'interprétation des résultats de la recherche iconographique, mais du statut épistémologique que l'on reconnaît à cette discipline, et de celui qu'elle revendique pour elle-même. Tant que l'image est conçue comme une simple servante du dogme ou de la prédication — *ancilla praedicationis* —, les historiens doutent d'apprendre d'elle quelque chose

---

45. Baptistère du Dôme, v. 1450. Cf. E. Carli, *op. cit.*, pl. CXCII et CXCIII.

46. P. Lacroix, art. cit., 25.

47. *Petites Heures du duc de Berry*, Paris, B.N., ms. lat. 18014, fᵒ 1 à 6 vᵒ, cf. V. Leroquais, *Livres d'Heures manuscrits de la Bibliothèque nationale*, Paris, t. II, 1927, p. 182-183 ; *Grandes Heures du duc de Berry*, Paris, B.N., ms. lat. 919, fᵒˢ 1 à 6 vᵒ, cf. V. Leroquais, *op. cit.*, p. 11-12. Triple Credo, dans la mesure où, pour chaque article du symbole, outre l'oracle prophétique censé l'annoncer, se trouve un verset des épîtres de Paul s'y rapportant.

48. H. de Lubac, *op. cit.*, p. 43-53, et P. Lacroix, art. cit., p. 14.

49. La théorie de « l'art comme reflet » est clairement énoncée par lui dans *L'Art religieux du XIIIᵉ siècle en France*, Paris, A. Colin, 1898, 9ᵉ éd. : 1958 (chap. I : « Les caractères généraux de l'iconographie du Moyen Âge »). La remise en question de cette théorie est déjà ancienne, cf. les « Considérations générales sur l'art du Moyen Âge » de L. Reau, in *Vieilles églises de France*, Paris, Nathan, 1948 (« L'art médiéval est-il toujours esclave des textes ? », p. 208 s.).

Fig. 13. *Petites Heures* de Jean de Berry,
Paris, Bibl. nat., ms. lat. 18014, f° 2 (la résurrection du Christ).

qu'ils ne sauraient pas par ailleurs ; réduite à un statut subalterne de science auxiliaire, l'iconographie est tout juste bonne à vérifier et illustrer. Il en va autrement dès lors que l'analyse du système des images d'une époque aboutit à des conclusions — ou soulève des problèmes — auxquelles les autres types de documents n'auraient pas pu conduire de la même façon[50].

A priori, on peut énumérer trois raisons pour le langage des images de n'être que rarement l'exacte réplique du discours verbal (oral ou textuel). La première tient à son mode particulier d'énonciation. L'image n'a pas pour première qualité de dire, mais de montrer. Elle a son lexique et sa syntaxe, et poursuit inlassablement la construction d'un système de signes graphiques constituant un langage spécifique. D'où l'opportunité d'une investigation de la symbolique de l'image médiévale[51]. La deuxième découle de sa relative liberté d'élocution : ses thèmes de prédilection ne sont pas automatiquement les mêmes que ceux de l'oralité ou de la culture écrite. Elle suit son propre rythme, et opère ses propres choix. De fait, on peut repérer chez elle des insistances et des défaveurs qui vont parfois à l'encontre des idées prônées par les textes contemporains. La hiérarchisation des valeurs promues par le langage de l'image peut différer sensiblement d'avec la « hiérarchie des vérités »[52] du discours de foi. Enfin — troisième spécificité de l'image —, elle bute parfois sur l'irreprésentable, autrement que le langage sur l'innommable. C'est évidemment le cas de l'image religieuse. Pour toutes ces raisons, il est opportun de prêter une grande attention aux diverses formes de décalage entre la tradition textuelle d'une culture et sa tradition d'images. Et c'est dans cette perspective que la rareté des illustrations du NC demande à être interprétée.

Décalage, qu'est-ce à dire ? Dans un article qui reste extrêmement stimulant[53], Hélène Toubert mentionnait naguère, d'une part, des cas de divergence (« l'image peut renseigner sur des croyances mal documentées par les textes, parce qu'elles sont souvent condamnées par l'orthodoxie »)[54], et d'autre part des situations de retard entre la formulation

---

50. J. Wirth, L'Image médiévale. Naissance et développement (VIᵉ-XVᵉ siècle), Paris, Méridiens Klincksieck, 1989.

51. F. Garnier, Le Langage de l'image médiévale, t. I, Signification et symbolique, Paris, Le léopard d'or, 1982 ; t. II, Grammaire des gestes, 1989.

52. C'est l'une des plus importantes notions remises en relief par Vatican II, dans le décret sur l'œcuménisme (Unitatis redintegratio, nᵒ 11). Cf. Y.-M. Congar, « La Hierarchia veritatum » in Id., Diversité et communion, Paris, Cerf, 1982, p. 184-197. De même qu'elle peut servir à l'évaluation critique des systèmes théologiques et des formes de piété du passé, de même cette notion pourrait être utilement employée à l'évaluation théologique de l'art religieux.

53. H. Toubert, « Iconographie et histoire de la spiritualité médiévale », in Revue d'histoire de la spiritualité 50, 1974, p. 265-284, sp. 272-274, repris in Un art dirigé, Réforme grégorienne et iconographie, Paris, Cerf, 1990, p. 19-36.

54. Les deux exemples que Mme Toubert donne à la suite de Huizinga et Schapiro traduisent la réaction des théologiens et pasteurs du XVᵉ siècle, en l'occurrence Gerson et Antonin de Florence, suspectant d'hérésie des figurations populaires qui heurteraient leur

écrite d'une pensée et son expression plastique[55] : soit qu'une idée (ou un système d'idées) depuis longtemps à demeure dans la culture discursive doive attendre plusieurs siècles avant de recevoir sa transcription picturale, ou du moins quelque équivalent plastique, soit au contraire que l'image se révèle « en avance sur son temps », pour avoir su anticiper sur la formulation verbale des grandes mutations psycho-sociales, un peu à la façon d'une sonde sismique[56].

Le problème envisagé ici suggère toutefois de recourir à un troisième terme, capable de désigner un phénomène de décalage qui n'est en effet assimilable ni à une divergence d'avec la pensée officielle de l'Église, ni à une manière de retard, puisque l'art religieux renaissant et moderne ne comblera pas la lacune observée. Comment nommer le fait, somme toute banal dans l'histoire de l'art chrétien considéré sur la longue durée[57], qu'un texte fondamental dans l'édifice dogmatique, un texte installé de surcroît au cœur de la liturgie, soit pour ainsi dire sous-illustré dans le médium de l'image, sauf sous forme disséminée — en une multitude de types iconographiques, et en des myriades d'images, il est vrai[58] ? Réserve, résistance,

conception de la « décence » (déjà !). J'ai proposé de rendre justice aux « Vierges ouvrantes » (le premier exemple) dans *Dieu dans l'art*, Paris 1984, p. 281-286 ; quant au deuxième, celui des images d'annonciation comportant, dans le sillage de la Colombe, un homoncule nu chargé de la croix, il a été lavé de tout soupçon d'hérésie par E. Guldan, « "Et Verbum caro factum est." Die Darstellung der Inkarnation Christi im Verkündigungsbild », *RQ* 63, 1968, p. 145-169.

55. L'exemple donné, art. cit., 273 (« ... le mécanisme typologique a été très tôt au point dans les textes... Or cette mine d'enseignements, d'images... ne fut pas exploitée par l'art avant le XII* s. »), porte pleinement. De fait, la vogue des *SdA* illustrés coïncide avec l'exploitation de la typologie dans l'art. Un exemple parlant en est fourni par le Missel à l'usage de Saint-Nicaise de Reims évoqué plus haut. Ce qui donne à penser que le *NC* a souffert d'être moins « biblique » que le *SdA*, et surtout, de n'être pas soutenu par une légende.

56. Beaucoup d'historiens de l'art récent (XIX*) et contemporain semblent acquis à l'idée que les artistes peuvent être des têtes chercheuses qui devancent leur propre époque en ceci que leurs créations précèdent la formulation verbale des mêmes phénomènes. Il est curieux de constater que cette idée semble encore incongrue, s'agissant de la période dont ils s'occupent, à la plupart des spécialistes de l'art médiéval et renaissant. Elle fait présentement du chemin, cf. la conclusion de K. Steinberg, *La Sexualité du Christ à la Renaissance et son refoulement moderne*, Paris, Gallimard, 1987, 133 : « ... il y a des moments, même dans une culture aussi marquée que la nôtre par la production verbale, où des images peuvent naître sans provenir d'une élaboration déjà existante, et devenir elles-mêmes des textes princeps... », et F. Boespflug, « La Compassion du Père dans l'art occidental à la fin du Moyen Âge », *Le Supplément*, n° 172, mars 1990, p. 123-159.

57. Il suffit de songer à l'apparition tardive de la crucifixion (IV*) ou de la Trinité (XI*-XII*) dans l'art. Par ailleurs, une métaphore verbale peut attendre des siècles avant que naisse une image qui lui corresponde : ainsi du Pressoir mystique. Enfin, il est curieux de constater qu'il a fallu sept siècles pour que la jonction s'opère, sous la plume de Kraus, en 1897, entre l'expression « trône de grâce » et le type iconographique qu'elle désigne désormais. Dans la bouche des prédicateurs médiévaux, elle a longtemps désigné... la confession sacramentelle (comme le P. Bataillon me l'a fait très justement remarquer).

58. On fait ici allusion au fait qu'une multitude d'images peuvent revendiquer à juste titre d'être considérées — *analogice tantum*, car il n'est pas vrai que tout soit dans tout — comme la traduction plastique du Credo de l'Église, ou du moins comme la visualisation de l'un ou l'autre de ses articles.

défaveur, hypotrophie, éclipse, on pourrait multiplier les candidatures :
chacune de ces métaphores traduit l'un des aspects d'un phénomène
complexe, et difficile à analyser. Chacune d'elles doit être mise à l'épreuve.
Seules les deux premières constituent une amorce d'interprétation des faits.
Résistance ? Retenue ? On pourrait invoquer en effet, pour rendre
compte de la rareté des illustrations du « Grand Credo », soit, *a parte
pictoris*, une sorte de retenue à l'égard de la figuration de son premier
article, soit, *a parte objecti*, ce qu'on pourrait appeler la « résistance à
l'image » de ce premier article, en raison de ses aspects conceptuels
(« consubstantiel ») ou supra-historiques (« né du Père avant tous les
siècles »), particulièrement développés dans le *NC* et le *PsA*. A y regarder
de plus près, cependant, on ne saurait s'en tenir longtemps à cette
hypothèse d'explication. Pour énigmatique qu'elle demeure, l'émergence
d'une iconographie spéciale de Dieu le Père est un fait bien attesté, et déjà
répandu au XIIe siècle [59]. La mise en images de relations intratrinitaires en
sera facilitée d'autant, si bien que l'artiste de la fin du Moyen Âge n'était
nullement démuni pour figurer la création du monde par le Père (ou par
la Trinité tout entière), la génération éternelle du Verbe, la « circuminsession » — des deux premières Personnes notamment —, la procession de la
Troisième *ab utroque*, etc. [60] Le panorama des images occidentales de la
Trinité à la fin du Moyen Âge fait d'ailleurs plus songer à un tâtonnement
un peu désordonné, au demeurant fort inventif, qu'à une réserve généralisée. Il est vrai que les diverses solutions graphiques colportées dans les
carnets de modèles en circulation se présentaient comme des innovations
un peu aventureuses dont la légitimité théologique et l'opportunité pastorale, surtout, étaient loin de faire l'unanimité parmi les doctes [61]. Mais la
rareté des réactions exprimées, et la richesse même de l'iconographie
trinitaire, conseillent de chercher une autre explication.

Le facteur décisif pourrait être situé du côté de la syntaxe, et non du
lexique. En d'autres termes, la succession des articles pourrait avoir
constitué un obstacle plus dissuasif que la teneur abstraite ou intemporelle
de tel d'entre eux. En effet, quel que soit le Credo envisagé, et quel que soit
le découpage adopté, la mise en images d'un Symbole, quel qu'il soit,

---

59. I. Correll, *Gottvater, Untersuchungen über seine bildlichen Darstellungen bis zum
Tridentinum*, thèse dactylographiée, Fribourg, 1958.

60. Pour la création, voir J. Zahlten, *Creatio mundi*, Darstellungen der sechs Schöpfungs-
tage und naturwissenschaftliches Weltbild im Mittelalter, Stuttgart, Klett-Cotta, 1979 ; pour
la génération éternelle du Verbe, voir A. Heimann, « L'iconographie de la Trinité, 1, une
formule byzantine et son développement en Occident », *L'Art chrétien*, oct. 1934, p. 37-58 ;
pour la circuminsession, cf., entre autres manuscrits d'une audace singulière, les « Rothschild
Canticles », New Haven, ms. 404, sur lesquels M. Jeffrey Hamburger a fait récemment sa
thèse (cf. *Id.*, « The Visual and the Visionary : the Changing Role of the Image in Late
Medieval Monastic Devotions », *Viator*, 20, 1989, p. 161-182).

61. Cf. F. Boespflug, *Dieu dans l'art*, p. 230 s. Dans l'édition des Constitutions générales
des frères mineurs publiée à la suite de leur chapitre de Perpignan, en 1331, il est recommandé
à tous les religieux de réformer les abus commis en peinture, et de s'abstenir de toute
représentation de la Trinité, « *res numquam visa* ».

constitue un défi pictural difficile à relever, du fait de l'hétérogénéité des
« vérités » de foi évoquées : certaines relèvent de l'histoire, d'autres pas ;
certaines peuvent être représentées dans l'espace-temps humain, d'autres
exigent la figuration de l'éternité de Dieu ; les unes peuvent se rattacher
aisément à l'iconographie du Christ, les autres pas. Restituer l'enchaînement des articles de foi suppose donc de renoncer à la narrativité linéaire
et homogène, et impose fatalement des ruptures[62] et des retours en
arrière[63]. De ce point de vue, la visualisation artistique du Credo souffre
fatalement d'un handicap par rapport à un cycle de la Vie du Christ, de la
Vierge ou d'un saint, qui ont de bien meilleures chances d'atteindre à une
unité esthétique satisfaisante. Si l'on ajoute qu'une Vie, celle d'un saint,
celle du Sauveur surtout, est pour le fidèle incomparablement plus facile
à suivre, et à « habiter », que la suite des vérités du Credo, même articulées
en images, on comprend mieux, non seulement la défaveur picturale du
NC, symbole privé de légende fondatrice et ne jouissant pas non plus de
l'appui d'un nombre symbolique, mais aussi la nette préférence que les
artistes et les fidèles, sinon l'Église hiérarchique elle-même, manifestèrent
pour la figuration des « apôtres au Credo » plutôt que pour celle du Credo
des apôtres.

---

62. Dans le Credo de Sienne (cf. *supra*, note 15), entre les images 9 (il descendit du ciel)
et 10 (par l'Esprit saint il a pris chair), 20 et 21... : le regard doit passer brutalement de
l'espace-temps physique à l'« espace » du mystère, et vice versa.

63. Les stalles marquetées de Sienne montrent des scènes de baptême et de confession après
celle de la Parousie ; le Credo xylographié de 1440 (*supra*, note 29) montre la Pentecôte (« Je
crois au Saint-Esprit ») après le Jugement dernier, et l'Annonciation (« conçu du Saint-
Esprit ») après le baptême (« et en Jésus-Christ son Fils unique »).

RITE ET PAROLE EN DT 26, 1-11

Jacques BRIEND

Soucieux d'une recherche sur les sources de la liturgie chrétienne, le R.P. Gy a toujours accordé au Vieux Testament une place dans le programme de l'Institut supérieur de liturgie dont il fut l'infatigable directeur pendant tant d'années. Pour m'associer à l'hommage qui lui est rendu, je propose l'étude de Dt 26, 1-11, un texte bien connu des liturgistes où sont associés rite et parole. Certes le passage biblique est connu, mais il s'agit moins ici de proposer une nouvelle hypothèse de lecture que de fournir une synthèse qui tienne compte des travaux récents.

Histoire de l'exégèse récente

En 1938 G. von Rad[1] avait montré l'importance qu'il attachait au « petit Credo historique » que l'on trouve en Dt 26, 5-10. La position adoptée à l'égard de ce texte s'est largement diffusée grâce à sa *Théologie de l'Ancien Testament*[2] où les liturgistes ont pu facilement en prendre connaissance et l'ont généralement acceptée[3]. G. von Rad considérait que la parole récitée par le fidèle apportant au sanctuaire l'offrande des prémices était une confession de foi d'une haute antiquité (Dt 26, 5-9), qu'elle n'était pas une prière et qu'elle établissait une séquence des événements de l'histoire du salut où la sortie d'Égypte et l'entrée en Canaan jouaient un rôle central. De l'antiquité de ce texte l'auteur tirait des conclusions décisives pour construire sa théologie de l'Ancien Testament.

Depuis les travaux de G. von Rad de nombreuses études ont été consacrées au texte de Dt 26, 1-11, le plus souvent au bénéfice du seul élément

---

1. G. von Rad, *Das formgeschichtliche Problem des Hexateuch*, Stuttgart, 1938, p. 2-7, repris dans *Gesammelte Studien zum Alten Testament (Theologische Bücherei 8)*, München 1958, p. 11-16.

2. G. von Rad, *Theologie des Alten Testaments*, t. I, München 1958, p. 127 s. ; traduction française, *Théologie de l'Ancien Testament*, t. I, Genève 1963, p. 112 s.

3. Pour ne prendre que deux exemples récents, on peut citer C. Giraudo, *La Struttura Letteraria Della Preghiera Eucaristica* (Analecta Biblica 92), Rome 1981, p. 41-51 et L.-M. Chauvet, *Symbole et Sacrement* (Cogitatio fidei, 144), Paris 1987, p. 208. Ces auteurs restent trop dépendants de la position de G. von Rad.

de parole (vv. 5-10). L'antiquité du « petit Credo » en est sorti affaiblie. En 1965 l'analyse de L. Rost[4] montre que ce Credo dérive d'un remaniement deutéronomique relativement tardif. Certes l'étude n'était pas menée de manière systématique, mais les observations faites étaient judicieuses et obligeaient à un autre regard sur l'histoire du texte. En 1967 W. Richter[5] observait que le Credo n'est pas au principe du développement de l'expression de la foi en Israël ; les schémas de Credo sont un résultat et non pas un point de départ. Ces premières critiques qui visaient la position prise par G. von Rad se retrouvent chez d'autres auteurs comme J.P. Hyatt[6] ou R. de Vaux[7]. En 1970 une étude minutieuse du texte est offerte par G. Wassermann[8], puis en 1971 par N. Lohfink[9], mais ces travaux n'ont pas reçu l'audience qu'ils méritaient. Mais pour une histoire de l'exégèse de Dt 26, 1-11 et des textes qui offrent une confession de foi, il faut désormais recourir à l'ouvrage de S. Kreuzer[10] qui fait le point de la recherche et propose sa propre lecture de Dt 26.

Le rite

L'offrande des prémices par le paysan israélite constitue un rite ancien, très probablement emprunté au milieu cananéen. L'existence du rite précède la prescription que l'on rencontre dans les plus vieux ensembles législatifs. La formulation de la prescription sur l'offrande des prémices trahit une situation religieuse où le Dieu d'Israël n'est pas le seul à qui l'on offre des prémices. L'interdit d'Ex 22, 28, témoignage sans doute le plus ancien sur le rite, semble en apporter l'attestation : « Tu ne livreras pas à d'autres tes fruits mûrs et la coulée de ton pressoir » (traduction *TOB*). Cet interdit use de termes rares et le verbe est susceptible de sens multiples. Le sens adopté est unique et mal documenté[11]. Aussi certains préfèrent donner au verbe un sens temporel et traduire : « tu ne différeras pas », mais dans ce cas il faut encore rétablir un verbe comme « offrir » ou « apporter » selon une construction dont Dt 23, 22 donne un bon exemple. Cette solution est

4. L. Rost, *Das kleine Credo und andere Studien zum Alten Testament*, Heidelberg 1965, p. 11-25.

5. W. Richter, « Beobachtungen zur theologischen Systembildung in der alttestamentlichen Literatur anhand des "kleinen geschichtlichen Credo" », *Festschrift Michael Schmaus*, vol. I, 1967, p. 175-212.

6. J.P. Hyatt, « Were there an Ancient Historical Credo and an Independant Sinai Tradition ? », *Translating and Understanding the Old Testament, Essays in honor of H.G. May*, New York 1970, p. 152-170.

7. R. de Vaux, *Histoire ancienne d'Israël*, t. I, Paris 1971, p. 379.

8. G. Wassermann, « Das kleine geschichtliche Credo (Deut 26, 5 s.) und seine deuteronomische Übermalung », *Theologische Versuche* II, Berlin-Ouest 1970, p. 27-46.

9. N. Lohfink, « Das kleine geschichtliche Credo », *Th Ph*, 46, 1971, p. 19-39.

10. S. Kreuzer, *Die Frühgeschichte Israels in Bekenntnis und Verkündigung des Alten Testaments* (BZAW 178), Berlin 1989, p. 53-82 pour l'histoire de l'exégèse.

11. H. Cazelles, *Études sur le code de l'alliance*, Paris 1946, p. 82 s.

retenue par la *Bible de Jérusalem* [12]. Si on retient la première solution, qui a notre préférence, le texte suppose un contexte polémique où la tentation est grande d'aller vers d'autres dieux.

Sous une autre forme, celle d'un commandement, la prescription est ainsi fixée en Ex 23, 19 : « Tu apporteras les tout premiers fruits de ton sol à la maison du Seigneur ton Dieu. » En Ex 34, 26 elle se retrouve en termes identiques. La priorité d'un texte par rapport à l'autre n'est pas facile à trancher, mais la question est secondaire pour notre propos [13]. On soulignera plutôt l'insistance sur l'offrande comme devant être faite au « Seigneur, ton Dieu », ce qui peut laisser entendre qu'elle pouvait se faire à d'autres dieux.

La prescription s'adresse au paysan, chef de famille, mais elle n'offre aucune indication sur le rituel. Aucune précision n'est fournie sur la quantité à offrir ou sur le moment où l'offrande doit être faite. Le lieu où doit se dérouler le rite n'est indiqué qu'en Ex 23, 19 ; 34, 26 par l'expression « la maison du Seigneur », ce qui peut désigner soit le sanctuaire local, soit le sanctuaire central ; avec hésitation on peut penser au sanctuaire où l'on se rendait pour les fêtes de pèlerinage [14]. Enfin la prescription ne dit rien sur une éventuelle parole qui pouvait accompagner le rite.

Dt 26, 1-11 se situe dans la perspective des précédentes prescriptions sur l'offrande des prémices. Ce texte comme celui de Dt 26, 12-15 sur la dîme a été ajouté au corpus des lois du Deutéronome ; le manifeste l'introduction du passage dont le vocabulaire et la phraséologie sont apparentés aux discours du livre. Du point de vue du rituel le texte insiste sur l'offrande des « produits de ton sol » ; il ne s'agit pas de produits transformés ; d'ailleurs il est précisé que ces produits doivent être mis dans un panier ; la quantité offerte est difficile à apprécier, mais elle comporte toute la diversité des fruits recueillis (Dt 26, 2). Le lieu est « celui que le Seigneur ton Dieu aura choisi pour y faire demeurer son nom », formule chère au Deutéronome (12, 11 ; 14, 23 ; 16, 2.6.11 ; 26, 2).

A partir du v. 3 la prescription se précise. Le fidèle doit aller trouver le prêtre en fonction au jour de la présentation de l'offrande ; là, il prononce une première parole : « Je déclare aujourd'hui au Seigneur ton Dieu que je suis arrivé dans le pays que le Seigneur a juré à nos pères de nous donner. » Puis le prêtre doit recevoir le panier et le déposer devant l'autel (Dt 26, 4). Avec le v. 5 nous avons une nouvelle parole à prononcer, plus développée que la première, où l'on a le début du « petit Credo historique ».

Dans ce texte plusieurs éléments font question. Pourquoi y a-t-il une double parole à prononcer ? Si le prêtre a déposé le panier devant l'autel (v. 4), comment le fidèle peut-il réaliser la même action telle qu'elle est prévue au v. 10b ? Pourquoi le fidèle est-il invité à se réjouir avec le lévite

---

12. Voir aussi J. de Fraine, art. « Prémices », *DBS*, t. VIII, Paris 1968, col. 452.

13. J. de Fraine, art. cité, col. 452, accorde la priorité à Ex 34, 26 ; même position chez J. Halbe, *Das Privilegrecht Jahwes Ex 34, 10-26 (FRLANT* 114), Göttingen 1975, p. 440-450.

14. J. Halbe, *op. cit.*, p. 199, n. 35.

au v. 11 alors qu'on attendrait une mention du prêtre ? Face à ces tensions on est amené à soupçonner que les vv. 1-4 ont été fortement retouchés, car cette introduction se présente de manière fort différente de celle qui ouvre la prescription sur la dîme en Dt 26, 12-15. D'autres arguments peuvent être avancés et ils obligent à distinguer nettement les vv. 1-4 des vv. 5-11. Ainsi l'expression « devant le Seigneur ton Dieu » du v. 5a que l'on retrouve au v. 10b se distingue de celle du v. 4 : « devant l'autel du Seigneur ton Dieu »; ceci ressort encore plus si l'on observe la différence entre l'ordre de « déposer (le panier) devant l'autel » (v. 4) et celui du v. 10b : « tu les (= les fruits) déposeras devant le Seigneur ». En outre, le verbe « se prosterner » (v. 10 b) reçoit un sens positif qu'il n'a jamais dans le Deutéronome. La conclusion s'impose : les vv. 1-4 représentent une introduction et un rituel plus tardifs : par contre les prescriptions des vv. 10 b-11 représentent un stade plus ancien qui rejoint des textes comme Dt 12, 18-19 et 16, 11-14 qui font également mention du lévite et de l'émigré et qui font usage de la deuxième personne du singulier. Ce n'est donc pas à la lumière des vv. 1-4 que l'on doit juger de l'antiquité de la parole des vv. 5-10.

Analyse de Dt 26, 5-10

Puisque les anciennes prescriptions sur l'offrande des prémices ne disent rien sur le déroulement du rituel, on ne peut pas savoir si, à une époque ancienne, il y avait une parole prononcée par le fidèle. Rien ne permet de l'exclure, rien non plus ne permet de l'affirmer. Si on laisse provisoirement de côté les vv. 1-4, seule l'analyse des vv. 5-10 peut permettre d'apporter une réponse à la question du lien entre le rite et une parole prononcée par le fidèle.

a) Le jeu des pronoms

En présentant les prémices le père de famille prend la parole et s'engage personnellement en utilisant la première personne du singulier : « Mon père était un araméen errant » (v. 5 a), mais à partir du v. 6 il utilise le pronom de la première personne du pluriel soit comme complément, soit comme sujet des verbes. Par contre au v. 10 on retrouve la première personne du singulier : « Et maintenant voici que j'apporte les prémices des fruits du sol que tu m'as donné, Seigneur. »

Mais comment interpréter ce passage du « je » au « nous » dans un texte qui normalement s'adresse à Dieu ? On pourrait ici invoquer l'usage psalmique où parfois l'orant s'identifie à un groupe plus large. Le Ps 8 en fournit un bon exemple, car le début (v. 2) et la fin (v. 10) du psaume sont marqués par une formule liturgique : « Seigneur, notre Seigneur, que ton nom est magnifique par toute la terre », mais le corps du psaume se signale par le couple « je-tu ». Ce n'est pas le cas en Dt 26, 5-10.

Si on prend comme terme de comparaison le texte sur la dîme (Dt 26, 13-15), on y passe du « je » au « nous » selon une progression naturelle où l'individu élargit sa prière à l'ensemble auquel il appartient, Israël, sur qui il appelle la bénédiction divine. Là encore Dt 26, 5-10 se distingue par son originalité ; du « je » on passe au « nous » pour revenir au « je » au terme de la parole.

De cette originalité du texte on a d'autres indices. Tout d'abord Dieu est évoqué à la troisième personne dans les vv. 7-9 alors qu'il est interpellé à la deuxième personne au v. 10. Ce phénomène est explicable par le contenu des vv. 7-9 qui se veulent rappel historique du passé d'Israël avec Dieu alors que le v. 10 adopte le style de la prière. Cette différence permet de comprendre pourquoi d'un exégète à l'autre on qualifie le texte soit de Credo, soit de prière. N'y a-t-il pas là l'indice d'une composition complexe ?

Plus difficile à justifier est le passage entre l'ouverture du texte : « Mon père était un araméen errant » (v. 5) et l'affirmation « Yahvé, le Dieu de nos pères » (v. 7). Passer de « mon père » à « nos pères » à l'intérieur du même texte surprend. Le pluriel, déjà présent en Dt 26, 3, est cohérent avec la mention des pères que l'on trouve souvent dans le Deutéronome. Par contre l'usage du singulier est unique dans le livre et ne peut renvoyer qu'à un seul référent et non à plusieurs. Ces premières observations obligent à se poser la question de l'origine du texte de Dt 26, 5-10 et à formuler l'hypothèse d'une composition en deux temps.

b) Le rythme du texte

Dt 26, 5-10 n'est pas un texte poétique ; il lui manque une des principales caractéristiques du genre poétique, le parallélisme. Par contre on peut ici parler de prose rythmée dans la mesure où on y découvre un rythme ternaire qui s'observe dans l'organisation des propositions et dans le choix des mots ou des adjectifs.

La phrase d'ouverture est une phrase nominale constituée de trois termes : *'arami 'obed 'abi* — un araméen errant (était) mon père. Chaque terme commence par la même consonne ; le premier et le dernier s'achèvent par le même son, l'ensemble formant une allitération. La suite du v. 5 est formée de trois phrases de plus en plus longues qui décrivent la situation passée de l'ancêtre et son devenir en Égypte. On y observe une extrême concision, un effet recherché et le triple adjectif qui renforce cet effet.

Le v. 6 contient, lui aussi, trois propositions qui ont même sujet : les Égyptiens. Trois verbes traduisent la situation de la descendance de l'ancêtre en Égypte. On observera l'allongement de la dernière proposition obtenue par la présence d'un complément, l'apparition du pronom « nous », indépendant ou suffixé, auquel s'identifie le locuteur.

Le v. 7 est encore composé de trois propositions avec changement de sujet entre la première et la dernière. Le « nous » est le sujet de la première proposition qui a pour complément « Yahvé » et ce nom divin devient le sujet des deux propositions suivantes. La longueur de chaque proposition varie; la plus courte est celle du milieu comme au v. 6; la plus longue est la dernière, marquée par une séquence ternaire décrivant la détresse. Outre un effet littéraire, la redondance souligne comme au v. 6 l'aspect dramatique de la situation. Par les procédures utilisées le lecteur passe ainsi du monde de l'histoire, celle d'un groupe particulier, à Dieu qui agit dans cette histoire en faveur de ce groupe désigné par « nous ».

Aux vv. 8-9 on a également trois propositions dont Dieu demeure le sujet; son nom est repris au début du v. 8. La première proposition est la plus longue, celle du milieu la plus courte, la dernière de longueur moyenne. La première évoque la sortie d'Égypte comme acte de Dieu; elle est mise en relief par une triple série d'expressions dont la plus courte se situe au centre. La deuxième proposition traduit l'action de Dieu qui se poursuit par la venue du groupe désigné par « nous » en un lieu, celui que l'on habite; la dernière proposition complète cette description en précisant la nature du don de Dieu. Une autre figure de style, l'anadiplose, est ici employée : « Et il nous a donné ce *pays, pays* ruisselant de lait et de miel. »

Quant au v. 10 on n'y retrouve plus le rythme ternaire; il se distingue de la proposition précédente par l'emploi du mot « sol » au lieu du terme « pays »; par contre le verbe « donner » est commun aux vv. 9b et 10a. On observera enfin que le verbe *bô'* au hiphil n'a pas le même sens au v. 9 (« faire venir ») et au v. 10 (« apporter »).

Le moins que l'on puisse dire, c'est qu'à partir du v. 5b (depuis « et il descendit en Égypte ») jusqu'au v. 9 le texte est gouverné par une volonté d'utiliser un rythme ternaire, choix sans doute voulu pour faciliter la récitation. Font exception à cette règle le début du v. 5 et le v. 10a. L'hypothèse que l'on peut faire au vu de ces indices est de considérer le récitatif en « nous » dominé par le rythme ternaire comme intégré à un formulaire plus sobre qui se réduisait à ceci :

Mon père était un araméen errant [...]. Et maintenant voici que j'apporte les prémices des fruits du sol que tu m'as donné, Seigneur.

Cette hypothèse, déjà proposée par L. Rost [15], a été reprise par plusieurs commentateurs qui parviennent à ce résultat par des voies différentes [16]. Mais si on accepte cette hypothèse, d'où vient alors le récitatif historique ? Est-il deutéronomique ? Pour répondre à cette question il convient d'abord de procéder à une comparaison entre Dt 26, 5-10 et Nb 20, 14-16 [17].

---

15. L. Rost, *op. cit.*, p. 18.

16. N. Lohfink, art. cité, p. 25 s.; S. Kreuzer, *op. cit.*, p. 156. Voir aussi L. Schmidt, « De Deo », (*BZAW* 143), 1976, p. 138, n. 33.

17. Plusieurs auteurs proposent cette comparaison. Outre G. Wassermann, N. Lohfink et S. Kreuzer, on peut citer encore C. Carmichael, « A New View of the Origin of the Deuteronomic Credo », *VT* 19, 1969, p. 273-289; M. Weinfeld, *Deuteronomy and the Deuteronomic School*, Oxford 1972, p. 33-34.

c) Comparaison avec Nb 20, 14-16

Comme le montre la présentation synoptique des deux textes, la séquence historique est la même de part et d'autre. Sur les sept verbes qui jalonnent le rappel historique de Nb 20, cinq se retrouvent en Dt 26 selon la même séquence. Le verbe « séjourner » de Dt 20, 5 c a comme correspondant le verbe « habiter » en Nb 20, 15 b, ce qui n'offre pas une différence de contenu. On observe par ailleurs de légères modifications en Dt 26 : « Dieu de nos pères » au v. 7 a ; mention de Yahvé (= le Seigneur) aux vv. 7 b.8 a. Par contre le rythme ternaire, caractéristique de Dt 26, 5-9, n'existe pas en Nb 20, 15-16, ce qui confirme l'originalité du récitatif de Dt 26. Par rapport à Nb 20, 16 l'envoi d'un ange fait défaut en Dt 26, mais une telle conception ne se rencontre jamais dans le Deutéronome.

Dt 26, 5-10		*Nb 20, 14-16*
v. 5 a	Mon père était un Araméen errant,	14. Ainsi parle ton frère Israël Tu sais toutes les difficultés que nous avons rencontrées.
b	et il descendit en Égypte	15. Nos pères sont descendus en Égypte
c	et là il séjourna avec peu de gens	et nous avons habité en Égypte pendant de longs jours
d	et il devint là une nation grande, puissante et nombreuse.	
v. 6 a	Mais les Égyptiens nous ont maltraités	puis les Égyptiens nous ont maltraités
b	et ils nous ont opprimés	
c	et ils nous ont imposé une dure servitude.	
v. 7 a	Alors nous avons crié vers le Seigneur, le Dieu de nos pères	16. et nous avons crié vers le Seigneur
b	et le Seigneur a entendu notre voix	et il a entendu notre voix et il a envoyé un ange
c	et il a vu notre oppression, notre souffrance et notre misère.	
v. 8 a	Et le Seigneur nous a fait sortir d'Égypte	et il nous a fait sortir d'Égypte
A	à main forte et à bras étendu,	
B	par une grande terreur,	
C	par des signes et des prodiges	

v. 9 a   et il nous a fait venir en ce
          lieu
      b   et il nous a donné ce pays,
          un pays ruisselant de lait et
          de miel.

v. 10   Et maintenant voici que   et voici que nous [sommes] à
          j'apporte les prémices des   Qadesh, ville à la limite de ton
          fruits du sol que tu m'as   territoire.
          donné, Seigneur.

Les premiers mots de Dt 26, 5 a n'ont pas de correspondant en Nb 20, 15 qui parle des pères, ce qui doit être une désignation des patriarches puisque le texte se poursuit par un « nous » qui désigne le groupe des Israélites sortis d'Égypte. Ceci manifeste que le rédacteur de Dt 26, 5 b-9, s'il prend Nb 20, 15-16 comme modèle pour la composition de son récitatif, conserve une donnée écrite qui s'impose à lui. Ceci explique que les verbes de Dt 26, 5 sont au singulier alors même que l'usage du pluriel par référence aux pères lui était plus familier (cf. v. 7).

Aucun autre rappel historique n'est aussi proche de Dt 26, 5-9 que celui de Nb 20, 15-16; dans ce dernier texte il ne s'agit pas vraiment d'un Credo, mais de l'évocation d'un passé intégrée dans un message diplomatique. L'origine de cette évocation peut être la liturgie comme le pense S. Kreuzer[18], mais ceci est une autre question. Il n'en reste pas moins que si Nb 20, 15-16 a servi de canevas, ce texte ne suffit pas à expliquer dans le détail le récitatif de Dt 26, 5-9.

d) Analyse du récitatif historique

Étant admise l'influence de Nb 20, 14-16, il convient de relire chaque élément du récitatif pour en préciser l'origine possible tant par rapport au Deutéronome que par rapport à d'autres sources plus anciennes.

— « et il descendit en Égypte » (v. 5 b) : Nous avons déjà expliqué l'usage du verbe « descendre » au singulier en fonction du v. 5 a. En Dt 10, 22 le verbe est au pluriel, car ce sont les pères qui sont descendus en Égypte. On observera que la descente du patriarche Jacob en Égypte est ordonnée par Dieu en Gn 46, 2-4, texte ancien, très probablement élohiste[19]. Or ce passage, comme nous le verrons, semble un texte de référence pour la rédaction de Dt 26, 5-9.

— « et là il séjourna » (v. 5 c) : Alors que Nb 20, 15 utilise un verbe de sens général (« habiter »), Dt 26, 5 adopte un terme plus juridique que l'on trouve en Gn 47, 4[20]. Le verbe *gwr* pour désigner le séjour des patriarches

---

18. S. Kreuzer, *op. cit.*, p. 128.

19. L. Schmidt, *Literarische Studien zur Josephsgeschichte* (BZAW 167), Berlin 1986, p. 185-193. Voir aussi P. Weimar, *Untersuchungen zur Redaktionsgeschichte des Pentateuch* (BZAW 146), Berlin 1977, p. 40.

20. L. Schmidt, *op. cit.*, p. 195 en fait un texte J.

en Égypte n'est jamais utilisé dans le Deutéronome[21], bien qu'il sache que les Israélites avaient le statut d'« étrangers » en Égypte (Dt 10, 19 ; 23, 8). En Dt 26, 5 l'usage du verbe veut souligner que l'Égypte n'était pas pour le futur Israël un lieu de séjour permanent et insinue que le pays où Israël doit résider est le pays promis par Dieu.

Les deux verbes « descendre » et « séjourner » se trouvent en Gn 12, 10 à propos d'Abram dans un texte JE[22]. Rien ne permet de dire que l'emploi du verbe « séjourner » est un indice de rédaction tardive[23].

— « avec peu de gens » (v. 5 c) : L'expression se rencontre en Dt 28, 62 dans un contexte de menace qui fait référence à l'exil et par contraste à la promesse de multiplication. Avec une expression légèrement différente on a la même menace en Dt 4, 27. La force de ces textes tient au parallélisme de situation entre le passé et le présent, à savoir l'exil. Peut-on dire qu'en Dt 26, 5 c'est ce parallélisme qui est déjà à l'œuvre comme le pense S. Kreuzer[24] ? Rien n'est moins certain ; s'il fallait accepter cette interprétation, cela supposerait l'exil déjà accompli. Le texte le plus proche de Dt 26, 5 est celui de Gn 34, 30 où Jacob reconnaît qu'il n'a qu'un tout petit nombre de gens à opposer à « l'habitant du pays ». Certes l'expression s'applique au patriarche qui se trouve en Canaan et non en Égypte. En outre, l'expression pour dire le petit nombre n'est pas rigoureusement celle de Dt 26, 5 et on la retrouve dans des textes tardifs (Dt 4, 27 ; Jr 44, 28 ; Ps 105, 12 ; 1 Ch 16, 19). Malgré cela la formule est très proche pour le sens de celle de Dt 26, 5. Reste la difficile question de la date de Gn 34. Si, à la suite de S. Lehming[25], l'exégèse admet que Gn 34, 30-31 est secondaire dans le texte, la date de ces versets est objet de discussion[26]. Toutefois on ne peut pas exclure complètement que Gn 34, 30 ait été connu du rédacteur de Dt 26, 5.

En conclusion, une recherche d'assonance et le désir d'une formulation brève peuvent expliquer la tournure utilisée en Dt 26, 5. S'il y a un lien avec Gn 34, 30, la preuve est difficile à faire. Enfin Dt 28, 62 semble bien dépendre de Dt 26, 5.

---

21. En dehors de Dt 26, 5 le verbe n'est utilisé qu'une seule fois en Dt 18, 6 pour évoquer le statut du lévite.

22. Cf. P. Weimar, *op. cit.*, p. 5.

23. Contre l'avis de G. Wassermann, art. cité, p. 31 et de S. Kreuzer, *op. cit.*, p. 167.

24. S. Kreuzer, *op. cit.*, p. 167 s.

25. S. Lehming, « Zur Überlieferungsgeschichte von Gen 34 », *ZAW* 70, 1958, p. 228-250.

26. Ainsi E. Blum, *Die Komposition der Vatergeschichte* (*WMANT* 57), Neukirchen 1984, p. 218 considère que Gn 34, 30-31 représente une formulation dtn/dtr. Les arguments avancés ne sont guère probants. La mention de « l'habitant du pays » est plus originale qu'il n'y paraît (cf. F. Langlamet, « Israël et l'habitant du pays », *RB* 76, 1969, p. 340 s.) ; elle est absente du Deutéronome et n'apparaît avec valeur de substantif qu'en Ex 34, 12.15 ; Nb 14, 14. Par ailleurs la mention du Cananéen et du Perizzite surprend ; elle ne se trouve jamais dans le Deutéronome, mais en Gn 13, 7 (texte jéhoviste pour P. Weimar, *Untersuchungen zur Redaktionsgeschichte des Pentateuch* (*BZAW* 146), Berlin 1977, p. 50) et en Jg 1, 4 dans un texte d'origine judéenne.

— « et il devint là une nation grande, puissante et nombreuse » : La séquence des trois adjectifs est comme telle unique dans l'Ancien Testament ; elle est appelée par le rythme ternaire, mais elle s'appuie sur une tradition.

Dans le Deutéronome ce sont les nations qui sont « plus grandes et plus puissantes » qu'Israël (Dt 4, 38 ; 7, 1 ; 9, 1 ; 11, 23) ; il ne s'agit alors ni d'Israël, ni de la nation issue des patriarches en fonction de la promesse.

Plus intéressant est le texte de Dt 9, 14 où Dieu promet à Moïse, après extermination du peuple infidèle, de faire de lui « une nation plus puissante et plus nombreuse qu'eux ». On assiste là à un transfert sur le seul Moïse de ce qui avait été accompli pour les patriarches. Cette idée se trouve déjà en Ex 32, 10[27]. Sur ce point le Deutéronome reprend une tradition antérieure et l'accomplissement de la promesse d'une descendance pour les patriarches y est exprimé autrement qu'en Dt 26, 5 (cf. Dt 1, 10-11 ; 6, 3 ; 10, 22 ; 13, 18 ; 28, 62).

Les sources de Dt 26, 5 sont à chercher dans les livres de la Genèse et de l'Exode. Il est remarquable que le texte déjà cité de Gn 46, 3 (E) offre cette promesse faite à Jacob : « Je t'établirai là (en Égypte) en grande nation. »[28] On la trouve sous la même forme en Gn 21, 18 en faveur d'Ismaël. Avec un autre verbe elle est présente dans le cycle d'Abraham en Gn 12, 2 : « Je ferai de toi une grande nation. » Dans un monologue de Dieu on retrouve cette référence à Gn 12, 2, mais sous une forme plus développée en Gn 18, 18 : « Abraham doit devenir une nation grande et puissante », mais le texte est très probablement tardif[29]. Par contre les adjectifs « nombreux et puissant » se rencontrent en Ex 1, 9 (J) où le pharaon reconnaît la réalisation de la promesse patriarcale puisque « le peuple des fils d'Israël est plus nombreux et plus puissant que nous »[30]. On discerne ainsi la manière dont le rédacteur procède : il dispose de la rédaction jéhoviste pour autant qu'on puisse en juger et il compose son texte avec un grand souci du rythme.

— « Mais les Égyptiens nous ont maltraités » (v. 6 a) : Le verbe ne fait que reprendre celui de Nb 20, 15, mais on le trouve dans un contexte semblable en Ex 5, 22-23.

— « ils nous ont opprimés » (v. 6 b) : Le verbe est connu du Deutéronome ; il ne renvoie pas à la situation du peuple en Égypte, mais à la marche au désert (Dt 8, 2.3.16). Par contre ce verbe traduit la conduite des Égyptiens à l'égard d'Israël en Ex 1, 11-12 (J). La phrase est redondante par rapport à ce qui précède, mais la recherche d'un rythme ternaire requiert cette redondance.

— « et ils nous ont imposé une dure servitude » (v. 6 c) : Ni le verbe, ni son complément ne sont des expressions deutéronomiques. Le travail

---

27. H. Valentin, *Aaron* (Orbis Biblicus et Orientalis 18), Freiburg 1978, p. 234-236.

28. L. Schmidt, *op. cit.* (n. 19), p. 192-193.

29. C. Westermann, *Genesis* (Biblischer Kommentar I,2), Neukirchen 1979, p. 351.

30. La tradition ultérieure reprendra cette affirmation, mais en utilisant des verbes et non des adjectifs (Ex 1, 7.20).

imposé à Israël par les Égyptiens n'est appelé « servitude » qu'en Ex 5, 9 ; l'expression « dure servitude » se rencontre en Ex 1, 14 et 6, 9, textes sacerdotaux. On n'en conclura pas trop vite qu'il s'agit d'une expression tardive, car on la trouve en 1 R 12, 4 (par. 2 Ch 10, 4), texte pré-exilique. Si on tient compte d'Ex 5, 9, rien n'empêche d'accorder à Dt 26, 6 une certaine ancienneté par rapport à des textes plus récents [31].

— « Alors nous avons crié vers le Seigneur, le Dieu de nos pères » (v. 7 a) : Le verbe est celui de Nb 20, 15, mais le cri d'Israël est déjà présent dans la tradition ancienne en Ex 3, 7 (J) et 3, 9 (E) [32].

La formule « le Dieu de nos pères » est fréquente dans le Deutéronome (Dt 1, 11.21 ; 4, 1 ; 6, 3 ; 12, 1 ; 26, 6 ; 27, 3 ; 29, 24) ; elle tranche par rapport au contexte (cf. v. 5). Est-elle déjà présente dans la tradition ancienne ? On peut le soutenir, mais elle est alors le fait du rédacteur jéhoviste en Ex 3, 13 ; 4, 5 [33].

— « et le Seigneur a entendu notre voix » (v. 7 b) : C'est une reprise de Nb 20, 16, mais ici le sujet est exprimé. En Ex 3, 7 (J) le Seigneur entend le cri de son peuple.

— « et il a vu notre oppression, notre souffrance et notre misère » (v. 7 c) : La phrase n'a rien de spécifiquement deutéronomique. Si le Deutéronome connaît le verbe « voir » avec Dieu comme sujet (Dt 9, 13 ; 23, 15), le contexte n'est pas celui de l'exode. Par contre ce verbe est présent en Ex 3, 7 (J) avec un des compléments de notre verset.

Là encore le rythme ternaire s'impose, mais en puisant dans la tradition écrite sur l'exode. Le premier terme (cf. le verbe du v. 6 b) provient sans conteste d'Ex 3, 7 (J) ; le troisième d'Ex 3, 9 (E) ; le deuxième est plus inhabituel pour décrire la situation d'Israël en Égypte. Pour saisir la source possible du rédacteur sur ce point, il convient de prêter attention à Gn 41, 51-52, plus que cela n'a été fait chez les commentateurs. Dans ce texte Joseph explique le nom de ses fils : « Il appela l'aîné Manassé, car, dit-il, "Dieu m'a fait oublier toute ma souffrance et toute la maison de mon père". Le cadet, il l'appela Éphraïm, car, dit-il, "Dieu m'a rendu fécond dans le pays de ma misère". » La scène se passe en Égypte et Joseph l'appelle « pays de ma misère ». D'autre part les termes « souffrance » et « misère » sont ici en parallèle. Il se pourrait donc que le rédacteur connaisse l'histoire de Joseph sous sa forme pré-exilique [34]. Si on accepte ce rapprochement, il y a de fortes chances que le deuxième complément provienne de ce texte qui seul vise l'Égypte.

S. Kreuzer [35] préfère en appeler à la psalmique. Il est vrai que dans les

---

31. W.H. Schmidt, *Exodus* (Biblischer Kommentar II), Neukirchen 1974, p. 41 n'est guère favorable à une influence de Dt 26, 6 sur Ex 1, 14.

32. P. Weimar, *Die Berufung des Mose* (OBO 32), Freiburg 1980, p. 375 s.

33. P. Weimar, *Die Berufung*, *op. cit.*, p. 377-379. Voir aussi B. Renaud, « La figure prophétique de Moïse en Ex 3, 1-4, 17 », *RB* 93, 1986, p. 519-526 qui attribue Ex 3, 13 ; 4, 5 à un rédacteur qui relève de l'École deutéronomiste.

34. L. Schmidt, *op. cit.* (n. 19), p. 242-243, 272 attribue Gn 41, 51-52 à J.

35. S. Kreuzer, *op. cit.*, p. 170.

lamentations le terme « souffrance » est parfois mis en parallèle avec celui
de « misère » (Ps 25, 8 ; 105, 12-13). Le renvoi à Gn 41, 51-52 paraît plus
probant.

— « Et le Seigneur nous a fait sortir d'Égypte » (v. 8 a) : L'expression est
présente en Nb 20, 16 ; l'explicitation du sujet ici s'explique par le modèle
suivi puisque là le sujet du verbe est sans doute l'ange que Dieu envoie à
son peuple. Le rappel de l'acte sauveur de Dieu en faveur de son peuple est
assorti de trois expressions qui traduisent l'ampleur de cette intervention
décisive.

— « à main forte et à bras étendu » : Cette expression double se trouve
dans le Deutéronome à plusieurs reprises (4, 34 ; 5, 15 ; 7, 19 ; 11, 2 ; 26,
8) et dans des textes qui en dépendent (1 R 8, 42 = 2 Ch 6, 32 ; Jr 32, 21 ;
Ps 136, 12). La plupart de ces textes sont tardifs. Dans cette série le texte
de Dt 26, 8 dépend-il des discours du Deutéronome ou en est-il l'origine ?
La réponse à cette question reste difficile. Malgré cela on doit observer que
l'expression « à main forte » se rencontre dans le contexte de la sortie
d'Égypte en Ex 3, 19 et 6, 1, mais on la trouve aussi dans le Deutéronome
(6, 21 ; 7, 8 ; 9, 26), signe probable qu'elle est antérieure au Deutéronome.

— « par une grande terreur » : Si on suit le TM [36], l'expression suppose
une terreur provoquée par Dieu, mais elle n'a, en dehors du Deutéronome,
pas de parallèle. Dans le Deutéronome elle se rencontre en Dt 4, 34 au
pluriel dans une série de formules qui rappellent Dt 26, 8 ainsi qu'en
Dt 34, 12 dont Moïse et non Dieu est le sujet. Dans une liste assez
semblable, mais dans un ordre différent, on retrouve la même expression
en Jr 32, 21 avec comme contexte la sortie d'Égypte. Tous ces textes
semblent bien dépendre de Dt 26, 8 comme le reconnaît avec raison
S. Kreuzer [37]. L'absence de parallèle dans un texte ancien ne permet pas
d'écarter la leçon du TM et l'expression s'explique par la volonté du
rédacteur de forger une séquence ternaire.

— « par des signes et des prodiges » : Cette expression double est
fréquente dans le Deutéronome et s'applique à la sortie d'Égypte (Dt 4, 34 ;
6, 22 ; 7, 19 ; 26, 8 ; 29, 2 ; 34, 11). Au singulier les deux termes se
rencontrent en Dt 13, 2-3 et 28, 46. Mis à part les textes post-exiliques
(Ex 7, 3 ; Jr 32, 21 ; Ps 78, 43 ; 105, 27 ; 135, 9 ; Ne 9, 10), l'expression
se trouve au pluriel en Is 8, 18, mais s'applique au prophète et à ses
enfants [38]. Comme pour la formule « à main forte et à bras étendu » on peut
s'interroger pour savoir à qui attribuer la paternité de l'expression et à
partir de quand.

— « et il nous a fait venir en ce lieu » (v. 9 a) : A partir d'ici le texte ne
suit plus son modèle puisque Nb 20, 16 s'arrête à la sortie d'Égypte. Le
rédacteur peut donc se sentir plus libre.

---

36. La LXX, le Pentateuque samaritain et le Targum ont lu « une grande vision », ce qui
renvoie à Ex 3, 3.

37. S. Kreuzer, *op. cit.*, p. 175 mais il ne retient pas la leçon du TM.

38. En Is 20,3 l'expression est au singulier, mais là encore c'est le prophète qui est signe
et présage contre l'Égypte.

Comme telle l'expression « faire venir (verbe au hiphil) en ce lieu » est unique dans le Deutéronome. Lorsque ce verbe est utilisé dans ce livre, il a toujours comme complément « le pays » (Dt 4, 38 ; 6, 10.23 ; 7, 1 ; 8, 7 ; 9, 4 ; 28, 11.29 ; 30, 5 ; 31, 20.21.23). Puisque le mot « pays » va revenir deux fois au v. 9 b, on soupçonne que le rédacteur cherche à maintenir le rythme ternaire qui est son souci principal, quitte à être redondant, mais le « lieu » ne peut que désigner le pays. Cette désignation n'est pas une innovation ; elle se rencontre dans des textes comme Ex 3, 8 ; 23, 20 ; elle n'est pas inconnue du Deutéronome (1, 31 ; 9, 7 ; 11, 5.24, cf. 29, 6 où il s'agit du territoire du Sihôn et de Og en Transjordanie). Plus souvent ce livre fait mention du lieu choisi par le Seigneur (22 fois) pour désigner le sanctuaire central, normalement le Temple de Jérusalem.

On observera surtout que la séquence « faire sortir- faire venir- donner » est assez rare. En dehors de Dt 26, 8-9 on ne la rencontre qu'en Dt 4, 37-38 ; 6, 23 et, dans un ordre différent, en 6, 10-12, mais tous ces textes sont plus tardifs que Dt 26, 8-9 et semblent bien en dépendre[39]. A la différence des autres textes Dt 26, 8-9 ne met pas le don du pays en relation avec la réalisation de la promesse aux patriarches.

— « et il nous a donné ce pays, pays ruisselant de lait et de miel » (v. 9 b) : La proposition verbale insiste sur le don du pays par Dieu, mais c'est une conviction sans cesse rappelée dans le Deutéronome à la suite d'une longue tradition dont témoigne Dt 26, 10. La formule qui qualifie le pays se trouve plusieurs fois dans le Deutéronome (6, 3 ; 11, 9 ; 26, 9.15 ; 27, 3 ; 31, 20). Est-elle deutéronomique ? On la rencontre en Ex 3, 8.17 et on peut être tenté de la considérer comme ancienne, car le rédacteur du texte connaît Ex 3[40]. Plusieurs auteurs[41] la considèrent cependant comme deutéronomique. Sur ce point on peut hésiter.

Au terme de cette lecture de Dt 26, 5-9 on doit reconnaître que les indices d'une rédaction deutéronomique sont faibles dans les vv. 5-7, mais qu'ils sont plus nombreux dans les vv. 8-9. Ceci s'explique par l'adoption d'un modèle, Nb 20, 14-16, et par le souci de se rattacher à une tradition plus ancienne. Ceci dit, l'originalité de Dt 26, 5-9 ne doit pas être méconnue. L'usage du rythme ternaire, la frappe de certaines formules montrent une composition soignée qui ne dépend pas uniquement de la phraséologie des discours du Deutéronome. A plusieurs reprises on a montré que le texte de Dt 26, 5-10 a exercé une grande influence et la fonction liturgique du texte y est pour beaucoup. L'adage bien connu des liturgistes « lex orandi, lex credendi », s'applique particulièrement bien à notre texte.

L'union du rite et de la parole, l'élément qui a motivé la lecture de Dt 26, 1-11, est une pratique très ancienne. Pour le rite de l'offrande des prémices

---

39. S. Kreuzer, *op. cit.*, p. 179.

40. S. Kreuzer, *op. cit.*, p. 180.

41. W.H. Schmidt, *Exodus* (Biblischer Kommentar II), Neukirchen 1977, p. 137-139 ; P. Weimar, *Die Berufung, op. cit.*, p. 319 s.

on peut faire remonter ce lien à l'époque des Juges [42], mais alors la parole se présente sous une forme brève et adopte le ton de la prière. L'entrée du récitatif historique dans la prière originelle constitue un moment décisif. Peut-on dater cette introduction du récitatif dans le cadre de la liturgie des prémices ? Cette introduction ne peut être très ancienne. L'analyse révèle la dépendance du récitatif par rapport à des textes déjà fixés comme Ex 1 ; 3 ; Nb 20, 14-16, peut-être même Gn 41 ; 46, mais en même temps le texte manifeste une parenté avec la phraséologie du Deutéronome sans que l'on sache toujours préciser le jeu des dépendances. On peut donc qualifier le récitatif de « deutéronomique », mais cette qualification ne signifie pas pour autant que le texte soit exilique comme le veut par exemple P. Weimar [43]. Une rédaction exilique, alors que la liturgie ne fonctionne plus dans le Temple de Jérusalem, est rien moins que vraisemblable. Déjà L. Rost, suivi de R. de Vaux [44], proposait de voir dans le récitatif une composition faite au temps du roi Josias. Sans être aussi précise, une datation dans la seconde moitié du VIIe s. av. J.-C. semble s'imposer. En effet, Dt 26, 5-9 a eu une influence sur des textes tant exiliques que post-exiliques, y compris à l'extérieur du Deutéronome [45]. En tout cas, Dt 6, 20-24, cette catéchèse qui fait mémoire de l'histoire passée d'Israël avec Dieu, suppose Dt 26, 5-10 [46] et date du VIe s. av. J.-C.

Quoi qu'il en soit, la parole liturgique s'est renforcée au cours du temps en amenant le fidèle qui offre les prémices à inscrire sa démarche dans une histoire plus vaste, celle d'Israël avec Dieu. De cet acquis de la liturgie israélite la liturgie chrétienne a largement hérité.

---

42. S. Kreuzer, *op. cit.*, p. 180.
43. P. Weimar, *Die Berufung*, *op. cit.*, p. 94-95.
44. L. Rost, *op. cit.*, p. 22 ; R. de Vaux, *op. cit.*, p. 379.
45. S. Kreuzer, *op. cit.*, p. 182.
46. S. Kreuzer, *op. cit.*, p. 146.

« NOVA ET VETERA »
QUELQUES LEÇONS
TIRÉES DE LA TRADITION
RELATIVE AU SACREMENT
DE LA RÉCONCILIATION

Louis-Marie CHAUVET

Le recours à la « Tradition » n'est pas la même chose que le recours à l'histoire. Le terme de « tradition » a en effet une valeur d'emblée théologique, puisqu'il implique une mise en perspective des multiples pratiques et théories qui ont vu le jour au long de l'histoire de l'Église et une recherche de quelques points d'équilibre majeurs qui paraissent se dégager de ce foisonnement de doctrines théologiques, d'institutions ecclésiastiques ou de pratiques liturgiques. Par ailleurs, tout appel à la Tradition est sous-tendu, directement ou non, par des problèmes du présent. C'est dire qu'il se fait toujours, consciemment ou non, dans une perspective heuristique où il s'agit de retirer du « nouveau » à partir de l'« ancien » : ce que nous appelons des « leçons »[1].

C'est ce que l'on voudrait appeler ici, en prenant pour exemple le sacrement de la réconciliation. Ce faisant, on évoquera parfois des éléments bien connus; parfois aussi des « *vérités oubliées* », selon le titre d'une contribution de K. Rahner sur ce sujet précisément[2]. Chacun des points que l'on va évoquer, plus ou moins longuement, vise à poser des questions d'ordre théologique ou pastoral relativement à la situation actuelle de ce sacrement.

I. *Le baptême, premier sacrement de la réconciliation*

« Je crois en un seul baptême pour le pardon des péchés. » On sait que, dans l'Antiquité chrétienne, le baptême avait souvent pour nom « la

---

1. Cf. L.-M. Chauvet, « La notion de "Tradition", *LMD* 178, 1989, p. 7-46, où sont développés ces divers aspects.

2. K. Rahner, « Vérités oubliées concernant le sacrement de pénitence », *Écrits théologiques* II, Paris, DDB, 1960, p. 149-194.

rémission des péchés ». On sait aussi que, jusque vers la fin du IIe siècle, il constituait la seule *institution* pénitentielle et que, durant les quatre ou cinq premiers siècles, la majorité des chrétiens ne connurent pas d'autre « sacrement » de la réconciliation que lui. Il est significatif à cet égard que dès son origine l'institution pénitentielle post-baptismale ait été comprise et vécue comme une sorte de décalque du baptême, comme un « second baptême », « laborieux » (Tertullien), fait non plus avec de l'eau, mais avec des larmes. En tout cas, on observe une évolution largement parallèle concernant l'allongement et la sévérité croissante du temps catéchuménal de préparation au baptême, d'une part, et du stage pénitentiel, de l'autre, à partir du IIIe siècle et surtout du IVe siècle, en lien avec l'augmentation importante du nombre de chrétiens et avec la baisse concomitante de leur ferveur. De même, lorsque le catéchuménat sera réduit au temps du carême qui précède le baptême à la vigile pascale, on observe une réduction parallèle du stage pénitentiel au même laps de temps avant la réconciliation du Jeudi saint, ainsi que l'atteste le Sacramentaire gélasien ancien du VIIe siècle (I, 15-16 et 38). Il faudrait également développer ici de nombreux éléments rituels à portée ecclésiologique qui, tels la place qu'occupent les catéchumènes ou les pénitents dans l'« ecclesia » assemblée, ou leur renvoi avant l'oblation, viennent renforcer ce parallélisme dans de nombreuses Églises. On retrouve d'ailleurs des traits baptismaux jusque dans certains rituels médiévaux de la pénitence[3].

La pastorale actuelle gagnerait sans doute à développer davantage encore ce lien du sacrement de la réconciliation avec le baptême là où nous héritons d'un accent, certes nécessaire, mais peut-être trop unilatéral, sur son rapport à la communion eucharistique. Ce dernier a certes, lui aussi, fait l'objet de bien des questions au long de la Tradition, comme le montrent notamment les exégèses multiples de 1 Co 11, 28[4]. Mais cela ne doit pas faire oublier que le sacrement de la réconciliation vise d'abord à replonger les chrétiens dans le dynamisme de leur baptême. Dans un contexte où le fait de se positionner comme chrétien n'est plus sans demander d'avoir fait un vrai choix en faveur du Christ, le baptême est en train de retrouver, semble-t-il, un poids, à la fois théologique et psychologique, qu'il avait assez largement perdu dans la précédente situation de chrétienté. Dans cette perspective, une relecture plus baptismale de nos actuelles célébrations de la réconciliation, de temps en temps du moins, devrait répondre à une certaine attente, notamment de la part des chrétiens plus motivés.

Une meilleure mise en valeur d'un tel lien n'a cependant de chance de porter de bons fruits que dans la mesure où, comme dans l'Antiquité précisément, elle souligne que la vie chrétienne est une existence baptis-

---

3. P. De Clerck, « Le salut, ou la réconciliation et ses réalisations sacramentelles », *LMD* 172, 1987, p. 51-52.

4. Cf. L. Braeckmans, *Confession et communion au Moyen Age et au concile de Trente*, Gembloux, Duculot, 1971, chap. 1.

male, laquelle n'est pas autre chose que l'exercice quotidien de la *metanoia*, conversion intérieure dont la vérité est liée à son expression extérieure par les « œuvres » d'une vie pénitentielle. Si l'institution pénitentielle était réservée à ceux qui, après avoir accepté l'engagement du baptême (un engagement qui, au moins dans les tout premiers siècles, demandait à être vécu avec l'équivalent du sérieux que requiert aujourd'hui la profession monatisque), lui avaient été infidèles, en revanche la pénitence, comme attitude, était considérée comme coextensive à la vie chrétienne. Elle se traduisait notamment par la triade, souvent nommée par les Pères, de l'aumône, du jeûne et de la prière, avec parfois chez tel ou tel l'établissement d'une hiérarchie entre ces diverses « œuvres » : « L'aumône est excellente comme pénitence du péché ; le jeûne vaut mieux que la prière, mais l'aumône vaut mieux que l'un et l'autre. »[5] Ce simple rappel suffit pour indiquer que, coupée de la pénitence quotidienne comme expression de la vie baptismale, la pastorale du sacrement de la réconciliation ferait fausse route.

II. *Un sacrement qui a connu plusieurs bouleversements*

a) Le premier bouleversement par rapport aux manières de faire antérieures, le plus couramment oublié, est celui de l'*institutionnalisation* de la pénitence irréitérable après le baptême.

Jusqu'à la seconde moitié du IIe siècle en effet, chaque Église locale réglait les cas d'infidélité au baptême au coup par coup. Tant que les communautés chrétiennes furent peu nombreuses, se trouvèrent dans une situation précaire de vexation ou de menaces de persécution et demeurèrent vivement marquées par l'attente de la Parousie prochaine, le *sacramentum/iuramentum* du baptême, pour employer le langage juridico-militaire favori de Tertullien, fut vécu comme un véritable pacte entre Dieu et le chrétien *(foedus, synthékè)* qui marquait un passage définitif du règne de Satan au règne du Christ, du monde ancien au monde nouveau. On comprend que, dans ces conditions, les cas d'infidélité aient été relativement rares.

La situation semble changer à Rome vers le milieu du IIe siècle, comme l'atteste la seconde couche du *Pasteur* d'Hermas[6]. Pour lutter contre des cas d'infidélité qui paraissent être devenus plus fréquents, un certain nombre de rigoristes protestent : il ne peut y avoir d'autre pénitence que le baptême. Si ! rétorque Hermas qui a bénéficié sur ce point d'une « vision », mais une seule fois après le baptême[7]. Pourquoi une seule fois, alors que, jusqu'à présent, même si les cas furent sans doute assez rares,

---

5. IIe Clem. 16, 4 (vers 150). Cf. aussi *Did.* 4, 6 et, dans la Bible, Tb 4, 10 ; 12, 9 ; Si 3, 30.

6. Selon la thèse de S. Giet, « Hermas et les Pasteurs », Paris 1963, appartiendraient à cette seconde couche la 5e Vision, les Préceptes et les Paraboles, sauf la 9e.

7. Préc. IV, 1-3 (SC 53, p. 153-161).

la réconciliation semble avoir été accordée deux, voire trois fois à tel ou
tel[8] ? D'une part, pour éviter le laxisme ; d'autre part, parce que le temps
se fait court : en raison de l'imminence de la Parousie, il reste encore une
chance, mais une seule.

Or, le *Pasteur* a bénéficié très vite d'une grande autorité, puisque
certaines Églises l'ont reçu parmi les textes canoniques. Tertullien, tout en
démarquant de près le texte d'Hermas dans sa parénèse pénitentielle, en
modifie sensiblement la portée, dans la mesure où il le sort notamment de
son contexte eschatologique :

> Hermas avait exhorté les pécheurs à saisir la chance unique d'une pénitence qui
> serait aussi la dernière, puisque la fin du monde allait survenir incessamment.
> Tertullien et ses contemporains[9] parlent d'une unique possibilité de faire pénitence
> offerte aux pécheurs leur vie durant[10].

Là donc où la pénitence post-baptismale unique avait été, à l'origine, une
mesure *anti*-rigoriste qui visait, dans une perspective eschatologique, « non
une institution, mais une attitude du pécheur »[11], elle est devenue, à la fin
du IIe siècle, une institution canonique rigoureuse, parfois proche du
rigorisme, sans lien avec la Parousie. Cela constitue déjà un premier
retournement de taille !

b) Un second devait suivre, quelques siècles plus tard, marquant la fin
du système de la pénitence canonique : *la révision déchirante du « quasi-
dogme » de l'irréitérabilité.*

Déchirante, elle le fut en effet, comme le montrent les protestations des
évêques d'Espagne et de Gaule narbonnaise, réunis en concile à Tolède en
589, contre l'« exécrable audace » de permettre aux fidèles de faire pénitence « non suivant la manière canonique, mais d'une façon scandaleuse :
chaque fois qu'ils ont péché (gravement), chaque fois ils demandent à être
réconciliés par le prêtre[12] ». La non-réitérabilité de la pénitence canonique
avait fonctionné pendant plus de trois siècles comme un quasi-dogme
pratique. S. Ambroise, dans son écrit sur « la pénitence » (v. 387-390)[13],
lui avait d'ailleurs donné une forme théorique : « De même qu'il n'y a
qu'un seul baptême » (et Ambroise, en II, 10, fonde cette unicité sur le fait

---

8. M.-F. Berrouard, « La pénitence publique durant les six premiers siècles. Histoire et
sociologie », *LMD* 118, 1974, p. 97. L'auteur ajoute que si les textes qu'il rapporte (notamment Tertullien, *De Praescr.* 30, 2-3 et le premier Hermas, *Vis.* 2, 2-4) « restent, il est vrai,
d'interprétation difficile, leur ensemble n'en laisse pas moins entrevoir la plus large possibilité
de pardon ».

9. P. ex. Clément d'Alexandrie, *Strom.* 2, 57 ; un peu plus tard, Origène, *Hom.* 2, 4 et
15, 2 sur le *Lév.* (textes dans H. Karpp, *La pénitence. Textes et commentaires des origines
de l'ordre pénitentiel de l'Église ancienne*, Delachaux-Niestlé, 1970, p. 129, 251 s., 263).

10. C. Munier, introduction au *Traité de "la pénitence"* de Tertullien, SC 316, p. 56, n. 24.

11. M.-F. Berrouard, art. cit., p. 100.

12. C. Vogel, *Le pécheur et la pénitence au Moyen Age*, Cerf 1969, p. 191.

13. Ambroise de Milan, *La Pénitence*, éd. R. Gryson, SC 179 (1971).

que « le Christ n'est mort au péché qu'une seule fois »), « de même il n'y
a qu'une seule pénitence — celle du moins qui s'accomplit publiquement »
(à savoir celle qui est réservée aux « délicta graviora », l'autre étant la
pénitence quotidienne pour les « leviora ») (II, 95). Certes, les évêques, et
souvent les plus « grands », comme le montrent au passage certaines
incises, voire certains développements, de Basile ou de Chrysostome,
d'Ambroise ou d'Augustin, semblent avoir eu une pastorale pratique plus
souple en bien des cas que ne l'aurait voulu la stricte théorie. Le même
Ambroise, dont la théorie paraît si rigoureuse, remarque : « J'ai rencontré
plus facilement des gens qui ont préservé leur innocence que des gens qui
ont fait pénitence comme il convient » (II, 96). Est-il étonnant dès lors que
l'évêque de Milan conclue son traité en soulignant que, certes, « il faut faire
pénitence », mais en ajoutant, dans une incise qui en dit long sur le plan
pastoral, qu'« il faut la faire au moment où s'apaise l'ardeur de la faute »
(II, 107). On serait tenté d'ajouter : « Le sabbat est pour l'homme [...]. »
Augustin a fait le même type de constat, comme le montre notamment son
émouvante lettre à Paulin de Nole, son ami, dans laquelle il ouvre à ce
dernier son cœur de pasteur déchiré entre la rigueur et l'indulgence dont
il faut faire preuve, selon les cas, pour le bien spirituel des pénitents [14].

Il ne serait cependant venu à l'idée de personne que cette relative
souplesse « économique » (comme diraient les Orientaux) pût remettre en
cause le principe lui-même de l'irréitérabilité, principe sacro-saint puisque
réénoncé constamment (ce qui en manifeste d'ailleurs les difficultés
d'application pratiques) par les Pères et les synodes. Le système de la
pénitence canonique, trop exigeant en longueur et en sévérité, ne pouvait
qu'être en situation de dysfonctionnement dans le cadre d'une Église
multitudiniste où la frontière avec le « monde », dure aux débuts, s'était
considérablement amollie, puisqu'il était devenu socialement avantageux,
à partir de la paix constantinienne, de devenir chrétien — quitte à demeurer
catéchumène toute sa vie pour se faire baptiser « in extremis ». Si l'« ordo
paenitentium » a connu des périodes de relatif plein, il n'a jamais, semble-
t-il, grossi autant qu'il l'aurait dû.

La situation ecclésiologique aurait-elle d'ailleurs été tenable ? Si les
nombreux catéchumènes qui demeuraient dans cet état jusqu'au dernier
moment, par crainte précisément de devoir se soumettre aux rigueurs de
la pénitence, avaient été baptisés (comme les y poussaient pourtant les
pressantes exhortations des évêques au début du carême) [15], on aurait dû
assister à un gonflement important de l'ordre des pénitents. Même parmi
les baptisés coupables de fautes graves, beaucoup (la majorité semble-t-il)
repoussaient sans cesse leur demande d'entrée en pénitence, tant celle-ci

---

14. *Lettre* 95, 3, citée par M.-F. Berrouard, art. cit., p. 122-123. « Je me demande même
si la crainte de la punition suspendue sur les hommes n'en a pas gâtés plus qu'elle n'en a
corrigés », y avoue Augustin.

15. Cf. par exemple, Basile, 13ᵉ *hom.*, exhortant au saint baptême, 1 (PG 31, 424);
Augustin, *Sermon* 132; *En. in PS.* 41, 1.

leur apparaissait contraignante et humiliante [16]. Et, parmi ceux qui l'avaient fait, combien faisaient pénitence « comme il convient », ainsi que l'atteste le témoignage d'Ambroise cité plus haut : « ce qui doit être le lieu de l'humilité devient le lieu de l'iniquité », remarque amèrement à ce propos, Augustin [17] ? L'application stricte du principe aurait abouti, dès la seconde moitié du IVe siècle, à la constitution paradoxale d'une « ecclesia » faite d'un noyau réduit de membres à part entière et d'une large majorité de membres « périphériques », i. e. exactement l'inverse de la figure de l'Église issue des origines... Pas étonnant, dès lors, que l'accès à la pénitence canonique soit de plus en plus interdit, comme on le voit dans les synodes de Gaule aux Ve-VIe siècles, « aux personnes encore jeunes [...] à cause de la faiblesse de leur âge » (Agde, 506) et que les gens mariés ne puissent s'y engager sans être « déjà avancés en âge » (Orléans, 538) [18]. Bref, la hiérarchie elle-même a consacré la faillite de l'ordre des pénitents.

Pour lui substituer quoi ? Rien au plan institutionnel. Car il n'est pas question de revenir sur le principe lui-même. Ainsi voit-on Césaire d'Arles prendre acte du fait que la quasi-totalité des pécheurs jugés gravement coupables ne recevront la pénitence que sur le tard. Mais il les met pastoralement en garde : si la réconciliation que vous demanderez au soir de votre vie n'est pas préparée dès à présent par une existence vraiment pénitente, elle pourrait bien être inefficace [19]. Solution assurément excellente théologiquement et spirituellement, mais qui montre bien l'*impasse* dans laquelle l'Église se trouvait prise sur le plan sacramentaire : faute de pouvoir toucher au principe lui-même de la non-réitérabilité de la pénitence, on en était venu à faire de l'exceptionnel la règle pratique générale ; tant et si bien que le processus pénitentiel a fini par se pervertir, aboutissant à l'inverse de ce pour quoi il avait été mis en place, vers la fin du IIe siècle : de remède onéreux et exigeant réservé à quelques grands pécheurs en vue de leur conversion de vie, il était devenu un moyen de salut revendiqué par tous « in extremis » pour aller au ciel. La demande « populaire » en ce sens est même devenue si forte que, vers le milieu du VIe siècle, on voit apparaître dans le Sacramentaire léonien des oraisons spéciales à l'intention de ceux qui sont morts sans avoir pu obtenir la pénitence [20].

Cette dérive « ritualiste » est un bel exemple de divorce malheureux entre un principe maintenu à tout prix et une pastorale nécessairement tributaire du type de perception qu'a l'Église de son rapport au monde (selon notamment qu'elle est majoritaire ou non) et de l'évolution des mentalités. Ce qui est vrai du Droit canonique en général, à savoir qu'il est « au service de la vie dans l'Esprit de liberté qui anime l'Église et chacun de ses

---

16. Ambroise, *op. cit.*, II, 98-100 ; cf. les multiples références à Augustin que donne M.-F. Berrouard, art. cit., p. 121.

17. Augustin, *Sermon* 232, 7, 8.

18. C. Vogel, *Le pécheur et la pénitence dans l'Église ancienne*, Paris, Cerf 1966, p. 291-293. Cf. Césaire d'Arles, *Sermon* 56, 3.

19. Césaire d'Arles, *Sermon* 60, 3-4.

20. C. Mohlberg, *Sacramentarium Veronense*, Rome 1956, n°s 1141-1146.

membres »[21], vaut évidemment du droit liturgique et sacramentel. Faute de quoi, l'actuel écart effectif entre le « vécu » de nombreux chrétiens et la discipline pénitentielle de l'Église risquerait de se creuser davantage encore.

c) Un troisième bouleversement s'est produit, vers la fin du XIᵉ siècle ou le début du XIIᵉ, avec le *passage à la pénitence « moderne »*.

Inutile de rappeler les avatars de la pénitence tarifée. L'important pour notre propos est de souligner trois points.

D'abord, la pénitence tarifée que l'Église a pratiquée entre le VIIᵉ et les XI-XIIᵉ siècles s'est imposée notamment sous l'influence monastique. Or, les moines étaient moins préoccupés par la distinction entre « peccata minuta » et « peccata mortifera », et donc par le problème de la pénitence unique à imposer dans ce dernier cas, que par le souci thérapeutique de s'attaquer aux diverses racines du péché dans le cœur de l'homme, racines dont Évagre le Pontique avait déjà donné un perspicace aperçu dans sa distinction des « peccata capitalia ». En transportant ce type de préoccupation dans les communautés « paroissiales » (et Grégoire le Grand semble être déjà le témoin, dans sa « Regula pastoralis », de ce « passage des pratiques monastiques dans la vie de l'Église en général »)[22], les moines de Saint-Colomban sont venus au-devant de ce qui nous paraît bien, aujourd'hui, avoir été alors une nécessité. Mais ils ont en même temps, introduit une nouveauté « révolutionnaire » qui contredisait la « tradition ». Or, ni eux, ni les théologiens postérieurs ne semblent s'être préoccupés de justifier *théologiquement* cette nouveauté. Lorsque le Concile de Chalon par exemple (813) demande que l'on fasse pénitence « suivant l'ancien usage canonique » (en fait, avec une différence de taille, puisque, à l'époque carolingienne, cette pénitence canonique est réservée aux fautes graves *publiques*), il a en effet pour lui la tradition patristique[23]. Mais les diverses tentatives en ce sens s'avéreront vaines : le changement des habitudes, pratiques et mentales, a été tel qu'un point de non-retour a été atteint... C'est même la pratique de l'Antiquité qui finira, quelques siècles plus tard, par paraître si invraisemblable qu'on la jugera, en toute bonne foi, hérétique, comme en témoigne S. Thomas[24] !

Si cette analyse est exacte, elle montre l'importance majeure des évolutions sociales et culturelles dans un domaine comme celui de la sacramentaire où nombre d'institutions demeurent relativement indécises quant à leur fondement théologique (d'où les propos du Concile de Trente concernant l'extension du pouvoir de l'Église sur les sacrements, « salva illorum

21. J. Passicos, Avant-propos à la traduction du *Code de Droit canonique* en langue française, Centurion-Cerf-Tardy, 1984, p. V.

22. B. Judic, « Pénitence publique, pénitence privée et aveu chez Grégoire le Grand », dans Coll. Groupe de la Bussière, *Pratiques de la confession*, Cerf 1983, p. 50-51.

23. C. Vogel, *op. cit.*, p. 196.

24. Après une allusion faite aux novatiens, il déclare en effet : « D'autres hérétiques, dont parle saint Augustin, reconnaissaient qu'après le baptême la pénitence était utile, mais une fois seulement et non pas plusieurs fois » (*Somme théol.* III, q. 84, a. 10) !

substantia » — le problème étant précisément de déterminer quelle est ladite
« substance ») : que de théories ou de pratiques ont joué une fonction quasi
normative à une époque, avant de céder peu à peu sous la pression des
changements de mentalité[25], voire, comme on vient de le signaler pour la
pénitence, d'apparaître plus tard comme invraisemblables ! Dans un
domaine comme celui-ci, les accusations d'innovations illégitimes, parce
que non conformes à la « tradition », n'ont pas été rares !

— La nouveauté du système « moderne » réside dans le bouleversement
de la séquence traditionnelle selon laquelle la réconciliation n'était accordée
qu'au terme du stage pénitentiel ou de l'expiation. Certes, il y a eu bien des
exceptions pratiques à cette règle, notamment à la fin du haut Moyen Age :
il était en effet souvent difficile aux pénitents, pour des raisons d'ordre
prioritairement pratique, de revenir chercher l'absolution du prêtre au
terme de leur relativement longue taxation pénitentielle (plusieurs semaines, mois ou années de jeûne — temps réduit, il est vrai, par les diverses
possibilités de commutation pénitentielle). Ce n'est d'ailleurs pas la première fois que l'exceptionnel finit par devenir la règle : il suffit de penser
au baptême « quam primum » (les petits enfants ne doivent-ils pas être tous
considérés comme étant en danger de mort ?) ou au report de la « confirmation » (l'évêque ne devait-il pas parachever le baptême d'une personne fait
pour cause de danger de mort, par un prêtre ou un diacre si le malade
retrouvait la santé, selon le Concile d'Elvire du début du IVᵉ siècle ?). On
a en tout cas de bonnes raisons de penser que le passage au nouveau système
pénitentiel s'est fait progressivement et qu'il n'a fait que consacrer un état
de fait.

Cette consécration n'en constitue pas moins un événement. Événement
si important que les scolastiques devront en donner une justification
théorique. Ce sera fait, à la fin du XIIᵉ siècle, par l'École de Paris autour de
Pierre le Chantre : « confessio oris habet maximam partem satisfactionis »,
formule qui fait écho à la célèbre lettre *De vera et falsa paenitentia*, lettre
du XIᵉ siècle, mais attribuée alors à S. Augustin (elle passera de ce fait, en
grande partie, dans le *Décret* de Gratien et les *Sentences* de Lombard), où
on lit que « la honte inhérente à l'aveu opère par elle-même une grande
partie de la rémission », ainsi qu'« une grande partie de l'expiation »[26].
Cette théorie explique donc qu'en fait il n'y a rien de si nouveau sous le
soleil : l'absolution n'est-elle pas donnée, conformément à la tradition,
après l'expiation, puisque celle-ci se trouve, du moins « pour sa plus grande
part », dans la confession de bouche, en raison de l'« erubescentia » qu'elle
provoque ? Comme dans la plupart des cas en sacramentaire, la théorie
n'est pas élaborée a priori : elle vient justifier et renforcer une pratique...

— Enfin, si un tel passage a pu avoir lieu, c'est aussi pour des raisons

---

25. Outre l'unicité de la pénitence post-baptismale, on peut penser à l'interdiction des
ordinations absolues (Chalcédoine, Canon 6), ou de celle d'un évêque « sans l'approbation du
peuple« (S. Léon), ou à la communion sous les deux espèces dans le cadre de la célébration
eucharistique...

26. Nᵒ 10. C. Vogel, *op. cit.,* p. 169.

culturelles. Le temps est venu, avec la scolastique, d'une évaluation plus fine et plus précise des péchés, en fonction de leur nombre, de leurs circonstances, de l'intention du sujet, etc. Pour les tenants de cette nouvelle théologie, les tarifs pénitentiels de l'époque antérieure ne pouvaient apparaître que comme une assez grossière procédure. Le changement de système pénitentiel a accompagné un changement de mentalité. Nous y reviendrons.

III. *L'avènement de chaque système pénitentiel est, pour une part, lié à la situation socio-culturelle de l'Église*

— Dans les communautés à la fois peu nombreuses et ferventes des origines, communautés aux frontières fortement marquées par rapport au monde juif et au monde païen, le besoin de créer une autre discipline pénitentielle que celle de la préparation au baptême ne se faisait pas sentir. Et cela, d'autant moins que la foi en l'imminence de la Parousie était plus prégnante.

— L'émergence de la pénitence canonique irréitérable, vers la fin du IIe siècle, a correspondu à la nécessité de lutter contre une relative baisse de ferveur, à une époque où devenir chrétien apparaissait déjà comme moins risqué et comme mieux reçu socialement. Cependant, ce système pénitentiel, trop exigeant pour une Église « multitudiniste », ne pouvait bien fonctionner que dans des communautés de type « confessant ». D'où sa progressive dégénérescence jusqu'au point où, on l'a vu, la hiérarchie a elle-même contribué à sa faillite.

— Née en dehors de la hiérarchie et apportée sur le continent par les moines celtes, la pénitence tarifée semble avoir été plutôt bien adaptée à une Église qui voulait convertir les envahisseurs « barbares ». Dans un monde où tout désordre, par offense, outrage, versement de sang devait faire l'objet de compensations dûment tarifées, l'application de tarifs pénitentiels pour l'expiation des péchés ou pour le rachat de celle-ci n'a rien de surprenant. Elle était ainsi fortement liée au droit féodal germanique (tout comme d'ailleurs, la théorie anselmienne de la satisfaction vicaire du Christ), telle la coutume du *Wehrgeld*.

— Lorsque, au XIIe siècle, dans le cadre d'une démographie florissante (le « tournant du monde plein », selon l'expression de P. Chaunu) [27], d'un commerce prospère (circulation généralisée de la monnaie, comme l'a montré G. Duby) [28], d'une expansion urbaine sensible, d'un affermissement de la puissance royale capétienne, apparaissent de nouvelles écoles de grammaire, de logique, de théologie (Laon, Chartres, Paris) ainsi que, dans ce cadre, une nouvelle « classe » d'intellectuels, celle des *scolares*, liés à la ville et aux nouvelles aspirations culturelles à l'encontre de la théologie

---

27. P. Chaunu, *Le Temps des réformes*, Fayard, 1975, chap. 1.

28. G. Duby, *Guerriers et paysans. VIIe-XIe siècles : premier essor de l'économie européenne*, Paris, Gallimard 1973.

monastique régnante, davantage liée à la féodalité rurale et à la relecture des Pères, on assiste à un changement culturel profond. L'éveil de la conscience du sujet et de la raison chez un Abélard, « le premier homme moderne », selon l'expression du P. Chenu, crée un « choc subversif » : la morale de l'intention bat en brèche l'objectivisme de l'ordre naturel et féodal anté- rieur[29], au point qu'Abélard « met presque le tout de la pénitence dans la contrition »[30]. Le grand projet des scolastiques d'honorer la raison croyante et de faire ainsi de la théologie une véritable « science » se concrétise, dans le domaine qui nous préoccupe, par une instance croissante sur les dimensions subjectives de la faute, notamment quant à son intention et à ses circonstances. L'évaluation plus précise de la gravité des péchés devient un souci majeur, comme en témoignent les manuels de confesseurs qui se multiplient en Angleterre et en France au XIVe siècle ou encore les seize conditions (certaines indispensables, d'autres souhaitables) d'une bonne confession qu'énumère S. Thomas à la suite d'autres « docteurs »[31]. Simultanément, il est requis des prêtres une discrétion pour observer le secret de la confession et un discernement pour juger les pécheurs qui posent bien des problèmes pratiques, comme on peut le déduire de l'insis- tance du canon 21 du Latran IV (1215) sur ces points, dans le sillage du *Liber poenitentialis* d'Alain de Lille dont ce canon s'inspire[32]. D'où les débats concernant les prêtres auxquels fait défaut la « discernendi scien- tia »[33]. Les tarifs pénitentiels ont évidemment perdu leur crédibilité au bénéfice d'un aveu précis et exhaustif des péchés; on les voit, de fait, tomber en désuétude au cours du XIIe siècle. Le nouveau système, avec son insistance sur le sérieux de l'examen de conscience en vue d'une confession aussi circonstanciée que possible (laquelle en devient d'autant plus humi- liante et exigeante, ce qui justifie en effet la théorie de P. le Chantre énoncée plus haut), apparaît comme en totale cohérence avec la nouvelle mentalité.

— Sans vouloir aboutir à des conclusions trop hâtives concernant la crise du sacrement de la réconciliation aujourd'hui, on est fondé à se demander, au sein d'une évolution culturelle d'une profondeur telle qu'on en parle comme d'une « mutation » (à juste titre, s'il est vrai que c'est la matrice elle-même où s'engendrent les schèmes des représentations symboliques

---

29. M.-D. Chenu, *L'Éveil de la conscience dans la civilisation médiévale* (Confér. Albert le Grand), Vrin 1969, p. 17.

30. P.-M. Gy, « Les bases de la pénitence moderne », *LDM* 117, 1974, p. 66.

31. *Somme théol.*, Suppl. q. 9, a. 4.

32. J. Longère, *Alain de Lille. Liber Poenitentialis*, I : *Introduction littéraire et doctrinale*, Louvain-Lille, 1985, p. 225-230.

33. P. Lombard considère celle-ci comme l'une des deux clefs rapportées à la pénitence (*Sent. IV, d. 18, 2*). Au XIIIe siècle, par contre, Albert le Grand souligne contre Lombard : « *Non dicimus quod scientia sit clavis, sed potius auctoritas iudicandi* » (*De Sacr.*, tr. 8, q. 5, a. 1, n. 2 ; *Op. omn.* 26, 146); dans le même sens, Bonaventure distingue la science du discernement comme « habitus » et comme clef, « *in quantum dicit auctoritatem, sive officium discernendi* » (*In IV Sent.*, d. 18, p. 1, a. 3, q. 1 ; *Op. omn.* 6, 16); même doctrine chez Thomas d'Aquin (*In IV Sent.*, d. 18, q. 1, a. 1, sol. 3, ad. 2 ; *Somme th.*, Suppl. q. 17, a 3, ad 2).

concernant les valeurs, les normes, les légitimités, les rôles qui est touchée),
si nous ne sommes pas dans l'une de ces périodes où le système de la
pénitence que le Moyen Age nous a légué est en train, quoi qu'on puisse
dire ou faire, de basculer. Et cela, avec les inévitables querelles entre
« anciens » et « modernes » que l'Église a déjà connues à plusieurs reprises
sur ce sujet au long de son histoire. Celles-ci sont, bien sûr, tributaires de
telle ou telle théologie ; mais elles le sont tout autant de l'analyse que l'on
fait de ladite mutation socio-culturelle. La réponse à la crise actuelle du
sacrement de la réconciliation ne peut pas venir seulement de considérations strictement théoriques concernant « le sens du péché » ou « la grâce
sacramentelle », si nécessaires que soient celles-ci par ailleurs.

IV. Chaque système pénitentiel met l'accent sur un point différent

a) Dans la pénitence *canonique*, l'accent portait sur la *conversion* effective du pécheur. D'une telle conversion, les Pères n'ont cessé de souligner
qu'elle est l'œuvre prioritaire de Dieu. C'est d'abord en ce sens qu'ils
interprétaient les deux péricopes évangéliques si fréquemment appliquées
à la pénitence : la guérison des dix lépreux et la résurrection de Lazare. En
Jésus, c'est Dieu même qui redonne la santé ou fait revenir à la vie ceux qui
étaient spirituellement gravement malades ou morts. Jusqu'au XIIIe siècle en
Occident, l'absolution sous forme déprécative, toujours en usage en Orient,
mettait précisément l'accent sur ce fait que personne ne peut remettre les
péchés « sinon Dieu seul » (Mc 2, 7).

Mais jamais les Pères ne mettent cette action de Dieu en concurrence avec
celle de l'Église. Au contraire, il n'est de réconciliation possible avec Dieu
qu'*en* l'Église, prise comme corps collectif blessé par les péchés de tel ou
tel de ses membres, que moyennant une réconciliation *avec* l'Église (ce que
K. Rahner appelle à juste titre le *res et sacramentum* de la pénitence)[34] et,
finalement que *par* l'Église : l'Église qui, selon la doctrine augustinienne,
est représentée tout entière par Pierre et qui exerce de ce fait, comme
communauté, le pouvoir de lier et de délier qu'elle a reçu du Christ en
excluant les pécheurs de la communion et en intercédant par sa prière pour
leur réconciliation[35] ; mais l'Église dont la prière ne trouve son efficacité
décisive que dans celle que prononce l'évêque lors du rite de réconciliation.
Le caractère public de la pénitence visait précisément, non pas d'abord
l'humiliation des pénitents (laquelle pouvait constituer plus une entrave

---

34. K. Rahner, *op. cit.,* p. 188-191.
35. A.-M. La Bonnardière, « "Tu es Petrus". La péricope Mt 16, 12-23 dans l'œuvre de
S. Augustin », *Irenikon,* 34, 1961, p. 451-499. S. Poque, Augustin d'Hippone, *Sermons pour
la Pâque,* SC 116, p. 40-47. « Vous aussi vous liez, vous aussi vous déliez. En effet, celui qui
est lié est séparé de votre communauté, il est lié par vous. Quand il est réconcilié, il est délié
par vous, car vous aussi, vous priez Dieu pour lui », déclare Augustin en prêchant sur les clefs
données par le Christ à Pierre (S. Guelf. 16, 2).

qu'un soutien pour la conversion de nombre d'entre eux, comme le remarquent bien des Pères), mais l'appel à l'intercession de la communauté.

— Une telle intercession, *durant le stage pénitentiel*, tendait prioritairement à obtenir de Dieu qu'il convertisse de l'intérieur le cœur des pénitents de telle sorte que ceux-ci changent, pour de bon cette fois, leur manière de vivre. Ce double accent sur la conversion intérieure et sur le changement extérieur semble traduire, chez les Pères, la conviction que Dieu se réconcilie le pécheur *à mesure que* celui-ci se convertit et, de ce fait, change de conduite. De cette réconciliation « dynamique », entièrement vécue dans la « matrice » de l'Église, l'acte « sacramentel » effectué par l'évêque est l'ultime expression « performative », comme cela ressort clairement chez S. Ambroise. Cependant, l'insistance de ce dernier sur le pouvoir sacerdotal de l'évêque dans la réconciliation avec Dieu est à situer dans le cadre de sa polémique avec les (néo-)novatiens qui ne reconnaissaient pas à l'Église le pouvoir de délier ce qu'elle avait lié. De manière générale, l'attention des Pères, dans le sillage des deux péricopes évangéliques signalées précédemment, est centrée davantage sur l'*action de Dieu* pénétrant le cœur de l'homme pour le convertir que sur le *rite* lui-même. La plupart d'entre eux auraient sans doute pu signer la formule de Grégoire le Grand, commentant la résurrection de Lazare : « Nous devons absoudre par notre autorité pastorale ceux dont nous savons qu'ils ont déjà été vivifiés par la grâce [36]. »

Peut-être, à condition que l'action de Dieu dans le sacrement ne soit pas remise en cause, devrait-on veiller à rappeler cette vérité théologique qui semble avoir été, sinon théoriquement, du moins pratiquement oubliée en raison d'une insistance devenue trop unilatérale sur l'efficacité du rite sacramentel...

— L'intercession de la communauté était également considérée comme fort importante, durant l'Antiquité, *au cours de la célébration même* de la célébration de la réconciliation. « Évêque [...], impose la main au pécheur pendant que toute l'assemblée prie pour lui, et ensuite autorise-le à pénétrer dans l'église et reçois-le dans votre communauté », demande la *Didascalie* [37]. L'exhortation à ce que « tous les frères » se joignent à la supplication du pénitent (Tertullien) et à ce que le pécheur demande à Dieu son pardon « par les prières de tout le peuple chrétien » (Ambroise) est même si insistante que Césaire d'Arles doit mettre en garde les pénitents contre la tentation de se reposer trop commodément sur « l'intercession de toute la communauté » [38]. Il est probable qu'une telle intercession s'exerçait non seulement au cours du stage pénitentiel, mais au cours de la réconciliation elle-même. N'est-ce pas, selon Augustin, toute l'Église (ce qui requiert l'évêque et son rôle indispensable de présidence) qui, en tant que « Co-

---

36. *Hom. 26 sur les Évangiles*, 6 (*PL* 76, 1200) ; cf. C. Vogel, *op. cit.*, p. 136.

37. *Didascalie des Apôtres II*, 12.

38. Tertullien, *La Pénitence*, IX, 4 (éd. C. Munier, SC 316, p. 181). Ambroise, *op. cit.*, I, 89 ; II, 91. Césaire, *Serm.* 67, 3.

lombe », lie et délie *(supra)* ? Dans l'Église syrienne en tout cas, la réintégration des pécheurs dans l'Église « est l'œuvre de toute la communauté »[39] :
« rétablis-les dans ta sainte Église », telle est la pointe du rite de la réconciliation, selon les Constitutions apostoliques[40].

On peut regretter que, dans nos actuelles célébrations communautaires
de la réconciliation, ce *rôle actif de toute l'« ecclesia »* par la prière
d'intercession soit généralement peu mis en relief. Il y va pourtant là d'une
bonne intelligence théologique des sacrements. De même que c'est au sein
d'une épiclèse véritablement ecclésiale (tous « priant en leur cœur pour la
descente de l'esprit ») que l'évêque principal prononce la prière épiclétique
d'ordination épiscopale (*Trad. Ap.*, 2), de même, *mutatis mutandis*, c'est
au sein de la prière d'intercession de tous que le prêtre prononce la parole
d'absolution au nom de Dieu. Le n° 20 des *Praenotanda* du rituel actuel
devrait d'ailleurs attirer l'attention des pasteurs sur ce point : « Lorsque les
ministres du sacrement pardonnent au nom de Dieu, ils exercent leur
fonction au cœur même d'une action de l'Église dont ils sont les servi-
teurs. » Voilà qui énonce de manière heureuse le rapport prêtre/assemblée
dans la réconciliation.

b) Dans la pénitence *tarifée*, l'accent porte encore sur la conversion. Il
semble, là encore, que l'ensemble des théologiens du haut Moyen Age
auraient pu signer la formule de Paschase Radbert : « La confession indique
la pénitence, la pénitence entraîne la satisfaction, et la satisfaction procure
la rémission des péchés. »[41] Sous-entendu, bien sûr : c'est Dieu qui accorde
son pardon au pécheur lorsque celui-ci est animé d'une contrition dont
l'authenticité se manifeste à travers la satisfaction qu'il accomplit. Mais
c'est bien cette dernière qui porte l'accent. Dans le sillage de l'exégèse
augustinienne de la résurrection de Lazare (Dieu seul redonne la vie ;
l'Église, par le prêtre qui délie, donne seulement la possibilité d'user de
cette vie) et des dix lépreux « déjà purifiés par Dieu », S. Anselme estime
que les pénitents, « par le jugement des hommes, sont montrés *(ostendan-
tur)* purs devant les hommes »[42].

Cette théorie a d'ailleurs régné pendant tout le XIIᵉ siècle, puisque les
scolastiques de cette époque sont quasiment unanimes à déclarer que Dieu
pardonne le pécheur dès que celui-ci exprime un repentir sincère. L'absolution sacerdotale ne fait que « montrer » *(ostendit)*, comme l'écrit P. Lombard, que Dieu a déjà pardonné. On n'est dès lors pas étonné de voir encore,
à la fin du XIIᵉ siècle, à une époque où la liste des sept sacrements était
pratiquement reçue par l'Église d'Occident, des théologiens, tel Pierre

---

39. E.P. Siman, *L'expérience de l'Esprit d'après la tradition syrienne d'Antioche*, Beauchesne 1971, p. 180.

40. *Constitutions apostoliques* VIII, 9, 10 (éd. M. Metzger, SC 336, p. 165.)

41. *Expos. in Mt*, c. 154-155.

42. *Hom.* 13 sur Luc (PL 158, 662). Sur Augustin : A.-M. La Bonnardière, « Pénitence
et réconciliation des pénitents d'après Augustin », *Revue des Études augustiniennes*, 1967,
p. 31-53 et 249-283 ; 1968, p. 181-204.

de Poitiers, refuser de compter la pénitence parmi les sacrements, puisque
« la rémission des péchés précède la confession »[43]. La théorie était embarrassée : ainsi Hugues de Saint-Victor, soulignant que Jésus n'a pas dit à
Pierre : « tout ce que tu montreras délié [...] », mais « tout ce que tu
délieras [...] », situe la libération du péché, quant à la *culpa*, dans la charité,
qui informe la contrition, mais, quant à la *poena*, dans le sacrement
lui-même (ce que rejettera P. Lombard, pour qui ces deux aspects ne
peuvent se dissocier dans le pardon)[44]. S. Bonaventure fera sienne la théorie
hugonienne[45]. Il faudra attendre S. Thomas (notamment *S. th.* III, q. 90)
pour que la théorie de la pénitence s'accorde vraiment avec la théorie
sacramentaire générale qui veut que les sacrements « effectuent ce qu'ils
figurent ».

Pourtant, si l'accent porte toujours, dans la pénitence tarifée, sur la
conversion du pénitent, il connaît un déplacement significatif par rapport
à l'Antiquité. L'esprit en effet en a changé, dans la mesure où, en cohérence
avec la culture de l'époque, la détermination de l'expiation à accomplir est
dûment *ritualisée et codifiée*. L'aveu, devenu le moyen rituel d'imposition
de la taxation pénitentielle, prend évidemment davantage de poids, compensant en quelque sorte la plus grande facilité (toute relative !) offerte pour
recevoir le pardon des fautes graves. C'est d'ailleurs par ce biais que, au
XIIe siècle encore, donc dans le système « moderne », les théologiens ont pu
maintenir une certaine efficacité à l'absolution du prêtre, notamment
quand ils ne se ralliaient pas à la théorie de Hugues de Saint-Victor évoquée
plus haut : elle permet au prêtre, disait P. Lombard, de libérer le pénitent
d'une partie de la « peine temporelle » liée au péché ; elle confère en outre
une certaine augmentation de grâce qui transforme la simple attrition du
pénitent en contrition, selon l'adage « ex attrito fit contritus »[46].

c) Dans le système « *moderne* » de la pénitence, l'accent porte davantage
encore sur la *confession* et sur la honte qu'elle doit provoquer pour jouer
son rôle de « partie principale de la satisfaction ». Nous y reviendrons dans
le point suivant.

Cette diversité d'accent n'a cependant jamais fait oublier à l'Église le rôle
moteur du repentir intérieur ou de la contrition. N'y aurait-il pas là quelque
chose d'important à rappeler aux chrétiens d'aujourd'hui ? On peut en
outre se demander si l'accent actuel ne porte pas trop sur l'*absolution*

---

43. P. Lombard, *Sent.* IV, d. 18, c. 6 : « Potestas solvendi et ligandi, id est ostendendi
homines ligatos vel solutos. » Pierre de Poitiers, *PL* 211, 1070.

44. Hugues de Saint-Victor, *De Sacr.* II, p. 14, c. 8 ; *PL*, 176, 565.

45. S. Bonaventure : Le prêtre n'absout la « culpa » qu'en manifestant, i. e. en montrant
ce qui est absout (« absolvit solum ostendendo, scil. demonstrando absolutum »), tandis que
pour la « poena », « ostendit non solum sensui manifestando, sed etiam perficiendo et
exhibendo » (in IV Sent., d. 18, p. 1, a. 2, q. 2).

46. S. Thomas refusera cet adage : *Suppl.* q. 1, a. 3 ; cf. P. de Vooght, « A propos du
sacrement de la pénitence. Théologie thomiste et théologie tout court », *EThL* 7, 1930,
p. 663-675 ; H. Dondaine, *L'attrition suffisante*, Vrin 1973, 1943, p. 5-15.

comme telle... Auquel cas, nous aurions affaire à un paradoxe qui mériterait examen : dans une culture qui rejette volontiers tout ce qui a relent d'automatisme plus ou moins « magique », n'est-on pas, en ce qui concerne la réconciliation, victime d'une valorisation de l'absolution qui se fait aux dépens du repentir sincère et des actes de « pénitence » qui, jusque dans la réparation des torts commis à autrui quand cela est possible, donnent corps à ce repentir ?

V. *L'aveu*

a) *Des fonctions et significations variables*

L'aveu a théoriquement existé dès l'Antiquité : pour être admis à la pénitence canonique, il fallait bien avouer à l'évêque la faute que l'on avait commise. Mais, comme l'atteste par exemple S. Augustin, il est des cas nombreux où cet aveu n'était pas « libre », soit que l'évêque, connaissant la faute, contraignait le pécheur à la pénitence, soit que la communauté, exerçant la *correptio fraterna* (cf. Mt 18), déclarait à l'évêque (au risque de dériver vers la délation pure et simple) la faute de tel ou tel. En ces cas, peut-on encore parler d'aveu ? Du moins, cette procédure était-elle jugée « anormale » par l'Église. De toute façon, l'aveu verbal de sa faute à l'évêque ne semble pas avoir été considéré par les Pères comme un élément constitutif du processus pénitentiel lui-même, mais plutôt comme un simple préalable à ce processus. Si, par contre, il y a bien un aveu qui a de l'importance, c'est celui que forme l'ensemble du stage pénitentiel : c'est en tout cas cet ensemble, en raison de son aspect public et humiliant, que Tertullien appelle *exomologesis*[47].

Durant le haut Moyen Age, l'habitude de ne pas se confesser nécessairement au prêtre était devenue telle en certaines régions que l'on a vu se développer toute une campagne, à l'époque carolingienne, pour renverser la tendance, comme le montrent Alcuin ou Jonas d'Orléans[48]. A la même époque pourtant, le concile de Chalon de 813 laisse ouverte la possibilité de confesser ses péchés à Dieu seul ou au prêtre. Deux siècles plus tard, Burchard de Worms († 1025) interpolera ce texte (nous soulignons les interpolations) : « Certains disent qu'il faut confesser ses péchés à Dieu seul, *comme font les Grecs*; d'autres, qu'il faut les confesser aux prêtres, *comme le fait toute la sainte Église* [...]. La confession faite à Dieu seul, *ce qui est le propre des justes*, nous purifie de nos péchés; celle que nous faisons aux prêtres nous apprend comment nous purifier de nos péchés

---

47. Tertullien, *La Pénitence*, IX, 3.

48. Alcuin, *Lettre 112 aux chrétiens de Septimanie*, v. 780-800; cf. C. Vogel, *op. cit*, 143-145; Jonas d'Orléans, v. 828, *ibid.*, 146-148.

("docet qualiter purgantur ipsa peccata") [49]. » Il est clair que Burchard milite pratiquement en faveur de la seule confession au prêtre, bien que celle-ci n'ait guère qu'une valeur pédagogique, ce qui rejoint la doctrine de Paschase Radbert évoquée précédemment : l'essentiel, c'est la satisfaction. Malgré l'insistance de Burchard, Gratien, dans son *Décret*, énumérera, sur ce point comme sur les autres, les diverses opinions qui ont été émises dans le passé. Il conclura de son essai de *concordia discordantium* relatif à la confession à Dieu seul ou au prêtre : « Je laisse au lecteur le droit de choisir entre les deux. Chacune en effet compte parmi ses partisans des hommes sages et religieux [50]. »

D'un côté donc, l'aveu verbal des fautes graves n'a pas toujours été considéré comme une norme; d'un autre côté pourtant, la confession à Dieu seul, si fréquente qu'elle ait pu être, notamment au haut Moyen Age, n'a pas fait école. Sur ce point comme sur d'autres, le recours à la notion (complexe) de « Tradition », comme mise en perspective des multiples pratiques et théories du passé et comme jugement herméneutique de l'Église redécouvrant en elles, après coup, quelques grands équilibres fondamentaux, est théologiquement important, et même indispensable. Dans cette perspective strictement théologique, et non plus seulement historique, l'aveu verbal des fautes graves au prêtre semble bien avoir été considéré par l'Église comme le chemin normal, sinon normatif, de leur pardon.

Mais la théologie ne saurait, pour autant, faire l'économie de l'histoire. Elle ne peut pas, notamment, ne pas prendre en considération la diversité des *fonctions et significations* de l'aveu verbal selon les systèmes péniten-tiels. Simple *préalable* à la pénitence dans le système canonique, il est devenu, dans le système tarifé, un élément relativement important du processus pénitentiel. Cependant, de par sa forme de question-réponse d'une part, et surtout de par sa fonction de simple *moyen rituel* nécessaire à l'imposition d'une taxation, il demeurait théologiquement secondaire : l'exécution de la « satisfaction » avait une tout autre importance! Ce n'est plus le cas dans le système « moderne ». D'abord, l'aveu doit y être précis et circonstancié; cela lui donne, ne serait-ce qu'au niveau psychologique, un poids si important qu'il finira bientôt par occuper métonymiquement l'ensemble du champ pénitentiel, ainsi que le rappelle l'usage fréquent, jusqu'à récemment, du terme de « confession » ou de l'expression « aller à confesse ». Ensuite, l'aveu est considéré désormais comme une partie majeure du processus pénitentiel, puisqu'il constitue le premier lieu de la satisfaction. Enfin et surtout, selon la théorie exposée par S. Thomas à la fin de sa vie (*S. th.* III, q. 90), il appartient, avec la contrition et la satisfaction d'une part, avec l'absolution de l'autre, aux « parties intégra-les » du sacrement : celui-ci n'existe que dans la mesure où ces quatre

---

49. Burchard, *Décret* 19, c. 145 ; cf. Vogel, *op. cit.*, p. 203.

50. Gratien, *Décret* p. II, c. 33, q. 3, d. 1, c. 1-37 (arguments « contra ») et c. 38-58 (arguments « pro »).

éléments sont présents. Dès lors, il n'est plus ni un simple préalable, ni un simple moyen : il est, pour sa part, un *élément constitutif* du sacrement lui-même. Mais on n'oublie pas non plus qu'il est devenu, du même coup, pour l'Église « un instrument exceptionnel de contrôle social [...]. Le salut auquel tous aspiraient tellement se gagnait désormais d'abord par la confession, où s'exprimait parfaitement la nécessaire médiation de l'Église[51]. »

— Une telle diversité de significations mérite au moins d'être quelque peu méditée. Si le passé ne peut jamais fournir comme tel de réponse immédiate aux questions du présent, en revanche il peut lui ouvrir quelques perspectives à explorer pour relever le défi de la crise actuelle du sacrement de la réconciliation, crise qui paraît bien s'être cristallisée d'abord autour de l'aveu. En tout cas, les larges efforts pastoraux déployés pour redonner à la confession individuelle la place qu'elle mérite se heurtent à la résistance passive de la grande masse des chrétiens, y compris parmi les « pratiquants ». Et l'on ne voit pas ce qui pourrait faire augurer d'un avenir meilleur, tant les racines de cette crise semblent être, en profondeur, d'ordre culturel.

b) Orient et Occident

Depuis le IIe Concile de Lyon (1274), « les théologiens grecs ont souligné expressément le caractère sacramentel de la pénitence »[52]. Il n'en subsiste pas moins d'importantes différences par rapport à l'Église latine d'Occident, notamment à propos de l'aveu. On sait que, « depuis le VIIIe siècle » (à la suite de la querelle iconoclaste qui avait valu le martyre à de nombreux moines) « les confesseurs furent presque exclusivement des moines » *(ibid.)*, dont la plupart n'étaient pas prêtres. Une telle pratique (également connue en Occident à la même époque, mais probablement à un moindre degré) demande à être interprétée en fonction de plusieurs facteurs.

— D'abord, l'aveu chez les Orientaux a une visée plus thérapeutique que proprement sacramentelle. L'accent porte davantage sur le rôle médicinal du ministre que sur son rôle judiciaire, à l'inverse de l'Occident médiéval. Dans cette perspective, « on souligne depuis S. Basile que tout prêtre ordonné n'est pas qualifié pour recevoir la confession des péchés et, inversement, durant des siècles, il n'est pas exigé du "Pater pneumatikos" qu'il soit un prêtre ordonné » *(ibid.)*.

— Ensuite, ces moines non-prêtres sont-ils à assimiler à des « laïcs » ? Cela « dépend du jugement ecclésiologique sur leur statut » *(ibid.)*. Comme l'a noté R. Taft, « même un moine laïc en Orient était béni par l'Église pour jouer un rôle, et ce rôle reconnu consistait à procurer la guérison spirituelle

---

51. N. Bériou : « Autour de Latran IV (1215) : la naissance de la confession moderne et sa diffusion », dans Coll. *Pratiques de la confession, op. cit.,* p. 92.

52. H. Vorgrimler, Busse und Krankensalbung, Freiburg, Basel, Wien, 1978, p. 87 (Handbuch der Dogmengeschichte, IV).

par la confession et la pénitence. Parler de "confession laïque" en Orient n'implique donc pas les significations que cela peut avoir en Occident »[53].

— Par ailleurs, le fait que l'absolution ait toujours été donnée en Orient sous forme déprécative (comme ce fut le cas en Occident jusqu'au XIIIe siècle, ainsi que l'atteste S. Thomas qui prend, lui, sans doute en lien avec la pratique récente de la Curie romaine, le parti du « Ego te absolvo »)[54] a probablement contribué à laisser dans un certain flou la frontière entre la stricte absolution sacramentelle et la prière prononcée par un moine non-prêtre pour demander à Dieu le pardon du pénitent. Les Orientaux ont d'ailleurs fréquemment quelque répugnance vis-à-vis des distinctions latines qui leur paraissent trop « cloisonnantes », quand ils n'ont pas « horreur » de cela[55].

— Il faudrait enfin tenir compte de la sensibilité, plus vive en Orient qu'en Occident, à l'égard de l'eucharistie comme sacrement « pour la rémission des péchés ». Les demandes de pardon dans l'anaphore, ainsi que la communion, semblent avoir une efficacité non seulement pour les fautes légères, mais également pour celles qu'on pourrait nommer « graves » sans être pourtant « mortelles », au sens où ces dernières, coupant le pécheur de l'Église, l'« excommunient »[56].

Cet ensemble d'éléments nous fait mieux comprendre pourquoi les Églises d'Orient sont moins sensibles que l'Église romaine à l'intégrité de la confession. Elles ne nient pas l'aspect judiciaire du sacrement, mais il « ne joue aucun rôle »[57]. Il est assez clair en tout cas que la Tradition orientale n'a pas interprété Mt 16 et 18 ou Jn 20 à la manière latine, c'est-à-dire selon le raisonnement théologique suivant en forme de syllogisme : a) le Christ a transmis à ses apôtres le pouvoir de lier/délier ou de retenir/remettre les péchés ; b) or, pour exercer ce pouvoir, il faut connaître la cause à juger ; c) par conséquent, il est de droit divin que les péchés mortels doivent être intégralement accusés au prêtre pour pouvoir être pardonnés.

Historiquement, ces textes néo-testamentaires ne se sont d'ailleurs pas imposés d'emblée pour fonder la pénitence post-baptismale : pas plus qu'Hermas, le Tertullien catholique ne les cite dans son *De Paenitentia* ; il

---

53. R. Taft, « La pénitence aujourd'hui. État de la recherche », *LDM* 171, 1987, p. 13.

54. Guillaume d'Auvergne connaît encore la formule déprécative : « Dimittat Deus peccata tua quae confessus es mihi » (*De Poen.* 19 ; *Op. omn.*, Venise 1591, 492 b) ; quant à S. Bonaventure, qui connaît aussi la formule indicative « Je t'absous », il n'y attache pas d'importance décisive : car si le pouvoir des clefs s'étend jusqu'à la « coulpe », ce n'est que « per modum deprecantis et impetrantis » (*In IV Sent.* d. 18, p. 1, a. 2, q. 1 ; *Op. omn.* 6, 11). S. Thomas, par contre, rejette explicitement, en 1270, la forme déprécative « qui était encore seule en usage il y a à peine trente ans » (*De forma absolutionis*, c. 5).

55. H.-I. Dalmais, « La pénitence chez les Orientaux », *LMD* 56, 1958, p. 28-29.

56. R. Taft, art. cit., p. 29-30 : « Ce ne sont pas tous les péchés graves qui requièrent la pénitence publique ; seulement ceux qui déchirent le corps (apostasie) ou sapent les relations humaines (adultère) et la société (homicide) ». L. Ligier, « Pénitence et eucharistie en Orient », *OrChr* 29, 1963, p. 5-78. E.-P. Siman, *op. cit.*, p. 116-117.

57. H. Vorgrimler, *op. cit.*, p. 87.

ne le fait qu'un peu plus tard dans le *De Pudicitia*. Et si S. Ambroise s'y réfère à quatre reprises dans son traité de la Pénitence, ce n'est pas pour en déduire le syllogisme précédent, mais pour fonder, contre l'hérésie novatienne de son époque, le pouvoir des évêques de pardonner au nom du Christ [58]. Un tel pouvoir implique, certes, quelque chose d'un jugement, et d'un jugement d'autorité. Il n'a pourtant, de soi, rien à voir avec les institutions judiciaires. Si le Concile de Trente, dans le sillage de la théologie médiévale, traite de l'absolution, au chapitre 6 de sa doctrine sur le sacrement de la pénitence, « ad instar actus iudicialis, quo ab ipso [sacerdote] velut a iudice sententia pronuntiatur », il ne signifie nullement, du point de vue strictement dogmatique, que l'on serait tenu d'employer cette *analogie* judiciaire. Il a seulement trouvé dans la sentence judiciaire le modèle le plus approprié pour souligner que l'absolution a une valeur, non pas simplement déclarative, comme le soutenaient les Réformateurs du XVIe siècle, mais « performative ». Qu'elle soit une « décision créative », voilà « l'unique élément défini » par le concile [59].

Le fait que les Églises orientales, pourtant en accord avec l'Occident sur la sacramentalité de la pénitence, et pas moins exigeante que lui en cette matière, aient une sensibilité et des pratiques assez différentes sur le point évoqué donne théologiquement à réfléchir. Comme donne à réfléchir, par exemple, leur peu d'insistance sur le péché originel en tant que motif du pédobaptisme. Sans aller aucunement chercher du côté de l'Orient la solution de nos problèmes, n'y aurait-il pas bénéfice à s'écouter davantage entre Églises ? Cela ne remettrait pas en cause le bien-fondé de telle ou telle de leur règle disciplinaire, mais éviterait de valoriser de manière trop unilatérale ce bien-fondé.

VI. *Du bon usage du sacrement*

Lorsque, dans la tradition ecclésiale, il est question de la nécessité du sacrement de la réconciliation, c'est toujours et seulement pour les fautes graves. On sait, par ailleurs, que pour S. Thomas, le terme de « péché » ne convient au péché véniel que par analogie avec le péché mortel. La différence entre les deux « n'est pas, comme on le pense trop communément, une différence de degré dans la gravité ; c'est une différence de nature, différence telle que, pour S. Thomas, le péché véniel se distingue aussi profondément du péché mortel que la substance se distingue de l'accident » [60].

Bien entendu, qui peut le plus peut le moins, et l'absolution sacramen-

---

58. Sur les fondements bibliques de la pénitence post-baptismale selon les Pères, Id., *ibid.*, p. 19-21.

59. Z. Alszeghy (1970), cité par A. Duval, *Des sacrements au concile de Trente*, Cerf 1985, p. 207.

60. E. Hugueny, *S. Thomas d'Aquin* : « *La pénitence* » I, Cerf 1954, p. 278 ; cf. I-II, q. 88, a. 1, ad. 1.

telle pour des fautes non graves (mais dont la tradition a remarqué que l'accumulation peut devenir l'équivalent d'une franche rupture avec Dieu) est parfaitement légitime. Tout un pan de notre tradition occidentale va dans ce sens depuis le Moyen Age. Il n'en demeure pas moins que ce sont les fautes graves qui constituent sa « matière » première et que le chemin normal du pardon des fautes « quotidiennes », selon l'une des plus fermes affirmations de la tradition, n'est pas d'abord celui du sacrement, mais celui des actes d'« aumône » (traduisons : toutes les formes concrètes de partage), de « prière » (y compris, et même d'abord, ces sortes de sacramentaux que constituent le rite pénitentiel du début de la messe, les célébrations pénitentielles non sacramentelles, telle celle des Cendres ou autres, ou encore ce qui touche à la « révision de vie »...), de « jeûne » (les diverses formes de maîtrise de soi), où prend corps le repentir intérieur. Certes, dès l'époque scolastique, la confession fréquente a été considérée comme l'une des expressions de la vertu de pénitence, donc de l'attitude quotidienne de pénitence. Mais faut-il « utiliser » un sacrement pour cela ? On y reviendra.

Dans cette perspective, la pastorale actuelle de la pénitence ne doit pas oublier de rappeler que, pour les fautes qui ne créent pas une rupture grave par rapport à Dieu et à l'Église, les chemins du pardon sont multiples. Non seulement, il n'y a pas que le sacrement, mais celui-ci n'est même pas, traditionnellement, le chemin le plus normal en ce cas. Cette évidence mérite, elle aussi, d'être quelque peu re-méditée. Jamais la grâce du pardon sacramentel n'a dispensé de la conversion concrète. Or, le fait que l'on puisse user à discrétion du sacrement paraît avoir joué quelques mauvais tours à ce sujet dans la mentalité de nombreux chrétiens — comme si la perspective d'être pardonné par le sacrement rendait moins urgente la conversion quotidienne. N'y a-t-il pas, trop souvent, méprise sur la nature du sacrement ? S'il est vrai que le *don* sacramentel de la grâce par Dieu est indépendant de la foi du sujet, en revanche la *réception* de ce don *comme* don gratuit est, elle, à la mesure des dispositions du sujet, i. e. du « contre-don » qu'il fait à Dieu par sa foi et sa conversion : « accipit quisque secundum fidem suam », disait en ce sens S. Augustin à propos du baptême. N'est-ce pas d'ailleurs pervertir le don de Dieu que de « profiter » ainsi du sacrement ? On peut dès lors se demander si une certaine « ascèse » par rapport au nombre d'absolutions, *dans la mesure* du moins où elle viserait positivement à renvoyer les chrétiens à l'exercice quotidien de la pénitence ainsi comprise, ne serait pas souhaitable. Ne permettrait-elle pas de démasquer l'alibi un peu facile que constitue le sacrement pour certains d'entre eux et de les ramener avec un peu plus de sérieux vers les exigences de la vie baptismale ?

Dans la même perspective, il y aurait pastoralement à rappeler que jamais l'aveu sacramentel au prêtre n'a dispensé de l'aveu intérieur à Dieu, lequel n'est d'ailleurs pas autre chose que la première expression du repentir. Rappeler cela, tout comme ce qui précède, aujourd'hui, et le mettre en œuvre dans les célébrations pénitentielles, c'est contribuer à redonner au sacrement de la réconciliation une part de cette crédibilité qu'il a perdue pour de multiples raisons, mais dont l'une d'elles semble bien provenir de cette sorte de concurrence entre le don de Dieu et la responsabilité de l'homme qui ruine évidemment la sacramentalité : la réception de la grâce comme grâce implique toujours le contre-don d'une tâche à accomplir.

VII. *Au carrefour de deux pratiques et théologies différentes*

Dans sa forme actuelle, le sacrement de la réconciliation semble être la résultante de deux pratiques et de deux théologies assez différentes ; d'où un certain nombre de difficultés.

a) Les principaux éléments de sa *structure* (conversion intérieure, expression extérieure de celle-ci par des actes de pénitence, démarche ecclésiale d'« aveu » — public et/ou privé — aboutissant à un acte ministériel de réconciliation au nom de Dieu) sont en place dès la pénitence canonique. C'est ce qui nous permet aujourd'hui de parler de « sacrement » de la réconciliation dès cette époque. Ce disant, on n'oublie pas les précautions que requiert toute relecture rétrospective pour éviter les anachronismes. On n'oublie pas, notamment, que si la *substantia* du sacrement, pour parler comme le concile de Trente, s'avère ainsi invariable quant à sa structure, en revanche, l'appréhension de chacun des éléments de cette structure, pris isolément, a varié, elle, selon les systèmes pénitentiels, comme on l'a vu à propos de l'aveu ainsi que, rapidement du moins, à propos de la signification théologique reconnue à l'absolution sacramentelle [61].

Quoi qu'il en soit, la pénitence « canonique », comme l'indique son nom, avait une dimension fortement *disciplinaire*. En « ex-communiant » les pénitents, l'évêque ne les coupait pas de l'Église (ils demeuraient des baptisés), mais il leur signifiait, dans le cadre d'une ecclésiologie fortement sacramentelle, qu'il y avait équivalence entre exclusion de la communion eucharistique et appartenance simplement périphérique à l'Église — ce qui était concrètement matérialisé par la place qu'ils occupaient, comme les catéchumènes, dans l'assemblée. Leur réconciliation, au terme du stage pénitentiel, était l'équivalent de la levée de l'excommunication qui les frappait : l'Église déliait ce qu'elle avait lié. On ferait donc erreur sur la pénitence ancienne si l'on n'y percevait pas d'abord cette dimension disciplinaire.

Mais on commettrait une autre erreur, si l'on confondait cette discipline

---

61. On aurait pu le montrer également pour la notion même de péché, et notamment de péché « mortel ». P.-M. Gy croit « déceler dans la mentalité de certaines époques chrétiennes le sentiment que la plupart des chrétiens commettent souvent des péchés mortels ». Ce fut peut-être le cas au Moyen Age. Ce sera en tout cas, au XVIIᵉ siècle, la position de Suarez, selon lequel « on trouverait difficilement quelqu'un qui s'abstienne toute l'année du péché mortel s'il ne se confesse plus souvent [qu'une fois l'an] » (P.-M. Gy, art. cit., p. 72).

avec un simple processus juridique. Car, d'une part, dans l'Église de l'époque, le droit et la théologie n'étaient pas séparés comme ce fut le cas notamment à partir du (bas) Moyen Age. D'autre part, et surtout, la dissolution du lien qui maintenait les pénitents à la périphérie de l'Église était considérée comme l'œuvre du Saint-Esprit. Car, pour les Pères, l'Église du Christ est la première œuvre du Saint-Esprit ; elle appartient au troisième article de la confession de foi baptismale. C'est lui qui la réalise dans son essence d'Église « une, sainte, catholique et apostolique ». Du même coup, toute intégration à elle ou tout retour à sa communion est son œuvre. On connaît, dans cette perspective, la célèbre métaphore où Augustin, assimilant audacieusement l'Esprit et l'Église, déclare : « La colombe retient, la colombe remet. » [62] Plus « classiquement » si l'on peut dire, comme l'écrit S. Ambroise commentant Jn 20, 22-23, « c'est un don de l'Esprit-Saint que la fonction du prêtre, et c'est un droit du Saint-Esprit que de délier et de lier les crimes » [63]. Parce qu'elle est l'œuvre du Saint-Esprit, la levée disciplinaire de l'excommunication pour l'évêque n'est pas réductible à la simple apposition d'un tampon officiel sur une carte d'identité chrétienne ; elle est acte de réconciliation avec Dieu, c'est-à-dire qu'elle a aussi une dimension qu'on peut et doit appeler « *sacramentelle* ». C'est bien d'ailleurs ce que veut signifier le même Ambroise, quand il note que « délier » n'est pas le simple équivalent inverse de « lier », puisque « relaxare paenitentiam » implique « relaxare veniam » ou « remittere/dimittere peccata » [64]. Comme le note R. Gryson dans son introduction au *De Paenitentia*, pour Ambroise, « ce qui est en jeu dans la controverse avec les Novatiens, c'est le pouvoir sacerdotal de remettre les péchés devant Dieu, et non simplement celui de mettre un terme à la pénitence ecclésiastique » [65].

b) Par le biais de la pénitence réitérable est venue se greffer sur cette structure ancienne une pratique assez différente. L'offre du pardon sacramentel s'est en effet considérablement élargie : d'une part, à des fautes que l'on peut qualifier de « graves » sans qu'elles créent nécessairement pour autant une franche rupture avec le baptême et donc avec l'Église ; d'autre part, aux fautes dites « vénielles ». On en est ainsi peu à peu venu à la pratique de la *confession fréquente*, souvent en tout cas plus fréquente au Moyen Age que la communion. Certes, les *perfectissimi* qui, dès le XIIIe siècle, se confessent chaque jour ne sont qu'une toute petite élite. Mais la fréquence de la confession de « dévotion », hebdomadaire ou pluri-hebdo-

---

62. Augustin, *De bapt.* III, 18, 23 ; III, 17, 22 ; VII, 51, 99. Et joignant à ce thème cet autre thème, familier chez lui, de Pierre comme « type » de tout croyant et donc comme représentant de l'Église, il déclare dans le *Serm.* 295, 2 : « Has enim claves non unus homo, sed unitas accepit ecclesiae [...] Columba ligat, columbat solvit ; aedificium supra petram ligat et solvit » (PL 38, 1349).

63. *De paen.* I, 8, ; cf. *Traité du S. Esprit* III, 137.

64. *De paen.* I, 7, 36, etc.

65. *Op. cit.*, p. 44.

madaire, constituera de plus en plus, et notamment à partir de l'époque moderne, à mesure que la communion tendra à devenir quotidienne, un critère de sérieux chrétien ; en tout cas, un critère pour toute éventuelle canonisation [66].

Une telle pratique relève évidemment d'une autre conception du sacrement que celle qui prévalait dans l'Église ancienne. Elle se rattache plutôt à la pratique monastique de l'aveu thérapeutique. Ce dernier n'était guère préoccupé par la dimension sacramentelle de la démarche ; il visait d'abord la guérison spirituelle du cœur par aveu des désirs mauvais, même les plus secrets, le pardon étant obtenu, comme l'écrivait Cassien, lorsque le pécheur constate « que son cœur a rompu toute attache avec la séduction et avec le souvenir même des péchés » [67]. A la différence cependant de cette pratique monastique, la confession fréquente « moderne » est attachée à l'aspect proprement sacramentel. Elle est en effet considérée par les scolastiques comme l'une des expressions importantes de la vertu de pénitence, vertu qui appelle d'une certaine manière le sacrement lui-même, lequel en retour joue par rapport à elle « un rôle en quelque sorte irradiant » [68].

On observe donc une sorte de « tuilage » entre la structure et la visée de la démarche proprement sacramentelle pour les fautes très graves et la confession à visée thérapeutique. Or, ce croisement entre deux types de pratique et de théologie s'est amplifié au fil des siècles, notamment avec la pratique de la confession fréquente. Il est hors de doute que celle-ci, par-delà les inévitables routines qu'elle a engendrées, a permis à de nombreux chrétiens, conscients des exigences de leur baptême, de mener une vie authentiquement évangélique et qu'elle a porté ainsi dans l'Église des fruits importants de sainteté. Mais il est clair aussi qu'une telle pratique, fortement liée à un certain type de culture et de spiritualité, n'a jamais eu la force d'une norme théorique, si normative qu'elle ait pu être par ailleurs sur le plan pratique des comportements rituels et sociaux.

On peut se demander si les difficultés théoriques et pratiques relatives au sacrement de la réconciliation ne sont pas sous-tendues par le tiraillement qui existe entre sa finalité première de sacrement pour le pardon des fautes graves et la visée thérapeutique de « direction de conscience » et/ou d'exercice de la « vertu de pénitence », qui est celle de la confession fréquente. En d'autres termes, on mélange deux genres, ce qui se fait au détriment et de l'un et de l'autre. Vouloir entretenir au moins l'« esprit » de cette dernière en continuant de le greffer sur une structure sacramentelle qui est faite pour autre chose, c'est créer un lourd malaise, aussi bien sur le plan culturel que proprement théologique. Sur ce tout dernier plan en tout cas, on est fondé à penser que la confession (relativement) fréquente avec

---

66. P.-M. Gy, art. cit., p. 80-82.

67. J. Cassien, *Conférence 20*, trad. C. Vogel, *Le pécheur et la pénitence dans l'Église ancienne*, Cerf 1966, p. 12. Cf. J.-C. Guy, « Aveu thérapeutique et aveu pédagogique dans l'ascèse des Pères du désert », dans Coll. *Pratiques de la confession, op. cit.*, p. 25-40.

68. P.-M. Gy, art. cit., p. 82.

absolution sacramentelle ne peut continuer à servir d'étalon implicite pour juger de la santé actuelle de ce sacrement. Il ne fait pas de doute, par contre, que la « direction de conscience » mériterait d'être développée, notamment pour les chrétiens plus motivés, et que, pour cela, il faudrait davantage rechercher des hommes et femmes, pourvus d'un charisme de discernement spirituel, auxquels l'on confierait, d'une manière qui peut éventuellement être très officielle, ce « ministère » d'accompagnement spirituel.

En posant cette question, on ne fait que rejoindre un certain nombre de théologiens actuels. Ainsi, R. Taft demande que l'on distingue plus nettement la confession d'une part et la procédure de réconciliation d'autre part, notamment pour les fautes ayant entraîné une rupture de communion ecclésiale [69]. De même P. De Clerck estime « extrêmement souhaitable de distinguer le conseil spirituel lié à la confession d'une part, et la pénitence ecclésiale de l'autre ; de les distinguer et de les valoriser tous deux pour ce qu'ils sont sans vouloir faire jouer à l'un le rôle de l'autre » [70].

VIII. *Le rapport du pardon de Dieu avec le sacrement*

S. Thomas n'a en rien innové lorsqu'il estime que le pécheur est justifié par Dieu dans son mouvement même de repentir *(supra)*. Il se situe au contraire dans le sillage le plus ferme de la Tradition. « Si petite soit-elle, la contrition efface toute faute », lit-on dans le *Supplément* de la *Somme* (Suppl. q. 5, a. 3). Petite, elle peut l'être notamment en ce que la douleur sensible peut être faible. Mais celle-ci, parce qu'elle est « accidentelle » par rapport à la contrition et qu'« elle n'est pas pleinement en notre pouvoir » *(ibid.)*, n'empêche pas un véritable amour pour Dieu, cet amour théologal d'où, à la différence de l'« attrition », procède la contrition. Le cas normal, pour S. Thomas, est par conséquent celui du pécheur qui est déjà pardonné par Dieu avant de se soumettre aux clefs de l'Église, « pourvu qu'il ait l'intention de le faire », tout comme c'est le cas, à la même condition, en ce qui concerne le baptême, souligne-t-il dans le *Contra Gentiles*. En dehors de ce cas, « rien n'empêche que ce soit parfois *(aliquando)* au cours même de l'absolution que, par la vertu des clefs, la grâce qui efface la faute soit accordée à celui qui s'est confessé », tout comme cela arrive « parfois » également dans le baptême [71].

On a vu plus haut comment l'auteur règle le problème alors difficile de l'efficacité de l'absolution dans ces conditions, notamment avec sa théorie des « parties intégrales » de la pénitence. Selon cette théorie, puisque toutes les parties se tiennent pour qu'il y ait sacrement, la contrition, si petite soit-elle, ne peut exister *comme* contrition sans le « votum » de se soumettre aux clefs de l'Église ; en d'autres termes, la grâce du sacrement agit déjà

---

69. R. Taft, art. cit., p. 14-15.
70. P. De Clerck, art. cit., p. 56.
71. *Contra Gentiles*, IV, c. 72.

dans la contrition. Certes, le pécheur peut être affronté, de fait, à des obstacles d'ordre psychologique, sociologique ou culturel tels qu'ils lui rendent pratiquement impossible de faire la démarche sacramentelle; cela n'empêche pas que, de droit, tout authentique repentir évangélique, si personnel et intime soit-il, soit toujours-déjà structurellement médiatisé par l'Église et tendu vers le sacrement. Il n'y a qu'une seule structure de l'alliance nouvelle, nous dit au fond la théorie thomiste, là où Duns Scot exceptait de cette structure l'élite des chrétiens, pour lesquels était possible la voie extra-sacramentelle de la justification par la seule contrition parfaite, voie considérée, bien entendu, comme plus difficile et pas aussi sûre que l'autre.

Au chapitre 4 de sa doctrine sur la pénitence, le Concile de Trente affirme qu'il arrive « *aliquando* » qu'un pécheur soit justifié *avant* le sacrement, dans la mesure où il a une « contrition parfaite », laquelle n'est jamais « indépendante du désir de recevoir le sacrement qui est inclus en elle ». Mais le concile semble pousser la notion de « contrition parfaite » à un si haut niveau qu'elle n'est réservée qu'à une toute petite élite; il ferme ainsi la porte aux présomptueux qui prétendaient être pardonnés avant le sacrement. Le catéchisme de Trente, destiné aux pasteurs, est en tout cas parfaitement dissuasif [72]. Le déplacement d'accent de l'*aliquando*, son inversion même, par rapport à S. Thomas est significatif : ce qui était considéré comme cas normal pour ce dernier est devenu l'exception pour Trente...

Pastoralement, on peut craindre que l'accent porté sur le pardon de Dieu dans l'acte de repentir sincère du pécheur — même si l'on précise, comme il se doit, que ce repentir n'est jamais indépendant structurellement de son rapport à l'Église et au sacrement — ne porte encore davantage les chrétiens à déserter ce dernier. Une telle crainte n'est pas sans fondement en raison de la pente « narcissique » qui, selon maints sociologues, caractériserait l'actuelle modernité et, corollairement, du soupçon porté sur l'institution Église. Mais on peut se demander, à l'inverse, si l'une des multiples causes de la crise de ce sacrement, à savoir sa perte de crédibilité théologique, ne serait pas liée, outre sa perte de « plausibilité » sociale, au fait qu'il paraît « tout faire » de manière un peu mécanique. Certes, cela n'a jamais été l'enseignement de l'Église : les chapitres doctrinaux du Concile de Trente, sur la justification d'abord, sur la pénitence ensuite, en sont les plus clairs témoins. Mais la crainte pastorale de voir le confessionnal déserté a contribué à accentuer si fortement le rôle de la confession et de l'absolution sacramentelles qu'elle s'est soldée par un affaiblissement du rôle de la confession intérieure à Dieu et du repentir dans la réconciliation avec lui. Si le problème de l'équilibre entre les deux termes — celui, intérieur, du

---

72. On y lit, au chapitre 23, n° 2 : « Il est vrai que la contrition efface les péchés, mais c'est seulement lorsqu'elle est si violente, pénétrante et brûlante qu'on peut dire que la vivacité de la douleur est proportionnée à la grandeur des crimes que l'on a commis; comme bien peu peuvent parvenir à ce haut degré de repentir, très peu peuvent espérer par cette voie obtenir le pardon de leurs péchés. »

repentir et celui, extérieur, de la démarche sacramentelle — est théoriquement résolu de manière relativement claire, en revanche sa gestion pastorale semble avoir conduit l'Église, pour des raisons de « prudence », à appuyer davantage sur le second que sur le premier.

C'est, nous semble-t-il, à ce problème *pratique* de gestion pastorale que nous sommes aujourd'hui confrontés. Dans cette perspective, on peut estimer que la culture actuelle requiert, pour que le sacrement de la réconciliation retrouve cette crédibilité qui lui fait trop défaut, la recherche d'un nouvel équilibre sur ce point. Tout en soulignant qu'un repentir proprement chrétien n'est jamais délié, de droit ou structurellement, de l'Église et du sacrement, il est souhaitable de remettre en valeur, conformément notamment à la Tradition ancienne et médiévale, la fonction prioritaire du repentir dans le pardon de Dieu, repentir dont la vérité se manifeste par les diverses formes de partage, de participation à la liturgie, de prière personnelle, de réflexion chrétienne, de maîtrise de soi que l'on a précédemment mentionnées. Il est simultanément souhaitable que l'on n'urge pas, sauf pour des cas graves, la participation au sacrement de la réconciliation, notamment sous sa forme de confession individuelle. C'est là, semble-t-il, l'une des conditions pour que cette dernière puisse retrouver du crédit auprès de beaucoup de chrétiens — et pas des moins exigeants...

Le présent propos ne visait pas à tout dire sur le sacrement de la réconciliation. Il cherchait, en le prenant pour exemple, à souligner combien le recours à la Tradition, soit pour s'appuyer sur des éléments bien connus, soit pour en rappeler des points plus ou moins oubliés, s'effectue inévitablement à partir de problèmes du présent. C'est d'ailleurs probablement là, soit dans cet usage *heuristique*, que réside son intérêt majeur. Mais c'est aussi là sa difficulté : celle de toute herméneutique.

APRÈS GRÉGOIRE LE GRAND
L'ORGANISATION DES ÉVANGÉLIAIRES
AU VIIe ET AU VIIIe SIÈCLE

Antoine CHAVASSE

L'Homéliaire *in evangelia* (590-592) de saint Grégoire commente les lectures d'un Évangéliaire liturgique, qui est partiellement différent[1] de l'Évangéliaire transcrit au VIIe et au VIIIe siècle[2]. A partir de 645, l'Évangéliaire romain transcrit adopte un classement chronologique des célébrations annuelles, qui entrelace Temporal et Sanctoral, dans une suite unique. Ainsi conçue, cette transcription n'était pas viable. En quelques points cependant, elle modifia durablement la structure du Cycle liturgique.

De l'Homéliaire de Grégoire aux Évangéliaires du VIIe et du VIIIe siècle. Les changements repérables

L'Évangéliaire de l'*Avent* commenté par Grégoire, comportait six dimanches, la lecture du VIe se confondant avec celle du samedi du jeûne du *Mensis decimi* (hom. 20, Lc 3, 1-11). Sur les cinq péricopes que Grégoire commente, trois sont reprises par tous les Évangéliaires, à partir du VIIe siècle, jusqu'au *Missale romanum*.

La péricope Lc 18, 31-43 est allée équiper, au VIIe siècle, la célébration de la Quinquagésime (Π, n° 53). Elle y est restée. La péricope Mt 10, 5-10, n'a été reprise nulle part.

Les trois autres péricopes sont restées dans l'usage, mais à partir du VIIe siècle, elles font partie d'ensembles différents : un ensemble à *cinq* péricopes *propres*, la sixième *(dominica vacat)* se confondant avec celle du samedi *in XII lect.*; un ensemble à *quatre* péricopes *propres* (réduction du précédent), en liaison avec le maximum des quatre dimanches qui (trois fois sur sept) se présentent entre le 1.XII et le 24.XII; un ensemble à *trois* péricopes *propres* (*Vat.* 3836, *San Pietro* F 7, M.R.), pour le minimum des

---

1. L'état de l'Évangéliaire commenté par Grégoire est étudié aux pages 83 à 102 de mon article « Aménagements liturgiques, à Rome, au VIIe et au VIIIe siècle », *RBén* 99, 1989, 75-102.

2. Th. Klauser, *Das römische Capitulare Evangeliorum*, Münster/W 1935. *Typen* : Π (vers 645), Λ (740), Σ (755).

trois dimanches qui (quatre fois sur sept) se présentent entre le 1.XII et le
24.XII, avec *répétition* explicite de la péricope du samedi *in XII lect.*, pour
un éventuel dimanche IV (trois fois sur sept).

Grégoire	Casin. 175 ...	ΠΛΣ	M.R.
–	VI (V) Jn 6, 5-14	= VII p. Cypr.	–
–	V (IV) Mt 21, 1-9	IV Mt 21, 1-9	–
h.1 Lc 31, 25-33	IV (III) idem	III idem	I idem
h.2 Lc 18, 31-43	–	–	–
h.4 Mt 10, 5-10	–	–	–
h.6 Mt 11, 2-10	III (II) idem	II idem	II idem
h.7 Jn 1, 19-28	II (I) idem	I idem	III idem
h.20 Lc 3, 1-11	I Lc 3, 1-6	Sab. Lc 3, 1-6	(IV Lc 3, 1-6)

Les péricopes *quadragésimales* commentées dans les homélies 15, 16
et 18, sont restées aux célébrations de la Sexagésime et des dimanches I et V
du Carême. La péricope commentée dans l'homélie 19 (Mt 20, 1-16), est
passée à la Septuagésime, depuis 645 (Π, n° 51). Elle y est restée. La
péricope commentée par l'homélie 17 (Lc 10, 1-9), a disparu de l'usage.

A la *semaine pascale*, au temps de Grégoire, le jeudi est encore vacant,
et le premier dimanche après Pâques n'est pas encore annexé à cette
semaine comme dimanche octave. Les péricopes évangéliques de cette
semaine sont toutes consacrées à la Résurrection et à sa proclamation.

Après Boniface IV (608-615) et l'érection de la basilique *b. Mariae ad
martyres*, quand le jeudi fut célébré et que le dimanche devint le dimanche
octave, cette ordonnance fut partiellement modifiée.

La péricope du vendredi fut avancée au jeudi. Elle fut remplacée, le
vendredi, par la péricope « baptismale » Mt 28, 16-20, avec Station *ad b.
Mariam ad martyres*.

Après 645, la péricope du samedi (Jn 20, 19-31) fut partagée entre le
samedi et le dimanche octave (19-23 ; 24-31).

Dans l'homélie 20, pour le samedi *in XII lect. Mensis decimi*, Grégoire
commente la lecture *longue*, Lc 3, 1-11, que reproduiront quelques rares
témoins (tel *Vat.* 3836). Ce samedi appartient à l'Avent : les chapitres 1 à 7,
de l'homélie, appliquent à ce temps les versets 1 à 6. Ce samedi appartient
aussi au jeûne du *Mensis decimi* : les versets 7 à 11, sont rapportés à ce
jeûne, par les chapitres 8 à 15, de l'homélie.

A partir de l'Évangéliaire de 645 (Π, n° 244), la péricope est *raccourcie*
(Lc 3, 1-6). Elle le restera jusqu'au M.R. — Ce raccourcissement est l'une
des nombreuses marques qui signalent la prédominance progressive du
thème *de Adventu*.

Enfin, sur les onze fêtes du *Sanctoral* présentes dans l'Homéliaire de Grégoire, sept ont une lecture différente de celle qu'on lit en Π (ΛΣ), quelque cinquante ans plus tard : *Felicis* (14.I), *Sebastiani* (20.I), *Pancrati* (12.V), *Nerei et Achillei* (12.V), *Processi et Martiniani* (2.VII), *Mennae* (11.XI), *Silvestri* (31.XII).

Le nouveau cadre de la transcription des formulaires

Les Évangéliaires ΠΛΣ sont nés de la volonté de réunir en un seul ouvrage les formulaires du Temporal et ceux du Sanctoral, en *intercalant* les transcriptions de manière à *simuler* le déroulement unifié du Cycle liturgique annuel.

Les formulaires du Cycle, transcrits par eux, vont du *Natale Domini* (25.XII), n° 1, à la *Vigilia Domini* (24.XII), n° 245.

Les formulaires sont répartis, mois par mois, selon le calendrier julien. Mais le mois de mars s'efface, devant le bloc infrangible « Septuagésime-octave de Pâques », qui est encastré entre la Saint-Valentin du 14.II, et la Saint-Tiburce du 14.IV.

Les fêtes du Sanctoral sont datées une par une, le quantième du mois étant formulé « à la grecque » (nombre ordinal) par les Évangéliaires ΠΛΣ. C'est pourtant la datation romaine *(non., id., kal.)* qu'utilise encore le sacramentaire *GrP*, tandis que les sacramentaires *GrOH* reprennent la date romaine et l'explicitent *(id est)* par son équivalent grec.

Cette datation ne pouvait servir pour les célébrations du Temporal, toutes mobiles en fonction du déplacement annuel du bloc pascal (Septuagésime-Pentecôte). Les autres dimanches sont partagés en secteurs, rattachés chacun à une base temporelle d'ancrage, prise dans le Temporal *(post Theophaniam; ante Natale Domini)* et dans le Sanctoral de l'Urbs *(post Apostolorum,* 29.VI; *post Laurenti,* 10.VIII; *post Cypriani,* 14.IX). Demeure, inversement variable, l'étendue des secteurs concomitants *post Theophaniam* et *post Pentecosten.*

Tel est le cadre dans lequel les Évangéliaires ΠΛΣ ont transcrit leurs formulaires. Cette nouvelle présentation voulait mettre de l'ordre. Elle n'a pu éviter les malfaçons.

Récupérant des lots de péricopes antérieurement constitués, les Évangéliaires ΠΛΣ ont transcrit des listes de péricopes, tour à tour excédentaires et insuffisantes.

Ils transcrivent en janvier et en février, entrelacés avec ceux du Sanctoral, dix formulaires pour les dimanches *post Theophaniam.* A cette date, cette liste est définitivement excédentaire, en toute circonstance.

Les mêmes Évangéliaires utilisent, *post Cypriani,* une liste antérieure de sept péricopes, qui est trop courte pour aller du 14 septembre au dernier dimanche de novembre. Après le formulaire dominical III, un trou anormal, dépourvu de formulaires dominicaux, se produit entre le 7 octobre (n° 213) et le 9 novembre (n° 217).

Dans l'Épistolier W, de 730, on retrouve la même récupération de listes antérieures (*post Theophaniam, post Natale Domini, post octabas paschae*). Le raccord entre elles n'est même pas amorcé !

Les quantièmes mensuels des fêtes du Sanctoral, s'imposant par eux-mêmes, la *prédominance* de la chronologie du Sanctoral était inévitable. Elle a rendu difficile et a parfois gêné gravement la transcription des formulaires du Temporal (dimanches et féries). Les intervalles (8 jours) furent indûment allongés ou raccourcis. On dut parfois déborder d'un secteur sur le suivant. Ces malfaçons de la Transcription sont bien connues. Ce ne sont pas des fautes, mais des accidents inévitables, qui disqualifient le principe même de la transcription intercalée.

Quelques conséquences liturgiques

Quittons les malfaçons, qui déparent les transcriptions. Tournons-nous vers d'autres répercussions de la réunion, celles qui ont modifié en quelque point la structure liturgique du Cycle.

A l'époque de Grégoire, la *semaine du jeûne du septième mois* (du 15e au 22e jour) se déplaçait encore avec l'ancien septième mois, solidaire du mois de la Pâque. Mais le septième mois est désormais identifié, par les chrétiens de Rome, avec le mois de septembre du calendrier julien. Par suite, le déplacement de la semaine du jeûne s'inscrit entre le 15.IX et le 30.IX (pour une Pâque du 22.III au 1.IV), et le déplacement est ramené entre 22 et le 30.IX (pour une Pâque du 2.IV au 25.IV).

A partir du milieu du VIIe siècle, le calendrier julien est adopté tel quel, par les Évangéliaires ΠΛΣ. La semaine du jeûne du septième mois (du 15e au 22e jour) vient alors se fixer très normalement après le 14, dans le mois julien de septembre. Elle est encadrée par ses deux dimanches, dont le second n'est même plus vacant :

Π.203 Ebd. I post s. Cypriani. Lc 14, 1-11.
    204 fer. IV Mensis septimi...
    205 fer. VI ...
    206 fer. VII in XII lectiones...
   207 Ebd. II die dominico ad scos Cosm. et Dam. ante Natale eorum. Mt, 22, 23-23, 12.

Pour équiper ces deux dimanches, les Évangéliaires ΠΛΣ ont avancé les formulaires du secteur dominical suivant, entraînant une malfaçon qui va durer plus d'un siècle.

Les Évangéliaires ΠΛΣ ouvrent le mois de décembre avec la Sainte-Lucie du 13 décembre. Ils inscrivent ensuite les formulaires pour quatre dimanches *ante Natale Domini*, et copient alors les formulaires du jeûne du *Mensis decimi*, suivis du formulaire pour la *Vigilia Dni* du 24.XII.

En ces témoins, l'*Avent* est enfermé dans le mois de décembre. Cela reste vrai pour les sacramentaires grégoriens POH, qui ouvrent le mois de décembre en écrivant : *Mense decembri. Incipiunt orationes de adventu. Dominica prima...*

On le comprend d'autant mieux, quand on se tourne vers l'Ordo XIII A, du Latran (700-750), pour l'Office. Ce témoin divise les Temps liturgiques, à cinq reprises (n° 8 à 12), en ouvrant chaque Temps par la mention du *premier dimanche du mois*, et en le clôturant par la mention des calendes du mois suivant :

10. In dominica prima mensis octobris..., usque in kalendas novembris...

[...]

12. In dominica prima decembris, id est in prima dominica de adventu domini nostri Iesu Christi..., usque in Natalem Domini.

C'est bien ce carcan chronologique qui tendit à enfermer l'Avent dans le mois de décembre. Trois fois sur sept, il réduisait effectivement l'Avent au maximum des quatre dimanches qui se présentent du 1.XII, au 24.XII. Quatre fois sur sept, il le réduisait au minimum de trois dimanches. Aussi est-ce aux dimanches I à III, que l'on garda les péricopes *propres*, tandis que le quatrième dimanche éventuel (trois fois sur sept), cessant d'être vacant, recevait des formulaires (lectures et chants), *tous empruntés*, qui attestent que cet équipement est tard venu, plutôt mal venu [3].

Dans les Évangéliaires ΠΛΣ, nous l'avons dit, un trou de quatre semaines, que rien n'a comblé, sépare le formulaire du dimanche III, du formulaire du dimanche IV *post Cypriani*.

Le complément requis n'est venu qu'avec les Lectionnaires de la génération suivante (Évangéliaire Δ, Comes V, Comes Mu..., Homéliaire de Paul Diacre, *Missale romanum*), qui ont ajouté, entre les dimanches III et IV, *un couple de péricopes nouvelles*, couple dont le contenu diverge d'ailleurs d'un groupe de témoins à l'autre.

Ces Lectionnaires complétés ont gardé en place les péricopes évangéliques affectées par ΠΛΣ aux deux dimanches qui encadrent le jeûne de septembre. Mais ils distinguent les dimanches suivants et ils les comptent à partir d'une autre base, la fête romaine locale du Saint-Ange (29.IX) : *Ebdomada... post Angeli.*

---

3. Ailleurs, on procéda autrement sur un point, en tolérant que le premier des quatre dimanches de l'Avent tombât éventuellement du 27 au 30 novembre.

Tout changea bientôt, quand les dimanches *post Pentecosten* furent comptés comme une série unique, qui se déplace globalement, du même déplacement que Pâques et la Pentecôte.

LE RITUEL QUADRAGÉSIMAL
DES CATÉCHUMÈNES À MILAN

Jean CLAIRE, o.s.b.

Les premiers documents notés du rit ambrosien, qui ne datent que du XIIe siècle[1], complétés au besoin par les documents non notés, qui ajoutent lectures et oraisons, et peuvent remonter, eux, au siècle précédent[2], permettent de reconstituer le rituel des catéchumènes durant le Carême à cette époque. De ce rituel, qui comprend au premier chef les scrutins baptismaux et la cérémonie même du baptême à la vigile pascale, nous ne retiendrons ici — en hommage aux recherches savantes du R.P. Pierre-Marie Gy, o.p., en ce domaine — que la partie la moins connue parce que la moins étudiée : l'instruction quotidienne qui se dispensait cinq jours sur sept (samedis et dimanches exclus), cinq semaines sur six (Semaine sainte exclue) *mane* ou *ad Tertiam*, dans une liturgie de la Parole, véritable « messe des catéchumènes », ainsi constituée :

— lecture ordonnée du livre de la Genèse ;

— chant ordonné du Psautier (*psalmellus post Genesin*), auquel se substituait certains jours un répons tiré de la péricope de la Genèse qui venait d'être entendue ;

— lecture ordonnée du livre des Proverbes ;

— oraison et rites de conclusion.

Ainsi les catéchumènes recevaient-ils tout au long du Carême une « formation continue » en matière de dogme (Genèse), de morale (Proverbes), de spiritualité (Psautier), et cela depuis le temps de saint Ambroise qui atteste : « De moralibus quotidianum sermonem habuimus cum vel Patriarcharum gesta vel Proverbiorum legerentur præcepta. »[3] Et comme la liturgie comparée signale ailleurs le même programme[4], on peut être assuré de tenir là un élément ancien de la discipline du catéchuménat.

Si on a pu parfois reprocher à certains liturgistes milanais d'avoir indûment transporté au IVe siècle ce qu'ils observaient dans les documents du XIe-XIIe, il faudrait plutôt s'étonner ici de trouver encore au XIIe siècle des

---

1. Londres B.L. add. 34209. Paléographie musicale V-VI, Solesmes 1896-1900 ; de l'Avent au Samedi saint seulement.

2. M. Magistretti, *Manuale ambrosianum*, Milan 1895.

3. S. Ambroise, *De mysteriis*, c.I.

4. A. Baumstark, *Liturgie comparée* (3e éd.) Chevetogne 1953, p. 137. M. Righetti, *Storia liturgica* (3e éd.) II, p. 546-547.

formes liturgiques qui auraient dû tomber en désuétude avec la disparition du catéchuménat adulte. La liturgie quadragésimale romaine n'a-t-elle pas été profondément remaniée au cours du VIe siècle, du fait de la généralisation du pédobaptisme ? Les scrutins baptismaux ont été transférés des dimanches aux féries ; et la présente étude sur le rit milanais pourrait nous suggérer de mettre d'autres transformations du rit romain à cette même époque, en relation avec les avatars de la liturgie catéchuménale.

*
**

La distribution par péricopes quotidiennes de la Genèse comme des Proverbes ne présente à première vue que peu d'intérêt, et l'on pourrait passer tout de suite à l'examen des pièces chantées de cette « messe des catéchumènes », pour essayer d'y découvrir la raison de ce mélange de psaumes dans l'ordre du Psautier, plus précisément de 1 à 15, et de répons, tous tirés de la Genèse, à l'exception d'un seul qui est psalmique (ps 80).

Mais aussitôt surgit une autre question qui vient interférer avec la première : en réalité, il n'y a pas *une* distribution quotidienne de la Genèse et des Proverbes, mais bien *deux*, que les liturgistes ont trop tendance à grouper sous la même rubrique[5]. Outre la « messe des catéchumènes » à Tierce, nos documents mentionnent, quatre jours sur six (vendredis et samedis exclus), à None, une « messe fériale » ainsi ordonnée :

— *ingressa* du dimanche précédent, comme les autres antiennes (offertoire, *confractorium* et *transitorium*) ;

— collecte ;

— lecture ordonnée de la Genèse ;

— *psalmellus*, formant, la première semaine, une série psalmique ordonnée (ps 8, 66, 69, 85), puis, les autres semaines, admettant des textes de la Genèse pris dans la péricope du jour, à défaut desquels on reprend le psaume assigné au jour ;

— lecture ordonnée des Proverbes ;

— *cantus* à un seul verset, formant une série psalmique ordonnée (ps 15, 125, 129, 142) ;

— lecture ordonnée du Sermon sur la montagne (au moins pour les quatre premières semaines) ;

— liturgie eucharistique.

---

5. « [...] on la trouvait jadis (la lecture combinée de la Genèse et des Proverbes) deux fois par jour, le matin et à la Messe, au rit ambrosien. » Baumstark, *op. cit.*, p. 137.

« Nel medioevo, le catechesi quotidiane erano due ; ed oggetto di ambe due erano i libri del Genesi e dei Proverbi. » Righetti, *op. cit.*, p. 546. « Ancora oggi in Duomo vengono cantate altre lezioni e precisamente : [...] ogni giorno, escluso sabato e domenica, dopo Nona, un brano del Genesi, al quale fa seguito [...] una lezione derivata dei Proverbi di Salomone [...] Al tempo di Beroldo, tali lezioni erano cantate dopo Terza. » E. Cattaneo, *Il breviario ambrosiano*, Milano 1943, p. 267. Il semble qu'il y ait équivoque, sinon confusion, entre les lectures de Tierce et celles de None ; ce que confirmerait la référence faite ensuite à l'article de O. Heiming sur les épîtres fériales contenues dans les missels ambrosiens (*Ambrosius* VI, 1930, p. 25-27), qui étudie le remplacement des lectures de None et non de Tierce.

Le cas du vendredi est à examiner à part. Les livres notés donnent ce jour-là un *Tractus*, après le *Psalmellus* tiré du psautier *per ordinem* ou le répons de la Genèse; et de même le *Manuale* édité par Magistretti. Seul *Beroldus novus* (le M de Magistretti), du XIIIe siècle, précise que ce *Tractus* n'entre pas dans la « messe des catéchumènes », mais sert de chant entre Genèse et Proverbes d'une seconde liturgie de la Parole avant les Vêpres vigiliaires du vendredi. Et de fait, les péricopes qu'il indique s'inscrivent bien à leur rang dans la liste de celles de la « messe fériale » à None.

En dressant le tableau comparatif des péricopes quotidiennes et des répons empruntés à la Genèse, nous montrerons qu'il y a plus d'une distinction à faire entre la « messe des catéchumènes » de Tierce et la « messe fériale » de None. Nous y ajouterons, pour ne rien laisser dans l'ombre, les pièces de chant des Vêpres de Carême empruntées au texte de la Genèse; aucune pièce de chant n'a jamais été, à notre connaissance, empruntée au livre des Proverbes.

Enfin, nous comparerons l'ordonnance milanaise (MIL) des répons de la Genèse au XIIe siècle, avec celle qu'on trouve dans le rit romain sous ses deux formes :

— dans les mss. (XIIe s.) de la liturgie romaine locale, avec le chant dit vieux-romain (ROM);

— dans les mss. (IXe-Xe s.) de la liturgie romano-franque, avec le chant dit grégorien (GREG).

Pour simplifier, nous désignerons désormais les deux fonctions liturgiques en question (messe des catéchumènes sans eucharistie, et messe fériale avec eucharistie sauf le vendredi) par l'heure à laquelle elles se célèbrent : Tierce, None. Et nous désignerons les féries de Carême par le numéro de la semaine en chiffre romain suivi du numéro de la férie en chiffre arabe : I$_2$, I$_3$, I$_4$, etc.

Le tableau général, qui peut paraître complexe, s'ordonne ainsi :

A références bibliques des *incipit* des péricopes de la Genèse à Tierce,

B références bibliques des *incipit* des péricopes de la Genèse à None,

C références bibliques des répons de la Genèse, le tout dans l'ordre des versets du texte biblique,

D *incipit* des répons ROM [6],

E *incipit* des répons GREG,

F *incipit* des répons MIL à Tierce, et indication des *psalmelli* tirés du psautier *per ordinem*,

G *incipit* des répons MIL à None, et indication des *psalmelli* tirés des psaumes,

H *incipit* des répons MIL à Vêpres.

---

6. Comme les répons sont parfois des centons bibliques, on n'a pas cherché à rendre compte, dans la référence donnée, de leur composition exacte, mais seulement à les classer dans l'ordre des versets pour permettre de les situer, parfois *grosso modo*, dans l'une ou l'autre des péricopes quotidiennes.

SEMAINE I

A	B	C	D ROM	E GREG	F Tierce	G MIL / None	H Vêpres
2,4			HISTORIA DE ADAM				
		1,26	1 In principio fecit	id.			
		1,31	2 In principio Deus	id.			
		2,7	3 0	Formavit	If$_2$		
		2,15	4 0	Tulit			
		2,18	5 Dixit Dominus Deus	id.			
		2,19	6 Immisit	id.			
		3,8	7 Dum deambularet	id.	Dum deambularet		
		3,18	8 In sudore	id.			Ps 8
	3,21					If$_2$	
5,1		3,22	9 Ecce Adam	id.			
		4,9	10 Ubi est Abel	id.			
			HISTORIA DE NOE				
	6,9				Ps 1		Ps 66
		7,8	11 Noe vir iustus (App)	id. (rare)			
		7,13	12 Dixit Dñs ad Noe (App)	id. (rare)			
		7,15	13 Quadraginta dies	id.	f$_3$	f$_3$	
		8,20	14 Edificavit	id.			
9,1		9,11	15 Per memetipsum (App)	id.			
		9,13	16 Ponam arcum	id.	f$_4$ Ponam arcum		Ps 69
	10,32					f$_4$	
12,1			HISTORIA DE ABRAHAM ET ISAAC				
	12,10	12,1	17 Locutus est Dñs ad Ab.	id.	f$_5$ Dixit Dñus ad Ab.		Ps 85
15,1						f$_5$	
	16,1	15,1	18 0	Factus est sermo (rare)	f$_6$ Factus est sermo	Tr 78	
						f$_6$	

[1er dimanche ℟ cum infantibus] Quadraginta dies

SEMAINE II

A	B	C	D ROM	E GREG	F Tierce	G MIL None	H Vêpres
17,1	18,1	18,1	19 0	*Dum staret*	IIf₂ Ps 2	IIf₂ *Obsecro*	
		18,32	20 0	*Obsecro* (rare)			
19,1	20,1				f₃ Ps 3	f₃ Ps 66	
21,22	22,1	22,1	21 *Tentavit*	*id.*	f₄ Ps 4	f₄ *Angelus Dñi vocavit*	
		22,11	22 0	*Angelus Dñi vocavit*			
23,29	24,1	24,12	23 *Deus dñi mei Ab.*	*id.*	f₅ Ps 5	f₅ *Dñe Deus dñi mei*	℟ in choro
		24,27	24 0	0			*Benedictus*
24,29		24,42	25 *Veni hodie*	*id.*	f₆ *Veni hodie*		*Deus dñi mei Ab.*
	24,54					f₆ Tr 125	

SEMAINE III

A	B	C	D ROM	E GREG	F Tierce	G MIL None	H Vêpres
25,12			HISTORIA DE IACOB		IIIf$_2$	IIIf$_2$	
					Ps 6	Ps 8	
27,1	26,23	27,3	26 Tolle arma	id.	f$_3$ Accipe arma	Surge pater	
		27,19	27 Surge pater (samedi)	id. (rare)			
		27,27	28 Ecce odor	id.			
		27,28	29 Det tibi	id.			
28,6	27,30	28,17	30 Dum exiret Iacob	id.	f$_4$ Si Dominus Deus	f$_3$ (V = 27,33 qui fait partie de la péricope du jour)	
		28,20	31 Si Dominus Deus	id.			
		28,21	32 Erit mihi	id.			
29,33	29,1				f$_5$	f$_4$	
					Ps 7	Ps 69	
31,17	30,25			id.	f$_6$	f$_5$	
					Ps 9	Ps 85	
	32,1	32,9	33 Oravit Iacob	id.		f$_6$	℟ Subdiaconi Oravit Iacob ℟ post IV^m lectionem Dixit angelus ad Iacob
		32,26	34 Dixit angelus ad Iacob	id.		Tr 87	
		32,30	35 Vidi Dominum	id.			

SEMAINE IV

A	B	C	D ROM	E GREG	F Tierce	G MIL None	H Vêpres
32,31		?	36 Dum exirem de terra	Dum exissem (rare)	IVf₂ Ps 10		
	34,1	35,3	37 0 HISTORIA DE IOSEPH	Dixit Iacob filiis (rare)		IVf₂ Dixit Iacob filiis	
35,9	37,2	37,18	38 Videntes Ioseph	id.	f₃ Ps 11	f₃ Videntes Ioseph	
		37,26	39 Dixit Iudas	id.			
		37,29	40 Extrahentes	id. (rare)			
		37,33	41 Videns Iacob	id.			℟ in choro Videns Iacob
39,1	39,21	Ps 80	42 Ioseph dum intraret	id.	f₄ Ioseph dum intraret	f₄ Memento	
		40,14	43 Memento	id.	f₅ Ps 13		
41,1	41,45	42,21	44 Merito	id.		f₅	
42,1		42,22	45 Dixit Ruben	id.	f₆ Dixit Ruben	Ps 85	
	42,25	42,36	46 Lamentabatur	id. (rare)		Tr 53	

SEMAINE V

A	B	C	D ROM	E GREG	F Tierce	G MIL None	H Vêpres
43,1	43,16	43,11	47 Tollite	id.	Vf_2 Tollite		Vêpres
		43,29	48 Iste est frater	id.		Vf_2 Iste est	
44,1	45,4	45,3	49 Loquens Ioseph	id. (rare)	f_3	f_3 Nuntiaverunt	
		45,4	50 Dixit Ioseph undecim	id.	Dixit Ioseph undecim		
		45,26	51 Nuntiaverunt	id.	Dixit Dñs ad Iacob		
		46,3	52 0	0			
46,26					f_4	f_4 Ps 69	
47,27	47,11			0	f_5 Ps 14	f_5 Congregamini	
	49,1	49,1	53 0				
49,32	50,14				f_6 Ps 15	f_6 Tr 40	

Les péricopes du livre de la Genèse à Tierce et None

Comme le montrent les colonnes A et B du tableau comparatif, les deux péricopes quotidiennes chevauchent toujours l'une sur l'autre, celle de None commençant toujours après celle de Tierce. Il faut cependant reconnaître que le découpage de None est aussi rationnel que celui de Tierce. Le seul reproche qu'on pourrait lui faire serait de commencer (I_2) *ex abrupto* au cours de la scène du jugement après le péché. En dehors de ce cas, tout est logique et peut se justifier, même quand on paraît commencer au milieu d'un paragraphe de nos Bibles modernes : il y a toujours dans ce cas une articulation importante de la pensée.

Le découpage de Tierce appelle les remarques suivantes :

— par deux fois (I_2 et V_4), il prend ce qui semble bien être une phrase de conclusion d'un épisode, pour en faire le préambule de l'épisode suivant ;

— par deux fois aussi, il sépare deux scènes qui vont ensemble : la naissance de Ruben (III_4) et la naissance de Siméon (III_5) ; la claudication de Jacob (IV_2) et la scène de la lutte avec l'ange (III_6) ;

— enfin, à partir de l'arrivée de Jacob en Égypte (Gn 47, 27), le *Manuale* de Valtravaglia, édité par Magistretti, appelle le livre *Exode*, ce qui peut se comprendre.

Le timbre des psalmelli de Tierce tirés des psaumes, de 1 à 15

La répartition des *psalmelli* tirés des psaumes dans les cinq semaines de Carême semble ne relever d'aucune organisation tant soit peu régulière :

	f_2	f_3	f_4	f_5	f_6
I	1				
II	2	3	4	5	
III	6			7	9
IV	10	11		13	
V				14	15

Ils apparaissent (chiffres soulignés) aux jours où le rit romain ne fournit aucun répons pris dans la péricope du jour, et en dehors de ces cas, c'est le hasard qui paraît en décider.

Si la série va jusqu'au ps. 15, elle ne comporte cependant que 13 éléments, car deux psaumes sont absents :

— le ps. 8, qu'on retrouvera, mais avec une tout autre mélodie, en tête de la série des *psalmelli* à None;

— le ps. 12, qui aurait eu sa place le quatrième mercredi, entre le 11 (IV$_3$) et le 13 (IV$_5$), c'est-à-dire le jour même où un répons psalmique (ps. 80) apparaît dans la série des répons de la Genèse.

La forme musicale de ce timbre, d'une impeccable régularité, est remarquable. Elle présente de curieuses analogies avec un autre timbre : celui des graduels en IIA, type *Hæc dies* ℣ *Confitemini* pour ROM et GREG, et type *Lapidem reprobaverunt* ℣ *Confitemini* pour MIL. On peut le schématiser ainsi :

	24a **C**		24b **B**
Caput : ajouté	Hæc dies quam fecit Dominus	*	exsultemus et lætemur in ea.

	1a **A$_1$**		1b
Versus : initial	Confitemini Domino quoniam bonus	*	quoniam **B** *(finale GREG spéciale)* in sæculum misericordia eius.

	22a **C**		22b
Caput : ajouté	Lapidem quem reprobaverunt ædificantes	*	hic factus est **B** in caput anguli.

	1a **A$_1$**		(**A$_2$**)
Versus : initial	Confitemini Domino quoniam bonus		quoniam 1b **B** in sæculum misericordia eius

A$_1$ représente la première partie du ton psalmodique de *ré* sur lequel pouvaient se chanter les versets du psaume 117 [7] au temps de la psalmodie *in directum,* sans refrain; dans MIL on remarque une amorce du second hémistiche (**A$_2$**);

B est une modification de la seconde partie de ce ton, dénotant une évolution modale par changement de teneur (*do*) et de finale (*la*);

C est le début du refrain (verset choisi), ajouté lorsqu'on passe de la psalmodie sans refrain (*in directum*) à la psalmodie avec refrain (*responsoriale*), début qui est de même niveau modal que la fin (évoluée) de **B** (*la*); le refrain finit ensuite comme finissait le versus (**B**).

Dans le timbre du psautier à Tierce, nous trouvons une construction analogue, quoi qu'il en soit de la différence totale des modalités :

---

7. Le psaume 117 fait figure de « Trait de Pâques » comme le psaume 21 de « Trait des Rameaux »; mais la forme trait est restée aux Rameaux, tandis qu'elle a été transformée en graduel à Pâques par addition du refrain *Hæc dies.*

                7a   **C**   7b   **B**

Caput :   Novit Dominus viam iustorum   *   et iter impiorum peribit.

ajouté

                la $\mathbf{A_1}$

Versus :   Beatus vir qui non abiit   1b $\mathbf{A_2}$

initial   in consilio impiorum   *   et in via peccatorum non stetit,

                                     2a   **B**

                             sed in cathedra pestilentiæ

                                  non sedit. *

La seule différence — pleine d'intérêt d'ailleurs — est que, dans le versus, le ton psalmodique de la psalmodie *in directum* est demeuré intact avec ses deux hémistiches $\mathbf{A_1}$ et $\mathbf{A_2}$, sa teneur *sol*, ses mélismes d'intonation, de médiante, de réintonation et de terminaison, et qu'on a ajouté du texte, le début du verset suivant, pour faire passer la mélodie **B**, évoluée par changement de teneur (*si*) et de médiante (*fa*).

Il y a donc eu, pour la deuxième partie du verset, addition $(\mathbf{A_2} + \mathbf{B})$, comme en partie dans le graduel en IIA MIL, et non substitution $(\mathbf{A_2} = \mathbf{B})$, comme dans le graduel en IIA ROM-GREG. Cette addition n'est en fait que l'amorce de la suite du psaume, et cela explique les coupures apparemment fantaisistes qu'on a parfois fait subir au texte.

La « forme » du texte permet de remonter au style *in directum* : le début du psaume est toujours en $\mathbf{A_1}$,

— soit le $\mathbf{y}_1$, lorsque le refrain a été choisi au milieu du psaume

— soit le $\mathbf{y}_2$, lorsque le $\mathbf{y}_1$ a été choisi comme refrain.

La série psalmique des psalmelli à None, du lundi au jeudi

La première semaine de Carême, on chante à None une série ordonnée de *psalmelli,* pris dans les psaumes, non à la suite et *per ordinem* comme à Tierce, mais dans l'ordre du psautier cependant : ps 8, 66, 69, 85. Les autres semaines, les répons de la Genèse remplacent ces *psalmelli,* qui réapparaissent, chacun à leur jour, lorsque le rit romain ne fournit pas de répons tiré de la péricope du jour (chiffres soulignés), ou lorsque les liturgistes milanais n'ont pas voulu des répons disponibles, comme en III_2 et IV_5.

	f_2	f_3	f_4	f_5
I	8	66	69	85
II		<u>66</u>		
III	8		<u>69</u>	<u>85</u>
IV				85
V			<u>69</u>	

La forme musicale de ces *psalmelli* en finale *la* est encore remarquable. Les trois premiers forment un timbre, moins strict sans doute que celui des *psalmelli* de Tierce, mais cependant encore bien régulier. Les passages en italique dans notre transcription indiquent des mélodies identiques :

	A	**B**	**C**	**D**
f_2	Dñe Dóminus noster,	*quam admirábile est nómen túum* *	*in univérsa térra*	
	A₁	**B**	**C**	**D**
f_3	*Déus*	*misereátur nóbis* *	*et benedicat nós*	
	A₁	**B**	**C₁**	
f_4	*Déus*	*in adiutórium méum inténde* *	Dne ad adiuvándum	
				D
				me fes*tina*

Notons de plus que le mélisme de médiante **B** (*tuum*, *nobis*, *intende*) retrouve pour finir la mélodie du mélisme de terminaison *D* (*terra*, *nos*, *festina*).

Quant aux versets, ceux des deux premiers sont identiques; le troisième présente un début centonisé et ajoute une incise sur la mélodie de *in adjutorium meum*, introduisant la reprise à *intende*.

	E	**E**	**E**	**F**	
f_2 ℣	*Quoniam*	*elevata est*	*magnificentia tua*	*su-per cælos*	℟ B
	E	**E**		**F**	
f_3 ℣	*Illuminat vultum tuum*			*su-per nos*	℟ C
			F		**B**
f_4 ℣	Confundantur et		*revereantur om-nes* qui quærunt		
			animam meam		
			℟ suite de **B**		

Le quatrième *psalmellus* est tout différent, en finale *fa*; mais le mélisme final du corps se retrouve identique à la fin du verset, signe de proximité avec la psalmodie *in directum*.

Les cantus à verset unique de None, du lundi au jeudi

La messe fériale de None comporte un second chant entre les lectures, un *cantus*, un genre se rattachant à la psalmodie *in directum*, sans refrain. Au moment du passage du style du soliste au style de la schola, il y a eu réduction du texte et amplification du commentaire musical : les *cantus* dominicaux du Carême ont tous 3 versets; ceux des féries à None n'en ont plus qu'un, et le dernier (ps. 142), la moitié d'un. Tous sont cependant restés fidèles à la loi du genre selon laquelle la psalmodie *in directum* commence par le premier verset du psaume.

Voici une analyse schématique qui rend compte de leur composition :

	intonation	médiante		réintonation	cadence
Ps 15 (prosthèse)	A	B	*	C	D
Ps 125	A_1	B_1	*	x	D_1
Ps 129	A	B_1	*	x	D_1
Ps 142	A_2	[	]	C_1	D

Les formules des *cantus* fériaux ne sont pas, sauf rare exception, celles des *cantus* dominicaux. La modalité reste la même (*sol*), avec la médiante à *fa*.

Les tractus du vendredi

Les vendredis à Milan étaient depuis toujours aliturgiques; la liturgie de la Parole de None précède les vêpres vigilaires, mais au lieu d'un *psalmellus*, psalmique ou emprunté à la lecture de la Genèse, on y chante un *tractus*[8]. Dans ce genre liturgique original, la forme musicale est encore remarquable. Quatre d'entre eux, sur cinq, forment un timbre à finale *la* qui comporte pour le texte trois versets psalmiques, dont les deux premiers constituent une sorte de strophe, tandis que le dernier, seul appelé ℣, abrège la même mélodie en gardant les quatre mélismes caractéristiques :

1ᵉʳ verset	**A**	*	**B**
2ᵉ verset	**C**	*	**D**
3ᵉ verset	**A + B**	*	**C + D**

La forme de la psalmodie *in directum* est évidente, puisque la musique se reproduit la même tout au long (**A, B, C, D**), et qu'il n'y a aucune trace musicale d'un refrain contrastant avec ce verset. Le cinquième *tractus* est tout différent (finale *si*), bien qu'il commence comme les quatre autres. Seul il comporte l'indication d'une réclame après le verset. Mais la forme *in directum* y transparaît quand même parce que la fin du verset reproduit la fin du corps.

***

Après avoir étudié ce qu'on pourrait appeler la « musique ancienne » du rituel quadragésimal des catéchumènes à Milan, il faut se demander ensuite comment, pourquoi et depuis quand les mêmes répons de la Genèse se retrouvent au Carême romain et au Carême milanais. Quelques principes généraux nous paraissent utiles à rappeler d'abord.

---

8. Cf. E. Moneta-Caglio, « I responsori cum infantibus della liturgia ambrosiana », in *Studi in onore di Mons. Carlo Castiglioni*, Milan, 1957, p. 485 (note).

D. Odilo Heiming, de Maria Laach, a révélé[9], alors qu'il travaillait à la restauration du bréviaire milanais, qu'en cas de variantes textuelles entre psautiers ambrosien et romain dans les pièces communes aux deux rits, les pièces ambrosiennes portaient toujours, sans exception aucune, les variantes romaines, donc que l'ambrosien, dans ce cas, dépendait du romain. Callewaert[10] aboutissait à la même conclusion en faisant remarquer la dépendance étroite d'un certain nombre de ces pièces communes vis-à-vis de la liturgie stationale romaine.

Il a été ensuite établi au moyen de statistiques, par M. Huglo[11], que dans ces pièces communes, les mélodies ambrosiennes étaient beaucoup plus proches des mélodies grégoriennes que de celles du vieux-romain. On a même pu identifier certaines églises italiennes de rit romain par lesquelles sont venues à Milan les mélodies grégoriennes.

Les répons de la Genèse du rit romain

Examinons d'abord le matériel disponible, les répons de la Genèse ROM et GREG.

Les répons ROM parvenus jusqu'à nous ne se trouvent que dans l'Antiphonaire de Saint-Pierre (Rome Vat. Arch. di S. Pietro, B79), puisque l'autre Antiphonaire (Londres B.L. add. 29988) est lacunaire entre le 5 février et le dimanche de la Passion. On compte 43 répons ROM de l'*historia* de la Genèse :

— 8   au dimanche de la Septuagésime (Adam) ;
— 3   au dimanche de la Sexagésime, plus 3 autres en appendice (Noé) ;
— 4   au dimanche de la Quinquagésime (Abraham) ;
— 3   au Ier dimanche de Carême (Jacob) ;
— 7   au IIe dimanche de Carême, plus 1 au samedi de la deuxième
        semaine, pour accompagner la lecture d'Esaü et Jacob à la messe ;
— 14   au IIIe dimanche de Carême (Joseph).

Nous avons ensuite fait figurer sur le tableau (col. E) non pas tous les répons GREG de la Genèse connus, mais seulement ceux qui intéressent notre sujet, à savoir :

— les répons qui sont la contrepartie des répons ROM de la colonne **D**. A ces répons ROM correspondent autant de répons GREG, mais sur les 43 qu'ils sont, 7 ont pour contrepartie des pièces GREG de diffusion restreinte (11, 12, 27, 36, 40, 46, 49), ce qui laisse à penser que le « modèle » ROM ne figurait pas dans la liturgie importée en Gaule au IXe siècle, et qu'ils sont donc postérieurs dans ROM ;

— les répons qui composent la liste-type GREG (italiques soulignées),

---

9. O. Heiming, « Offertori romani pregregoriani della liturgia milanese », *Ambrosius* XV, 1939, p. 83-88.

10. *Sacris erudiri*, Steenbrugge 1940, p. 405.

11. M. Huglo, *Fonti e paleografia del canto ambrosiano*, Milano 1956, p. 128 s.

obtenue selon le critère majoritaire et chronologique (les plus répandus dans les manuscrits les plus anciens) qui est celui de D. Hesbert (*CAO*, t. V). Cette liste-type ne recoupe donc pas exactement le répertoire ROM de la colonne **D**. Il lui manque les répons de diffusion restreinte dont il a été question au paragraphe précédent, et elle a en plus 4 répons de diffusion universelle (3, 4, 19, 22) qui sont sans contrepartie dans ROM. Ils devaient faire partie du vieux fonds initial du IXe siècle, sans provenir de ROM, à moins que ROM ne les ait perdus entre le IXe et le XIIe siècle... On voit par ces deux observations conjuguées, combien il serait imprudent d'affirmer sans précaution que tous les répons GREG de diffusion universelle proviennent de ROM ;

— 3 répons GREG, sans contrepartie ROM et de diffusion restreinte (18, 20, 37), qui ont été cependant empruntés par MIL, et dans un cas : 20 *Obsecro*, de préférence à un répons de diffusion universelle de la liste-type.

Un tableau synthétisera ces diverses situations.

		CAO		
	ROM	C G B E M V	H R D F S L	MIL
11 Noe vir iustus	+ (APP)	C G E V	S L	0
12 Dixit Dominus ad Noe	+ (APP)	C G E V	F L	0
36 Dum exirem de terra	+	C E V		0
40 Extrahentes	+	C E M V	F S L	0
46 Lamentabatur	+	E M V	L	0
49 Loquens Ioseph	+	C V	D F S L	0
27 Surge, pater	+ (samedi)	E V	F L	+
18 Factus est sermo	0	E V	L	+
20 Obsecro	0	E V		+
37 Dixit Iacob filiis	0	V	L	+

Comme on le voit, seul V (Vérone, Bibl. cap. XCVIII) est présent partout, aussi bien d'ailleurs pour les répons ROM peu attestés en GREG, que pour les répons GREG rares, absents de ROM, qui ont été cependant empruntés par MIL. On peut donc présumer que c'est de la tradition de Vérone que les musicologues MIL se sont inspirés pour compléter leur répertoire, sans exclure cependant E et L, assez largement représentés eux aussi, c'est-à-dire les traditions d'Ivrée et de Bénévent. Il ne faut pas oublier cependant que deux siècles au moins séparent les mss. du *CAO* de ceux qui ont pu, au IXe siècle, servir de modèle aux Milanais.

En dehors des cas étudiés ci-dessus, et des 3 répons MIL de la Genèse qui ne viennent pas du rit romain (24, 52 et 53), tous les répons empruntés par MIL sont de diffusion universelle et se trouvent dans les 12 manuscrits du *CAO*.

Les répons empruntés par le rit milanais

On pourrait d'abord se demander s'il y a eu plusieurs étapes successives dans cet enrichissement du répertoire milanais, et dans quel ordre elles se sont succédé : pour Tierce d'abord ? pour None d'abord ? Il est bien difficile d'en trouver la preuve, et on peut estimer que tous les répons furent sélectionnés en même temps. Cependant les conditions étaient bien différentes pour Tierce, pour None et pour Vêpres.

A Tierce, il y a 5 semaines de 5 jours chacune à pourvoir, soit un total de 25 pièces, sur lesquelles il faut défalquer la série originelle des psaumes de 1 à 15, réduite à 13 *psalmelli* après disparition des psaumes 8 et 12. Restent à choisir 12 répons de la Genèse, qui se distribuent ainsi :
— 10 répons du vieux fonds GREG : 7, 16, 17, 25, 26, 31, 42, 45, 47, 50, ayant tous une contrepartie dans ROM ;
— 1 répons GREG rare : 18, sans contrepartie dans ROM, un jour où le répertoire classique n'offre rien ;
— 1 répons : 52, qui ne provient pas du rit romain, lequel n'offre rien ce jour-là, et n'est pas tiré de la péricope du jour, mais de celle de la veille.

A None, il n'y a que 4 semaines de 4 jours à pourvoir, puisque le vendredi a son *Tractus*, et que la première semaine a gardé intégralement la série de *psalmelli* psalmiques originelle ; il n'y a même, à vrai dire, aucune obligation pressante à trouver des répons de la Genèse, puisque le *psalmellus* attribué au jour peut être réutilisé dans les semaines suivantes, ce qui arrive 6 fois, soit 4 lorsque le répertoire classique ne fournit rien (II_3, III_4, III_5, V_4) et deux autres (III_2 et IV_5) en dépit de l'abondance des répons disponibles. Ont été néanmoins choisis :
— 6 répons du vieux fonds GREG, dont un seul, 22, n'a pas de contrepartie dans ROM : 22, 23, 38, 43, 48, 51 ;
— 3 répons GREG rares, mais dans deux cas, 20, 27, il y avait dans le vieux fonds des pièces disponibles, et pas dans le troisième 37. Les répons 20 et 37 sont sans contrepartie dans ROM ; 27 existe dans ROM au samedi de la IIe semaine de Carême ;
— 1 répons qui ne provient pas du rit romain, un jour où le répertoire classique n'offrait rien, 53.

A Vêpres, il y avait moins de nécessité encore d'emprunter aux répons GREG de la Genèse. Cependant 5 ont été choisis.

Mettons à part le 13 *Quadraginta dies*, répons *cum infantibus* du 1er dimanche de Carême, sans doute attiré là par son incipit, en dépit du contresens, puisqu'il s'agit en fait des 40 jours du déluge et non des 40 jours de jeûne. Il n'est d'ailleurs pas à son rang chronologique dans l'*historia* de la Genèse. Les 4 autres le sont, ce qui dénote une intention bien arrêtée : 3 sont du vieux fonds et ont une contrepartie ROM ; ils servent de répons *in choro*, 33, 41, ou de répons après une lecture de la vigile, elle-même empruntée à la Genèse, 34. Le dernier, 24, encore répons *in choro*, ne provient pas du rit romain qui n'offrait rien ce jour-là.

A qui douterait encore que c'est bien à la série ROM-GREG des répons de la Genèse qu'ont emprunté les liturgistes milanais, il suffirait de signaler le cas du répons 42 *Joseph dum intraret*, répons psalmique, mais d'un psaume « historique », le psaume 80, inséré assez arbitrairement, il faut l'avouer, à sa place chronologique tant dans ROM que dans GREG, et que MIL a emprunté avec les autres, en quoi il montre bien sa dépendance par rapport à la série ROM-GREG.

La mélodie des répons empruntés

A part les trois répons qui ne sont pas venus du rit romain, 24, 52, 53, et dont nous ne pouvons rien dire, les mélodies des 24 autres répons MIL peuvent être comparées avec les mélodies ROM et GREG :

— 18 fois, il y a accord entre MIL et GREG, soit 16 fois où l'accord est évident, et 2 cas, 38, *Videntes Ioseph*, et 39 *Dixit angelus ad Iacob*, où les points de contact sont plus ténus ;

— 6 fois, il y a net désaccord entre MIL et GREG, sans qu'on puisse établir pour autant un rapport quelconque entre MIL et ROM. Sans accorder plus d'importance qu'il ne convient à la finale du répons et à la teneur psalmodique du verset, on peut observer que le « mode » ainsi défini diffère, dans tous ces cas-là sauf un, du mode du répons ROM-GREG, toujours semblable dans les deux répertoires :

	ROM	GREG	MIL
16 Ponam arcum	1	1	6
17 Dixit (Locutus est) Dominus ad Abraham	2	2	7
23 (Domine) Deus domini mei Abraham	7	7	8
26 Accipe (Tolle) arma	1	1	7
27 Surge, pater	8	8	1
31 Si Dominus meus	7	7	7

On peut donc conclure que, dans l'ensemble, les répons de la Genèse MIL ont été empruntés au rit romain dans sa forme GREG. Il faudrait étudier le « remodelage » mélodique qu'ils ont subi ; mais une telle étude est tributaire de l'étude générale de l'esthétique MIL, qui reste à faire. Nous sommes donc obligés de nous borner au remodelage textuel.

Le texte des répons empruntés

Si on compare le texte des répons MIL au texte GREG, on constate entre les deux un certain nombre de variantes entièrement propres à MIL, car elles ne se retrouvent dans aucun ms. GREG connu de nous, ni ceux du *CAO*, ni les nombreux autres figurant sur les tableaux du futur Responsorial de Solesmes.

Ces variantes consistent :
— en additions de texte :
> 16 *Ponam* mélodie différente de la mélodie GREG, addition importante ;
> 27 *Surge* mélodie différente, addition d'une incise biblique omise par le texte GREG ;
> 51 *Nuntiaverunt* mélodie comparable, addition minime ;

— en omissions de texte :
> 7 *Dum deambularet* mélodie comparable, omission minime ;
> 16 *Ponam* mélodie différente, omission importante ;
> 31 *Si Dominus* mélodie différente, omission importante ;
> 47 *Tollite* mélodie comparable, omission d'une glose non biblique figurant dans le texte GREG ;

— en remaniement profond de la forme même du répons :
> 17 *Dixit (Locutus est) Dominus* mélodie différente, remaniement important.

Il est intéressant de noter que les variantes textuelles les plus importantes se trouvent dans les pièces qui, pour une raison ou pour une autre, n'ont pas retenu la mélodie GREG.

Nous avions présumé que Vérone pouvait être la source où ont été empruntés les répons GREG : cela est confirmé par un certain nombre de menues variantes communes à MIL et à Vérone, bien que, par endroits, les textes milanais témoignent d'une réelle indépendance vis-à-vis de la version — à vrai dire du XIᵉ siècle — de Vérone XCVIII.

Notons enfin que les versets de ces répons MIL sont le plus souvent différents des versets ROM-GREG.

✱
✱✱

Voici donc dans quelle mesure et selon quels choix les répons GREG de la Genèse sont entrés dans le répertoire MIL. Reste maintenant à dire pourquoi et sous l'influence de quelles causes. La réponse à cette seconde question s'inscrit tout naturellement, nous semble-t-il, dans le contexte unificateur et centralisateur qui fut celui de l'âge carolingien. Duchesne ne croyait pas à la légende du rit ambrosien persécuté par Charlemagne [12] ; et on n'est pas non plus obligé de croire aux séances d'ordalies complaisamment rapportées par les chroniqueurs milanais [13]. Cependant, se réfugier

---

12. « Les fables que raconte Landulfe (*Historia Mediolanensis* II, 10, PL CXLVII, 853) sur l'hostilité de Charlemagne à l'égard du rit ambrosien ne méritent aucun crédit » (*Origines du culte chrétien*, 4ᵉ édition, 1908, p. 105).

13. On en trouvera le récit dans P. Borella, *Il rito ambrosiano* (1964), p. 121-122 et dans E. Cattaneo, *Il breviario ambrosiano* (1943), p. 44-46.

dans l'agnosticisme parce que les textes narratifs sont suspects [14], ne nous semble pas plus raisonnable : ce que nous ne savons pas par l'histoire peut nous être révélé par la musique, et l'examen du rituel des catéchumènes va nous faire toucher du doigt la vérité que ces légendes entendent établir, sinon expliquer.

A Tierce, nous avons en effet décelé un fonds liturgique archaïque qui peut à bon droit être tenu pour « santambrosien », si même il n'est pas antérieur à saint Ambroise : la lecture *per ordinem* de la Genèse et des Proverbes. A cette date, le chant qui l'accompagnait avait toutes chances d'être sans refrain *in directum*; or le timbre de *psalmelli* du psautier *per ordinem* nous a gardé sur *sol* des traces très visibles d'un ton psalmodique de *DO*. Sous sa forme du XIIe siècle, ce timbre présente, en plus du ton psalmodique, un refrain dont nous avons pu situer le niveau esthétique en le comparant avec le timbre de répons-graduels du IIe mode en A, et le niveau d'évolution modale, assez parallèle à celui où se trouvent les *Cantica* de la vigile pascale GREG (montée de la teneur à la tierce, médiante à la sous-tonique). Tout ceci n'a rien que de très logique. Il est seulement difficile de préciser quand a eu lieu cette transformation de la psalmodie sans refrain en psalmodie avec refrain.

Si d'autre part on prend en considération le nombre des psaumes utilisés, de 1 à 15, on est ramené aux trois semaines de jeûne prépascal, à raison de 5 catéchèses par semaine, Semaine sainte comprise. Ensuite, lorsqu'à Milan comme à Rome la durée du Carême fut portée à 6 semaines, ce répertoire archaïque aura commencé par suffire, moyennant répétition partielle (la Semaine sainte étant maintenant pourvue de formulaires propres) :

Semaines I et IV	Psaumes 1 à 5
Semaines II et V	Psaumes 6 à 10
Semaines III	Psaumes 11 à 15

On retrouve cette distribution dans d'autres genres liturgiques milanais [15] et dans d'autres répertoires méditerranéens [16].

---

14. « Nous ignorons s'il y eut un essai de romanisation systématique sous Charlemagne. Le témoignage de Landulfe (vers 1085) est trop tardif pour être pris en considération. » C. Vogel : *Introduction aux sources de l'histoire du culte chrétien au Moyen Age*, rééd. 1975, p. 251, note 32.

Plus équilibré est le jugement de P. Borella dans son excursus sur le bréviaire ambrosien dans Mario Righetti, *Storia liturgica*, vol. II *L'anno liturgico. Il breviario*, 3e éd. 1989, p. 846 : « Se Milano non a subito la soppressione del suo rito ed una imposizione di quello romano al tempo di Carlo Magno, è però innegabile che abbia, al meno in parte, risentito l'influsso della riforma carolingia. Gli elementi (feste, testi) che i Sacramentari ambrosiani del IX-X secolo hanno derivati dai Gelasiani del sec. VIII non sono una prova. »

15. C'est très exactement le cas des répons MIL du Carême, et des antiennes à *Miserere* de Laudes, cf. notre étude « Les psaumes graduels au cœur de la liturgie quadragésimale », *Études grégoriennes*, t. XXI (1986), p. 6.

16. C'est aussi l'organisation du psautier férial et des répons de matines du Carême HISP, *ibid.*, p. 5.

Tel est l'état, révélé par l'analyse, musicale en même temps que liturgique, de la « messe des catéchumènes » de Tierce. Qu'en est-il maintenant, du même point de vue de la musique, de la « messe fériale » de None ?

On y trouve également un vieux fonds, indépendant des emprunts postérieurs, mais qui est loin de présenter les mêmes archaïsmes que le répertoire de Tierce. Ce vieux fonds est constitué :

— par un timbre de 3 *psalmelli* pris dans l'ordre du psautier, commençant tous par le début du psaume. Aucune ressemblance cependant entre *caput* et *versus* : donc les liens avec la psalmodie *in directum* sont ténus. On est bien, avec ce timbre, à l'âge où la psalmodie avec refrain se développe librement, sans souci de s'enraciner dans les formes, voire les thèmes, de la psalmodie sans refrain ;

— par un timbre de 3 *cantus*, pris dans l'ordre du psautier, commençant également par le début du psaume, mais ne comportant qu'un seul verset. Si le genre est indubitablement *in directum*, on est cependant assez loin de l'exécution entière du psaume, et même de la réduction à 3 versets des *cantus* dominicaux du Carême ; de plus, les formules de ces *cantus* fériaux ne sont, en général, pas celles des *cantus* dominicaux, sûrement authentiques ;

— par un timbre de 4 *tractus*, qui ne suivent aucun ordre psalmique, mais dont la composition ramène cependant au style *in directum*, la même mélodie se reproduisant plusieurs fois de suite.

Il semble donc que ce répertoire musical restreint témoigne pour une époque où il n'y avait que trois messes fériales par semaine ; et comme les vendredis et samedis sont exclus, cela nous ramène à un seul jour *vacat* par semaine, très probablement le jeudi, puisque c'est ce jour-là que se trouvent le *psalmellus* non timbré (ps. 85), et le *cantus* réduit à un demi-verset (ps. 142). L'analogie avec Rome est flagrante ; et d'autre part ce stade est antérieur à la distribution du livre de la Genèse à None sur les six semaines, où les jeudis sont comptés comme les autres fériés.

C'est donc un répertoire, non pas décadent ni désordonné, qui était celui de la « messe des catéchumènes » de Tierce et de la « messe fériale » de None, mais seulement un répertoire restreint et répétitif, suffisant certes pour une période de trois semaines, mais par trop réduit pour les six semaines que durait depuis longtemps le Carême. La comparaison avec la richesse presque exubérante des messes fériales propres quotidiennes du rit romain mettait le rit ambrosien en situation d'infériorité. Qu'il y ait eu ou non tentative de suppression et d'imposition pure et simple du rit romain, peu importe au fond. Ce qui est sûr, ce qui est visible, c'est que le résultat de la crise fut un métissage du répertoire ambrosien par le répertoire romain sous sa forme GREG. Ceci est aussi clair pour les pièces de chant que pour les textes des sacramentaires, auxquels seuls s'arrêtent les liturgistes.

Conclusions

L'étude du rituel des catéchumènes à Milan nous a mis sur la voie de conclusions touchant la liturgie quadragésimale romaine. Nous n'avons certes aucune information directe sur l'existence à Rome d'un programme d'instruction catéchuménale similaire à celui de Milan. Mais tout se passe comme si, dans la Rome du VIe siècle, lorsque disparaît le catéchuménat adulte, on cherchait à reclasser dans la liturgie quadragésimale la lecture de la Genèse et le chant du psautier. La lecture *per ordinem* de la Genèse se retrouve en tête de la vigile pascale, où son caractère adventice est démontré par le fait qu'elle n'est suivie d'aucune pièce de chant. Le chant *per ordinem* du psautier se retrouve dans la série des communions fériales, de 1 à 26.

La place nous manque ici pour étayer comme il convient ces conclusions que nous nous réservons de reprendre ailleurs.

LES TROPES REFLÈTENT-ILS
UNE IMPORTANCE CROISSANTE
DE LA FÊTE DE NOËL ?

CORPUS TROPORUM
Gunilla BJÖRKVALL, Gunilla IVERSEN,
Ritva JACOBSSON
Stockholm

Un des mérites du père Pierre-Marie Gy est de formuler des questions à la fois pénétrantes et inspirantes. Ainsi, dans son article « Les tropes dans l'histoire de la liturgie et de la théologie », le père Gy parle de la possibilité de comparer, à travers les tropes, le sens liturgique et le degré festif des différentes fêtes de l'année liturgique. Il pose les questions suivantes : « Quelle est l'importance donnée respectivement à Pâques et à Noël? Quand et où a-t-on commencé à égaler Noël à Pâques[1] ? »

On peut approcher ce thème de plusieurs manières[2]. Il y a, d'abord, une méthode tout mécanique, consistant à compter simplement le nombre des éléments de tropes appartenant aux différentes fêtes. Les fêtes importantes sont normalement ornées de plus de tropes et de séquences que ne le sont les petites fêtes[3].

Tâchons de voir ce que donnera cette méthode de « mathématiques liturgiques ». Nous avons, dans ce but, choisi de mettre en parallèle les jours de Pâques et de Noël[4].

---

1. *Research on Tropes* (Kungl. Vitterhets Historie och Antikvitetsakademien, Konferenser 8), éd. G. Iversen, Stockholm 1983, p. 15. (Dans cet article, le père Gy mentionne aussi l'importance relative d'autres fêtes comme le premier dimanche de l'Avent, l'Épiphanie, l'Ascension. Nous nous abstenons pourtant d'en discuter ici.)

2. Nous examinons en premier lieu les tropes appartenant à la première période (qui va de 900 à 1100 environ). Les tropes de l'ordinaire plus récents, ainsi que d'autres genres (tropes du *Benedicamus Domino*, etc.), donnent une image différente.

3. Ceci est valable pour les tropaires où, pour chaque fête, est donné le nombre exact des tropes à chanter, mais aussi pour ceux qui ont plutôt un caractère de collections de tropes, où l'on peut puiser *ad libitum*.

4. Non seulement les introïts *Resurrexi et adhuc tecum sum* et *Puer natus est nobis*, mais aussi les autres tropes et prosules, ainsi que ceux des deux premières messes de Noël nous intéressent ici. En revanche, les autres journées des cycles de Pâques et de Noël ont un caractère relativement indépendant − nous nous référons aux fêtes de saint Étienne, des saints Innocents, etc., ou aux féries de la semaine pascale. Nous ne les traitons pas.

Voici ce que donne la comparaison entre le nombre d'éléments de tropes dans l'introït à Pâques et à Noël :

Introït	Nombre d'éléments	Nombre de mss.
Resurrexi	164 + Quem quaeritis	88
Puer natus	121	63[5]

On voit au premier coup d'œil la prédominance de Pâques sur Noël. De même, c'est à Pâques que nous trouvons le trope le plus répandu dans les manuscrits et dans toutes les régions (Est, Nord-Ouest, Sud-Ouest, Italie), le dialogue pascal *Quem quaeritis in sepulchro* (63 mss.). Un autre trope, *Christus devicta morte*, est diffusé dans toutes les régions mais dans un nombre plus restreint de manuscrits (10). Quelques autres séries sont attestées dans un nombre de manuscrits assez important, mais dont la diffusion géographique est plus limitée — *Postquam factus* (27 mss.), *Ecce pater cunctis* (20 mss.), *Factus homo tua* (18 mss.), *Gaudete et laetamini* (15 mss.), *Dormivi pater* (16 mss.).

A Noël il n'y a pas de trope comparable au dialogue pascal pour le nombre de manuscrits. Les deux introductions *Quem quaeritis in praesepe* et *Hodie cantandus* (respectivement 24 et 29 mss.) sont moins dispersées[6] ; la première est entièrement absente dans la région de l'Est, la dernière en Aquitaine. Les tropes les plus diffusés dans les manuscrits et dans toutes les régions sont la série *Ecce adest de quo* (47 mss.[7]) et l'introduction *Deus pater filium* (33 ms.[8]). De même, l'élément *Glorietur pater* est répandu dans toutes les régions, quoique dans un nombre de manuscrits plus restreint (10)[9]. En revanche quelques autres séries sont plus diffusées dans les manuscrits, quoique géographiquement plus limitées — *Quem nasci*

---

5. Cf. les tableaux des volumes du *Corpus Troporum* (ensuite = *CT*) I, *Tropes du propre de la messe, 1, Cycle de Noël*, éd. R. Jonsson *et alii*, (Studia Latina Stockholmiensia 21), (ensuite = SLS), Stockholm 1976, p. 226-229, et *CT* III, *Tropes du propre de la messe III*, SLS 25, éd. G. Björkvall, G. Iversen, R. Jonsson, Stockholm 1982, p. 256-260. Le *CT* III comporte 25 mss. qui n'étaient pas encore accessibles lors de l'achèvement du *CT* I. Le relevé des tropes du propre qui appartiennent au cycle de Noël dans ces mss. (voir la liste dans *CT* III p. 13, où il faut corriger Lei 60 en Lei 33 et Ud 79 en Ud 78) ne change en rien le nombre des éléments de tropes (121) de la troisième messe de Noël. Pourtant il faut noter que plusieurs de ces mss. ne sont pas complets, ne commençant qu'après le cycle de Noël (Benevento, Bibl. cap. 35, 38, 39, 40, Vich Bibl. episc. 105, Paris B.N. lat. 1834, München Bayer. Staatsbibl. Clm 14843, Leiden Universiteitsbibl. Voss. lat. 4°33). On peut donc supposer qu'ils ont contenu des tropes de Noël à l'origine.

6. *Quem quaeritis in praesepe* figure en outre dans Bologna Civ. mus. Q 7, Padova Sem. vesc. 697, Torino B.N. F IV 18, Volterra Bibl. Guarnacci L. 3. 39. *Hodie cantandus* figure en outre dans München Bayer. Staatsbibl. Clm 27130, Oxford Bodl. Can. lit. 341, Padova Bibl. cap. A 20, Padova Sem. vesc. 697, Roma Bibl. Angel. 948, Stuttgart Württ. Landesbibl. Cod. brev. 160, Udine Bibl. arcivesc. 78, Cambrai Bibl. mun. 78.

7. La série *Ecce adest de quo* figure en outre dans Padova Bibl. cap. A 20, Padova Semin. vesc. 697, Provins Bibl. mun. 12, Stuttgart Württ. Landesbibl. Cod. brev. 160, Torino B.N. F IV 18, Vercelli Bibl. cap. 56, Volterra Bibl. Guarnacci L. 3.39.

8. L'élément *Deus pater filium* figure en outre dans Volterra Bibl. Guarnacci L. 3.39.

9. L'élément *Glorietur pater* figure en outre dans Provins Bibl. mun. 12.

mundo (23 mss.), *Quod prisco vates* (17 mss.), *Gaudeamus hodie quia* (16 mss.).

Au lieu des tropes les plus répandus, on peut aussi prendre en considération les unica. Cependant, ni à Noël ni à Pâques, nous n'avons trouvé beaucoup de pièces uniques (respectivement 17 et 23 éléments). La plupart sont des introductions et des éléments singuliers d'interpolation ou de doxologie. Ils forment rarement des séries complètes.

Examinons ensuite les chiffres concernant l'offertoire :

Offertoire	Nombre d'éléments	Nombre de mss.
Terra tremuit	33	67
Tui sunt caeli	48	39 [10]

L'offertoire donne une image qui diffère de celle de l'introït. Le nombre d'éléments de trope est significativement plus élevé à Noël. Par ailleurs, à Pâques, le trope *Ab increpatione et ira* sous ses formes différentes et suivi de tropes appartenant aux versets domine le répertoire. Ce trope est diffusé dans un très grand nombre de manuscrits (62) dans toutes les régions. En outre, plus de la moitié de ces manuscrits ne comportent aucun autre trope de l'offertoire.

A Noël, un seul élément de trope est diffusé dans toutes les régions, le trope de paraphrase *Misericordia et veritas*, mais le nombre de manuscrits le contenant ne s'élève qu'à dix [11]. Le trope attesté dans le plus grand nombre de manuscrits est *Qui es sine* (19), qu'on trouve dans toute la région de l'Ouest et dans un manuscrit italien [12]. Quelques tropes de paraphrase sont également répandus dans plusieurs régions, mais ceux-ci mis à part, le répertoire des tropes de l'offertoire de Noël est géographiquement limité. Par ailleurs, comme c'était le cas des tropes de l'introït, les unica sont rares.

Finalement, voici ce que donnent les chiffres pour la communion :

Communion	Nombre d'éléments	Nombre de mss.
Pascha nostrum	18	61
Viderunt omnes	25	41 [13]

On a la même image que pour l'offertoire : Noël vient se placer devant Pâques quant au nombre d'éléments. Or, à Pâques, c'est le trope *Laus*

---

10. A ce chiffre il faut ajouter deux mss. contenant des tropes de l'offertoire de Noël : Paris B.N. n.a. lat. 495 et Torino B.N. F IV 18.

11. A ce chiffre il faut ajouter Torino B.N. F IV 18.

12. *CT* I, p. 178, 144, 52 (les éléments *Qui es sine* 17, *Nobis hodie natus* 18, *Ab initio et nunc* 19).

13. A ce chiffre il faut ajouter Volterra Bibl. Guarnacci L. 3.39.

honor virtus qui domine le répertoire dans toutes les régions (attesté dans 43 mss.). Dans la plupart des manuscrits, c'est aussi le seul trope de la communion.

A Noël, aucun trope n'a une diffusion pareille. Seul l'élément *Cernere quod verbum* est répandu dans toutes les régions (23 mss.); ensuite vient l'élément *Desinat esse dolor* (15 mss.) qui est moins répandu géographiquement. Il est intéressant de noter que, comparé à l'introït et à l'offertoire, le nombre d'éléments uniques pour la communion (11) est beaucoup plus élevé par rapport au nombre total d'éléments de tropes.

En résumé, soulignons qu'une simple comparaison des chiffres ne nous fournit pas un instrument idéal pour mesurer le degré de solennité des fêtes de Noël et de Pâques. Ces deux fêtes sont le sommet de l'année liturgique et leurs répertoires le confirment. Cependant, la comparaison montre quelques différences. La primauté incontestable de Pâques semble confirmée par le nombre d'éléments de trope de l'introït. Mais importante aussi est la présence des tropes les plus répandus de tous, le dialogue pascal *Quem quaeritis in sepulchro* et les tropes de l'offertoire *Ab increpatione et ira* et de la communion *Laus honor virtus*, tous appartenant probablement à la couche la plus ancienne des tropes. Il semble que la position des deux dernières pièces est tellement établie qu'elle empêche plus ou moins l'introduction de tropes nouveaux dans le répertoire. A Noël, nous ne trouvons pas de tropes d'une diffusion pareille. Mais le nombre plus élevé de tropes de l'offertoire et de la communion ainsi qu'une plus grande variation régionale, surtout pour les tropes de la communion, révèlent une créativité locale dynamique.

On a souvent suggéré que les tropes de l'ordinaire ne seraient pas rattachés à des fêtes particulières en général, car le même trope peut être librement choisi pour plusieurs fêtes[14]. Évidemment on trouve plus difficilement des renseignements sur des fêtes précises dans les manuscrits où les tropes de l'ordinaire sont ramassés en fascicules et sans indication de fête. Pourtant, comme dans les proses qui sont rangées dans les prosaires selon l'ordre de l'année liturgique, l'ordre même des tropes de l'ordinaire dans les fascicules apporte certaines informations concernant les fêtes. Ainsi les tropes qui sont indiqués ailleurs comme faisant partie des textes de Noël se trouvent le plus souvent placés en tête du fascicule. Les manuscrits dans lesquels les tropes de l'ordinaire ont été copiés parmi ceux du propre peuvent nous renseigner sur les fêtes auxquelles ils sont rattachés[15]. Souvent, c'est à la fête de Noël que nous trouvons le plus grand nombre de tropes du Kyrie, du Gloria, du Sanctus et de l'Agnus Dei.

---

14. Cf. par exemple : D. Bjork, « The Kyrie Trope », *JAMS*, vol. 33, n° 1 (1989), p. 17-20; K. Rönnau, *Die Tropen zum Gloria in excelsis Deo*, Wiesbaden 1968, p. 72 s.

15. Parmi les 136 manuscrits contenant des tropes du Sanctus seulement 29 (dont 18 italiens) les présentent parmi les textes du propre, tandis que 43 des 99 manuscrits compris dans l'édition des tropes de l'Agnus Dei rattachent ces tropes à une fête précise. Cf. le tableau des tropes liés à certaines fêtes, G. Iversen, *CT* IV, *Tropes de l'Agnus dei. Édition critique suivie d'une étude analytique* (*SLS* 26), Stockholm 1981, p. 342-344, ainsi que l'aperçu des

Cependant, il est dangereux d'en tirer des conclusions trop hâtives sur une prédominance de la fête de Noël, puisqu'elle est normalement la première fête tropée dans le manuscrit. Il est donc naturel de placer ces tropes au début du manuscrit, et d'écrire ensuite seulement l'incipit ou la rubrique *require in natale domini* pour montrer que ce trope doit être chanté à une ou plusieurs autres fêtes de l'année.

Il paraît que le Gloria tropé est le chant de l'ordinaire le plus souvent indiqué pour des fêtes précises, et en particulier pour la fête de Noël, ce qui est normal, étant donné son origine comme chant de Noël. Ainsi, par exemple, il y a dans le tropaire du sud-ouest de la France (Pa 1118) 28 cas où un trope du Gloria a été rattaché à une fête particulière, tandis qu'on observe 9 cas de Kyries tropés, 7 cas de tropes du Sanctus et 6 de l'Agnus Dei[16]. De même, dans le tropaire de Mayence (Lo 19768) où tous les tropes de l'ordinaire sont placés à l'intérieur du cycle de Noël, on trouve 12 chants de Gloria tropés, tandis qu'il n'y a que 2 Kyries tropés, 5 fois un trope du Sanctus, et, enfin, 3 tropes de l'Agnus Dei[17].

La seule catégorie de l'ordinaire qui présente un trope fixe à Noël est l'Agnus Dei — ce chant nouveau qui n'a pas encore reçu une forme universelle au temps des plus anciens tropaires. Le chant de l'Agnus Dei comporte les phrases *Qui sedes/Rex regum* pour la fête de Noël dans la majorité des manuscrits de toutes les régions, tandis qu'il n'y a pas de trope de l'Agnus Dei universellement indiqué pour la fête de Pâques[18].

Comme nous l'avons déjà dit, les résultats que donnent de pareilles observations ne sont pas faciles à interpréter.

Procédons avec une autre méthode, en observant et en analysant le contenu des textes des tropes. Quels sont les thèmes, les symboles et les formules les plus importants dans les tropes de Noël ?

Chez les Pères de l'Église se poursuit une discussion sur la vraie nature des plus grandes fêtes : Noël, est-il un mystère ou simplement une *memoria*? Quand Noël prend de plus en plus d'importance, il est clair que le mystère pascal est toujours inclus dans la célébration de Noël. Il semble que chez eux l'évangile de la troisième messe de Noël, le prologue de Jean, joue un rôle plus grand que le deuxième chapitre de l'évangile de Luc, péricope des deux premières messes de Noël. Cela veut dire que le Verbe qui prend chair, la naissance par le Père dans l'éternité et le rôle de la naissance du

---

manuscrits dans le même volume. Les informations sur les tropes du Sanctus sont empruntées au volume *CT* VII, *Tropes du Sanctus*, du même auteur, qui est en préparation.

16. Paris B.N. lat. 1118; cf. D. Bjork, *op. cit.*, p. 20.

17. London Br. Libr. add. 19768.

18. Les tropes de l'Agnus Dei pour Pâques placés parmi les tropes du propre sont : *Ad dexteram patris* (2 mss.); *Deus deorum* (2 mss.); *Haec festa praecelsa* (2 mss.); *Hic nostrum magnus* (1 ms.); *Omnipotens aeterne* (1 ms.), *Patris factus hostia* (1 ms.); *Pro cunctis deductus* (9 mss.); *Quem Iohannes* (2 mss.); *Qui candidam sedes* (1 ms.); *Qui sedes/Rex regum* (1 ms.); *Salus et vita* (1 ms.); Tropes de Noël; *Benigne pater* (1 ms.); *Fons indeficiens* (1 ms.); *Omnipotens aeterne* (1 ms.); *Quem Iohannes* (2 mss.); *Qui sedes-patris/qui es* (1 ms.); *Qui sedes/Rex regum* (27 mss. !); cf. tableau *CT* IV, p. 342-344. En outre le trope *Qui sedes/Rex regum* est placé en tête du fascicule dans 28 manuscrits.

Christ dans l'économie du Salut sont les thèmes préférés dans l'enseignement classique de l'Église. Le symbole si fréquent de la lumière a lui aussi une importance théologique. C'est ce que révèlent les écrits des Pères ainsi que les textes liturgiques classiques [19].

Nous allons examiner ces symboles dans les tropes, mais constatons d'abord que les expressions de louange, qui prennent souvent la forme d'exhortations, sont aussi fréquentes dans les tropes de Noël que dans ceux de toute autre fête. Il faut également rappeler que bien des tropes paraphrasent le texte liturgique de base ou complètent celui-ci par des paroles empruntées à son contexte biblique. Ainsi, les tropes de l'introït *Puer natus* contiennent souvent des parties du chapitre 9 d'Isaïe, par exemple : ET VOCABITUR NOMEN EIUS Pater futuri saeculi et MAGNI CONSILII ANGELUS [20].

Comme à Pâques, dans les tropes de Noël les thèmes de la grandeur de Dieu, du Roi des rois, du Christ assis à la droite du Père *(rex regum, qui sedes ad dexteram patris)* occupent une position centrale.

Cependant, la naissance du Seigneur est le sujet de Noël. Elle est située grâce à l'emploi d'expressions théologiques : avant et hors du temps *(ante luciferum lumen de lumine)* [21]. Le motif de la lumière est fréquent : le Christ est la lumière dans les ténèbres, la lumière véritable et la paix sur la terre, *Lux in tenebris lucet, lux vera* (Jn 1, 5 et 9) et *in terra pax* (Lc 2, 14) :

Hodie lux vera effulserat
vates quam praedixerat ;
concentu dicant supplici
omnes atque singuli :
PUER NATUS EST NOBIS [22].

Les trois mots brefs *rex, lux* et *pax* jouent un rôle central dans les tropes de tous genres, comme dans le trope de l'Agnus Dei pour Noël :

Agnus dei qui tollis peccata mundi, miserere nobis.
Qui sedes ad dexteram patris, solus invisibilis rex, *miserere nobis.*
Rex regum, gaudium angelorum, deus, *miserere nobis.*
Lux indeficiens, pax perpetua hominumque redemptio, *miserere nobis* [23].

---

19. J. Gaillard, « Noël, Memoria ou Mystère ? », *LMD* 59, 1959, p. 37-59. G. Hudon, « Le mystère de Noël d'après saint Augustin », *LMD* 59, 1959, p. 60-84 (surtout : « Les sources bibliques et liturgiques », p. 63-67).

20. Is 9, 6 ; *CT I*, p. 155.

21. Par exemple : Ante luciferum et mundi principium tu pater sancte ineffabiliter genuisti filium (Nat. III, Intr. *CT* I, p. 59) ; In principio verbum manens deus apud deum (Nat. III, Intr. *CT* I, p. 121) ; Ante saecula deus pater/In principio cum patre manens natus (Sanctus : Ante saecula *CT* VII, 6).

22. *CT* I, p. 109.

23. *CT* IV, 63, p. 79-82. Il nous semble même possible que l'on ait ajouté le troisième élément *Lux indeficiens* à une version originale basée sur *Qui sedes/Rex regum* afin de renforcer encore les thèmes du jour *lux, pax* et *redemptio* dans ce trope ; voir *CT* IV, p. 231-237.

L'expression *Verbum caro factum* (Jn 1, 14) est souvent liée au thème de la rédemption : Dieu a daigné naître pour nous *(dignatus es nasci pro nobis)*, et il a voulu descendre du ciel dans le monde[24] :

Hodie aeterni patris filius
supernis de sedibus
ovem quam perdiderat
in terra quaerens venerat
PUER NATUS EST NOBIS[25]

Dieu est le Rédempteur, venu pour nous libérer et nous sauver[26]. Il est venu combattre le diable[27]. Mais il est aussi le juge venu pour nous juger à la fin des temps[28].

Comme dans les tropes de Pâques, les thèmes du salut, de la mort vaincue, du triomphe de la vie sur la mort, sont aussi présents dans ceux de Noël. Notons que, dans les tropes chantés à la naissance du Christ, est incluse toute l'économie du salut ; même la croix et la passion y sont présentes, comme dans un trope qui développe les mots d'Isaïe :

PUER NATUS EST NOBIS,
arborem mortis vincens per lignum crucis[29].

Or à côté du contraste dramatique : vie-mort, les tropes de Noël expriment souvent le paradoxe du Christ qui est en même temps le Roi des rois et l'enfant nouveau-né *(rex regum-parvulus)*, celui qui règne au ciel et qui est venu dans le monde *(in caelis-in terra)*. Le thème déjà traité, du

---

24. Par exemple : Vera dei forma patris hodie suscepit pro nostra salute carnem humanam (Intr. *CT* I, p. 212) ; Quod verbum caro factum mater virgo praesepe posuit Maria. (Gloria : *Nativitatem tuam* et *Omnipotens altissime*, K. Rönnau, *op. cit.*, p. 99 et 131 ; A.E. Planchart, *The Repertory of Tropes in Winchester*, I-II, Princeton, Princeton Univ. Press, 1977, II, p. 290 et 293) ; Dominus deus noster venit carnem ut assumeret per beatam virginem Mariam genitricem reginam et dominam polorum et terrae (Sanctus : *Admirabilis splendor* à Bénévent [*CT* VII, 1]).

25. Intr. *CT* I, p. 105.

26. Par exemple : Ad aeternae salutis gaudia et nos salvandi gratia. (Intr. *CT* I, p. 53) ; de excelsis veniens patris de sede arce summa terris nos quaerens liberans (Nat. II, Off. Psla, Pa 1338, f. 92) ; deus dignatus liberare a claustris zabulorum hominem plasmatum (Nat. II, Off. Psla, Pa 1240, f. 44) ; Redemptor mundi qui nasci dignatus es hodie pro salute mundi miserere nobis eia eia : *Agnus dei...* (*CT* IV, 63, p. 80-82) ; Salvare venisti nos nasci dignatus de virgine (prosule ajoutée à *Regnum tuum* dans les tropes du Gloria, par ex. *Laus tua deus* (*AH* 47, p. 282-284 ; Rönnau, *op. cit.*, p. 140-147)).

27. Par exemple : Portio nostra Christe de sacra virgine natus salva nos qui per habitum servi evacuasti iussa tyranni (Off. *CT* I, p. 158) ; Prolis ecce iam decoratus adiit deique nutu et inimicos terreat veniendo namque sauciatum superbum quippe humilians sancta dextera tua domine (Nat. II, Off. Psla ; Pa 1338, f. 93).

28. Adveniens districte quem (sc. mundum) iudicare pie dignetur (Vig. Nat., Off. Psla, Pa 9449, f. 5 et Pa 1235, f. 16).

29. *CT* I, p. 60 ; cf. CUIUS IMPERIUM SUPER HUMERUM EIUS, crucis videlicet lignum ad debellandos invisibiles inimicos (*CT* I, p. 70).

Christ né du Père avant tous les temps s'oppose à celui du Christ né dans le temps, de la Vierge, *ante tempora-in tempore*.

Les auteurs de tropes combinent souvent tous ces thèmes, en soulignant les paradoxes[30]. Avec ces images et ces symboles, ils suivent naturellement la tradition établie par les Pères de l'Église et par la poésie chrétienne que nous avons mentionnée plus haut.

La Vierge est présente déjà dans les tropes anciens[31]. Ainsi, même si le thème de la majesté céleste domine, l'aspect terrestre du mystère, c'est-à-dire l'annonce de l'ange aux bergers, que décrit l'évangile de Luc, et la vision de l'enfant pleurant dans la crèche, est également développé, particulièrement dans les prosules de l'offertoire et de l'Alleluia et dans des tropes de l'ordinaire[32]. Cependant, il faut souligner que, bien qu'il soit fait mention de la crèche et des bergers, nous sommes encore loin du « Krippenkult » que nous rencontrerons dans une poésie liturgique plus tardive[33].

Nous pouvons observer l'aspect terrestre dans notre premier sondage, les tropes en forme de dialogue.

Le chant pascal *Quem quaeritis in sepulchro* a plusieurs fonctions : c'est un trope, c'est un chant de procession, c'est une cérémonie qu'on appelle simplement *Visitatio sepulchri*. Ce chant eut une importance immense : d'abord, nous y trouvons l'origine du drame liturgique et, par conséquent, du théâtre médiéval. C'est un chant qu'on trouve dans toutes les régions

---

30. Par exemple : Parvulus natus in orbe quam magnus es in poli arce (Gloria : *Nativitatem tuam* et *Laus tua deus* (Rönnau, *op. cit.*, p. 99 et 140) et Agnus Dei : *Omnipotens altissime* (*CT* IV, 42, p. 64); cf. In praesepio positus regensque sidera... (*CT* I, p. 120); Laudemus omnes dominum qui virginis per uterum parvus in mundum venerat mundum regens quem fecerat (*CT* I, p. 131); Ex tempore quidem matri sempiternitate vero consubstantialis deo patri (*CT* I, p. 92).

31. Par exemple : Magna hodie festa annua recolimus per quem virgo gignit et concepit dominum qui de aula virginalis egressus ex utroque processit (Gloria : *Nativitatem tuam* et *Omnipotens altissime*, Rönnau, *op. cit.*, p. 99 et 131; Planchart, *op. cit.*, II, p. 290 et 293).

32. Par exemple : Natus est nobis hodie parvulus filiusque ex utero Mariae. Angelus hac voce ait ad pastores : « Parvulus natus est vobis in terris et vocabitur nomen eius Emmanuel. » Alleluia (All. Psla, O. Marcusson, *CT* II, *Prosules de la messe, 1 Tropes de l'alleluia*, [SLS 22]; Stockholm 1976, 47, 1); Alleluia Et nos hodie gratulamur natale dei nostri quem angeli conlaudant conclamantes : « Deo gloria in excelso et in terra pax hominibus voluntatis optimae », qui in praesepe iacebat, caelis fulgebat (All. Psla, *CT* II, 47, 3); qui natus es in praesepio hac nocte praecelsa ex virgine Maria, iubilatio, honor atque laus alta. Angelorum chorus ingens regis magni causa ineffabilis nativitatis occinuit alta voce militiae caelestis exercitus : « Gloria deo magna in alto, creatori nostro, in terrisque sit omni homini corde sereno atque bono » (All. Psla, E. Odelman, *CT* VI, *Prosules de la messe, 2, Les prosules limousines de Wolfenbüttel, Édition critique des prosules de l'alleluia du manuscrit Wolfenbüttel, Herzog August Bibliothek Cod. Guelf. 79 Gud. lat.*, (SLS 31), Stockholm 1986, 5, p. 35-36); Quem conventus adorat pastoralis angelo nuntiante venis (Gloria : *Nativitatem tuam* et *Omnipotens altissime*, Rönnau, *op. cit.*, p. 99 et 131; Planchart, p. 290 et 293).

33. R. Berliner, *Die Weinachtskrippe*, München, Prestel Verlag, 1955; R. Mols, « Histoire de la crèche de Noël d'après un ouvrage récent », *NRTh* 81, 1959, p. 1049-1072. Voir aussi M. Righetti, *Manuale di storia liturgica*, Milan, Éd. Ancora, 1955, II, p. 64 s.; *CT* I, p. 10 s. Cf. par exemple *AH* 8, p. 14, *AH* 10, p. 16.

de l'Europe chrétienne, dans plus de 700 manuscrits, et jusqu'au bas Moyen Age. Et finalement, c'est un chant qu'on a imité pour d'autres fêtes [34].

Ses imitations les plus anciennes et les plus répandues sont celles de Noël.

Il s'agit de deux tropes de Noël dialogués, et non d'un seul.

Quem quaeritis in praesepe,	Hodie cantandus est nobis puer,
pastores dicite !	quem gignebat ineffabiliter
Salvatorem Christum dominum,	ante tempora pater,
infantem pannis involutum	et eundem sub tempore
secundum sermonem angelicum.	generavit inclita mater.
Adest hic parvulus	Quis est iste puer,
cum Maria matre sua,	quem tam magnis praeconiis dignum
de qua dudum vaticinando	vociferatis ?
Isaias dixerat propheta :	Dicite nobis,
Ecce virgo concipiet et pariet filium,	ut collaudatores esse possimus !
	Hic enim est,
et nunc euntes dicite quia natus est	quem praesagus et electus symmista Dei
Alleluia alleluia.	ad terras venturum praevidens
Iam vere scimus	longe ante praenotavit
Christum natum in terris,	sicque praedixit :
de quo canite omnes	
cum propheta dicentes :	
PUER NATUS EST NOBIS	PUER NATUS EST NOBIS

Les deux traditions sont distinctes. Celle de l'Aquitaine suit le modèle de plus près. La première phrase est un calque de *Quem quaeritis in sepulchro*, et les *pastores* correspondent aux *christicolae*. La réponse précise ce qu'attendent les bergers, dans deux parties, parallèles quant au nombre de syllabes et de mots, d'abord, Dieu dans sa grandeur : le Sauveur, le Christ, le Seigneur ; ensuite, l'homme pauvre : l'enfant, enveloppé dans des maillots. Tout cela est la reformulation d'une citation biblique : *Et dixit illis angelus : [...] natus est vobis hodie salvator, qui est Christus Dominus [...] invenietis infantem pannis involutum et positum in praesepio* (Lc 2, 10-12). Les bergers font également référence à ce que l'ange leur avait annoncé.

Pourtant, la troisième réplique, celle qui révèle la vérité, dit le contraire du *Quem quaeritis* pascal avec son *Non est hic*. Ici, c'est *Adest hic*, « il est ici ». Le mot *parvulus*, qui ne se trouve pas dans l'évangile, est emprunté à l'introït du texte d'Isaïe. Seule Marie, la Mère, est mentionnée, et ce qui

---

34. On observe les cas suivants : deux tropes dramatiques de Noël (dans respectivement 29 et 26 manuscrits), un trope dramatique pour l'Ascension (21 manuscrits), un pour S. Jean-Baptiste (7 manuscrits) et finalement, 1 seulement dans un manuscrit d'Apt, pour S. Étienne. Ces tropes sont parfois appelés *versus ante officium*, comme d'autres, qui n'ont pourtant pas une forme dramatique (S. Jean l'Évangéliste, les S. Innocents, S. Étienne, S. Pierre).

suit est la deuxième citation biblique : *Ecce virgo concipiet et pariet filium* (Is 7, 14).

Le *Quem quaeritis* pascal se termine par une exhortation aux bergers à aller et à annoncer le message joyeux, comme dans la source évangélique. Le *Quem quaeritis* de Noël l'a visiblement imité : *Nunc euntes dicite quia natus est*. Le texte de Luc ne dit rien d'une exhortation de ce genre. Finalement, le chant se conclut sur la constatation : « Maintenant nous savons vraiment que le Christ est né », qui sert d'introduction à l'introït[35].

Ce bref dialogue est-il un drame ? Le texte contient trois répliques, exactement comme le *Quem quaeritis in sepulchro*. Mais il ne provoque aucune surprise. Les bergers ont été surpris quand l'ange s'est montré à eux. Ils ont été effrayés. Mais par la suite, leur route pour chercher ce que l'ange a annoncé, l'enfant nouveau-né, les mène à ce qu'ils attendaient.

Dans le chant de Pâques, c'est tout différent. *Non est hic*, « Il n'est pas ici, car il est ressuscité », change tout. Il s'agit d'un drame entre la vie et la mort, de la victoire remportée par Dieu sur la mort.

En revanche, le chant de Noël est plus long et construit sur deux citations bibliques. Comme trope, c'est un chant qui a eu du succès, puisqu'il était répandu ; mais ce n'est pas un vrai drame.

L'autre trope de Noël dialogué, *Hodie cantandus*, est différent. Le premier mot est *Hodie*, mot liturgique qui introduit beaucoup de tropes. A la différence de bien d'autres textes similaires comportant une exhortation, comme *Hodie celebremus*, l'intérêt est centré non pas sur ceux dont émane la louange, mais sur celui qui sera loué. C'est *Puer*, l'enfant, dont il s'agit ; il doit être chanté par nous.

Ce qui suit n'est pas une question mais une explication théologique, où sont opposés le Père et la Mère, la naissance avant les temps et celle dans le temps. On peut observer le pluriel : *ante tempora* et le singulier : *sub tempore*, ainsi que les formes des verbes : l'imparfait, *gignebat*, exprime un état, tandis que le parfait, *generavit*, présente un événement. On notera aussi l'adverbe *ineffabiliter* — il est impossible de dire comment il a été engendré avant les temps par le Père. Pour la Mère, un adjectif est employé : *inclita* ; c'est une femme bien à part, mais elle peut être définie par des mots.

C'est seulement après cette introduction théologique que vient la question, simple, directe : *quis est iste puer*. Celle-ci est d'une nature différente du *Quem quaeritis*. On ne sait pas clairement qui la pose[36]. La relative qui continue la question traite de ce qui est déjà dit dans l'introduction : « Celui que vous dites être digne de si grandes louanges ». On doit observer le

---

35. La phrase finale, « que vous devez tous chanter, avec le prophète, en disant UN ENFANT NOUS EST NÉ »... servant de conclusion, pourra être regardée comme une sorte de réponse aux deux invitatoires de la vigile de Noël : *Hodie scietis quia veniet Dominus...*, et du jour de Noël : *Christus natus est nobis, venite adoremus* (CAO 3, 1084 ; 1055).

36. Dans le *Quem quaeritis in praesepe*, on ne sait pas davantage avec qui les bergers sont supposés parler. Néanmoins, dans des textes plus récents, ils s'adressent à des *obstetrices*, des sages-femmes. Cf. K. Young, *The Drama of the Mediaeval Church*, I-II, Oxford 1933, II, p. 5.

caractère rhétorique donné à la langue par des mots comme *praeconiis* et *vociferatis*. Mais, après la question, voici sa raison d'être : « Dites-nous, pour que nous puissions être ceux qui louent avec vous [37] ! »

Le début de la troisième « réplique », trois mots simples : *hic enim est*, correspond à *Non est hic* et à *Adest enim hic*. Mais la suite est aussi sophistiquée que le début : « Celui que le prophète élu avait annoncé ». Cette partie du trope contient toute une gamme de mots spéciaux tels que *praesagus* et *symmista*. On note que la phrase contient quatre mots comportant le préfixe *prae*, ainsi que la forme de futur *venturum* et l'adverbe *longe ante*. On n'aurait pu souligner plus fortement que l'arrivée de l'enfant est préparée depuis longtemps.

Il nous paraît que cette comparaison entre les tropes dialogués de Pâques et de Noël est importante pour notre sujet. Le trope pascal est le drame parfait, dans sa simplicité condensée. Dans la vaste histoire de son développement en des drames longs et compliqués, le simple dialogue de trois phrases résiste, n'est jamais changé.

Les calques de Noël sont deux, et, comme il paraît, sans influence mutuelle. *Hodie cantandus*, qui a été attribué, pour des raisons bien fondées, à Tutilon de Saint-Gall, appartient à la tradition de l'Est, *Quem quaeritis* se trouve dans des sources aquitaines et italiennes [38].

Le *Hodie cantandus* est, dans sa forme poétique tout exquise, plutôt un petit traité théologique qu'un drame. Les questions ne sont pas authentiques mais rhétoriques, et leur fonction semble être de souligner la participation active de ceux dont émanent les louanges. *Quem quaeritis*, par contre, est un dialogue plus direct entre l'ange et les bergers, et, reprenant les mots bibliques, il nous présente vraiment l'enfant nouveau-né. Le but essentiel du texte est de fonder sur la Bible la conclusion *Iam vere scimus Christum natum in terris*.

La nature même de la fête de Pâques crée des thèmes et des cérémonies qui ne peuvent naître que du mystère pascal. Le drame de la vie et de la mort est la condition même du *Quem quaeritis in sepulchro*, texte-noyau inchangeable. Les deux imitations de Noël sont tout autre chose.

Examinons maintenant un groupe de tropes qui ont également une vaste diffusion, les tropes de l'offertoire. A la différence de l'introït qui attirait l'intérêt des poètes en particulier, l'offertoire (et la communion) ne fut jamais pourvu d'une abondance d'ornements sous forme de tropes. Néanmoins, les tropes de l'offertoire sont attestés déjà dans les manuscrits

---

37. Le mot *dicite* se trouve d'ailleurs aussi dans le trope *Quem quaeritis in praesepe*. C'est une expression qu'on rencontre souvent dans les tropes et qui a une fonction d'exhortation : *dicite, cantate, proclamemus, iubilemus*, etc.

38. Il est intéressant d'observer que les deux seuls manuscrits italiens à offrir le *Hodie cantandus*, Ox 222 de Novalèse et Vro 107, de Mantoue, contiennent également le *Quem quaeritis*. Les deux tropaires de Nevers et celui de Saint-Magloire offrent aussi les deux traditions. Pour Tutilon, voir J. Szövérffy, *Die Annalen der lateinischen Hymnendichtung*, Berlin, Erich Schmidt Verlag, 1964, I, p. 277 s.

les plus anciens par des répertoires à la fois développés et diversifiés [39]. Les fêtes bénéficiant de ces tropes sont les plus grandes fêtes de l'année. A côté des tropes proprement dits, l'offertoire a reçu des prosules [40]. Cette catégorie orne le plus souvent les longs mélismes des versets, surtout du dernier verset.

A Pâques, en dehors du complexe *Ab increpatione et ira*, diffusé quasiment partout, nous trouvons très peu d'autres tropes d'offertoire, et les prosules font entièrement défaut. Donc, il y a une stabilité notable du répertoire à Pâques. A Noël, la variation du répertoire est plus grande et la diffusion géographique des tropes est plus restreinte.

Plusieurs manuscrits aquitains ont un répertoire important comportant parfois jusqu'aux trois séries complètes. La même remarque vaut pour les manuscrits anglais, ceux de Prüm, de Nevers et de Saint-Magloire [41]. Parmi les manuscrits de la tradition de l'Est, les deux plus anciens manuscrits de Saint-Gall [42] ont un répertoire extensif formé presque entièrement de tropes de paraphrase, qui agrémentent aussi bien l'antienne que les versets. Ceci est vrai également pour Pâques et pour Noël.

Les tropes de paraphrase commencent en général par une citation du texte liturgique et finissent sur une acclamation ou une exhortation à chanter, par exemple *eia, dic domne* ou *dicite*. Ces tropes représentent sans doute une ancienne technique, dont la fonction n'est pas immédiatement apparente, mais il semble qu'elle réponde à un besoin de signaler au soliste, au chœur et au célébrant à quel moment le chant de l'offertoire doit commencer, continuer et finir. La durée du chant dépendait des cérémonies préparatoires avant le rite de la communion. Ainsi les tropes de paraphrase ont pu faciliter l'exécution du chant. La fréquence de ce genre de tropes peut répondre à un besoin de renforcer le caractère de fête d'une cérémonie [43]. Pourtant, il faut ajouter qu'en Italie les tropes d'offertoire sont assez rares en général. Là, on semble avoir préféré les prosules, dont témoignent les riches répertoires [44].

Le trope de l'offertoire le plus diffusé est *Qui es sine principio*, qui se trouve dans dix-neuf manuscrits provenant d'Aquitaine, d'Angleterre, de

---

39. Les plus anciens mss. contenant des tropes de l'offertoire sont Sankt Gallen Stiftsbibl. 484, 381, London Br. Libr. add. 19768, Paris B.N. lat. 9448, 1240, 1118, Apt Arch. de la bas. Sainte-Anne 18, München Bayer. Staatsbibl. Clm 14843.

40. L'édition des prosules de l'offertoire par G. Björkvall dans la série du *CT* est en préparation.

41. Cambridge CCC 473, Oxford Bodl. 775, London Br. Libr. Cotton Cal. A XIV, Paris B.N. lat. 9448, 9449, 13252 et n.a. lat. 1235.

42. Sankt Gallen Stiftsbibl. 484 et 381.

43. Voir l'étude exhaustive des tropes de paraphrase de l'offertoire par J. Johnstone, *The Offertory Trope : Origins, Transmission, and Function* (Ph.D. diss. inédite), The Ohio State Univ., 1984, p. 144-196.

44. En dehors des manuscrits de Saint-Gall, les tropes de paraphrase se retrouvent dans le tropaire de Mayence (Lo 19768), dans certains manuscrits aquitains (Pa 887, Pa 1118, Apt 18), et italiens (Vce 186, Mza 76, Ivr 60, Pia 65, RoA 123).

Cambrai, de Nevers, de Saint-Magloire, d'Apt et de Pavie. En voici le texte[45].

Qui es sine principio
cum patre et spiritu sancto,
fili dei,
TUI SUNT CAELI ET TUA EST TERRA,
Nobis hodie natus
de virgine deus homo,
ORBEM TERRARUM ET PLENITUDINEM EIUS
TU FUNDASTI,
Ab initio et nunc et in saeculum,
IUSTITIA ET IUDICIUM
PRAEPARATIO SEDIS TUAE.

Ce texte dépourvu de toute rhétorique est nourri d'une théologie classique : il souligne le caractère intemporel du Christ « sans début », présente le thème de la Trinité, de la nativité par l'intermédiaire de la Vierge, de la double nature du Christ, « Dieu et homme », fait allusion à Noël (« pour nous aujourd'hui »), à la suite des siècles « depuis le début, maintenant et toujours ».

Le trope d'introduction diffusé dans les manuscrits de Saint-Gall et dans quelques autres manuscrits de la tradition de l'Est offre un contenu semblable[46].

Omnipotens ygye,
qui ante saecula
cum summo parente
es conditor orbis,
quique hodie de matre
carnaliter processisti,
TUI SUNT CAELI, etc.

Ici l'emploi du mot grec *ygye* « fils » renforce le caractère solennel et sacré du texte. Le Père et la Mère sont mentionnés, ainsi que les deux aspects — non temporel (« avant le temps ») et temporel — de l'incarnation, qui se répondent. Finalement, comme dans le trope *Qui es sine principio*, le mot *hodie* fait allusion à la fête de Noël.

Les prosules d'offertoire sont un genre intéressant, dont la fonction est un peu ambiguë. Elles enrichissent l'offertoire par la textualisation des mélismes en lui conférant une dimension explicative et théologisante, et augmentent la solennité de la fête. Il est surprenant qu'on trouve cette catégorie surtout à l'Avent et au Carême, qui sont des temps de prépara-

---

45. Voir note 12.
46. *CT* I, p. 150 (off. 1).

tion. (Au Carême, par exemple, nous ne trouvons jamais de tropes[47].) A Pâques, seule la deuxième férie a reçu des prosules de l'offertoire. Par contre, à Noël, ce genre de prosules est richement représenté à la Vigile, à la deuxième et à la troisième messe.

Nous l'avons dit plus haut, ces prosules sont un genre apprécié en Italie. Cependant, les manuscrits italiens n'en comportent que pour les deux messes de Noël, alors que dans les manuscrits aquitains nous trouvons des prosules de l'offertoire aussi pour la Vigile. Les thèmes des prosules de l'offertoire sont ceux de la venue du Christ au monde et de la nativité. Elles servent donc à relier les textes des versets tirés des psaumes au thème central du jour.

En conclusion, tous ces ornements de l'offertoire montrent que Noël est une fête importante. On peut noter qu'à Noël les répertoires varient beaucoup plus selon les régions qu'à Pâques. Ces répertoires reflètent sans doute le besoin d'un chant de longue durée pendant une cérémonie festive. Peut-on oser y voir le signe d'une égalité d'importance entre les deux célébrations ?

Notre troisième sondage traite des tropes de Noël dans les chants de l'ordinaire, donc des chants qui ne varient pas selon les fêtes. Le premier exemple est le trope du Gloria *Pax sempiterna*[48]. Ce célèbre trope fait partie des répertoires les plus anciens de l'Est, du Nord-Ouest, de la zone de transition ainsi que de l'Italie (mais non pas des répertoires aquitains). Le texte, principalement formé des vers adoniques rythmiques, est entièrement centré sur le thème de la nativité. Dans ce trope le Christ est loué comme *pax sempiterna*, *lux benedicta* et *rex admirabilis*. En même temps, le texte éclaire l'événement du jour en des termes narratifs :

Gloria in excelsis deo
et in terra pax hominibus bonae voluntatis;
Pax sempiterna, Christus illuxit;
Gloria tibi,
pater excelse :
Laudamus te
Hymnum canentes
hodie quem terris
angeli fuderunt
Christo nascente.
Benedicimus te.
Natus est nobis
hodie salvator

---

47. Jusqu'ici nous n'avons trouvé qu'une seule exception à cette règle. Dans le ms. Cambrai B.M. 172 (167) du XIIe siècle, on trouve la prosule *Alacritate multa* (f. 23) du verset *Notus in Iudaea* de l'offertoire *Terra tremuit* pour le Dimanche de Pâques.

48. *AH* 47, 168; cf. Rönnau, *op. cit.*, p. 159 s., éd. musicale, *ibid.*, p. 215-216; Planchart, *op. cit.*, II, p. 292-297, éd. musicale, *ibid.*, p. 315-324; voir aussi K. Falconer, *Some Early Tropes to the Gloria*, (Ph.D. diss. inédite), Princeton Univ., 1989, p. 16-43.

in trinitate
semper colendus.
Adoramus te,
Quem vagientem
inter angusti
antra praesepis
angelorum coetus
laudat exultans.
Glorificamus te,
Cuius a sede
lux benedicta
caliginoso
orbi refulsit.
Gratias agimus tibi
qui tollis peccata mundi.
Ultro mortali
hodie indutum
carne precamur :
Suscipe deprecationem nostram,
O ineffabilis rex et admirabilis,
ex virgine matre hodie prodisti
mundoque subvenisti,
Qui sedes ad dexteram patris...

Le récit de Luc, évangile des deux premières messes de Noël et en même temps source textuelle de l'ouverture du chant du Gloria, joue un rôle important pour ce trope : *quia natus est vobis hodie salvator [...] invenietis infantem pannis involutum et positum in praesepio* (Lc 1, 11-12) ; *et subito facta est cum angelo multitudo militiae caelestis laudantium Deum et dicentium/ gloria in altissimis Deo et in terra pax hominibus bonae voluntatis* (Lc 2, 11-14).

En désignant le Christ comme *pax sempiterna* le trope reprend le motif *pax in terra* de l'ouverture du Gloria et du passage biblique, en même temps que le caractère temporel *(in terra)* est renforcé par le caractère éternel *(sempiterna).*

Les éléments qui suivent sont proches du récit de Luc. La phrase *Hymnum quem angeli fuderunt* se réfère naturellement à la louange *Gloria in excelsis deo...* aussi dans son contexte biblique. Après le remplacement de *vobis* par *nobis* dans le texte de Luc, « *Natus est vobis hodie salvator* » les bergers, à qui l'ange annonçait la nouvelle, deviennent les annonciateurs.

Le mot *vagientem* décrivant l'enfant qui vagit dans la crèche n'a pas de correspondant biblique. Ce motif rappelle plutôt l'hymne *Pange lingua* (*vagit infans inter arta conditus praesepia*), mais aussi Hilaire (*infans vagit, laudantes angeli audiuntur*) et Cyprien [49].

Lux benedicta, la lumière bénie qui éclaire le monde, fait allusion au

---

49. Voir A.S. Walpole, *Early Latin Hymns*, Cambridge 1922, n° 33, note 13.

prologue de l'évangile selon Jean (*lux in tenebris lucet*). *Ultro mortali hodie...* est le seul élément sans référence au récit de Luc dans ce trope[50]. Le mot *hodie*, « aujourd'hui », est répété quatre fois dans ces vers courts. Le moment historique de la naissance au monde est opposé au moment présent où « nous te louons en chantant l'hymne que les anges ont chanté ». Les mots *hodie* et *Christo nascente* renvoient aux verbes *laudamus* et *canentes*, dont le présent souligne le *hic et nunc* de la célébration, tandis que *fuderunt*, au passé, décrit l'événement historique.

Ainsi, d'une façon à la fois simple et complexe, le trope présente le thème de la louange des anges lors de la naissance du Seigneur, du Sauveur né pour nous, celui de l'adoration auprès de la crèche, du Verbe incarné, de la lumière illuminant les ténèbres du monde et du Roi né de la Mère Vierge. C'est un trope du propre dans l'ordinaire.

Nous nous rappelons que, lors de son introduction dans la messe romaine, le *Gloria in excelsis*, en tant qu'hymne des anges, était réservé à la fête de Noël, où il était entonné par l'évêque. Son texte est justement celui de la louange chantée par les anges, selon le récit de Luc, et le *Gloria* est le chant de l'ordinaire le plus étroitement lié au thème de Noël. Il n'est donc pas étonnant que cette relation soit fréquemment évoquée dans ses tropes.

Pax sempiterna est une composition intégrale dont le texte entier présente le thème de Noël, mais *Laus tua deus*, un des tropes du Gloria les plus anciens et les plus répandus, représente une autre catégorie de compositions. Ici le noyau est une louange générale à la majesté divine et une paraphrase des paroles du Gloria. Cette version-noyau se trouve dans le manuscrit ancien de Monza (Vro 90) ainsi que dans les plus anciens tropaires de Saint-Gall. Elle peut être liée à des fêtes différentes. Or, dans les tropaires aquitains, ce trope est pourvu d'éléments ajoutés qui le rapprochent plus directement du thème de la naissance du Seigneur. Ces éléments ne sont pas exclusivement réservés à *Laus tua deus*, mais peuvent aussi bien être ajoutés à d'autres tropes du Gloria afin de les rattacher au thème de Noël[51]. De nombreux éléments semblables ont été ajoutés à divers tropes du Gloria, traitant le thème de Noël, principalement dans les répertoires aquitains[52].

---

50. Dans une des sources les plus anciennes de ce trope (le manuscrit Roma Vat. 1553 de Moissac datant du Xe siècle), l'élément *Ultro mortali* est une addition dans la marge, ainsi que l'a remarqué Planchart (*op. cit.* II, p. 294). C'est le seul élément dans *Pax sempiterna* qui est retrouvé en Aquitaine dans *Laus tua deus* (dans lequel l'élément pourrait peut-être avoir eu sa place originale? Cf. Rönnau, *op. cit.*, p. 160 et les deux notes ci-dessous).

51. *AH* 47, p. 282-284 ; Sur les versions différentes de *Laus tua deus* et de la prosule *Regnum tuum* voir Rönnau, *op. cit.*, p. 140-147, et 212 ; Planchart, *op. cit.*, II, p. 276-282. Planchart propose (*op. cit.* II, p. 282 et 297) que *Laus tua deus* soit le lieu d'origine de ces éléments mobiles.

52. Voici des éléments mobiles présentant le thème de Noël dans les divers tropes du Gloria dans les répertoires aquitains : *Nativitatem tuam* ; *Quem conventus adorat, Quod verbum caro factum* ; *O decorata proles* ; *Magna hodie festa* ; *Propter mundum redimendum* ; *Parvulus natus in orbe* ; *Quem hodie natum* ; *Ut hominem caelo* ; *Ultro mortali* ; *Hodie natus est dominus* ; *Salvare venisti nos nasci*.

Comme nous l'avons mentionné, la fête de la nativité peut être considérée comme une des premières fêtes mariales. Examinons sommairement le trope du Gloria *Odas pangimus tibi*, trouvé dans les plus anciennes sources de l'Est — mais qui n'est pas présent dans les répertoires de l'Ouest — et traitant spécifiquement du thème de Noël. Ici la louange au Roi glorieux est combinée avec la vénération adressée à la Vierge :

Gloria in excelsis deo
et in terra pax hominibus bonae voluntatis;
Odas pangimus tibi, almus rex angelorum.
Laudamus te
Qui formasti polum, ima, solum fecisti.
Benedicimus te,
O rex gloriose qui cuncta creasti.
Adoramus te,
O mater dignissima Maria, quae deum protulisti;
Glorificamus te :
Ex utero virginali Christum genuisti auctorem.
Gratias agimus...

Les versets du chant — *adoramus te, glorificamus te,* sont-ils à interpréter comme des invocations adressées aussi à la Vierge ? Peut-être avons-nous affaire ici à un déplacement conscient des destinataires[53].

Que le culte de la Vierge Marie devienne de plus en plus important, c'est ce que reflètent les tropes de l'ordinaire des siècles suivants[54]. Voici enfin un trope en prose du Sanctus rattaché à *Nativitatem domini* dans la partie récente du tropaire sangallien SG 378 :

Sanctus
Genitor summi filii,
quem concepit sancta virgo Maria.
Sanctus
Summi patris unigenitus,
quem produxit mundo virgo Maria.
Sanctus
Spiritus sanctus,
sub cuius umbra Christum genuisti,
excellentissima virgo Maria.
Dominus deus sabaoth,
Dominum exercituum interpella pro nobis,
te supplices rogamus, virgo Maria.
Pleni sunt caeli et terra gloria tua.

---

53. *AH* 47, 188 ; Sur la question du glissement de destinataire formel dans le Gloria, voir *CT* IV, p. 197-199.

54. Parmi les proses/prosules plus récentes du Sanctus, il y a un grand nombre de textes mariaux louant la nativité. Ces textes sont souvent formés à la manière des séquences et des hymnes, et ils ont des rimes et des vers réguliers. Ainsi 31 des 174 tropes/proses/prosules ajoutés à Sanctus/Osanna et compris dans le *CT* VII sont de toute évidence mariaux.

Quia gloria angelorum ex te orta est,
deinde ineffabiliter glorificaris, virgo Maria.
Osanna in excelsis,
Ubi cum filio regnas sine termino,
quem genuisti nobis, virgo Maria.
Benedictus
De carne tua genitus,
Qui venit in nomine domini.
O nomen ineffabile, quod cognominatur filius,
quem pro nobis ora, virgo Maria.
Osanna in excelsis [55].

Les invocations trinitaires conventionnelles du début sont suivies des éléments se référant à la Vierge à la troisième personne, *concepit, produxit.* La relation à la Vierge est soulignée ensuite par les impératifs à la deuxième personne, *interpella pro nobis, ora pro nobis, genuisti* et par les invocations répétées du « refrain » *virgo Maria.* Des traits que nous avons déjà observés dans les tropes anciens sont renforcés dans ce trope plus récent et tournent la perspective vers la Vierge.

Concluons que les textes des tropes de l'ordinaire, et en particulier ceux du Gloria, sont peut-être plus étroitement liés aux grandes fêtes que nous ne l'avons généralement supposé. Le fait qu'un trope qui a d'abord été rattaché à Noël au début du manuscrit peut être repris à d'autres fêtes, loin de diminuer l'importance du thème de Noël, pourrait signifier que ce thème a influencé d'autres fêtes.

Comment pouvons-nous, finalement, répondre au défi lancé par le père Gy ? On sait que l'époque où furent créés les tropes liturgiques marque une transition théologique vers une théologie où le côté humain du Christ est plus important qu'avant. Il est normal que la fête de Noël, inexistante dans les premiers siècles et souvent regardée par les Pères de l'Église non pas comme *mysterium* mais comme *memoria,* prenne une place croissante dans le haut Moyen Age [56]. Il appartient surtout aux historiens de la liturgie de tâcher de décrire ce processus.

On aurait pu s'attendre à ce que les tropes, par le nombre même des chants nouveaux, mais surtout par leurs thèmes et leurs symboles, témoignent de cette nouvelle attitude à l'égard de la fête de Noël. C'est du moins l'hypothèse contenue dans la question du père Gy que nous avons citée au début de cette contribution.

La comparaison que nous avons faite entre les deux fêtes les plus

---

55. *CT* VII, n° 57 ; Sankt Gallen, Stiftsbibliothek, ms. 378, p. 377.

56. Cf. note 7 ; voir encore H. Usener, *Das Weinachtsfest,* Verlag von Friedrich Cohen, Berlin 1911 ; J. Leclercq, « Aux origines du cycle de Noël », *ELit* 60, 1946, p. 7-26 ; H. Frank, « Frühgeschichte und Ursprung der römischen Weinachtsfestes im Lichte neuerer Forschung », *AfLW* 2, 1952, p. 1-24 ; H. Engberding, « Der 25. Dezember als Tag der Feier der Geburt des Herrns » *AfLW* 2, 1952, p. 25-43 ; J. Lemarié, *La Manifestation du Seigneur,* Paris, Cerf, 1957.

importantes, Pâques et Noël, donne des résultats qui ne sont pas sans ambiguïté.

On serait peut-être tenté de croire que les chiffres montrent un équilibre relatif entre les deux fêtes. Mais, comme toujours, il faut essayer d'interpréter ce qu'il y a derrière les chiffres. Nous pouvons du moins tirer la conclusion suivante.

Aucun trope dans la littérature entière n'a l'importance du chant pascal, sous ses formes différentes, *Quem quaeritis in sepulchro*, le plus répandu, le plus imité, le plus fréquent et celui qui a la vie la plus longue. En outre, les très anciens tropes d'offertoire et de communion pour Pâques *(Ab increpatione et ira, Laus honor virtus)* ont un caractère similaire, sont stables, répandus, de type archaïque. Peut-on dire qu'ils ont, à un certain degré, empêché que beaucoup d'autres tropes s'insèrent dans le répertoire ?

Au contraire, en ce qui concerne les tropes de Noël, il semble assez clair qu'une plus grande créativité régionale/locale existe, permettant plus de variations.

De pures comparaisons de chiffres montreraient ainsi que, même si la fête de Noël, *grosso modo*, égale en importance celle de Pâques, les tropes de Noël semblent appartenir à une couche plus récente, plus mobile.

Or, il faut souligner que tous les genres de tropes n'offrent pas le même visage. Très intéressant nous paraît le fait que parmi les tropes appartenant à l'Agnus Dei, le chant de l'ordinaire le plus récent, ce sont justement les tropes de Noël qui contiennent le chant le plus stable, *Qui sedes*.

Les thèmes abordés dans les tropes de Noël sont traditionnels. Le contenu théologique suit une tradition bien stable, il est exprimé dans une langue biblique marquée. La manière de développer les thèmes peut, néanmoins, être poétique, nouvelle, voire originale. Ce qui est nouveau dans le genre des tropes, c'est la forme, les hexamètres et les vers rythmiques insérés dans les textes de la messe, les images poétiques, la manière de subordonner un texte à une mélodie préexistante, *Textierung*, et la musique. La théologie est presque toujours classique.

Quem quaeritis in sepulchro est un vrai début de drame. Les deux premiers tropes dialogués de Noël, au contraire, ne peignent guère une scène de crèche, ni ne constituent des morceaux dramatiques à proprement parler. A ce point de vue, on peut dire que Noël est en position d'infériorité par rapport à Pâques.

Mais certains genres invitent à une créativité plus variée à Noël qu'à Pâques. L'image que donnent les prosules est plus variée à Noël qu'à Pâques. Et surtout, les tropes de l'ordinaire offrent des variations différentes. A côté des cas où une introduction ajoutée ou une formule spéciale donne un caractère de Noël, il y a surtout des tropes entiers du Gloria qui sont de vrais poèmes de Noël, présentant une grande richesse dans la langue et le contenu théologique. Tout se passe comme si les chants utilisés pour chaque fête avaient besoin de traits particuliers pour être adaptés à la fête actuelle et pour renforcer le contraste entre Noël et Pâques.

Les tropes montrent certainement que la relation entre les deux grandes fêtes est dynamique. Mais la hiérarchie est claire : Pâques est la fête la plus importante, et nos observations peuvent confirmer « la loi de Baumstark » sur la survivance des traits les plus anciens pour les fêtes les plus importantes. Mais elles témoignent également du processus fécond et inventif par lequel le degré de solennité de la fête de Noël est intensifié[57].

---

57. A. Baumstark, « Das Gesetz der Erhaltung des Alten in liturgisch hochwertiger Zeit », *JLW* 7, 1927, p. 1-23.

« RAZA » ET SACREMENT

Irénée-Henri DALMAIS, o.p.

Par son enseignement, par ses recherches personnelles comme par celles qu'il a suggérées et dirigées, le père Gy s'est imposé comme l'un des bons ouvriers du renouveau de la théologie sacramentaire, domaine trop longtemps négligé parce que son lieu propre ne se découvre pas dans des textes ou des notions mais dans l'acte de célébrations ecclésiales. Domaine immense pour l'exploration duquel se découvrent des voies nouvelles mettant en œuvre de multiples disciplines et des modes inédits d'investigation. Et, parmi eux, l'attention portée au vocabulaire choisi et retenu pour désigner de tels actes, à ses racines et à son évolution sémantique. Les recherches ont privilégié celui à partir duquel s'est élaborée et structurée la pensée théologique latine, c'est-à-dire le terme *Sacramentum* acquis dans le latin des chrétiens au moins dès le début du IIIᵉ siècle et qui a reçu dès lors, par Tertullien, des acceptions qui marqueront de traits ineffaçables l'histoire de la théologie dans la pensée et les langues occidentales [1]. On est encore loin d'avoir étudié avec la même rigueur la manière et les conditions dans lesquelles le terme *Mysterion* [2] s'est imposé, au moins depuis le cours du IVᵉ siècle dans le grec des chrétiens avec, entre autre, une signification correspondant à celle qui devenait technique pour *sacramentum*. Mais surtout on ne s'est guère intéressé jusqu'ici au vocabulaire en usage dans ce troisième rameau des plus anciennes cultures chrétiennes, celle des Églises d'expression araméenne (ou « syriaque »), celle qui s'est épanouie en continuité la plus immédiate avec l'héritage biblique interprété dans la tradition juive. On le sait, le terme technique pour désigner les sacrements est, depuis le Vᵉ siècle au moins, le vocable *Raza* et plus précisément, comme il en est advenu du grec *mysterion*, sous la forme plurielle *razé*, le singulier — ainsi qu'il en va souvent en latin et dans les langues dérivées — désignant avant tout le Sacrement par excellence, l'Eucharistie et sa célébration. Le choix de ce terme ne porterait-il pas, ainsi qu'il en va en latin

---

1. I.-H. Dalmais, « Sacrements », *Dictionnaire de spiritualité*, t. 14, fasc. 91, c. 45-51, et bibliographie.

2. Les premiers emplois semblent se trouver dans Eusèbe de Césarée, *De Ecclesia theologia* 1, 8 et *Démonstration évangélique* 9, 6 pour le baptême ; *Démonstration évangélique* 1, 10 pour l'Eucharistie.

ou en grec, des résonances propres du fait de son origine et de son emploi dans la langue pré-chrétienne ?

De fait *Raz* est un corps étranger dans un vocabulaire sémitique ; mot d'origine persane, il s'y est sans doute introduit durant les siècles de la domination achéménide, à partir du vocabulaire de la cour et de l'administration impériale comme désignant le conseil privé et secret au sein duquel se traitaient les problèmes majeurs de l'empire et se prenaient les décisions les plus importantes, celles auxquelles il est fait allusion dans les textes bibliques de Daniel ou d'Esther lorsqu'ils évoquent « la loi des Mèdes et des Perses » avec ses prescriptions irrévocables. Mais surtout le terme lui-même figure dans un passage en araméen du livre de Daniel à l'occasion du songe de Nabuchodonosor et de son interprétation (ch. 2). Or cette interprétation se situe dans une perspective eschatologique (vv. 28, 44) qui se retrouve lorsque le terme *raza* se rencontre dans des fragments qumraniens. Dans Daniel la LXX l'a traduit par *Mysterion*, ce qu'elle ne fait jamais pour rendre l'hébreu *Sôd* le plus souvent rendu par *Kryptos* (caché) ; ce qui permet de penser que les traducteurs ont été sensibles à une nuance que ne comportait pas le terme hébreu et qui se retrouve dans les deutérocanoniques. Il en va de même pour l'unique *logion* transmis par les Synoptiques (Mt 13, 11 et parallèles) ; et telle est bien aussi la perspective que développera saint Paul.

Se retrouve-t-elle dans les emplois les plus anciens de *Raza* ? Peut-on penser qu'elle ait influencé de manière privilégiée le choix de ce terme pour désigner les actions ecclésiales que le grec dénomme *Mysterion* et le latin *Sacramentum* et peut-on estimer que cette perspective eschatologique a été mieux perçue dans la tradition des Églises araméennes qu'il n'en est allé pour celles de cultures gréco-latines ?

Dans l'état actuel de nos connaissances nous ne pouvons guère remonter plus haut que le second tiers du IVe siècle avec Aphraate, « le Sage persan » et surtout saint Éphrem. Or c'est à cette même époque que chez saint Cyrille de Jérusalem — surtout si on peut lui reconnaître la paternité des catéchèses mystagogiques — le terme *Mysterion* et son pluriel connaissent le sens technique de fonctions sacramentelles. Y a-t-il eu possibilité d'influence dans un sens ou dans un autre dans le choix de ces dénominations ? La chose, à vrai dire, demeure peu probable.

Chez Aphraate, en effet *raza* est employé en de multiples contextes et paraît en plusieurs cas considéré comme synonyme de *tupsa* (transcrit du grec *typos*), s'opposant à la réalité ou à la vérité *(shrara)*. Telle est la position dominante tenue par Dom E. Beck dans l'étude qu'il a consacrée à cette question [3]. C'était déjà celle de W. de Vries [4]. Il est pourtant certains cas au moins où le choix de *raza* ne semble pas dénué de résonances eschatologiques. Ainsi en *Démonstration IV, 5 : De la prière :*

3. E. Beck, « Symbolum-Mysterium bei Aphraat und Ephräm », *OC* 42, 1958, 19-40.
4. W. de Vries, *Sakramententheologie bei den Nestorianern*, OCA 133, Rome 1947, 16 s.

De même pour notre père Jacob : il pria à Béthel et il vit ouverte la porte du ciel, et une échelle s'élevant dans les hauteurs. C'est le mystère de notre Sauveur que vit Jacob. La porte du ciel c'est le Messie, comme il dit : Je suis la porte de la vie, quiconque entrera par moi vivra pour toujours. Et David dit aussi : C'est la porte du Seigneur par laquelle entrent les justes. Et l'échelle qu'a vue Jacob, c'est aussi le mystère de notre Sauveur par lequel tous les hommes justes s'élèvent d'en bas vers les hauteurs. C'est aussi le mystère de la croix de notre Sauveur, qui fut dressée comme une échelle, et c'est bien le Seigneur qui se tient au-dessus. Et Jacob appela ce lieu Béthel, et Jacob éleva là une pierre levée en témoignage sur la tête de laquelle il fit une onction d'huile. Cela encore notre père Jacob le faisait d'avance en mystère des pierres qui recevraient l'onction. Car les peuples ont cru au Messie, ce sont eux qui sont oints comme le dit Jean à leur sujet : De ces pierres Dieu peut faire lever des fils à Abraham (Mt 3, 9 ; Jn 8, 33-40). Ainsi, par la prière de Jacob, fut montré à l'avance le mystère de l'appel des peuples [5].

Concluant l'évocation du cycle de Jacob par la rencontre du Yabbok — après avoir reconnu dans l'ouverture du puits la figure de celle du baptême — Aphraate conclut :

O mystère admirable de notre Sauveur. Quand notre Seigneur est venu pour la première fois, en effet, il est sorti comme une branche de la souche de Jessé, semblable au bâton de Jacob. Mais quand il reviendra de chez son Père, lors de sa seconde venue, il ira chez lui avec deux camps, celui du peuple et celui des peuples, semblable à Jacob qui revint chez son père Isaac avec deux camps [6].

Si la référence aux sacrements du baptême et de l'onction peut être considérée en ce texte comme ne dépassant pas le domaine de la figure ou du moins du symbole, il semble bien que sa prégnance est plus forte dans une perspective eschatologique au cours de la *Démonstration XII sur la Pâque*. Aussitôt après avoir rappelé les prescriptions rituelles de la Pâque mosaïque (§ 1), Aphraate continue :

Considère donc, mon ami, ces mystères que le Saint ordonna pour la célébration de la Pâque et comment il les instruisait au sujet de tous ces commandements (§ 2) [...]. Tu as donc entendu, mon ami, ce que je t'ai dit au sujet de cette Pâque : que son mystère fut donné au premier peuple et qu'aujourd'hui sa vérité est entendue parmi les peuples [...]. Car notre Sauveur a mangé la Pâque avec ses disciples, dans la nuit prescrite du quatorzième [jour]. Et le Seigneur accomplit le signe de la Pâque par la vérité (§ 5-6).

Et cependant ce qu'il fit au cours de cette nuit pascale ouvrait encore le champ à un ordre de réalité qui ne serait accessible que par sa mort et sa résurrection. Les Hébreux avaient été baptisés dans la mer après avoir mangé la pâque, mais en lavant les pieds des disciples le Christ ne pouvait encore que montrer le mystère du baptême de la Passion et sa mort,

---

5. Aphraate, *Les exposés*, trad. M.-J. Pierre, SC 349, Paris 1988, p. 298.
6. *Ibid.*, 299.

réservant à ces disciples de conférer « le baptême véritable, mystère de la Passion de notre Sauveur » (§ 10). Les imprécisions et les interférences de ce texte dénotent les incertitudes d'Aphraate touchant le sens exact du « mystère » *(raza)* à la fois figure et déjà réalité mais encore incomplète parce que son accomplissement demeure eschatologique. En fait, le texte le plus précis se trouve dans la *Démonstration XXIII : De la grappe*, rédigée quelques années plus tard (345) comme récapitulation de l'histoire du salut. Parce qu'une bénédiction est en elle, il est une grappe qui ne peut périr ; c'est en effet un rejeton de l'arbre de vie dont l'accès est interdit à l'homme qui prête l'oreille au serpent. Une autre image vient alors interférer, celle — si fréquente dans la tradition araméenne — de l'arbre de vie comme olivier [7]. Le fruit excellent qu'il produit est « signe du mystère de vie *(rushma d-raza d-hayyé)* par lequel sont consacrés les chrétiens, les prêtres, les rois, les prophètes ; il illumine les ténèbres, oint les infirmes et, par son mystère caché réconcilie les pénitents » [8]. On regrette qu'Aphraate n'ait pas développé cette synthèse symbolique de théologie sacramentaire. Comme le remarque R. Murray, ce texte est si proche du passage d'Éphrem en son commentaire du Diatessaron sur l'ouverture du côté du Christ (XXI, 11) [9] qu'on peut vraisemblablement y reconnaître l'écho d'une très ancienne catéchèse mystagogique [10]. Mais ce n'est qu'allusion fugitive. La préoccupation dominante d'Aphraate est de montrer que tout ce qui est dit dans l'Ancien Testament est annonce, figure, esquisse dont la vérité se manifeste dans le Christ en qui se trouvent accomplis les « mystères ». Son vocabulaire n'a rien de technique : signe *(ata)*, type *(tupsa)*, figure *(dmuta, dumya* ou même *salma* qui désigne souvent les idoles) semblent bien être tenus pour synonymes de *raza*. Seule une étude exhaustive de ce vocabulaire permettrait de discerner les nuances que pourrait impliquer chaque terme ; du moins peut-on dire que *raza* tient de son origine la note de « caché », voire d'« énigmatique » qui appelle interprétation ; cela est particulièrement net en *Démonstrations XXIII, 3*.

Une telle étude s'imposerait davantage encore pour Éphrem. Les travaux qui se sont multipliés depuis plus de trente ans sur la place immense du symbole dans la pensée éphrémienne ont déjà largement déblayé le sujet mais sans avoir le plus souvent porté l'attention souhaitable sur le vocabulaire. Après en avoir recensé les principaux termes, P. Youssif concluait :

Le terme le plus utilisé est *raza*. Il a chez Éphrem quatre sens : *énigme*, comme dans l'original persan qui nous est arrivé par l'araméen de Daniel [...]. Cf. *Azymes*, 14, 11 ; *mystère* : réalité qui dépasse l'intelligence humaine : *De Cruce* 8, 5 (sur l'être

---

7. Sur l'arbre de vie et l'olivier, cf. Éphrem, *Commentaire de l'évangile concordant, ou Diatessaron*, SC 121, Paris 1966, XXI, 11 : p. 380, signalé par R. Murray, *Symbols of Church and Kingdom. A Study in Early Syriac Tradition*, Cambridge, Univ. Press 1975, 113-126, et E. Beck, *op. cit.*, 26.

8. Aphraate, *Démonstration XXIII, 3 : Patr. Syr.* II, p. 10.

9. Éphrem, *Diatessaron* XXI, 11, trad. L. Leloir, SC 121, 380.

10. R. Murray, *op. cit.*, 115.

du Christ) ; simple *signe*, c'est-à-dire moyen de connaissance et d'indication : ainsi en est-il des symboles de la nature qui « proclament le Christ », *Hym. de Fide* 18 ; et finalement *symbole-mystère* pour indiquer les éléments de l'Ancien Testament devenus symboles des réalités du Nouveau (= figures), et pour signifier les réalités divines dans l'Église (les Sacrements et les autres signes sacrés) [...] Il y a *Raza* en général et au pluriel [...] *Raza* et *Tupsa* indiquent souvent une ressemblance entre le symbole et ce qu'il symbolise, surtout si c'est à l'état construit : *b-raz*, ou comme expression : *Braza w-Tupsa* [11].

Que tous les « mystères *(razé)* soient réalisés, accomplis et rassemblés dans le Christ est l'un des thèmes majeurs de la catéchèse d'Éphrem. Citons seulement la strophe 5 de *De Virginitate* 28 :

Les mystères dispersés tu les as ramassés de la Torah, près de ta beauté. Et tu as exposé les prototypes *(tapnke)* de ton Évangile ; et les prouesses et les signes *(rushme)* empruntés à la nature, tu les as mélangés telles des couleurs pour ton image (= l'homme). Tu t'es contemplé (comme dans un miroir et tu t'es peint, O peintre qui as peint ton Père en toi-même. L'un par l'autre vous vous êtes peints [12].

Ainsi « incarnés » dans le Christ les mystères doivent demeurer présents et agissants au travers de l'humanité. Telle est la fonction de ce que nous appelons l'ordre sacramentel. La perception qu'en a Éphrem est complexe, comme l'est aussi son vocabulaire :

En utilisant les deux termes *Raza* et *Tupsa* (mystère-symbole et figure) Éphrem inclut un certain nombre de notions. Le *Raza* pour lui est à la fois moyen de connaissance en tant que signe extérieur, et aussi réalité supérieure dans les apparences sensibles *(Azymes* 2, 7) d'où l'idée du sacré dans les mystères (liturgiques) qui n'est pas écartée. Symbole et signe souvent s'identifient dans sa pensée, mais, dans tous les cas, symbole implique une référence. Il est pour Éphrem un terme relationnel et suggestif, et il est généralement suivi du génitif, à moins qu'il ne s'agisse du *raza* dans le sens d'énigme *(Azymes* 14, 11), ou d'une réalité dépassant l'intelligence humaine *(De Cruce* 8, 5) [13].

Mais il n'oublie jamais que *raza* se rapporte toujours à une réalité comportant à la fois une face manifeste et une autre cachée ; ainsi en va-t-il dans l'ordre sacramentel, dont la réalité ne sera pleinement manifestée que dans le Royaume eschatologique :

Ni la symbolique naturelle ni celle de l'Écriture ne cessent de révéler Dieu, même après l'avènement de l'Incarnation qui accomplit tous les symboles. Ils persistent à assumer leur rôle de connaissance et de révélation dans les sacrements de l'Église ; dès lors les symboles christologiques font place à la symbolique sacramentelle fort bien accentuée dans la théologie de notre Docteur [...]. La symbolique sacramentaire

---

11. P. Youssif, « Symbolique christologique dans la Bible et dans la nature chez S. Éphrem de Nisibe », *Parole d'Orient* 8, 1977-1978, 46.

12. Traduction P. Youssif (retouchée), p. 60.

13. P. Youssif, *L'Eucharistie chez saint Éphrem*, OCA 224, Rome 1984, 271.

d'Éphrem nous met en face d'une nouveauté curieuse qui ne laisse pas d'être fort intéressante; elle consiste à considérer la figure scripturaire non pas comme supprimée par l'avènement de la réalité signifiée, mais plutôt assumée par elle au point d'en former une partie intégrante [14].

Cette perspective ne cesse d'être marquée notamment dans les hymnes du corpus pascal :

> Entre l'agneau et l'Agneau se tenaient les disciples, mangeant l'agneau pascal et l'Agneau véritable. Les apôtres se sont tenus au milieu entre la figure et la vérité. Ils virent que la figure était passée et que la réalité lui avait succédé [...]. Notre Seigneur mangea la Pâque avec ses disciples : par ce pain qu'il rompit cessa l'azyme. Le pain qu'il donne à tous donna la vie aux peuples, à la place de cet azyme dont mouraient ceux qui le mangeaient. L'Église nous donna le pain vivant, à la place de cet azyme que donna l'Égypte [...]. L'Agneau de Dieu mangea l'agneau. Qui a vu qu'un Agneau ait mangé un agneau ? L'Agneau véritable mangea l'agneau pascal : la figure se hâta d'entrer dans l'Agneau véritable. Car toutes les images, c'est dans le saint des saints qu'elles habitaient et attendaient Celui qui accomplit tout... Car en Lui furent accomplies les figures et les images, comme Lui-même l'a confirmé : Voici que tout est accompli [15].

Les figures (*tupsé*) sont accomplies mais les mystères (*razé*) demeurent car l'accomplissement ultime n'est pas encore advenu.

N'attendons pas plus de précisions du théologien-poète qu'est Éphrem. En lui est trop profond le respect du « mystère » (*raza*) au sens originel de « caché », « secret », mais aussi avec la résonance d'une perspective eschatologique. Comme lui, son auditoire est peu soucieux de notions précises et d'analyses; il leur préfère le chatoiement des images avec leurs harmoniques bibliques et le contrepoint que leur offrent les spectacles de la nature. Mais déjà, autour de lui et parfois aussi en lui — du moins durant les dernières années à Édesse — un autre type de culture laisse pressentir son influence, une culture marquée par la logique et l'analytique grecques dont Antioche est un foyer tout proche. Alors que s'achève la vie d'Éphrem (373), un jeune Antiochien, Théodore — futur évêque de Mopsueste — commence à s'initier à la grammaire et à la logique en même temps que, dans le cercle de Diodore, il apprend à scruter le texte des Écritures en s'attachant d'abord au sens littéral. Un siècle plus tard l'École d'Édesse — l'École des Perses qui se transférera bientôt à Nisibe — en fera son Maître préféré, le saluant comme « l'Interprète » par excellence des Écritures. C'est sous son influence avant tout que la tradition du « Sage persan » et d'Éphrem prendra forme de théologie structurée, scolaire et que s'élaborera une doctrine précise du *Raza*, en particulier pour ce qui est de ses manifestations

---

14. G. Saber, « La typologie sacramentaire et baptismale de saint Ephrem », *Parole d'Orient* 4, 1973, 83.

15. Éphrem, *De Azymis* VI, CSCO 248, Louvain 1964, 13-14; trad. allem. *ibid.* 249, Louvain 1964, 11-12.

liturgiques, les *Razé* qui trouvent leur expression la plus parfaite dans l'Offrande *(Qurbana)* eucharistique.

La doctrine sacramentaire de Théodore nous est surtout connue par les *Homélies catéchétiques* retrouvées en traduction syriaque[16]. Dès le début de la première homélie sur le baptême (*Hom.* XII, 2-7) les lignes maîtresses sont clairement tracées :

> Tout sacrement *(raza)*, en effet, est l'indication en signes *(ata)* et symboles *(razé)* de choses indicibles et ineffables. Il faut, certes, une révélation *(gélyana)* et une explication pour de telles choses, si celui qui se présente doit connaître la vertu des mystères. Si en effet c'était effectivement que se faisaient ces choses, superflu serait le discours, la vue même suffisant à nous montrer chacune de ces choses qui ont lieu. Mais puisque dans le sacrement *(raza)* il y a les signes *(até)* de ce qui aura lieu ou aura eu lieu d'avance, il faut un discours qui explique le sens des signes et des mystères (§ 2).

Le principe de cette explication est donné aussitôt. Il se fonde sur l'idée maîtresse de toute la pensée de Théodore et de sa conception du monde : celle des deux états *(catastases)* dont l'image nous est fournie par les

> [...] deux tabernacles que fit le bienheureux Moïse, instruit par une vision divine. Le premier on l'appela saint, le second saint des saints. Et le premier était la similitude de ce genre de vie et d'habitation terrestre où nous demeurons maintenant, tandis que le second, qu'on appela « saint des saints », est la similitude des régions au-dessus du ciel visible, là où monta le Christ Notre-Seigneur, lui qui pour notre salut fut assumé, et où il est maintenant. Et il nous accorda à nous aussi d'y monter, afin que là nous soyons et demeurions avec lui, comme dit le bienheureux Paul : là où d'avance entra pour nous le Christ et, selon l'ordre de Melchisédec, il devint grand-prêtre à jamais (He 6, 20) (§ 3).

Sous la première Alliance mosaïque les fonctions sacerdotales ne pouvaient s'accomplir qu'en figures et comme des ombres mais maintenant, par la mort et la résurrection du Christ, homme assumé en la divinité comme s'exprime Théodore, l'entrée dans le « saint des saints » céleste est accomplie en lui et il nous donne l'assurance que nous y aurons part avec lui.

Tel est le statut des sacrements *(razé)* de l'Église :

> C'est en reconnaissant désormais sans hésitation que cela aura lieu pour nous aussi que nous accomplissons ce sacrement *(raza)* redoutable, ineffable, qui contient les signes *(até)* incompréhensibles de l'économie à l'égard du Christ Notre-Seigneur ; duquel nous attendons, pour nous aussi, qu'il y ait des (fruits) semblables. Il est pour nous évident, en effet, selon la parole de l'Apôtre, que, soit le baptême, soit le service de la table de Notre-Seigneur, c'est pour ceci que nous l'accomplissons dans le souvenir de la mort de Notre-Seigneur le Christ et de sa résurrection, nous le faisons, afin que soit par là renforcée en nous l'espérance (§ 6).

---

16. Édition et traduction R. Tonneau-R. Devreesse, *Studi et Testi* 145, Città del Vaticano 1949, 325 s.

Le catéchète insiste sur ce que ce statut conserve encore de transitoire :

C'est une certaine similitude des choses célestes qu'il procura à l'Église dans laquelle il voulut que vivent ceux qui croient en lui (§ 13).

Et, pour se faire mieux comprendre, il proposera une comparaison :

De même que celui qui naît d'une femme a la puissance (*hayla*) de parler, d'entendre, de marcher et de travailler de ses mains, mais qu'il est absolument trop faible pour tout cela, tandis qu'après un temps, selon le décret divin, il reçoit ces choses, de même maintenant aussi, celui qui naît dans le baptême possède en soi-même toute la puissance de la nature immortelle et incorruptible et il en possède toutes (les facultés) ; incapable maintenant de les mettre en œuvre, de les faire agir, de les montrer jusqu'à ce moment que Dieu nous a fixé, où nous ressusciterons d'entre les morts et où nous sera accordé l'exercice complet et parfait de l'incorruptibilité, de l'immortalité, de l'impassibilité et de l'immutabilité. En effet, ce dont il prend ici la puissance par le baptême, il en prendra l'exercice effectif lorsqu'il ne sera absolument plus psychique, mais spirituel, que l'opération de l'Esprit aura fait le corps incorruptible et l'âme immuable, les tiendra tous deux par sa propre vertu [...] [17].

C'est dans la même perspective qu'il initie les néophytes à la signification de l'Eucharistie :

Puisque à présent, par le moyen du baptême, c'est dans l'espérance de cette naissance attendue que nous naissons en une sorte de figure (*tupsa*) ; — puisque maintenant ce sont les prémices de la grâce de l'Esprit-Saint qu'alors nous aurons, qu'aujourd'hui nous prenons à titre d'arrhes, tandis que, dans le monde à venir, par la résurrection, nous attendons de la prendre tout entière, elle qui nous étant donnée, nous rendra, espérons-nous, immortels et immuables — ; il nous faut nécessairement une nourriture qui convienne à cette vie présente, qui, comme en figure (*tupsa*) nous nourrisse de la grâce de l'Esprit-Saint [...]. Puisque alors nous serons immortels en notre corps et immuables en notre âme, nécessairement cessera l'usage des symboles (*razé*) et des figures (*tupsé*) puisqu'étant dans les réalités mêmes, nous n'aurons plus alors besoin de signes (*até*) qui fassent surgir le souvenir de ce qui va avoir lieu [18].

Tout le commentaire du déroulement de la liturgie la présente comme une « icône » de la Passion et de la Résurrection du Christ par la puissance de l'Esprit, « icône » dont la contemplation, tandis que nous y participons, nous donne un avant-goût de l'Oblation (*Qurbana*) céleste à laquelle nous attendons de prendre part en pleine clarté et réalité.

L'enseignement des Maîtres de l'École d'Édesse-Nisibe va développer cette doctrine, non sans la durcir sur certains points. En fait, elle n'y apportera guère de développements et de précisions. Cet enseignement

---

17. *Hom.* XIV (3ᵉ sur le baptême) 10, p. 423.
18. *Hom.* XV (1ᵉʳ sur le Qurbana) 3, p. 467.

s'énonce déjà clairement dans les *Homélies liturgiques* transmises sous le patronage de Narsaï et dont l'authenticité, au moins substantielle, peut être considérée comme acquise [19]. Il formera la trame des commentaires et des *Mimré* dont quelques-uns seulement ont été édités jusqu'ici [20]. Si les commentaires issus de l'Église jacobite mettent moins fermement l'accent sur la perspective eschatologique et ce qu'il y a d'incomplétude dans les sacrements de l'Église, ils n'en tiennent pas moins que les *razé* constituent des symboles mystérieux d'un monde supérieur. Et les deux traditions s'accordent également pour souligner que c'est par la puissance de l'Esprit Saint que le Ressuscité communique à l'Église, que les sacrements de cette Église nous donnent dès à présent part aux Mystères du Royaume. Dans son traité, encore inédit, sur les *Sept piliers des rites de l'Église*, l'un des derniers grands théologiens de l'Église apostolique d'Orient — « nestoriens » — le patriarche Timothée II (1318-1332), déclarait :

Par le Baptême nous devenons participants de la passion, de la mort, de la résurrection et de la gloire du Roi des cieux (fol.20r)

car, explique-t-il un peu plus loin :

Jusqu'à la mort de Notre Seigneur, l'homme était seulement corps et âme ; mais par le baptême qui est accompli dans le mystère de la mort de Notre Seigneur, et qui est une seconde naissance, les parties définissant l'homme sont : le corps, l'âme et l'Esprit (fol. 69r).

Et, à propos des éléments eucharistiques :

Ils ne sont pas, de leur propre nature, capables de sanctifier ; ils le sont par la force du Saint-Esprit qui se mêle au pain et au vin (fol. 116r) [21].

C'est pourquoi le génie sémitique concret des Araméens peut employer comme synonyme de *Raza* ou en le joignant à lui le terme calqué du grec *Tupsa* qui garde une vigueur quelque peu négligée dans la langue originelle : il exprime le sceau dont l'empreinte s'inscrit en nous et nous conforme à son modèle, le Christ ressuscité, par la force de l'Esprit qui effectue cette empreinte.

Si le latin *Sacramentum* a orienté la théologie sacramentaire occidentale à mettre l'accent sur l'engagement, la garantie — voire le remède — avec toutes les résonances de la sacralité, si *Mysterion* de par ses emplois pré-chrétiens souligne l'aspect rituel en même temps que l'indicible auquel

---

19. Narsaï, *Liturgical Homilies* (XVII, XXI, XXXII), traduction et commentaire de R.H. Connolly, *Texts and Studies* VIII, 1, Cambridge, Univ. Press, 1909.
20. Cf. W. de Vries, *Sakramententheologie bei den syrischen Monophysiten*, OCA 125, Rome 1940 ; *Sakramententheologie bei den Nestorianern*, OCA 133, Rome 1947.
21. Ms. Vat. Syr. 151, textes traduits par W. de Vries, « La théologie sacramentaire chez les Syriens orientaux », *L'Orient syrien* 4, 1959/4, 479. Cf. W. de Vries, « Timotheus II (1318-1332) über "Die sieben Gründe der Kirchlichen Geheimnisse" », *OCP* 8, 1942, 40-94.

il se réfère, *Raza,* de par son sens premier de « caché », « secret » — mais avec l'ouverture sur le dessein caché de Dieu qui se révélera dans le Royaume céleste qu'il a acquis en Dn 2 et dans les apocalypses — apporte à la théologie sacramentaire une perspective qu'on peut souhaiter mettre plus vigoureusement en valeur.

LA LONGUEUR DES LEÇONS
DE L'OFFICE NOCTURNE
ÉTUDE COMPARATIVE

Anselme DAVRIL, o.s.b.

Il y a dix ans, j'avais eu l'occasion d'aborder la question de la longueur des leçons en conclusion d'un essai de reconstitution du lectionnaire de l'office à Fleury[1]. J'avais alors cru pouvoir écrire : « Il semble que l'insertion des leçons dans les bréviaires n'en ait, en règle générale, qu'assez peu diminué la longueur. » Or, l'année dernière, le père Gy est revenu sur cette question au cours d'une conversation, me disant que je devrais revoir et « préciser » cette question. C'est donc ce petit problème d'histoire liturgique que je voudrais reprendre ici en hommage au père Gy à qui je dois tant.

La comparaison faite en 1979 n'avait porté que sur les deux termes extrêmes que sont d'une part les leçons délimitées par des mentions marginales dans des manuscrits patristiques ou scripturaires du fonds de Fleury et d'autre part les leçons du bréviaire monastique de Paul V. Non seulement cette comparaison avait besoin d'être précisée car elle considérait les leçons d'un nocturne en bloc, sans distinguer chaque leçon séparément, mais il m'est apparu qu'il fallait surtout élargir la base documentaire et confronter les usages de diverses églises. En ce qui concerne les bréviaires, je n'avais que l'embarras du choix ; parmi tous les manuscrits décrits par le chanoine Leroquais, il fallait seulement choisir des bréviaires de chœur dont les leçons pouvaient correspondre à la pratique de l'office choral, sans tenir compte des bréviaires portatifs et de certains bréviaires notés où les leçons sont réduites à l'état d'organes témoins et sont parfois plus brèves que le répons qui les suit. J'aurais souhaité pouvoir examiner des manuscrits patristiques ou scripturaires portant des mentions marginales de leçons, comme j'en ai trouvés dans le fonds de Fleury, mais je n'ai pas su les découvrir, et me suis contenté de quelques homéliaires dans lesquels les sermons, transcrits dans leur intégralité, ont été divisés en leçons par des mentions marginales.

Dans la mesure du possible, j'ai cherché à faire des coupes verticales dans la tradition en classant, dans l'ordre chronologique, les leçons d'une

---

1. A. Davril, « Le lectionnaire de l'office à Fleury. Essai de reconstitution », *R. Bén.* 89, 1979, p. 110-164.

célébration liturgique déterminée à travers les documents consultés au cours de quelques séances de travail à la Bibliothèque nationale à Paris et à la Bibliothèque municipale d'Orléans. Il suffira ensuite de donner un rapide échantillonnage pour les documents qui n'auront pas pu entrer dans le cadre précédent.

Manuscrits utilisés

Orléans, Arch. départ. Loiret H 20, XIe s. Vie et Miracles de saint Benoît.

Orléans, B.M. 16 (13), Xe s. Livres bibliques : Pr, Ct, Jb, 1 et 2 M, Tb.

Orléans, B.M. 17 (14), VIIIe-IXe s. Livres des prophètes : Is, Jr, Ez, Dn, Os, Am, Jon, Na, So, Za, Ml.

Orléans, B.M. 45 (42), IXe s. S. Augustin, début des *Enarr. in Ps.*

Orléans, B.M. 72 (69), IXe s. Bède le Vénérable, *In Lucam.*

Orléans, B.M. 134 (112), XVe s. Bréviaire des Ermites de Saint-Augustin « ad usum romanae curiae ».

Orléans, B.M. 145 (122), 2e partie (p. 85-108), Xe s. Lectionnaire de l'office pour les temps de Noël et de l'Épiphanie, la Purification, et la Nativité de Notre-Dame, l'Ascension et la Pentecôte.

Orléans, B.M. 155 (132) X^e-XIe s. Lectionnaire de l'office pour le temps de Noël et de l'Épiphanie, la Purification, les trois jours saints et Pâques.

Paris, B.N. lat. 742, XIIe s. Bréviaire de Ripoll, temporal.

Paris, B.N. lat. 781, XIIe s. Bréviaire de Limoges, temporal.

Paris, B.N. lat. 796, 1200. Bréviaire de Montiéramey, temporal.

Paris, B.N. lat. 3776, XIe s. Homéliaire de Fécamp.

Paris, B.N. lat. 3780, XIe s. Homéliaire de Moissac.

Paris, B.N. lat. 12601, XIe s. Bréviaire de Cluny passé à S. Taurin.

Paris, B.N. lat. 13371, Xe s. Table de lectionnaire de Cluny.

Paris, B.N. n.a.l. 2246, c. 1100. Lectionnaire de Cluny[2].

Paris, B.N. n.a.l. 2335, fol. 1-12, Xe s. Extraits du ms. Orléans B.M. 145 (122) dont ils formaient les pages 85-108.

J'ai également utilisé l'étude de R. Étaix sur le lectionnaire de l'office à Cluny[3], celles de R. Grégoire sur l'homéliaire cistercien[4], et de J. Lemarié sur le bréviaire de Ripoll[5].

---

2. Je n'ai pas pu consulter le ms. Paris B.N. n.a.l. 2246, lectionnaire de Cluny du XIe siècle, qui était en restauration.

3. R. Étaix, « Le lectionnaire de l'office à Cluny », *Recherches augustiniennes* 11, 1976, p. 91-159.

4. R. Grégoire, « L'homéliaire cistercien du manuscrit 114 (82) de Dijon », *Cîteaux, Commentarii Cistercienses* 28, 1977, p. 133-207.

5. J. Lemarié, *Le Bréviaire de Ripoll*, Paris B.N. lat. 742. Étude sur sa composition et ses textes inédits (Scripta et Documenta 14), Montserrat 1965.

Jeudi saint, leçons du 1ᵉʳ nocturne

Ms. Orléans, B.M. 17, p. 255 et B.M. 155, p. 109-110, Lect. 1-3.
L. 1 Quomodo sedet... et facti sunt inimici. Lm 1, 1-2.
L. 2 Migravit Iudas... et ipsa oppressa est amaritudine. Lm 1, 3-4.
L. 3 Facti sunt hostes eius in capite... et non esset auxiliator. Lm 1, 5-7.

Lectionnaire de Cluny, cf. R. Étaix, art. cit., p. 102, Lect. 1-3.
L. 1-3 Et factum est postquam in captivitatem... et cor (meum) moerens.
Lm 1, 1-22.

Ms. Paris, B.N. lat. 781, bréviaire de Limoges, f° 87, Lect. 1-3.
L. 1 Et factum est postquam in captivitatem... facti sunt inimici. Lm 1,
1-2.
L. 2 Migravit Iudas... inter angustias. Lm 1, 3.
L. 3 Viae Sion lugent... ante faciem subsequentis. Lm 1, 3-6.

Ms. Paris, B.N. lat. 742, bréviaire de Ripoll, f° 151 v°-152 r°,
Lect. 1-3.
L. 1 Et factum est postquam in captivitatem... inter angustias. Lm 1, 1-3.
L. 2 Viae Sion lugent... deriserunt sabbata eius. Lm 1, 4-7.
L. 3 Peccatum peccavit... invaluit inimicus. Lm 1, 8-16.

Lectionnaire de Cîteaux, cf. R. Grégoire, art. cit., p. 152, Lect. 1-3.
L. 1 Quomodo sedet... a facie tribulantis. Lm 1, 1-5.
L. 2 et 3 non précisées.

Ms. Paris, B.N. lat. 796, bréviaire de Montiéramey, f° 144 r°-v°,
Lect. 1-3.
L. 1 Et factum est postquam in captivitatem... et facti sunt ei inimici.
Lm 1, 1-2.
L. 2 Migravit Iudas... oppressa amaritudine. Lm 1, 3-4.
L. 3 Facti sunt hostes eius... ante faciem subsequentis. Lm 1, 5-6.

Ms. Orléans, B.M. 134, Bréviaire des Ermites de Saint-Augustin,
f° 139 v°-140 r°, Lect. 1-3.
L. 1 Quomodo sedet... inter augustias. Lm 1, 1-3.
L. 2 Viae Sion lugent... ante faciem subsequentis. Lm 1, 4-6.
L. 3 Recordata est Ierusalem... quoniam erectus est inimicus. Lm 1, 7-9.

Bréviaire romain, Lect. 1-3.
L. 1 Quomodo sedet... ante faciem tribulantis. Lm 1, 1-4.
L. 2 Et egressus est a filia Sion... quoniam erectus est inimicus. Lm 1, 5-9.
L. 3 Manum suam misit hostis... de qua non potero surgere. Lm 1, 10-14.

1er *dimanche de septembre, Historia de Job*

Ms. Orléans, B.M. 16, p. 51-55, Lect. 1-8.

L. 1 Cogor per singulos... quam malevolum probet. Prologue de S. Jérôme (*PL* 28, 1079 A-1084 A, 92 lignes [6]).

L. 2 Vir erat in terra Hus... ac familia multa nimis. Jb 1, 1-3.

L. 3 Eratque vir ille magnus... et biberent cum eis. Jb 1, 3-4.

L. 4 Cumque in orbem... Sic faciebat Iob cunctis diebus. Jb 1, 5.

L. 5 Quadam autem die... et recedens a malo. Jb 1, 6-8.

L. 6 Cui respondens Satan... Egressusque est Satan a facie domini. Jb 1, 9-11.

L. 7 Dixit ergo dominus ad Satan... ut nuntiarem tibi. Jb 1, 12-15.

L. 8 Cumque adhuc ille loqueretur... ut nuntiarem tibi. Jb 1, 16-19.

Lectionnaire de Cluny, cf. R. Étaix, art. cit., p. 107, Lect. 1-8.

L. 1-8 vir erat in terra Hus... a domino suo. Jb 1, 1 à 3, 19.

Ms. Paris, B.N. lat. 781, bréviaire de Limoges, f° 158 r°-159 r°, Lect. 1-6.

L. 1 Vir erat in terra Hus... ac familia multa nimis. Jb 1, 1-3.

L. 2 Eratque vir ille magnus... et sanctificabat illos. Jb 1, 3-5.

L. 3 Consurgensque diluculo... ac recedent a malo. Jb 1, 5-8.

L. 4 Cui respondens Satan... benedixerit tibi. Jb 1, 9-11.

L. 5 Dixit ergo dominus ad Satan... ut nuntiarem tibi. Jb 1, 12-15.

L. 6 Cumque adhuc ille loqueretur... ut nuntiarem tibi. Jb 1, 16-19.

Ms. Paris, B.N. 742, bréviaire de Ripoll, f° 256 v°-257 r°, Lect. 1-8.

L. 1-8 Vir erat in terra Hus... et venit super me indignatio. Jb 1, 1 à 3, 26. La division en leçons n'est pas indiquée.

Lectionnaire de Cîteaux, cf. R. Grégoire, art. cit., p. 166, Lect. 1-8.

L. 1 Cogor par singulos scripturae... malivolum probet. Prologue de S. Jérôme (*PL* 28, 1079 A-1084 A, 92 lignes).

L. 2 Vir erat in terra Hus... cunctis diebus. Jb 1, 1-5.

L. 3 Quadam die cum venissent... a facie domini. Jb 1, 6-12.

L. 4 Cum autem quadam die filii... contra deum locutus est. Jb 1, 13-22.

L. 5 Factum est cum quadam die venissent... in facie benedicat tibi. Jb 2, 1-5.

L. 6 Dixit dominus ad Satan... peccavit Iob labiis suis. Jb 2, 6-10.

L. 7 Igitur audientes tres amici... ab oculis meis. Jb 2, 11 à 3, 10.

L. 8 Quare non in vulva... super me indignatio. Jb 3, 11-26.

---

6. Les références patristiques sont toutes données à la PL, même lorsqu'il existe des éditions plus récentes, afin d'avoir une unité de mesure uniforme, une ligne d'une colonne de Migne, pour estimer la longueur des leçons.

Ms. Paris, B.N. lat. 12601, bréviaire de Cluny, f° 235 r°-236 r°, Lect. 1-8.

L. 1 Vir erat in terra Hus... benedixerint deo in cordibus suis. Jb 1, 1-5.
L. 2 Quadam autem die... benedixerint tibi. Jb 1, 6-11.
L. 3 Dixit ergo dominus ad Satan... ut nuntiarem tibi. Jb 1, 12-17.
L. 4 Loquebatur ille et ecce alius... contra deum locutus est. Jb 1, 18-22.
L. 5 Factum est autem cum quadam die... in facie benedixerit tibi. Jb 2, 1-5.
L. 6 Dixit ergo dominus ad Satan... non peccavit Iob labiis suis. Jb 2, 6-10.
L. 7 Igitur audientes tres amici... dolorem esse vehementem. Jb 2, 11-13.
L. 8 Post haec aperuit Iob os suum... vocem exactoris. Jb 3, 1-18.

Ms. Paris, B.N. lat. 796, bréviaire de Montiéramey, f° 200 v°-202 r°, Lect. 1-8.

Mêmes leçons que le bréviaire de Cluny à quelques variantes près dans le découpage. La leçon 8 se termine à : et servus liber a domino suo. Jb 3, 19.

Ms. Orléans, B.M. 134, bréviaire des Ermites de Saint-Augustin, f° 193 v°-194 v°, Lect. 1-6.

L. 1 Vir erat in terra Hus... ut comederent et biberent cum eis. Jb 1, 1-4.
L. 2 Cumque in orbem transissent... et perambulavi eam. Jb 1, 5-7.
L. 3 Dixitque dominus ad eum... nisi in facie benedixerit tibi. Jb 1, 8-11.
L. 4 Dixit ergo dominus ad Satan... ut nunciarem tibi. Jb 1, 12-15.
L. 5 Cumque adhuc ille loqueretur... ut nunciarem tibi. Jb 1, 16-17.
L. 6 Adhuc loquebatur ille... contra deum locutus est. Jb 1, 17-22.

Bréviaire romain, Lect. 1-3 [7].

L. 1 Vir erat in terra Hus... inter omnes orientales. Jb 1, 1-3.
L. 2 Et ibant filii eius... Sic faciebat Iob cunctis diebus. Jb 1, 4-5.
L. 3 Quadam autem die... in faciem benedixerit tibi. Jb 1, 6-11.

Homélie du 10ᵉ dimanche après la Pentecôte : Lc 18, 9 (Le pharisien et le publicain)

Ms. Orléans, B.M. 72, p. 227-229, Lect. 9-12, Bède, In Lc 5 (PL 92, 551 D 13-552 C)...

L. 9 Quia parabolam dominus qua semper orare... servi iutiles sumus. 11 lignes.
L. 10 Duo homines ascenderunt in templum... et alter publicanus. 7 lignes.

---

7. Le bréviaire monastique de Paul V coupe systématiquement en quatre leçons la section coupée en trois dans le Bréviaire romain. Il est donc inutile de le citer.

L. 11 Publicanus humiliter orans... putas inveniet fidem in terram. 8 lignes.

L. 12 Pharisaeus stans haec apud se... Fin non indiquée.

Lectionnaire de Cluny, cf. R. Étaix, art. cit., p. 109, Lect. 9-12, Bède *In Lc 5* (*PL* 92, 551 D 13-553 A 9).

L. 9-12 Quia parabolam dominus qua semper orare... et qui se humiliat exaltabitur. 70 lignes soit une moyenne de 17 lignes par leçon.

Ms. Paris, B.N. lat. 12601, bréviaire de Cluny, f° 232 r°-v°, Lect. 9-12, Bède, *In Lc 5* (*PL* 92, 551 D 13-553 A 7).

L. 9 Quia parabolam dominus qua semper orare... non exaudiuntur. 16 lignes.

L. 10 Duo homines ascenderunt in templum... etiam hic publicanus. 12 lignes.

L. 11 Quatuor sunt species... omnium quae possideo. 13 lignes.

L. 12 Ezechiel propheta de ostensis sibi... appropinquare meruit exaltatus. 28 lignes.

Ms. Paris, B.N. lat. 781, bréviaire de Limoges, f° 156 r°-v°, Lect. 7-9, Bède, *In Lc 5* (*PL* 92, 551 D 13-552 B 11.)

L. 7 Quia parabolam dominus qua semper orare... verba examinanda sed opera. 7 lignes.

L. 8 Inter quae nimirum opera... non exaudiuntur. 10 lignes.

L. 9 Duo homines ascenderunt in templum... sicut ceteri homines. 11 lignes.

Ms. Paris, B.N. lat. 742, bréviaire de Ripoll, f° 249 v°-250 r°, Lect. 9-12, Bède, *In Lc 5* (*PL* 92, 551 D 13-553 B 12).

L. 9-12 Quia parabolam dominus qua semper orare... districtione pensetur ignoro. 90 lignes, soit une moyenne de 22 lignes par leçon. La division en leçons n'est pas indiquée.

Lectionnaire de Cîteaux, cf. R. Grégoire, art. cit., p. 175, Lect. 9-12, Bède, *In Lc 5* (*PL* 92, 551 D 13-553 B 12).

L. 9-12 Quia parabolam dominus qua semper orare... districtione pensetur. 90 lignes, soit une moyenne de 22 lignes par leçon.

Ms. Orléans, B.M. 45, p. 150-151, Lect. 9-12. (Les mentions marginales : lemme évangélique, Lc 18, 9-10, et numérotation des leçons sont d'une main du XIIᵉ siècle.) Augustin, *Enarr. in Ps. 31, 2* (*PL* 36, 265 l. 35-266 l. 33).

L. 9 Dixit autem ad quosdam... qui obtriverunt cor suum. 14 lignes.

L. 10 Publicanus autem de longinquo... attendit conscientiam suam. 11 lignes.

L. 11 Longe stat et iustificatur... conscientiam suam puniebat. 14 lignes.

L. 12 Ipse sibi iudex erat... ecce illa omnia dicebat. 16 lignes.

Ms. Paris, B.N. lat. 796, bréviaire de Montiéramey, f° 225 r°,
Lect. 9-12, Bède, In Lc 5 (PL 92, 551 D 13-553 A 2).
L. 9 Quia parabolam dominus qua semper orare... cum oraverint non
exaudiuntur. 16 lignes.
L. 10 Publicanus humiliter orans... invenietur fidem in terram. 7 lignes.
L. 11 Quatuor sunt species... publicanus se pretulit. 11 lignes.
L. 12 Ezechiel propheta de ostensis sibi... iustificatus a templo rediit.
23 lignes.

Ms. Orléans, B.M. 134, f° 183 v°-184 r°, bréviaire des Ermites de
Saint-Augustin, Lect. 7-9, Augustin, s.115 (PL 38, 656 l. 12-47).
L. 7 Dicebat enim pharisaeus : Non sum sicut ceteri... nihil invenies.
11 lignes.
L. 8 Ascendit orare, noluit rogare deum... sublevabat spes. 13 lignes.
L. 9 Adhuc audi, percutiebat pectus suum... publicanus magis quam
pharisaeus. 10 lignes.

Bréviaire romain, Dominice X post Pentecosten, Lect. 7-9, Augustin,
s. 115 (PL 38, 656 l., 12-41).
L. 7 Diceret saltem pharisaeus : Non sum sicut ceteri... quibus iniquus non
sum. 9 lignes.
L. 8 Ieiunio bis in sabbato... de propinquo attendebat. 9 lignes.
L. 9 Excelsus enim dominus et humilia... quando ipse agnoscit. 12 lignes.

Homélie de la fête de saint Matthieu

Ms. Paris, B.N. n.a.l. 2390, homéliaire de Cluny, f° 75 r°-v°,
Lect. 9-12, Bède, hom. 2, 22 (PL 94, 249 A 7-252 A 13).
L. 9 Legimus apostolo, dicente... evangelista nominaretur et esset. 24 li-
gnes.
L. 10 Vidit inquit hominem Iesus... supernae munus accepit. 16 lignes.
L. 11 Nec praetereundum est... aperte nuncupaverunt. 13 lignes.
L. 12 Porro ipse Matthaeus... Christi est vestigia sequi. 28 lignes.

Ms. Paris, B.N. lat. 12601, bréviaire de Cluny, f° 120 v°-121 v°,
Lect. 9-12, Bède, hom. 2, 22 (PL 94, 249 A 7-252 A 14).
L. 9 Legimus apostolo dicente... evangelista nominaretur et esset. 24 lignes.
L. 10 Vidit inquit Iesus hominem... supernae munus accepit. 16 lignes.
L. 11 Nec praetereundum est... qui credituri sunt illi in vitam aeternam.
26 lignes.
L. 12 Vidit ergo publicanum... secutus est eum. 16 lignes.

Lectionnaire de Cîteaux, cf. R. Grégoire, *art. cit.*, p. 194, Lect. 9-12,
Bède, *hom. 2, 22* (*PL* 94, 249 A 7-252 B 8).

L. 9-12 Legimus apostolo dicente... incorruptibiles dare valeret thesauros in
caelis. 91 lignes, soit une moyenne de 23 lignes par leçon.

Ms. Orléans, B.M. 134, bréviaire des Ermites de Saint-Augustin,
f° 319 v°-320 r°, Lect. 7-9, Ambroise, *Exp. Ev. sec. Lc 5, 16-18*
(*PL* 15, 1640 A 8-C 2).

L. 7 Mystica vocatio publicani... exhibuit apparatum. 8 lignes.

L. 8 Qui enim domicilio Christum recipit... perfidia ieiunia torquebitur.
8 lignes.

L. 9 Simul enim conditur... serpentina vox ista est. 9 lignes.

Bréviaire romain, Lect. 7-9, Jérôme, *In Mt 1, 9* (*PL* 26, 55 D 4-
56 C 6).

L. 7 Caeteri evangelistae propter verecundiam... sit repente mutatus.
11 lignes.

L. 8 Arguit in hoc loco... trahere poterat quos vocabat. 12 lignes.

L. 9 Et factum est... invitatoribus suis praeberet cibos. 18 lignes.

Quelques exemples tirés des homéliaires

Ms. Paris, B.N. lat. 3776, homéliaire de Fécamp, f° 35 v°-36 r°,
homélie pour la Dédicace, Bède, *Hom. 3, 66* (*PL* 94, 439 D 1-
440 C 14).
Ingressus dominus Iesus perambulabat Iericho.

L. 9 Quae impossibilia sunt apud homines... quam desirabat accipit.
10 lignes.

L. 10 Mystice autem Zachaeus... arborem crucis ascendat. 18 lignes.

L. 11 Sicomorus namque... luci sapientiae caelestis ostendit. 17 lignes.

L. 12 Et cum venisset ad locum... excepit illum gaudens. 27 lignes.

Id., f° 62 r°-v°, homélie pour le commun d'un docteur, Bède *In Mc
4, 13* (*PL* 92, 266 A 1-C 12).
Vos estis sal terrae.

L. 9 Perspicue ostendit quare dixerit... inveniat vos dormientes. 13 lignes.

L. 10 Homo autem qui peregre profectus est... in caelo collocato. 9 lignes.

L. 11 Dedit autem servis suis... vigilare praecipimur. 10 lignes.

L. 12 Universi ianuas cordium nostrorum... nos de somno surgere. 11 lignes.

Ms. Paris, B.N. lat. 3780, homéliaire de Moissac, f° 10 v°-11 v°,
« Hebd. IIa ante Natale domini », Grégoire, *hom. in Ev. 9* (*PL* 76,
1095 C 6).
Cum audisset Iohannes in vincula.

L. 9 Quaerendum nobis est, f.k., ... et ad inferos praecurrebat. 21 lignes.

L. 10 Ait ergo : tu es qui venturus es... scandilizatus est in me. 12 lignes.

L. 11 Visis tot signis... qui signa venerantur. 18 lignes.

L. 12 Sed dimissis Iohannis discipulis... (fin non indiquée[8]).

Id., f° 131 v°-132 r°, « In Transfiguratione domini, Dominica IIa in XLa », Léon *sermon. 51, 1-2 (PL 54, 308 C 11-310 B 14).*
Assumpsit Iesus Petrus.

L. 9 Evangelica lectio dilectissimi... homini inerat vera divinitas. 17 lignes.

L. 10 Adeo firmandam ergo huius fidei salubritate... nec morte dissolvi. 23 lignes.

L. 11 Et ideo dicente domino... perdere non timeret. 16 lignes.

L. 12 Ut ergo istam felicis constantiam... poterant et videre. 21 lignes.

Un cas particulier, l'Office de Noël

Ms Paris B.N. n.a.l. 2335, lectionnaire de Fleury, f° 1-12, Lect. 1-11[9].

L. 1 Primo tempore... et devorabant Israel toto ore. Is 9, 1-12.

L. 2 Consolamini... quasi nihilum et inane reputati sunt. Is 40, 1-17.

L. 3 Consurge, consurge, induere fortitudinem... captiva filia Sion. Is 51, 9 à 52, 2.

L. 4 Audite filii lucis... praesepe domini nostri Iesu Christi. Augustin, *s.194 (PL 38, 1015 l. 21-1017 l. 42, environ 110 lignes[10]).*

L. 5 Unigenitus Christus dei filius... et virginitas perseveret in Christo domino nostro cui honor... Augustin, *s. 191 (PL 38, 1009 l. 37-1011 l. 42, environ 125 lignes).*

L. 6 Hodie, f.k., caeli desuper roraverunt... nisi fuerit Christus occisus, qui vivit..., Ps.-Augustin, *s. Morin Guelf. App. 1 (PLS 2, 1339 l. 47-1342 l. 12, environ 130 lignes).*

L. 7 Vos inquam convenio Iudaei... testimonium tuum non est verum. Quodvultdeus (Ps.-Augustin), *s. 4 (PL 42, 1123 l. 36-1127 l. 25, environ 300 lignes).*

L. 8 Legimus sanctum Moysen... pacificavit omnia quae in caelis sunt et

---

8. La plupart des douzièmes leçons de cet homéliaire sont dépourvues de marque indiquant la fin de la lecture. Cette particularité, déjà rencontrée, s'explique par cette notation des *Ecclesiastica Officia* cisterciens : « Solet enim sacrista cum se viderit temperius quam debuerat surexisse cantorem signo premonere, ut duodecimam lectionem faciat prolongare. Et tunc qui eam legerit non eam finiat usque ad nutum sacriste vel sonitum horologii. » D. Choisselet, P. Vernet, (éd.), *Les Ecclesiastica Officia cisterciens* du XIIᵉ siècle. Oelenberg 1987, 68, 67-68, p. 196. (Référence indiquée dans l'article du P. Placide Vernet, « Historia », *Liturgie* 67, 1988, p. 295-318.)

9. Les mêmes leçons se trouvent dans le ms. Orléans B.M. 17 pour les leçons 1, 2, 3 ; dans les mss. Orléans B.M. 155 et B.M. 341 pour les leçons 1, 2, 3, 4.

10. Pour ce sermon, comme pour les suivants, il n'y a aucune indication de fin de lecture en marge, les mentions Lect. IIII et suivantes sont de première main.

quae in terra qui... Ps.-Augustin, *s. 245* (*PL* 39, 2196 l. 10-2198 l. 15, environ 125 lignes).

L. 9 Liber generationis... (Mt 1, 1-12) In vigiliis huius sacratissimae noctis... caelestis militiae consortes efficiat cuius regnum... Leçon composée de fragments de Raban Maur (*PL* 107, 732-737).

L. 10 In Illo tempore exiit edictum... (Lc 2, 1) Quia largiente domino... factus est deus homo. Grégoire, *hom. in Ev. 1, 8* (*PL* 76, 1103 D 1-1105 B 5, 80 lignes).

L. 11 Pastores loquebantur ad invicem... (Lc 2, 15) Videte fratres ecclesiae surgentis exordium... exemplum dedit./ Breviter sanctus Lucas... supra gregem suum. Ambroise, *Exp. Ev. sec. Lc 2, 53-54/40-49* (*PL* 15, 1571 C 10-1572 B 6/1566 C 10-1571 A 3, environ 200 lignes).

L. 12 Lacune.

Ms. Paris, B.N. lat. 3780, homéliaire de Moissac, f° 53 r°-58 v°, dans la marge : In nocte nativitatis domini. Pas de numérotation des leçons.

In illo tempore exiit edictum... (Lc 2, 1) Quia largiente domino... factus est deus homo. Grégoire, *hom. in Ev. 1, 8* (*PL* 76, 1103 D 1-1105 B 5, 80 lignes.)

Pastores loquebantur ad invicem... (Lc 2, 15) Nato domino salvatore... immundorum spirituum insidias servare contendit. (Fac finem) Bède, *hom. 1, 6* (*PL* 94, 34 D 13-37 B 6, environ 130 lignes).

In principio erat verbum... (Jn 1, 1) Quia temporalem mediatoris diem... Si enim creaturam nihil sine ipso factum est. (Fac finem) Bède, *hom. 1, 7* (*PL* 94, 38 C 9-40 A 6, environ 90 lignes).

Lectionnaire de Cluny, cf. R. Étaix, art. cit., p. 96-97, Lect. 1-12.

L. 1 Primo tempore... faciet hoc. Is 9, 1-7.

L. 2 Consolamini... reputatae sunt ei. Is 40, 1-7.

L. 3 Consurge... salutare dei nostri. Is 52, 1-10.

L. 4 Ego sapientia... hauriet salutem a domino. Pr 8, 12-35.

L. 5-6 Hodie veritas... caelum possideamus, ipso audiente. Augustin, *s. 192* (*PL* 38, 1011 l. 44-1013 l. 46, 105 lignes).

L. 7-8 Cupientes aliquid... caritate custodiat. Fulgence, *s. 2* (*PL* 65, 726 A 11-729 C 4, 185 lignes).

L. 9-11 In principio erat... (Jn 1, 1) Quia temporalem... venientem in hunc mundum. Bède, *hom. 1, 7* (*PL* 94, 38 C 9-41 B 2, 155 lignes).

L. 12 Exiit edictum (Lc 2, 1) Quia largiente domino... factus est deus homo. Grégoire, *hom. in Ev. 1, 8* (*PL* 76, 1103 D 1-1105 B 5, 80 lignes).

Ms. Paris, B.N. lat. 781, bréviaire de Limoges, f° 16 r°-17 v°, Lect. 1-7.

L. 1 Primo tempore... quando dividebant spolia. Is 9, 1-3.

L. 2 Iugum enim oneris eius... domini exercituum faciet hoc. Is 9, 4-7.

L. 3 Consolamini... in vias planas. Is 40, 1-4.

L. 4 Et revelabitur gloria domini... brachium eius dominabitur. Is 40, 5-10.

L. 5 Consurge... nomen meum blasphematur. Is 52, 1-5.

L. 6 Propter hoc sciet populus meus... salutare dei nostri. Is 52, 6-10.

L. 7 Exiit edictum... (Lc 2, 1) Quia largiente domino... ut ille ibi per materiam (lacune). Grégoire, hom. in Ev. 1, 6 (PL 76, 1103 D 1).

Ms. Paris, B.N. 742, bréviaire de Ripoll, f° 9 r°-21 v°, Lect. 1-12.

L. 1 Primo tempore... et cecidit in Israel. Is 9, 1-8.

L. 2 Consolamini... reputatae sunt ei. Is 40, 1-17.

L. 3 Consurge... salutare dei nostri. Is 52, 1-10.

L. 4 In adventu dominico, f.k., ... ad vitam post mortem redire possit Iesus... Ps.-Maxime, hom. 15 (PL 57, 253 B 6-254 D 1, 47 lignes).

L. 5 Salvator noster dilectissimi, hodie natus est... quia misericordia te redemit. Léon, s. 21 (PL 54, 190 D 7-193 A 9, environ 100 lignes).

L. 6 Exultemus in domino... in sua maiestate regnantem cum deo patre... Léon, s. 22 (PL 54, 193 B 5-199 A 8, environ 200 lignes).

L. 7 Cupientes, dilectissimi, aliquid de huius diei sollemnitate... iste primus conscendit in caelum. Fulgence, s. 2 (PL 65, 726 A 12-729 B 4, environ 170 lignes).

L. 8 Hodie, f.k., Christus natus est... caelestis fidei veritatem. Ps.-Maxime, hom. 10 (PL 57, 241 C 3-244 C 2, 95 lignes) + Hodierni enim misterii sacramentum... dubitare non possis. Ps.-Maxime, hom. 13 (PL 57, 249 C 3-252 A 11, 70 lignes, soit 165 lignes).

L. 9 (Mt 1, 1) Matthaeum suscepisse intelligitur incarnationem... a caritate dei. Raban Maur, In Mt 1, 1 (PL 107, 731 B 3-733 C 14, environ 100 lignes).

L. 10 (Lc 2, 1) Quia largiente domino... factus est deus homo. Grégoire, hom. in Ev. 8 (PL 76, 1103 D 1-1105 B 6, environ 80 lignes).

L. 11 (Lc 2, 15) Nato in Bethlehem salvatore... ipsum deum ac dominum nostrum Iesum Christum. Bède, hom. 1, 6 (PL 94, 34 D 13-38 C 4, environ 210 lignes).

L. 12 (Jn 1, 1) Quia temporalem mediatoris dei... divinae maiestatis ostenderet. Bède, hom. 1, 7 (PL 94, 38 D 10-44 C 5, environ 360 lignes).

Lectionnaire de Cîteaux, cf. R. Grégoire, art. cit., p. 140.

L. 1 Primo tempore alleviata est... et cecidit in Israel. Is 9, 1-8.

L. 2 Consolamini... reputatae sunt ei. Is 40, 1-17.

L. 3 Consurge... salutare dei nostri. Is 52, 1-10.

L. 4 Salvator noster, dilectissimi hodie natus est... nec superiorem minueret assumptio. Léon, s. 21 (PL 54, 190 D 7-192 A 5, 50 lignes).

L. 5 Iustissime fratres festivitate praesentis diei... iste testatur. Ps.-Maxime, hom. 11 (PL 57, 243 D 2-245 C, 41 lignes).

L. 6 Hodie, f.k., Christus natus est... potest parturire. Ps.-Maxime, *hom. 10* (*PL* 57, 241 C 3-243 B 1, 48 lignes).

L. 7 Hodierni mysterii sacramentum... fidelibus dat salutem. Ps.-Maxime, *hom. 13* (*PL* 57, 249 C 3-251 A, 54 lignes).

L. 8 Exultemus in domino... vitium excluderet vetustatis. Léon, *s. 21* (*PL* 54, 193 B 5-197 A 4, environ 110 lignes).

L. 9 (Mt 1, 1) In Isaia legimus... et Bethsabee uxor Uriae. Jérôme, *In Mt 1* (*PL* 26, 21 B 2-D 4, 28 lignes).

L. 10 (Lc 2, 1) Quia largiente domino... hominibus bonae voluntatis. Grégoire, *hom. in Ev. 1, 8* (*PL* 76, 1103 D 1-1104 C 5, 42 lignes).

L. 11 (Lc 2, 15) Nato in Bethlehem domino salvatore... invenire meruerunt. Bède, *hom. 1, 6* (*PL* 94, 34 D 13-35 C 10, 43 lignes).

L. 12 (Jn 1, 1) Quia temporalem mediatoris... ab aeterno ordinata sum. Bède, *hom. 1, 7* (*PL* 94, 38 D 10-40 C 4, 55 lignes).

Ms. Paris, B.N. lat. 796, bréviaire de Montiéramey, f° 52 r°-58 v°, Lect. 1-12.

L. 1 Primo tempore... et cecidit in Israel. Is 9, 1-8.

L. 2 Consolamini... ecce deus vester. Is 40, 1-9.

L. 3 Consurge... salutare dei nostri. Is 52, 1-10.

L. 4 Ego sapientia habito in consilio... deliciae meae esse cum filiis hominum. Pr 8, 12-31.

L. 5 Hodie veritas de terra orta est... tamquam partu virginis procreantur.

L. 6 Gaudeat Christi ecclesia... in nobis iudicium pariant sed profectu cui est honor... L'incipit seul correspond au s. 192 d'Augustin, *PL* 38, 1011. Texte non identifié, 1 page et demie du ms.

L. 7 Cupientes aliquid de diei huius... utroque pascens et integer permanens.

L. 8 Quam bonus panis... in fide et caritate custodiat, Christus dominus noster qui... Fulgence, *s. 2* (*PL* 65, 726 A 11-727 D 5, environ 90 lignes; 727 D 5-729 D 5-729 C 4, environ 100 lignes).

L. 9 Quia temporalem mediatoris dei... luce veritatis privantur.

L. 10 Et lux inquit in tenebris lucet... his qui credunt in nomine eius.

L. 11 Consideremus f.k., quanta gratia... essentiam suae divinae maiestatis ostenderet in qua. Bède, *hom. 1, 7* (*PL* 94, 38 C 9-40 C 9, environ 100 lignes; 40 C 10-42 B 13, environ 100 lignes; 42 B 13-44 C 5, environ 100 lignes).

L. 12 (Lc 2, 1) Quia largiente domino... quia propter te factus est homo deus qui..., Grégoire, *hom. in Ev. 1, 8* (*PL* 76, 1103 D 1-1105 B 6, environ 90 lignes).

Ms. Orléans, B.M. 134, bréviaire des Ermites de Saint-Augustin, f° 71 v°-73 r°, Lect. 1-9.

L. 1 Primo tempore... princeps pacis. Is 9, 1-6.

L. 2 Consolamini... ipse portabit. Is 40, 1-11.

L. 3 Consurge... salutare dei nostri. Is 52, 1-10.

L. 4 Salvator noster... quia vocatur ad vitam.

L. 5 Deus namque filius... nihil de peccati lege.

L. 6 Virgo regia davidica... nec superiorem minueret assumptio. Léon,
s. 21 (*PL* 54, 190 D 7-191 A 9, 14 lignes; 191 A 9-B8, 16 lignes;
191 B 8-192 A 6, 23 lignes).

L. 7 (Lc 2, 1) Quia largiente domino... alienus est ubi descendi. Grégoire,
hom. in Ev. 1, 8 (*PL* 76, 1103 D 1-1104 A 9, 16 lignes).

L. 8 (Lc 2, 15) De Mattheo pauca prelibaminis ut clarerent infantiae
Christi... et tribus testibus stat omne verbum. Ambroise, *Exp. Ev. sec.
Lc 2, 49-51* (*PL* 15, 1570 C 12-1571 B 5, 22 lignes).

L. 9 (Jn 1, 1) Ne vile aliquid putares... non poteris refici per verbum.
Augustin, *Tr. in Jn 1, 1* (*PL* 35, 1384 l. 35 − 1385 l.5, 27 lignes).

Bréviaire romain. Lect. 1-9.

L. 1 Primo tempore... princeps pacis. Is 9, 1-6.

L. 2 Consolamini... manet in aeternum. Is 40, 1-8.

L. 3 Consurge... ecce adsum. Is 52, 1-6.

L. 4 Salvator noster... quam vicerat, vinceretur.

L. 5 In quo conflictu... dei genitrix mox futura.

L. 6 Agamus ergo, dilectissimi, gratias, deo... in dei lumen et regnum.
Léon, *s. 21* (*PL* 54, 190 D 7-191 A 12, 16 lignes; 191 A 12-B 15,
17 lignes; 192 B 15-193 A 3, 15 lignes).

L. 7 (Lc 2, 1) Quia largiente domino... in alieno nascebatur. Grégoire,
hom. in Ev. 1, 6 (*PL* 76, 1103 D 1-1104 A 12, 20 lignes).

L. 8 (Lc 2, 15) Videte ecclesiae surgentis exordium... angelos destinavit.
Ambroise, *Exp. Ev. sec. Lc 2, 50* (*PL* 15, 1571 1 3-15, 11 lignes).

L. 9 (Jn 1, 1) Ne vile aliquid putares... crede ergo evangelistae. Augustin,
Tr. in In 1, 1 (*PL* 35, 1384 l. 48, 14 lignes).

Conclusion

Une première constatation s'impose, il y avait des différences notables
dans la longueur des leçons selon les églises. Qu'il s'agisse des leçons
scripturaires ou patristiques, elles sont plus courtes à Fleury qu'à Cluny,
sans pour autant que Cluny ait eu des leçons particulièrement longues
comme on le dit souvent. C'est en fait Cîteaux, le tard venu, qui a les leçons
les plus longues, encore un cliché qu'il faudra revoir selon lequel les leçons
vont en diminuant avec les siècles. Reprenons les données concrètes : pour
l'Historia de Job, on lit à Fleury, en huit leçons, le prologue de saint Jérôme
qui est long, 92 lignes, puis Jb 1, 1-19 ; à Cluny, en huit leçons également,
on ne lit pas le prologue, mais Jb 1, 1 à 3, 19 d'après les lectionnaires, ou
3, 18 d'après le bréviaire ; à Cîteaux on lira le prologue, puis Jb 1, 1 à 3,
26. Les deux autres bréviaires monastiques consultés, celui de Ripoll et
celui de Montiéramey, ont le premier Jb 1, 1 à 3, 26, le second Jb 1, 1 à
3, 19 ; même mesure, 1, 1 à 3, 19, mais en six leçons dans le bréviaire de

Limoges; beaucoup plus tardif, le bréviaire des Ermites de Saint-Augustin selon l'usage de la Curie s'en tiendra pour ses six leçons à Jb 1, 1-22, enfin le bréviaire romain de Pie V, qui lui n'a que trois leçons, gardera les trois premières du bréviaire de la Curie, soit Jb 1, 1-11.

Les proportions relatives sont les mêmes si on regarde les leçons patristiques, soit le cas du 10ᵉ dimanche après la Pentecôte : à Fleury les leçons ont respectivement au IXᵉ siècle, onze, sept, huit lignes, la fin de la quatrième n'étant pas indiquée, on peut penser qu'elle devait être un peu plus longue comme cela se vérifie souvent, puis au XIIᵉ quatorze, onze, quatorze et seize lignes; à Cluny, que ce soit dans le Bréviaire ou les lectionnaires (à une ligne près) on a des leçons de seize, douze, treize et vingt-huit lignes; à Cîteaux enfin on aura une moyenne de vingt-deux lignes par leçon, avec un total de quatre-vingt-dix lignes au lieu de soixante-dix à Cluny. Le bréviaire de Ripoll a la même mesure que Cîteaux, Montiéramey a seize, sept, onze et vingt-trois lignes, Limoges, qui n'a que trois leçons compte sept, dix et onze lignes, mesure assez proche de celle qu'on retrouvera dans le bréviaire de la Curie, onze, treize et dix lignes, le bréviaire romain descendant à neuf, neuf et douze. De même l'homélie pour la fête de saint Matthieu, dont je n'ai pas de témoin à Fleury, est sensiblement plus longue, une dizaine de lignes, à Cîteaux qu'à Cluny.

Autre constatation, certaines grandes fêtes, dans le lectionnaire de Fleury, Noël avec les fêtes de saint Étienne et de saint Jean, l'Épiphanie et la Pentecôte, ont des leçons beaucoup plus longues que de coutume; on n'hésite pas à faire d'une homélie entière la matière d'une seule leçon; sans doute ces jours-là les moines passaient-ils au chœur la plus grande partie de la nuit comme font encore certains jours les moines du mont Athos. La présente enquête a permis de constater, au moins pour Noël, qu'il ne s'agissait pas là d'une particularité, mais d'un usage monastique[11] que l'on retrouve à Cluny, à Moissac, à Ripoll, à Montiéramey ainsi que dans le sermonnaire bavarois de Tegernsee récemment étudié par le professeur Chavasse[12], mais pas à Cîteaux. Dans ce dernier cas, si les leçons sont plus longues que de coutume, elles ne dépassent pas les cinquante lignes, à une exception près, alors qu'ailleurs on trouve cent, deux cents lignes, ou plus. A vrai dire, si nous n'avions comme témoins que des homéliaires, on pourrait se demander dans quelle mesure l'appréciation de la longueur de la leçon n'était pas laissée au jugement de l'abbé, mais lorsque nous trouvons dans un bréviaire, celui de Moissac ou de Ripoll, des leçons qui atteignent ou dépassent les cent lignes (deux cents lignes pour la sixième leçon de Ripoll), il faut bien admettre que si le scribe a pris la peine de

---

11. Cet usage était-il également en vigueur dans certains chapitres ? Il ne semble pas qu'il en ait été ainsi à Limoges à en juger par les leçons scripturaires qui sont plutôt courtes, malheureusement ce bréviaire a perdu ses trois leçons patristiques.

12. A. Chavasse, « Leçons remaniées pour quelques offices festifs. Les additions marginales du Sermonnaire clm 18092, à Tegernsee (2ᵉ moitié du VIIIᵉ siècle) », RSR 62, 1988, p. 240-251.

transcrire la leçon entière, c'est qu'elle devait être lue au cours de la célébration.

Et cela amène à se demander dans quelle mesure il est exact, comme on le dit couramment, que les bréviaires soient responsables de la diminution des leçons. Que le plus grand nombre des bréviaires aient des leçons très courtes, c'est un fait d'expérience, ces leçons ne sont souvent que des organes témoins, plus courts que les répons qui les suivent. Mais cette extrême brièveté même et le fait que ces leçons sont plus courtes que celles du Bréviaire romain de Pie V, suffisent à nous assurer que cela ne correspondait pas à la pratique chorale. Lorsqu'un scribe veut faire un bréviaire muni de leçons conformes à cette pratique, il transcrit les leçons telles qu'elles sont découpées dans l'homéliaire ou le livre patristique en usage au chœur. Il suffit de comparer les leçons des lectionnaires de Cluny avec celles du bréviaire de Cluny-Saint-Taurin pour s'en convaincre.

En ce qui concerne l'évolution de la longueur des leçons dans le temps, l'étude de l'abbé Étaix sur le lectionnaire de Cluny qui porte sur des documents allant du Xe au XIIIe siècle manifeste une remarquable stabilité confirmée par les quelques sondages faits dans le bréviaire de Saint-Taurin. Le bréviaire de Montiéramey, qui est du XIIIe, a des leçons de longueur à peu près égale à celles de Cluny. C'est avec le bréviaire de la Curie, ancêtre direct du Bréviaire romain, que la diminution devient sensible, elle est due selon toute vraisemblance au fait que les clercs de la Curie (ou les augustins d'Orléans) ne disposaient que d'un temps limité à consacrer à la récitation de l'office.

En terminant peut-on tenter de comparer globalement la longueur des leçons pendant les siècles du Moyen Age avec celles du Bréviaire romain de Pie V ? A nous en tenir aux leçons patristiques rencontrées dans cette enquête, dont le cadre de cet article ne m'a permis de publier qu'une partie, on pourrait risquer de donner comme moyenne pour la période médiévale de dix à vingt lignes de Migne par leçon avec une nette tendance à dépasser cette moyenne pour la dernière leçon de chaque série ; pour le Bréviaire romain la moyenne se tiendrait entre neuf à quinze lignes, très rarement plus, soit une diminution évidente mais qui, sauf pour les grandes fêtes comme Noël, n'a pas bouleversé l'équilibre général entre psalmodie et lecture.

LES ORIGINES DE LA FORMULE BAPTISMALE

Paul DE CLERCK

On sait que les anciennes sources liturgiques occidentales, et certaines en Orient, attestent que le baptême se fait par une triple immersion ; chacune d'elles accompagne une réponse des baptisés à une question sur la foi trinitaire. Nos livres actuels, par contre, comportent bien les trois interrogations et les réponses ; mais la triple immersion ou effusion ne vient qu'ensuite, accompagnée d'une formule baptismale trinitaire prononcée par le ministre.

Ce changement est important, car il modifie l'acte central du baptême et singulièrement son rapport à la profession de foi ; de plus, la formule du baptême a servi plus tard de matrice à celle des autres sacrements.

Or, la constatation est piquante, on ne connaît guère l'origine de cette formule ni la raison pour laquelle elle a acquis droit de cité ! Il y a quelques années, le père Gy a éclairé la question ; citant de nombreux documents, il a relevé l'existence de la formule en Espagne et son passage en Gaule, au VIIIe siècle. « En terre franque, écrit-il, on devine que l'ignorance du latin l'a fait privilégier pour assurer, au moins par cette formule, la validité de l'acte baptismal[1]. » Son article met fort bien en relief le sens épiclétique de la formule qui, jusqu'au XIIIe siècle, commençait par « Et ego te baptizo ». La présente contribution, celle d'un disciple au maître qu'il a le plus fréquenté, voudrait reprendre le dossier en posant deux questions. Peut-on mieux cerner les raisons qui ont fait adopter la formule dans la liturgie romano-franque au VIIIe siècle ? Son usage pourrait-il être plus ancien ?

Le Nouveau Testament

Une première question se pose, celle de savoir si l'on a jamais baptisé « au nom de Jésus/du Seigneur Jésus/de Jésus-Christ ». Notons d'abord qu'il ne peut être question de chercher dans l'Antiquité chrétienne une

---

1. P.-M. Gy, « La formule "Je te baptise" (*Et ego te baptizo*) », dans *Communio sanctorum. Mélanges offerts à J.-J. von Allmen*, Genève 1982, 65-72, ici p. 71. L'article de base reste celui de P. de Puniet, « Baptême », *DACL* II, 1, 1910, c. 251-346, notamment « III : L'acte baptismal et sa formule dans les différentes liturgies », col. 336-344.

« forme » du baptême telle qu'on en précisera l'importance au XIIIe siècle. Il est certain qu'en parlant du baptême « au nom de » Jésus ou de la Trinité, les auteurs du Nouveau Testament en indiquent la signification théologique ; il n'est pas sûr aux yeux de tous les commentateurs qu'ils utilisent une formule liturgique. D'après la thèse classique, le baptême se fait selon la formule trinitaire de Mt 28, 19. Les exégètes sont cependant de plus en plus tentés d'admettre que l'on a aussi baptisé « au nom de Jésus », malgré les allégations de von Campenhausen qui sur ce point n'a guère convaincu [2]. Sans même parler des Actes, il est difficile de lire 1 Co 1, 10-17 sans comprendre que Paul a baptisé certains Corinthiens « au nom de Jésus » (ou par une formule christologique similaire) ; il ne parle pas seulement, en effet, de la signification du baptême, mais bien également de l'acte baptismal. La *Didachè*, quant à elle, utilise les deux expressions : « baptisez au nom du Père et du Fils et du Saint Esprit » enjoint-elle en 7, 1 ; mais que personne ne communie « en dehors de ceux qui sont baptisés au nom du Seigneur » précise-t-elle en 9, 5. Selon un spécialiste de ce livret, la première formulation serait utilisée en milieu pagano-chrétien, et la seconde, la plus ancienne, en milieu judéo-chrétien où la mention du Seigneur Jésus était suffisante pour dire la nouveauté chrétienne [3]. La suite de l'histoire semble bien donner raison aux exégètes actuels, car la tradition porte pendant plus d'un millénaire la trace du baptême « au nom de Jésus » [4]. Remarquons enfin que, mis à part le texte « occidental » des Actes 8, 37, le Nouveau Testament ne comporte pas d'indication sur d'éventuelles questions et réponses, lors du baptême ; il s'agit là, le plus probablement, d'une

---

2. H.F. von Campenhausen, « Taufen auf den Namen Jesu ? », dans *Vig Chr* 25, 1971, 1-16 ; de même L. Hartman, « "Into the Name of Jesus". A Suggestion concerning the Earliest Meaning of the Phrase », dans *NTS* 20, 1973-1974, 432-440. En sens contraire, lire par exemple G. Barth, *Die Taufe in frühchristlicher Zeit* (Biblisch-theologische Studien, 4), Neukirchen 1981, 44-59 ; E. Cothenet, « La formule trinitaire baptismale de Mt 28, 19 », dans A.M. Triacca-A. Pistoia (éd.), *Trinité et liturgie* (Bibliotheca "Ephemerides liturgicae", Subsidia, 32), Rome 1984, 59-77 ; L. Abramowski, « Die Entstehung der dreigliedrigen Taufformel : ein Versuch », dans *ZThK* 81, 1984/4, 417-446. Pour la discussion récente des diverses nuances du « au nom de », voir M. Quesnel, *Baptisés dans l'Esprit. Baptême et Esprit Saint dans les Actes des Apôtres*, (Lectio divina, 120), Paris 1985.

3. W. Rordorf, « Le baptême selon la Didachè », dans *Mélanges liturgiques offerts au R.P. Dom B. Botte*, Louvain 1972, 499-509 ; repris dans Id., *Liturgie, foi et vie des premiers chrétiens. Études patristiques* (Théologie historique, 75), Paris 1986, 175-185.

4. *Actes de Paul et de Thècle*, 34 : Lipsius-Bonnet, *Acta apostolorum apocrypha* I, Leipzig 1891, 260-261 ; Étienne Ier, cité par Firmilien de Césarée, dans Cyprien, *Ép.* 75, 18 : Bayard 2, p. 302 ; *De Rebaptismate* 1 et 7 : CSEL III, 3, 69 et 78 ; le fameux texte d'Ambroise, *De Spiritu sancto* I, 3, 39-45 (*PL* 16, 713-714), à propos duquel lire O. Faller, « Die Taufe im Namen Jesu bei Ambrosius », dans *75 Jahre Stella Matutina*, t. 1, Feldkirch 1931, 139-150 ; Innocent Ier à Victricius de Rouen, 8, 11 : *PL* 20, 475, ou *DzS* n° 211 ; *Dictatus* de Paulin d'Aquilée en 796, dans *MGH, Concilia Aevi Karolini II, 1*, 176 ; Nicolas Ier aux Bulgares, *PL* 119, 980, ou *DzS* 646 ; Thomas d'Aquin, *Somme théologique* III, 66, 6 ; Concile de Nîmes (1284), dans Mansi 24, 523. On trouvera d'autres références encore dans J. Corblet, *Histoire du baptême*, Paris 1881, t. 1, 288-291, et des commentaires dans J. Crehan, *Early Christian Baptism and the Creed. A Study in ante-nicene Theology* (The Bellarmine Series, XIII), Londres 1950.

pratique ultérieure, bien dans la ligne du catéchuménat et de l'examen des candidats.

L'Orient

Certaines Églises d'Orient connaissent également les interrogations baptismales ; les *Catéchèses* de Jérusalem les attestent clairement ; l'Égypte en témoigne aussi[5]. Ce qui nous intéresse cependant davantage ici, c'est la mention en Orient d'une formule semblable à celle que l'on utilisera ultérieurement en Occident. Ainsi, dans les *Actes de Paul et de Thècle*, qui proviennent sans doute de la région d'Éphèse au milieu du IIe siècle, Thècle se baptise elle-même, en disant : « Au nom de Jésus-Christ, je me baptise pour le dernier jour[6]. » Au jugement de Whitaker, il peut s'agir ici d'une formule habituelle utilisée en des circonstances qui ne le sont pas ; la formule rituelle aurait donc pu être : « Je te baptise au nom de Jésus-Christ », formule christologique, en forme active[7]. De même, dans les *Actes de Thomas*, dont l'original syriaque date sans doute du début du IIIe siècle, on trouve cinq descriptions du baptême, avec selon toute probabilité la formule trinitaire à l'actif[8]. Enfin, dans les *Actes de Xanthippe et Polyxène*, écrits au milieu du IIIe siècle, Paul baptise Probus en disant : « Nous te baptisons au nom du Père et du Fils et du Saint-Esprit[9]. » La formule provient évidemment de Mt 28, 19 : à l'ordre évangélique (« baptisez-les au nom du Père [...] ») correspond l'exécution liturgique (« Nous/Je te baptise au nom du Père [...] »). Elle est utilisée pareillement dans le rite copte[10].

La Syrie connaît elle aussi une formule baptismale, mais en forme passive. Jean Chrysostome est le premier à nous l'attester, en trois passages différents de son œuvre[11]. Voici l'extrait de la première homélie :

Et pour t'enseigner aussi par là que le Père et le Fils et le Saint-Esprit sont une seule substance, voici comment se fait la tradition *[paradosis]* du baptême. Lorsque le prêtre prononce sur l'intéressé : « Est baptisé un tel au nom du Père et du Fils

---

5. Cyrille de Jérusalem, *Catéchèses mystagogiques* II, 4 : SC 126 bis, 111. Pour Alexandrie : *Lettre de Denys au pape Xyste*, dans Eusèbe de Césarée, *Histoire ecclésiastique* VII, 9 : SC 41, 174 ; *Canons d'Hippolyte* : POr 31, 2, 381 ; Rufin, *Histoire ecclésiastique* : PL 21, 487 (à propos des jeux d'enfants d'Athanase).

6. *Actes de Paul et de Thècle*, 34 : Lipsius-Bonnet I, 260.

7. E.C. Whitaker, « The History of the Baptismal Formula », JEH 16, 1965, 1-12, ici 5-6.

8. *Actes de Thomas*, n°s 27, 49, 121, 132 et 157. Traductions du syriaque et du grec dans E.C. Whitaker, *Documents of the Baptismal Liturgy*, Londres 1970², 13-19 ; texte grec dans Lipsius-Bonnet II/2, 143 à 267.

9. Cité dans Whitaker, *Documents*, 20.

10. Whitaker, *Documents*, 95 ; Denzinger, *Ritus orientalium*, Würzburg 1863, 208.

11. Jean Chrysostome, *Catéchèse baptismale* Stavronikita 2, 26 : SC 50 bis, 147-148 (prononcée à Antioche vers 390) ; *Catéchèse baptismale* Papadopoulos-Kerameus 3, 14 : *ibid.*, 97 ; *Commentaire d'Actes 1*, 5 : PG 60, 21.

et du Saint-Esprit », il lui plonge à trois reprises la tête dans l'eau et la relève, le disposant par cette initiation mystique à recevoir la visite de l'Esprit-Saint. Car ce n'est pas le prêtre seulement qui touche sa tête, mais aussi la droite du Christ. Cela ressort des paroles mêmes du baptiseur : il ne dit pas : « Je baptise un tel », mais : « Est baptisé un tel », montrant qu'il est seulement le ministre de la grâce et qu'il ne fait que prêter sa main, parce qu'il a été ordonné à cette fonction de la part de l'Esprit. Celui qui accomplit tout, c'est le Père, le Fils et le Saint-Esprit, l'indivisible Trinité. C'est donc la foi en cette Trinité qui nous vaut la rémission des péchés, et c'est cette confession qui nous confère l'adoption filiale.

La citation appelle trois remarques. Le prédicateur cite la formule passive, et rejette explicitement l'active ; malgré la glose « Contre les Latins » qu'un scribe postérieur a inscrite dans la marge du manuscrit [12], il est peu probable que Chrysostome vise ici les usages occidentaux. L'insistance principale porte sur la théologie de la ministérialité, qui justifie la tournure passive. Enfin, la première phrase du commentaire semble dire que l'usage de la formule indique mieux l'unité de la substance trinitaire.

La formule passive est-elle donc une nouveauté ? Peut-être remplace-t-elle une tournure active, dont la Syrie nous offre des témoignages depuis la *Didachè* et les Actes des martyrs cités plus haut. Mais la plupart des auteurs pensent qu'elle vient se substituer aux anciennes interrogations baptismales ; L. Mitchell estime que le changement provient de la controverse anti-arienne ; « Chrysostome paraît soucieux d'affirmer l'unité de la divinité par l'usage de la formule unique plutôt que par la triple interrogation » [13]. V. Saxer, pour sa part, estime que la formule était utilisée également par les *Constitutions apostoliques* III, 16-18 et par les Cappadociens ; à ses yeux, elle a remplacé les questions-réponses « pour conformer plus exactement que par le passé le baptême chrétien à l'ordre du Christ. Ce littéralisme est le bien propre de la liturgie d'Antioche et de sa zone d'influence » [14]. Il faut remarquer pourtant que nous n'avons aucune trace de l'usage des interrogations baptismales en Syrie, sinon l'hypothétique reconstitution qu'en fait A. Wenger [15]. La solution nous vient peut-être des passages parallèles de Théodore de Mopsueste et de Narsaï [16]. Si le second n'ajoute rien, le premier commente longuement l'agir et les dires du pontife ; en voici un extrait :

---

12. Cf. la note n° 1 d'A. Wenger, dans SC 50 bis, 148. Selon l'éditeur, ce manuscrit date du XIe siècle.

13. L.L. Mitchell, « The Baptismal Rite in Chrysostom », *AThR* 43, 1961, 397-403 ; ici 402.

14. V. Saxer, *Les Rites de l'Initiation chrétienne du IIe au VIe siècle* (Centro italiano di studi sull'alto medioevo, 7), Spoleto 1988, 432.

15. A. Wenger, dans SC 50 bis, 95-96.

16. Théodore de Mopsueste, *Homélie* 14, 14-25 (3e sur le baptême), éd. R. Tonneau-R. Devreesse (Studi e Testi 145), Cité du Vatican 1949, 430-455 ; Narsaï, *Homélie sur les mystères de l'Église et sur le baptême*, éd. R.H. Connolly, *Texts and Studies* VIII, 1, Cambridge 1909, 51 ; A. Hamman, *L'Initiation chrétienne*, Paris 1963, 201.

Or il dit : « Est baptisé un tel au nom du Père et du Fils et de l'Esprit Saint »,
en sorte que par cette parole il t'indique qui est la cause de cette grâce. C'est
pourquoi il dit aussi : « Est signé un tel au nom du Père et du Fils et de l'Esprit
Saint » et « Est baptisé un tel au nom du Père et du Fils et de l'Esprit Saint », ce
qui correspond à la tradition de Notre-Seigneur disant : « Partez, évangélisez toutes
les nations et baptisez-les, au nom du Père et du Fils et de l'Esprit Saint » (Mt 28,
19). Il indique par cette parole que la cause entière de ce bien est ceci, le Père, Fils
et Esprit Saint : nature (existant) depuis l'éternité et cause de tout, la même par qui
nous sommes dès le commencement et dont maintenant nous attendons d'être
renouvelés [17].

La formule baptismale a donc l'avantage de paraître plus fidèle que les
interrogations à l'ordre du Seigneur. Surtout, elle déclare explicitement que
l'on baptise, tandis que le rite occidental se contente de le faire ; et elle
précise bien que c'est le Dieu trinitaire qui est la cause de la grâce. Théodore
nous fournit donc une théologie de la formule baptismale qui en montre
tout l'intérêt. On n'y relève cependant guère de trace polémique à l'encontre
des questions-réponses ; aussi convient-il sans doute de penser qu'il n'y a
pas eu, à la fin du IVᵉ siècle en Syrie, substitution de la formule baptismale
aux anciennes interrogations ; celles-ci n'y ont sans doute jamais existé [18].
Mais il y eut probablement passage d'une tournure active à la formule
passive, vu l'affinement de la théologie du ministère ; les trois auteurs cités
y insistent, et l'on trouve des accents analogues dans d'autres œuvres de
saint Jean Chrysostome [19].

Les *Canons d'Hippolyte* nous permettent peut-être de comprendre plus
finement ce qui s'est passé. On sait qu'aux triples questions, réponses et
plongées, ils ajoutent chaque fois la formule : « Je te baptise au nom du
Père, du Fils et de l'Esprit Saint, Trinité égale [20]. » Il s'agit manifestement
là d'une précision ; avivée par les controverses trinitaires de l'époque,
l'acribie théologique s'est infiltrée jusque dans le rituel pour exprimer plus
nettement qu'il y a baptême, et que c'est au nom de la Trinité qu'il s'opère.
Ainsi le souci d'une fidélité plus littérale à l'expression évangélique s'est
joint à la préoccupation de ne laisser aucun doute sur la nature du baptême
et sa cause. La formule baptismale y a trouvé ses lettres de créance [20bis].

---

17. *Homélie* 14, 14, Tonneau 431.

18. Whitaker, « The History », p. 6, fait remarquer qu'on imagine difficilement le passage
de la formule simple à la structure plus complexe des questions-réponses ; aussi fait-il
l'hypothèse que celles-ci devaient être d'une aussi haute antiquité que la formule syrienne.
C'est bien difficile à prouver. Mis à part Ac 8, 36-37 (texte occidental), le plus ancien témoin
des interrogations est la *Tradition apostolique*. La mise en place du catéchuménat et l'ampleur
des rites baptismaux qu'on y trouve pourraient bien soutenir l'hypothèse selon laquelle les
interrogations baptismales sont nées au sein du catéchuménat.

19. J. Chrysostome, *Homélies sur la trahison de Judas I, 6 et II, 6 : PG* 49, 380 et 389 ;
homélie 82 in Mt, 5 : PG 57, 744 ; *2ᵉ homélie sur II Tm, 4 : PG* 62, 612.

20. *Canons d'Hippolyte, POr* 31, 2, 381.

20ᵇⁱˢ Cette étude était déjà imprimée lors de la parution de l'article de E. Mazza, « La
formula battesimale nelle omilie di Teodoro di Mopsuestia », EL 104, 1990/1, 23-34. Il estime

L'Occident

Depuis les premiers Pères africains et la *Tradition apostolique*, le baptême s'opère en Occident par la triple immersion accompagnant la réponse des candidats aux interrogations trinitaires. Ce rituel permet de comprendre la signification concrète de nombreuses formules de prière où le baptême est associé à la profession de foi[21]. C'est le rituel que l'on trouve aussi chez Ambroise[22], chez Augustin, et probablement chez Chromace d'Aquilée. Comme on l'a dit plus haut, son origine n'est sans doute pas biblique[23]; elle doit remonter, selon toute probabilité, à l'établissement du catéchuménat.

Était-ce la seule pratique connue en Occident, ou utilisait-on également, ici ou là, une formule baptismale? L'enquête à ce sujet s'avère malaisée, car il est souvent extrêmement difficile de déterminer si un texte qui cite l'ordre de Mt 28, 19 vise la signification théologique du baptême, ou si cette parole évangélique décrit le rituel utilisé. Ainsi, par exemple, Maxime de Turin, dans son second *Tractatus de baptismo*, cite les trois questions posées aux catéchumènes, et poursuit : « Nous avons fait cela selon le commandement de notre Seigneur Jésus-Christ, qui [...] a donné ordre à ses disciples, en disant : "Allez et baptisez toutes les nations au nom du Père et du Fils et du Saint-Esprit" [24]. » C'est là un beau témoignage de l'identité, dans l'esprit des Pères, entre les questions qu'ils connaissent dans leur rituel et la parole évangélique; mais si l'auteur ne citait pas les interrogations, il donnerait à croire qu'il n'utilisait dans la liturgie baptismale que la formule matthéenne.

---

que la formule baptismale syrienne, jusqu'à la fin du IVe siècle, était celle de l'*Ordo* commenté par Théodore au § 14; elle n'aurait pas comporté le verbe « baptiser » et se serait contentée d'accompagner la triple immersion en disant : « Au nom du Père, et du Fils, et du Saint-Esprit ».

21. Telle par exemple la prière sur les oblats du lundi dans l'octave de Pâques : « Suscipe... munera populorum tuorum propitius : ut *confessione* tui nominis et *baptismate* renovati, sempiternam beatitudinem consequantur. »

22. C'est du moins l'opinion reçue. Le *De sacramentis* comporte cependant deux passages qui pourraient bien faire croire qu'Ambroise connaissait déjà une formule baptismale après les interrogations. Ainsi, en II, 14 : « Nunc ergo consideremus. Venit sacerdos, precem dicit ad fontem, invocat patris nomen, praesentiam fili et spiritus sancti, utitur verbis caelestibus. Caelestia verba, quia Christi sunt quod baptizemus in nomine patris et filii et spiritus sancti » (éd. B. Botte, SC 25 bis, 80). Remarquons qu'en IV, 19-21 l'A. utilise des expressions semblables à propos de l'Eucharistie : *sermo caelestis* (19), *verba caelestia* (21). Ambroise fait observer que dans l'un et l'autre sacrement, c'est bien la parole du Christ qui est agissante. En II, 22 il poursuit : « In uno autem nomine baptizari nos, hoc est in nomine patris et filii et spiritus sancti, noli mirari, quia dixit unum nomen ubi est una substantia, una divinitas, una maiestas. Hoc est nomen de quo dictum est : *In quo oportet omnes salvos fieri*. In hoc nomine omnes salvati estis, redditi estis ad gratiam vitae » (*ibid.*, 86).

23. Tertullien le savait bien, qui écrit : « Dehinc ter mergitamur amplius aliquid respondentes quam Dominus in evangelio determinavit »; c'est un des arguments qui le mènent à sa fameuse *traditio auctrix*, cf. *De corona* 3, 2-4, 1 : CChr 2, 1043.

24. Maxime de Turin, *Tractatus de baptismo* II : PL 57, 775.

Les vues habituelles

On dit généralement[25] que les premiers témoignages sûrs de l'utilisation d'une formule baptismale en Occident proviennent d'Espagne et remontent à saint Ildephonse de Tolède, au milieu du VIIe siècle[26]. De là elle passe en Gaule où on la trouve dans les sacramentaires gallicans, au début du VIIIe siècle; Mgr Andrieu a naguère reconstitué cette évolution rituelle[27]. Le premier document romain qui la porte est l'*Hadrianum*, que l'on date de la fin du VIIe siècle, pour le baptême clinique[28]. On la trouve alors dans le sacramentaire de Gellone, d'où elle passera dans tous les documents romano-francs[29]. La lettre du pape Grégoire II à saint Boniface, en 726, ne s'oppose pas à des baptêmes célébrés « sans l'interrogation du symbole », pourvu qu'ils soient accomplis au nom du Père et du Fils et du Saint-Esprit, ce qui laisse supposer qu'ils comportaient la formule baptismale nouvelle[30]. En 744, la lettre du pape Zacharie au même Boniface rapporte explicitement la formule, utilisée en un latin approximatif par un prêtre ignorant. Le pape en connaît donc l'usage; il ne s'étonne ni ne s'insurge, ce qui semble dire qu'elle était entrée dans l'usage à Rome même[31]. On peut en dire autant de la réponse donnée à Quierzy par le pape Étienne II en 754[32].

Des témoignages plus anciens ?

Peut-on remonter plus haut ? L'Espagne, et plus largement toute la péninsule ibérique a connu l'usage de l'immersion unique; pour éviter de fournir des arguments aux ariens, on soulignait ainsi l'unité substantielle de la Trinité. L'hypothèse la plus vraisemblable, émise par des liturgistes comme M. Andrieu, A. Stenzel[33] et P.-M. Gy, est que l'adoption de la formule baptismale a été favorisée par l'unique immersion. Or celle-ci nous

---

25. Outre les manuels, voir A. Stenzel, *Die Taufe*, Innsbrück 1958 et G. Kretschmar, « Die Geschichte des Taufgottesdienstes in der alten Kirche », dans *Leiturgia*, t. 5, Kassel 1970, 1-348, ainsi que les articles de P.-M. Gy (cf. note 1), de E.C. Whitaker (note 6), et de A. Angenendt, « Bonifatius und das Sacramentum initiationis. Zugleich ein Beitrag zur Geschichte der Firmung », *RQ* 72, 1977, 133-183, ici 134-137.

26. Ildephonse de Tolède, *De cognitione baptismi* 112 : *PL* 96, 158 B; après avoir cité la formule matthéenne, il précise que le prêtre ajoute : « Pour que tu aies la vie éternelle »; il s'agit donc bien d'une formule liturgique.

27. M. Andrieu, *Ordines romani*, t. 3, Louvain 1951, 85-90.

28. *Le Sacramentaire grégorien*, éd. J. Deshusses, Fribourg 1971, n° 982.

29. *Liber sacramentorum gellonensis*, éd. A. Dumas, *CChr* 159, n°s 707 et 2321; *Supplément au Grégorien*, Deshusses, n° 1085.

30. Grégoire II, *Ép.* 26, 14 à Boniface : *PL* 89, 525 D; éd. Dümmler, *MGH, Epistolae Merowingici et Karolini Aevi* I, Berlin 1892, 276. Texte dans Gy, « La formule... », 66.

31. Zacharie, *Ép.* 68 à Boniface : *PL* 89, 929 (= *Ép.* 7); Dümmler, 336; Gy, 67.

32. *PL* 89, 1027; Gy, 67.

33. A. Stenzel, *Die Taufe*, 187, note 8.

est déjà attestée par la lettre de Grégoire le Grand à Léandre de Séville, qui date d'avril 591 [34].

L'Espagne a-t-elle inventé la formule baptismale? L'a-t-elle trouvée ailleurs? Tous les auteurs parlent ici de l'Orient, bien sûr. Whitaker pense que le chemin entre la Syrie et l'Espagne passe par Alexandrie; il cite à l'appui les témoignages du prêtre alexandrin Ammonius et de Timothée d'Alexandrie, qui connaissent tous deux la formule en sa tournure active [35].

Il est même permis de remonter encore d'un quart de siècle; vers 575, en effet, saint Martin de Braga écrit à un certain évêque Boniface une lettre *De trina mersione*. En voici le passage principal pour notre propos :

Tu dis : invoquer trois fois le nom et plonger trois fois, c'est très certainement arien. Écoute donc. Plonger trois fois dans le nom unique du Père et du Fils et du Saint-Esprit, c'est la tradition ancienne et apostolique; les évêques de cette province [l'ont reçue] de l'autorité de l'évêque de Rome et la conservent écrite. C'est aussi celle de l'évêque de la ville de Constantinople : des légats de ce royaume, qui avaient été envoyés au [siège de l']Empire, en furent témoins oculaires, en la fête pascale elle-même. Nous aussi, en effet, nous lisons l'épître du bienheureux Apôtre Paul, où il est écrit : « Un seul Dieu, une seule foi, un seul baptême », de même que le commentaire du bienheureux Jérôme où il confirme qu'il faut plonger trois fois sous l'invocation du nom unique [36]. [...] Nombreux sont ceux qui, entendant l'Apôtre dire : « Un seul baptême », ont voulu l'interpréter non à propos de l'unité de la Catholica, du fait que partout le baptême serait célébré de la même manière, mais en faveur de l'immersion unique; et tandis qu'ils s'écartaient du milieu arien, qui eux-mêmes immergent trois fois, mais dans le nom unique tout comme nous [37], ils ont changé la formule de l'ancienne tradition, de telle sorte que sous le nom unique se ferait aussi une seule immersion; ils ignoraient que dans le nom unique est manifestée l'unité de substance, mais par la triple immersion la distinction des trois personnes, afin que nous montrions l'unique substance de la divinité, mais aussi les trois personnes, comme nous le croyons en toute vérité. Car si sous le nom unique ne se fait aussi qu'une immersion, on ne montre que l'unité de la divinité dans le Père et le Fils et le Saint Esprit, mais pas la différence des personnes.

---

34. Grégoire le Grand, *Registrum* I, 41 : éd. Norberg, CChr 140, 47-48; *PL* 77, 497-498. Cette lettre est reproduite par le c. 6 du IVᵉ concile de Tolède (633), cf. J. Vives, *Concilios Visigoticos*, Barcelone-Madrid 1963, 191-192.

35. Ammonius, *Commentaire sur les Actes des Apôtres* : PG 85, 1594; Timothée d'Alexandrie, *Réponses canoniques*, 38, dans Pitra, *Iuris ecclesiastici Graecorum historia et monumenta*, Rome 1864, 635. Les dates de ces deux témoignages ne sont pas très précises; le premier se situe entre 450 et 550, le second à la fin du Vᵉ siècle.

36. Martin renvoie sans doute ici au commentaire de Jérôme sur Ép IV, 5; on y lit : « Et baptisma unum, eodem enim modo, et in Patrem, et in Filium, et in Spiritum sanctum baptizamur. Et ter mergimur, ut Trinitatis unum appareat sacramentum. Et non baptizamur in nominibus Patris, et Filii, et Spiritus sancti, sed in uno nomine, quod intelligitur Deus », *PL* 26, 496. Le *Dialogue contre les Lucifériens* nᵒ 8 précise aussi que, même si l'Écriture n'en parle pas, le baptême se fait en plongeant trois fois la tête dans l'eau; mais la notation est mise dans la bouche du Luciférien (*PL* 23, 164).

37. En fonction du début de la citation, on comprendrait mieux le texte s'il portait ici une négation.

Il conclut, en synthétisant :

> Qu'ils gardent fidèlement ce qui a été transmis par l'autorité du siège romain, ce que montre également l'institution ancienne des provinces orientales, et ce qui est écrit dans les commentaires des anciens Pères, bien plus dans les documents des offices sacramentels [officialium sacramentorum documentis] : comme dans le nom unique du Père et du Fils et du Saint Esprit, qui est un seul Dieu, nous affirmons qu'il n'y a qu'une seule substance des trois Personnes, ainsi également nous marquons sans aucune hésitation la distinction des trois Personnes par les trois plongées des croyants [38].

Le texte ne laisse pas d'ambiguïté : le baptême se fait dans le nom unique pour manifester l'unité substantielle du Père, du Fils et de l'Esprit, tandis que les trois immersions indiquent les trois Personnes de la Trinité. C'est là, affirme sans ambages l'évêque de Braga, *la tradition ancienne et apostolique*, qui repose sur l'autorité du pontife romain et sur celle de l'évêque de Constantinople.

Le texte ne peut se comprendre si, dans sa liturgie baptismale, Martin de Braga n'utilisait pas la formule baptismale et le *in nomine*; les interrogations, elles, demandent aux baptisés s'ils croient au Père, au Fils et à l'Esprit; elles ne mentionnent pas le nom. Mais l'argumentation suppose aussi que, du moins dans l'esprit de l'évêque de Braga, on fasse pareil à Rome!

Dans son ouvrage intitulé *De correctione rusticorum*, le même Martin

---

38. Martin de Braga, *De trina mersione*, éd. C.W. Barlow, New Haven 1950, 257 ; *PL Suppl.* IV/4, Paris 1969, 1393-1395. Whitaker, « The History », p. 10 date le texte de 579 ; J.O. Bragança, « A carta do Papa Vigílio ao Arcebispo Profuturo de Braga », dans *Bracara Augusta* 21, 1968, 5-31, p. 11 le situe entre 572 et 574. En voici le texte : « 3. Nunc ais : tertio nomen invocari et tertio tingi certissime Arianum est. Audi ergo. In uno autem Patris et Filii et Spiritus Sancti nomine tertio tingi antiqua et apostolica est traditio, quam ex Romani antistitis auctoritate sacerdotes huius provinciae retinent scriptam, et a Constantinopolitanae urbis praesule, praesentibus huius regni legatis qui ad Imperium fuerant destinati, in ipsa Paschali festivitate pervisa est. Nam et nos epistolam beati Pauli Apostoli, in qua scriptum est : *Unus Deus, una fides, unum baptisma*, legimus, et expositionem beati Hieronimi, in qua sub unius nominis invocatione tertio tingendos esse confirmat. [...] Multi, vel audientes in Apostolo dici : *Unum baptisma*, non pro unitate Catholicae, eo quod ubique uno modo baptisma celebretur, sed pro una tinctione intellegere voluerunt, et dum vicinitatem refugiunt Arianam, qui et ipsi tertio tingunt, sed in uno nomine sicut nos, antiquae traditionis formulam permutarunt, ut sub uno nomine una etiam fieret tinctio, nescientes quia in uno nomine unitas substantiae, trina vero mersione distinctio trium ostenditur personarum : ut, sicut verissime credimus, unam demonstremus Deitatis substantiam, tres vero personas. Nam si sub uno nomine etiam una sit tinctio, unitas tantum Deitatis in Patre et Filio et Spiritu Sancto demonstrata est, personarum vero nulla differentia est ostensa. 5. [...] teneant a nobis fiducialiter quod et per auctoritatem Romanae sedis est traditum, et Orientalium provinciarum institutio prisca demonstrat, et antiquorum patrum expositionibus, quin etiam officialium sacramentorum documentis, scribitur : ut sicut in uno Patris et Filii et Spiritus Sancti nomine, quod est unus Deus, unam trium dicimus esse substantiam, ita etiam trium personarum distinctionem per tres proculdubio credentium tinctiones signamus. »

cite également les questions posées aux baptisés [39]. Tout ceci donne à penser que la liturgie baptismale de Braga connaît les questions-réponses, venues de la tradition ancienne, mais que les débats trinitaires favorisent l'adjonction de la nouvelle formule baptismale; c'est sur elle que se concentrent les commentateurs de l'époque.

Mais l'argumentation de Martin de Braga, on l'aura remarqué, nous renvoie encore plus haut dans le temps! Car il fait allusion à la tradition reçue de l'autorité de l'évêque de Rome, et que les évêques de Braga conservent par écrit. Au n° 2 de sa lettre, il écrit explicitement :

> En ce qui me concerne, j'ai appris ici de manière publique qu'à propos de l'institution du baptême, le métropolite de cette province a demandé il y a quelques années au siège même du très bienheureux Pierre la formule [jouissant] de l'autorité la plus assurée. Lisant cette lettre avec curiosité, j'y ai trouvé écrit que le baptisé doit recevoir une triple immersion dans le nom unique de la Trinité [40].

Martin de Braga fait ici allusion à la lettre envoyée par le pape Vigile à son prédécesseur Profuturus, en 538. Le n° 2 de cette lettre se rapporte au baptême; le pape signale l'erreur de ceux qui, dans la doxologie des psaumes, disent « Gloria Patri, et Filio Spiritui Sancto »; il réfute cet usage en citant l'ordre baptismal de Mt 28, 19 [41]. Ces raisonnements peuvent-ils se comprendre si le pape n'avait pas en tête le baptême accompli à l'aide d'une formule baptismale semblable à celle de Mt ? La conclusion serait d'autant plus importante qu'elle ne vaudrait pas seulement pour la péninsule Ibérique; elle risque bien de nous renseigner aussi sur l'usage romain. Car le pape joint à sa lettre des formulaires liturgiques. Ils ne sont malheureusement pas parvenus jusqu'à nous. Mais puisque toute la lettre vise à renseigner Martin sur les usages de la ville de Rome, on ne peut imaginer que le pape prévoie à Braga une liturgie baptismale différente de celle de Rome. La lettre nous renseigne donc aussi bien sur les usages de Rome que sur ceux de Braga. Ainsi donc, on peut remonter de près de deux siècles la connaissance et même l'utilisation de l'actuelle formule baptismale à Rome même !

On peut objecter cependant que, lors de leur arrivée en Gaule au VIIe siè-

---

39. Martin de Braga, *De correctione rusticorum*, Barlow 196-197; *PL Suppl.* IV/4, 1401. J.O. Bragança, *op. cit.*, note précédente, p. 12-14, a dressé des tableaux synoptiques où il compare la formulation des questions trinitaires du *De correctione* avec celles de la *Tradition apostolique* et du Sacramentaire gélasien d'une part, avec celles des Sacramentaires de Bobbio et de Gellone, d'autre part.

40. *Ibid.*, 256; *PL Suppl.* 1393.

41. *PL* 69, 15-19, ou *PL* 84, 829-832. Texte et étude par J.O. Bragança, *op. cit.*, note 38. Le texte de cette lettre n'est pas établi avec certitude; un manuscrit important conclut l'épitre après le § 5; Bragança le suit. Les instruments de travail sont d'un mutisme éloquent. Au n° 6, le texte condamne l'évêque ou le presbytre qui ne baptiserait pas « au nom du Père et du Fils et du Saint-Esprit, mais en une seule personne de la Trinité, ou en deux, ou en trois Pères, ou en trois Fils ou en trois Paraclets ». Mais ce n° 6 ne paraît pas authentique; Bragança, qui ne le reproduit pas, le qualifie de pseudo-canon, ajouté à l'original (p. 6, note 3).

cle, les livres liturgiques romains ne connaissent pas la formule baptismale. L'argument est sérieux. On sait cependant aussi que la liturgie, plus encore les livres de la liturgie, sont conservateurs ; la permanence des seules questions-réponses dans des livres comme le Gélasien et le Grégorien n'exclut pas entièrement que, dans l'acte baptismal lui-même, la formule ait été ajoutée plus tôt qu'on ne croyait jusqu'ici, peut-être d'abord occasionnellement ou par quelque novateur, dès la première moitié du VIᵉ siècle. Ni le témoignage de Jean Diacre ni l'*Ordo romanus* XI ne permet malheureusement d'éclairer le débat. L'*Ordo* XI est muet sur le rite baptismal, même si M. Andrieu le complète par le rituel du Gélasien [42]. Jean Diacre écrit, pour sa part : « Car celui qui s'avance pour être baptisé au nom de la Trinité doit signifier la Trinité elle-même par une triple immersion. » La phrase veut justifier cette dernière ; elle est cependant trop vague pour trancher notre question [43]. Ce qui étonne toutefois dans l'ensemble de ces documents épistolaires, c'est l'absence de toute allusion aux questions sur la foi et aux réponses des baptisés.

Sans doute faut-il reconstituer l'évolution de la manière suivante. Au rituel occidental ancien on aura assez vite ajouté la formule baptismale, reprise à Matthieu, qui avait l'avantage de dire que l'on baptisait, et surtout qu'on le faisait à la fois dans l'unité du nom unique et dans la Trinité des Personnes. Cette succession des questions-réponses et de la formule, on la trouve dès les *Canons d'Hippolyte* [44]. C'est elle aussi qu'atteste le *Liber ordinum* : après les interrogations baptismales, on y lit la formule « Et ego te baptizo in nomine Patris, et Filii, et Spiritus sancti, ut habeas vitam aeternam » [45]. C'est cet agencement qu'on trouve dans les sacramentaires gallicans ; c'est lui qui passera dans les livres liturgiques romains.

Bref, comme si souvent dans l'histoire de la liturgie, un usage nouveau n'a pas remplacé l'ancien, mais il s'y est amalgamé. La formule baptismale, dont tout laisse supposer qu'elle est passée d'Orient en Espagne, y a trouvé un terrain favorable : l'usage de l'immersion unique favorisait en effet son accompagnement par une formule unique, quasi biblique de surcroît. Les anciennes interrogations sur la foi trinitaire ont été conservées, mais les controverses théologiques attiraient davantage l'attention sur la formule nouvelle, et elles en ont assuré la diffusion.

Sommes-nous emporté par de pures hypothèses ? Il ne semble pas, car deux textes viennent encore appuyer nos présomptions. Le premier est romain ; il s'agit de la passion de saint Claude, insérée dans la légende de sainte Suzanne. On y raconte que le prêtre Galinius baptisa Claude, en lui posant les questions suivantes :

---

42. *Ordo Romanus*, XI, 96 : Andrieu, t. 2, 445 ; voir 402-403.

43. Jean Diacre, *Lettre à Senarius*, 6 : Wilmart, *Analecta Reginensia*, Rome 1933, 174.

44. Cf. *supra*, note 20.

45. *Liber ordinum*, éd. M. Férotin, Paris 1904, 32. Au jugement de Mgr Saxer, ce rituel est « substantiellement du VIᵉ siècle » (*Les Rites de l'Initiation chrétienne*, 552).

Crois-tu en Dieu, le Père tout-puissant, avec tout ton cœur ? Et Claude, debout et nu au-dessus de la cuve de bois, répondit : Je crois. De nouveau il lui demanda : Dans le Christ Jésus notre Seigneur ? et il répondit : Je crois. Qui est né de l'Esprit Saint ? et il répondit : Je crois, Seigneur. Et il lui demanda de nouveau : Qui est né de l'Esprit Saint et de la Vierge Marie ? et Claude répondit : Je crois. Et il lui dit : Et moi, serviteur de Dieu et prêtre, je te baptise dans l'eau, au nom du Père et du Fils et du Saint-Esprit, pour la rémission des péchés et la résurrection de la chair [46].

On trouve donc ici une formule baptismale plus développée que l'usuelle, située après les interrogations, tout comme dans les Canons d'Hippolyte ou dans le Liber Ordinum.

Dans un article consacré à ces textes, L. Duchesne estime que la plupart des légendes romaines ont été écrites approximativement entre 440 et 550; il pense pouvoir dater la passion de sainte Suzanne des environs de l'an 500. Il n'analyse malheureusement pas notre formule liturgique [47]. Il est vraisemblable que, amplifiée comme elle l'est ici, elle provienne des tout débuts de son utilisation; on comprendrait moins bien qu'un auteur du VIIe ou VIIIe siècle se soit permis des ajouts à la formule liturgique d'origine biblique devenue habituelle à son époque. Tout penche donc pour considérer ce passage comme un argument sérieux en faveur de l'emploi de la formule baptismale à Rome, au plus tard au début du VIe siècle [48].

Un dernier texte enfin a été signalé par D. Van den Eynde [49]. Il s'agit d'un passage d'un traité sur la Trinité, publié la dernière fois par V. Bulhart sous le nom d'Eusèbe de Verceil († 371) [50]. La Clavis cependant se montre plus réservée; elle observe que ce traité a été attribué tantôt à Athanase, tantôt à Ambroise, mais aussi à Vigile de Thapse ou à des faussaires lucifériens; elle signale que des connaisseurs comme B. Fischer ou B. Botte doutent fort de l'attribution à Eusèbe de Verceil. L'origine du texte reste donc problématique. L'instrument de travail le plus récent l'attribue au Pseudo-Vigile de Thapse, et date les sept premiers livres de la première partie du Ve siècle [51]. Voici le passage :

---

46. Actes de Claude, dans les *Acta sanctorum*, février, t. 3, p. 3, au 18 février.

47. L. Duchesne, « Les légendes de l'Alta Semita », dans *Mélanges d'archéologie et d'histoire* 36, 1916-1917, 27-56, ici 40-42.

48. Il faudrait encore citer ici la passion d'Étienne I, mentionnée par Gy (note 1), p. 68-69; elle atteste l'usage de la formule baptismale (avec *baptizo te* en finale), qui curieusement précède les questions (où manque celle sur l'Esprit !), cf. *Acta Sanctorum*, août, I, 139 D. Malheureusement l'âge de ce genre de passion reste un mystère. Comme pour les Actes de Claude, la formulation bizarre du texte donne cependant à penser que le document date d'avant l'introduction de la formule dans l'usage liturgique habituel.

49. D. Van den Eynde, « Notes sur les rites latins de l'initiation et de la réconciliation », dans *Antonianum* 33, 1958, 415-422.

50. Eusèbe de Verceil, *De trinitate*, éd. V. Bulhart : CChr 9, Turnhout 1957, 1-99. L'extrait se trouve au livre 7, 16 : CChr 9, 96; PL 62, 284 B.

51. H.J. Frede, *Vetus latina. Die Reste der altlateinischen Bibel*, I/1 : Kirchenschriftsteller. *Verzeichnis und Sigel*, Freiburg 1981, 574, n° 105.

Si tu estimes devoir encore contredire, du fait que dans l'unique don du baptême, sous le nom [prononcé dans] l'action, la divinité n'est pas contenue unitairement dans la Trinité, pourquoi donc, supprimant ce nom de la divinité du Père, du Fils et du Saint-Esprit, baptises-tu en disant : « Je te baptise dans le Père et le Fils et le Saint Esprit », et non « en un seul nom », afin qu'ainsi tu puisses par cet artifice ne pas nommer dans la divinité leur nom unifié ou le nier, mais que tu veuilles n'attribuer les noms qu'aux personnes seulement [52] ?

Le texte relate l'usage par les ariens d'une formule baptismale de type matthéen, à l'actif. L'auteur n'en semble nullement étonné; il ne lui reproche que la suppression du « in nomine ». La localisation du texte reste pour le moment inconnue. Même si le traité devait dater de la fin du Vᵉ siècle, le passage n'en resterait pas moins le plus ancien témoin de la formule en Occident.

Conclusion

Tout porte donc à croire que la formule est plus ancienne que l'on ne pensait jusqu'ici. Elle circulait sans doute en milieu arien dès le Vᵉ siècle; elle était connue à Rome même, peut-être dès la même époque, ne fût-ce qu'en certains lieux; elle y était utilisée en 538. Les études antérieures avaient probablement accordé trop d'importance aux livres liturgiques; les témoignages littéraires, une fois de plus, nous permettent de remonter plus haut. On en vient donc à devoir reconnaître l'existence d'une variété d'usages baptismaux, ce qui n'a rien d'étonnant pour l'époque, même en ce qui concerne l'acte central du sacrement. On pourrait même se demander si l'opposition de J. Chrysostome et de ses amis à la formule active ne proviendrait pas de son usage en d'autres Églises que celle d'Antioche et de Constantinople.

Les causes de son adoption

Les auteurs ne se sont pas privés d'émettre des hypothèses sur les raisons qui ont pu contribuer à faire adopter la formule dans la liturgie baptismale; ils reconnaissent cependant tous que la chose reste obscure, tout en soulignant l'influence hispanique. Th. Maertens note que sa première introduction dans un livre liturgique romain est motivée par le baptême

---

52. « Aut si adhuc contradicendum existimas, eo quod in unum donum baptismi operationis nomine deitas uniter in trinitate non continetur, cur tu (non) hoc nomine deitatis sublato, *patris et fili et spiritus sancti*, baptizas dicendo : « baptizo te in patre et filio et sancto spiritu » et non « in uno nomine », ut hoc modo artificiose possis unitum nomen eorum tacite in deitate non nominare vel abnegare, sed et nomina in personis tantummodo eorum velis adsignare ? » *CChr* 9, 96; *PL* 62, 284 B. Le texte n'est pas sûr, et la traduction malaisée; Bulhart distingue deux états du Traité, et l'apparat contient plusieurs variantes; j'ai omis notamment dans la traduction le « non » que j'écris entre parenthèses dans le texte latin; les manuscrits ne le portent pas, et il me paraît introduire un contresens.

d'urgence, où elle semble remplacer les questions-réponses qui s'avèrent difficiles en pareilles circonstances [53]. S'appuyant sur le témoignage de Timothée d'Alexandrie, Whitaker souligne que la formule permet de réaliser un baptême sous condition [54]. L. Ligier écrit qu'« il n'est pas certain — bien qu'il soit aujourd'hui à la mode de l'affirmer — que ce soit à cause de l'incapacité des tout-petits à répondre aux interrogations sur le Symbole des Apôtres, qu'entre le VIe et le VIIIe siècle l'Église romaine aurait adopté la formule baptismale brève »; les interrogations, en effet, n'ont jamais été supprimées [55]. Selon G. Kretschmar, en plus de l'influence hispanique, il faudrait compter avec celle d'Alcuin qui pensait que la formule était romaine et apostolique [56]. Le père Gy, on l'a dit, a mis en relief les questions tournant autour de la validité du baptême administré par des prêtres ignorant le latin, mais aussi le sens épiclétique de la formule [57].

Qu'en retenir ? Comme d'autres phénomènes, l'adoption de la formule baptismale par la liturgie romaine ne relève sans doute pas d'une cause unique. Elle ne provient en tout cas pas de la décision d'une seule personne. Toutes les raisons indiquées ci-dessus ont pu jouer à leur manière. Il faut cependant souligner deux éléments. Au VIIIe siècle d'abord, au moment où la formule entre dans les livres liturgiques, la correspondance des papes avec saint Boniface reflète un souci de sécurité dans l'administration du baptême; à ce point de vue, l'utilisation de la formule réduisait les risques de baptême douteux. Mais il faut reconnaître aussi, et avant tout, l'influence des controverses trinitaires, et la valeur théologique de la formule : elle reprend presque littéralement la formulation du Seigneur lui-même, dans son envoi en mission; elle déclare explicitement que le baptême s'accomplit, ce que les questions-réponses ne disaient pas; enfin, elle joint à la nomination des trois Personnes la mention de leur unité substantielle, par le truchement du « in nomine ». Ces qualités théologiques, mises en relief déjà par Théodore de Mopsueste, ont eu leur poids dans l'adoption de la formule.

On ne peut cependant rester aveugle sur ses effets. D'abord, elle modifie sensiblement le rite; l'immersion accompagne la parole du ministre, et non plus la profession de foi des baptisés; celle-ci devient une sorte de condition préalable à l'acte ministériel. La relation foi-baptême s'en trouve profondément altérée; on ne peut plus parler, comme Cyprien, de *symbolo baptizare* [58]. Ensuite, elle comporte une mise en relief du ministre; même

---

53. Th. Maertens, *Histoire et pastorale du rituel du catéchuménat et du baptême* (Collection Paroisse et liturgie, 56), Bruges 1962, 284-285.

54. E.C. Whitaker, « The History », 12.

55. L. Ligier, « Le nouveau rituel du baptême des enfants », *LMD* 98, 1969, 9.

56. G. Kretschmar, « Die Geschichte », 322. On peut maintenant se demander si Alcuin n'avait pas raison, au moins en partie.

57. P.-M. Gy, « La formule », 71-72.

58. Cyprien, *Ép.* 69, 7 : *CSEL* III, 2, 756. Cf. E. Dekkers, « Symbolo baptizare », dans H.J. Auf der Maur, L. Bakker, A. van de Bunt, J. Waldram, *Fides sacramenti — Sacramentum fidei, Studies in honour of P. Smulders*, Assen 1981, 107-112.

si aucun texte ne le souligne à l'époque, l'acte central du baptême n'est plus constitué par les réponses de foi des baptisés et par les immersions, mais par la parole du prêtre qui accompagne celles-ci; A. Angenendt a parlé à ce propos de cléricalisation [59]. On se trouve ici, manifestement, en présence d'une autre théologie du ministère que celle défendue par Jean Chrysostome, Théodore de Mopsueste et Narsaï, qui s'opposaient explicitement à l'emploi d'une formule active. Il faut reconnaître aussi qu'à l'époque carolingienne des titres du Christ, tels que médecin ou juge, sont de plus en plus attribués aux prêtres eux-mêmes; dans certains formulaires de messe, des versets d'Alleluia en viennent à leur appliquer la parole du psaume 109 : « Tu es sacerdos in aeternum secundum ordinem Melchisedech [60]. » Enfin, effet non voulu bien sûr, on utilisera pour les autres sacrements une « formule » similaire, qui se calquera sur celle du baptême et qui servira ultérieurement à appuyer l'analyse hylémorphique des sacrements.

En conclusion de cette étude, on en vient à constater que la Tradition comporte plus de richesses que l'Église n'en offre aujourd'hui. Ne pourrait-on pas suggérer, dans l'esprit du ressourcement cher à Vatican II, que les deux Rituels du baptême actuellement en usage utilisent les deux rites baptismaux majeurs que l'Occident a connus au cours de son histoire ? Si la formule baptismale convient bien, finalement, au baptême des petits enfants qui ne professent pas eux-mêmes la foi, ne serait-il pas très signifiant que les adultes soient baptisés selon le rite de l'Antiquité, qui unifiait admirablement la foi et le baptême ? Car, le remarque-t-on suffisamment, le rituel, avec une subtilité toute théologienne, ne demande pas aux catéchumènes quelles sont leurs croyances; c'est l'Église qui leur propose sa foi, en leur demandant d'y adhérer. La conversion baptismale ne s'y déploie aucunement comme l'œuvre de l'homme, mais comme l'adhésion à la foi de l'Église, mieux : aux avances de Dieu. Le vieux Tertullien, une fois de plus, avait admirablement résumé sa pensée : « Ce qui sacre l'âme, ce n'est pas le bain, mais la réponse [61]. »

---

59. A. Angenendt, « Der Taufritus im frühen Mittelalter », dans *Segni e riti nella Chiesa altomedievale occidentale*, Spoleto 1987, t. 1, 301-303.

60. Cf. les messes d'un martyr pontife et d'un confesseur pontife.

61. Tertullien, *De carnis resurrectione*, 48, 11 : *CChr* 2, 989 : « Anima enim non lavatione, sed responsione sancitur. »

UN RITUALE DEL SECOLO X
PROVENIENTE DALL'ITALIA
SETTENTRIONALE
(Monza, Bibl. Capitolare, cod. b-15/128)

Ferdinando DELL'ORO, s.d.b.

Premessa *

Il *Rituale*, nel senso moderno della parola e come libro autonomo [1], « est à bien des égards — afferma P.-M. Gy — une création liturgique de la

---

* Diamo l'elenco delle principali abbreviazioni usate in questo studio; altre abbreviazioni — per esigenze tecniche — sono collocate nelle note 2, 3, 26, 63, 102.

AmB : A. Paredi (ed.), *Sacramentarium Bergomense*. Manoscritto del secolo IX della Biblioteca di S. Alessandro in Colonna in Bergamo (= Monumenta Bergomensia, VI), Bergamo 1962.

AmJ : J. Frei (ed.), *Corpus Ambrosiano-liturgicum III : Das ambrosianische Sakramentar D 3-3 aus dem mailändischen Metropolitankapitel. Eine textkritische und redaktionsgeschichtliche Untersuchung der mailändischen Sakramentartradition* (= Liturgiewissenschaftliche Quellen und Forschungen, 56), Münster Westfalen 1974.

CLLA² : Kl. Gamber, *Codices liturgici latini antiquiores* (= Spicilegii Friburgensis Subsidia, 1/I-II), Freiburg Schweiz ²1968.

GeB : O. Heiming (ed.), *Liber Sacramentorum Augustodunensis* [Phillipps 1667] (= Corpus Christianorum, Series Latina, CLIX B), Turnhout 1984.

GeG : A. Dumas (ed.), *Liber Sacramentorum Gellonensis* (= Corpus Christianorum, Series Latina, CLIX), Turnhout 1981.

GeM : A. Dold-Kl. Gamber (edd.), *Das Sakramentar von Monza* (im Cod. F 1/101 der dortigen Kapitelsbibliothek), Ein aus einzel-Libelli redigiertes Jahresmessbuch) (= Texte und Arbeiten, 3), Beuron in Hohenzollern 1957.

GeV : L. Eizenhöfer-P. Siffrin-L.C. Mohlberg (edd.), *Liber Sacramentorum Romanae Aeclesiae Ordinis anni circuli* (Cod. Vat. Reg. lat. 316/Paris Bibl. Nat. 7193, 41/56) (= Rerum Ecclesiasticarum Documenta, Series maior : Fontes IV) Roma ³1980 (rist. 1981).

GrS : J. Deshusses (ed.), *Le Sacramentaire grégorien. Ses principales formes d'après les plus anciens manuscrits*, Édition comparative, t. I. : *Le Sacramentaire, Le Supplément d'Aniane* (= Spicilegium Friburgense, 16), Friburg Suisse ²1979.

Tripl : O. Heiming (ed.), *Corpus Ambrosiano Liturgicum I : Das Sacramentarium Triplex, Die Handschrift C 43 der Zentralbibliothek Zürich*, 1.Teil : *Text* (= Liturgiewissenschaftliche Quellen und Forschungen, 49), Münster Westfalen 1968.

1. Questo titolo diventa di uso generale soltanto dopo il 1614; « auparavant, il ne semble employé qu'en Italie; je connais seulement : Brescia 1570 s., Trente 1583, Bologne 1593, Padoue 1597; et le *Rituale sacramentorum* du cardinal Santori, daté 1584, mais en réalité

réforme tridentine qui lui a donné son organisation définitive et l'a marqué dans ses rubriques d'un esprit plus pastoral que les autres livres liturgiques » [2].

Anche questo libro — scrive C. Vogel — ha « une histoire et même une préhistoire fort longue et fort complexe, surtout jusqu'au XIIe siècle » [3]. Tale complessità riguarda sia la storia in rapporto alle fonti (in particolare quelle eucologiche) [4] e sia la configurazione medesina del libro in rapporto ai contenuti [5].

Aperto a nuovi ampliamenti ed integrazioni risulta essere invece l'inventario dei Rituali antichi (a partire dal sec. XI e possibilmente dal sec. X) [6] con particolare attenzione a quelli di provenienza italica [7] : infatti non risulta che sia stata ancora fatta una ricerca a vasto raggio e con criteri adeguati. Questa constatazione si ricava dall'inventario 'provvisorio' di Rituali antichi pubblicato nel 1960 del prof. P.-M. Gy ; su un totale di 21 manoscritti in elenco, ben 11 Rituali appartengono all'area italica [8]. Invece nel repertorio dei CLLA edito nel 1968 da Kl. Gamber soltanto 7 Rituali, su un totale di

---

imprimé seulement en 1602, et jamais publié » : J.-B. Molin, « Pour une bibliographie des Rituels. Leurs divers intitulés », in *ELit* 73, 1959, 224. Lo stesso contributo, sotto il titolo : « Un type d'ouvrage mal connu, le Rituel, son intérêt et ses caractéristiques bibliographiques », venne poi ampliato e pubblicato in *Bulletin d'information de l'Association des Bibliothécaires français* 31, 1960, 9-18.

2. P.-M. Gy, « Collectaire, Rituel, Processionnal », *RSPT* 44, 1960, 454 ; in seguito citato : *Collectaire*.

3. C. Vogel, *Introduction aux sources de l'histoire du culte chrétien au Moyen Age* (= Biblioteca Studi Medievali, I), Spoleto 1966, p. 218 ; in seguito citato : *Introduction aux sources*. — Per la storia del Rituale e suo sviluppo si veda, in particolare, J.-B. Molin et A. Aussedat-Minvielle, *Répertoire des Rituels et Processionnaux imprimés conservés en France*, Paris, Éditions du CNRS, p. 10-14.

4. Cf. J.-B. Molin, « Introduction à l'étude des rituels anciens », in *Bulletin du Comité des Études, de la Compagnie de Saint-Sulpice*, t. III, n⁰ 26, juillet-septembre 1959, p. 675-692 ; C. Vogel, *Introduction aux sources*, p. 216-218 ; A. Odermatt (ed.), *Ein Rituale in beneventanischer Schrift, Roma, Biblioteca Vallicelliana, Cod. C 32 Ende des 11. Jahrhunderts* (= Spicilegium Friburgense, 26), Freiburg Schweiz 1980, p. 33-49 (Die Ritualien).

5. Riguardo ai contenuti, i libri Rituali si distinguono in : a) Rituale-libellus (destinato cioè ad una determinata celebrazione) ; b) Rituale-collettario ; c) Rituale-sacramentario votivo ; d) Rituale puro (secondo il significato stesso del termine), e, in seguito, Rituali a stampa : P.-M. Gy, *Collectaire*, p. 457-461 (ed anche p. 461-464). Questa classificazione venne poi ripresa da C. Vogel, *Introduction aux sources*, p. 218-223.

6. Cf. C. Vogel, *Introduction aux sources*, p. 219-220, il quale riprende l'inventario di P.-M. Gy qui citato alla nota 8.

7. Si veda, anche se situato in altro contesto, l'elenco di Rituali antichi presentato da : A.M. Triacca, « "Impositio manuum super infirmum". L'unzione degli ammalati nell'antica liturgia ambrosiana », in *Eulogia, Miscellanea liturgica in onore di P. Burkhard Neunheuser* (= Studia Anselmiana, 68/Analecta Liturgica, 1) Roma 1979, p. 518-524. — Sembra utile segnalare il lavoro di G. Zanon, « Catalogo dei Rituali liturgici italiani dall'inizio della stampa fino al 1614 », in *Studia Patavina* 31, 1984, 497-564. Per il *Rituale ambrosiano a stampa*, si veda lo studio citato di A.M. Triacca, p. 514-518.

8. P.-M. Gy, *Collectaire*, p. 455-456.

12 manoscritti, provengono da questa area[9]. Lo stesso repertorio aggiornato nel 1988 pone in elenco altri 4 Rituali che appartengono all'area italica[10].

Con altri criteri di scelta, classificazione e analisi si presenta l'inventario dei Rituali conservati nella Biblioteca Vaticana e pubblicato nel 1970 dall'abate P. Salmon[11]. Tale inventario elenca 204 Rituali appartenenti nella maggior parte ai secoli XIII-XVII con altri databili ai secoli XI-XII; non mancano Rituali del sec. X[12] ed anche manoscritti con « Rituali elementa » dal Capelle assegnati ai secoli VIII-IX (oppure sec. IX-X)[13].

Nel contesto sopra delineato — e (come é ovvio) da approfondire e ampliare — si colloca la presentazione con edizione parziale del *Rituale sacramentario votivo*[14] conservato nella Biblioteca Capitolare di Monza nell'Italia settentrionale.

1. *Descrizione, composizione e provenienza del codice*

Gli elementi fondamentali per una esatta conoscenza del nostro codice, che reca la segnatura : b-15/128, ci vengono offerti dalla prof. sa Mirella Ferrari nel suo volume su « La Biblioteca Capitolare di Monza »[15] :

Membr., ff. 52, mm. 195 × 145 (130 × 95), 15 linee lunghe; mutilo all'inizio (*inc.* « //rive ill. et qui lubrica... ») e alla fine (*des.* « Ineffabilem misericordiam tuam domine//... ».

---

9. CLLA², p. 566-574; per l'area italica i nn. 1585, 1586, 1588, 1593, 1595, 1599. Cf. B. Baroffio in *Rivista di Storia della Chiesa in Italia* 22, 1969, 494; con segnalazione di 8 Rituali-collettari sconosciuti al Gamber, tra i quali 3 di provenienza italica.

10. Kl. Gamber, *Codices liturgici latini antiquiores/Supplementum, Ergänzungs-und Registerband,* unter Mitarbeit von B. Baroffio-F. Dell'Oro-A. Hänggi-J. Janini-A.M. Triacca (= Spicilegii Friburgensis Subsidia, I A), Freiburg Schweiz 1988, p. 151-155 (per l'area italica i nn. 1587*, 1589*, 1591*, 1593*).

11. P. Salmon, *Les manuscrits liturgiques latins de la Bibliothèque Vaticane,* t. III : *Ordines Romani, Pontificaux, Rituels, Cérémoniaux* (= Studi e Testi, 260), Città del Vaticano 1970, p. 53-97.

12. Segnatura : Chigi C V 134; Vatic. lat. 5768 (Rituale-Missale Bobbiense). Con datazione sec. X-XI i mss. Chigi C VI 173; Palat. lat. 495 : cf. P. Salmon, *op. cit.,* nn. 168, 172, 201, 274.

13. Presenta la configurazione di Rituale il ms. Palat. lat. 485 (sec. IX-X) : cf. P. Salmon, *op. cit.,* nᵒ 197.

14. Vedi nota 5.

15. A. Belloni e M. Ferrari, *La Biblioteca Capitolare di Monza,* con aggiunte di L. Tomei (= Medioevo e Umanesimo, 21), Padova 1974. Ad un ampio studio sulle vicende della Biblioteca prima del Mille fino all'età moderna (p. XXI-XCV) segue il Catalogo dei codici (p. 1-205) con Indici (p. 207-252) e Addenda (p. 253-255). « In totale oggi sono raccolti nella Biblioteca Capitolare (e nel Tesoro) di S. Giovanni Battista 252 manoscritti dei quali 175 anteriori press'a poco all'anno 1500. Accanto ai 25 incunaboli si allineano circa 110 cinquecentine; modesto è il numero dei libri stampati dal Sei al Novecento : arriviamo verso i 900 volumi... » (*Ibid.,* p. XCIV-XCV).

Minuscola carolina del sec. X; origine Italia settentrionale, forse in diocesi di Bergamo.

Fascicoli : 1-6[8], 7[4], apparentemente privi di numero o parola d'ordine, rigatura 2 bifogli per volta sovrapposti carne contro carne, impressione lato pelo, doppia linea di delimitazione verticale.

Le rubriche in piccola onciale o in maiuscola, in rosso, sono spesso sbiadite e talvolta illeggibili[16].

Il codice, in legatura napoleonica[17], a giudizio della stessa Ferrari « sembrerebbe opera di diversi copisti » : lo confermerebbe anche il frequente e inusitato uso di abbreviature. Sotto l'aspetto letterario, il testo talvolta si presenta scorretto.

A f. 2r, sul margine superiore, si legge la seguente annotazione a penna : « Rituale antiquum cum officio defunctorum et missis variis. » Questa annotazione si deve con tutta probabilità al can. Antonio Francesco Frisi (1734-1817), storico della Chiesa di Monza e città[18].

In alcune parti del codice, lo stato precario della pergamena che ha subìto oltre che l'usura dovuta al frequente uso del libro anche quella del tempo, rende quasi illeggibile il testo ai ff. 1v, 2rv, 3v e, soltanto parzialmente, ai ff. 11r, 35v (e limitato ad alcune linee) 43v, 48v.

Nel Rituale i responsori e le antifone dell'Ufficio dei defunti (ff. 21v, 21-22rv, 23v, 24-26rv, 27-29rv) « sono musicati con neumi nonantolani aggiunti nell'interlinea di mano circa coeva »[19].

La composizione del codice, che si presenta senza soluzione di continuità, é posto in risalto dalle due sezioni che lo compongono :

ff. 1r-28v : il Rituale (mutilo all'inizio)

ff. 28v-52v : il Sacramentario votivo (mutilo alla fine).

Tre sono gli elementi utili — e già rilevati dalla prof. sa M. Ferrari — nel determinare la provenienza più circostanziata del codice b-15/128.

a) Il primo é dato dallo stesso Rituale nel suo insieme. Il materiale tramandato — fondamentalmente i testi eucologici — « presenta un contenuto vicinissimo ad alcune parti del libro degli *Ordines* copiato in Alta Italia nel secolo XI, ma specchio — afferma la prof. sa Ferrari — di una tradizione

---

16. *Ibid.*, p. 29-30. Con segnatura CLXXXIV (Rituale coll'Officio e varie Messe, specialmente per i Defunti) e sommaria descrizione in : A.F. Frisi, *Memorie storiche di Monza e sua corte*, vol. III, Milano 1794, p. 188-189. — Il Rituale-sacramentario b-15/128 è segnalato anche da Kl. Gamber, *Codices liturgici latini antiquiores/Supplementum, op. cit.*, p. 153, n° 570*.

17. Legatura « in cartone pesante coperto di marocchino rosso o pelle marmorizzata e dorso in rosso con le insegne napoleoniche in oro ». Sono 114 i codici che tuttora hanno questa legatura; testimoniano le vicende di confisca da essi subite : A. Belloni e M. Ferrari, *La Biblioteca Capitolare di Monza, op. cit.*, p. LXXXVIII.

18. Pubblicò, tra l'altro, le *Memorie della Chiesa monzese* (vol. 4, Milano 1774-1780) e le *Memorie storiche di Monza e sua corte* (vol. 3, Milano 1794 = Bologna 1970).

19. A. Belloni e M. Ferrari, *La Biblioteca Capitolare di Monza, op. cit.*, p. 30 (cf. inoltre p. XXX). Si veda anche : R. Dalmonte, *Catalogo musicale del Duomo di Monza* (= Bibliotheca musica Bononiensis, sez. VI, IV.2), Bologna 1969, p. XXXI, XXXII, 28, tav. VIII.

più antica : l'Ambr. T 27 sup.[20], salvo la successione delle preghiere che presentano una diversa collocazione[21].

Tale accostamento o piuttosto somiglianza di contenuti del Rituale di Monza con gli *Ordines* sopra segnalati é evidente : ciò non significa in alcun modo che esista una interdipendenza diretta tra i due documenti; é ancora da definire dove affonda le sue radici questa « tradizione più antica » e come sarà classificata ed eventualmente localizzata. Infatti la diversa collocazione delle stesse formule eucologiche sta ad indicare – a nostro giudizio – che a quell'epoca, la configurazione (o assestamento) dei singoli *Ordo* probabilmente era ancora in atto : si configura cioé alla prassi liturgica vigente nelle singole Chiese di una stessa area geocultuale; non ha quindi acquisito quella "fissità" che fa di questi *Ordo*, per così dire, un "modello tipico" da assumere integralmente in circostanze analoghe.

Se non si può negare la stretta somiglianza o affinità di contenuto tra gli *Ordines* del nostro Rituale e quella degli *Ordines* dell'Ambr. T 27 sup. non si dovrebbe neppure – a nostro giudizio – sottolineare marcatamente tale somiglianza.

A sua volta, il Rituale di Monza presenta un « contenuto vicinissimo » ad alcuni *Ordo* di Rituali provenienti dall'Italia settentrionale e che saranno da noi presi in considerazione : sono il Collettario-rituale di Vercelli (sec. X in.), il Collettario-rituale monastico di Grazzano (in provincia di Asti) (2ª metà del sec. X/in. sec. XI), il Rituale-sacramentario di Asti (2ª metà del sec. X/in. sec. XI) e il Rituale-messale monastico di Como (sec. XI in.)[22].

La presenza in questi Rituali di non pochi testi eucologici uguali a quelli del nostro Rituale[23] – anche se con diversa collocazione – conferma,

---

20. Edito da C. Lambot, *North Italian Services of the Eleventh Century. Recueil d'« Ordines » du XIe siècle provenant de la Haute Italie* (Milan, Bibl. Ambrosiana T 27 Sup. (= Henry Bradshaw Society, LXVII), London 1931. – La annotazione di Kl. Gamber, *CLLA[2]*, p. 187-188, n° 290 – e riportata anche dalla M. Ferrari (*La Biblioteca Capitolare di Monza*, nota 1 di p. XXX) – « da accostare all'Ambr. 27 sup. è il cerimoniale monzese Frisi CLXXXII (oggi Conington Hall, Dr. H.R. Creswick Library, già Phillipps 7097 : C. Cheney, *On the Cheltenham [Phillipps Manuscripts...*, in *Traditio* 23, 1967, 514] ») è da accogliere con riserve; un eventuale « accostamento » è possibile soltanto per i riti del catecumenato (esorcismo e *traditio symboli*). Il « cerimoniale » (in realtà un *Liber Ordinarius* con Obituario) è stato recuperato dalla Biblioteca Capitolare di Monza nel 1982; è in preparazione l'edizione critica a cura di F. Dell'Oro e R. Mambretti.

21. A. Belloni e M. Ferrari, *La Biblioteca Capitolare di Monza, op. cit.*, p. XXX e p. 30. – Sotto l'aspetto geografico, l'Ambr. T 27 sup. fu localizzato in luoghi diversi : da Grado, a Trieste, a Brescia; ultimamente è stato messo in rapporto con Bergamo : « möchte man an eine Kirche in der Nähe von Bergamo (vielleicht Brescia) »; per l'*Ordo infirmorum vel mortuorum* lo riporta alla zona di Monza : cf. *CLLA[2]*, n° 290. Vedi sopra nota 20.

22. *CLLA[2]*, n° 1510 (*Vercelli*, Bibl. Capitolare, cod. CLXXVIII); n° 1511 (*Vercelli*, Bibl. Capitolare, cod. CXCV); n° 1585 (*Paris*, Bibl. Mazarine, ms. 526 [olim : T 742]); n° 1588 (*Roma*, Bibl. Nazionale Vittorio Emanuele, cod. 2110 [Ms. Sessoriano 136]). Cf. P.-M. Gy, *Collectaire*, p. 425 s e 455. – Anche se in questo studio non si fa riferimento diretto ai testi eucologici del Rituale-messale di Como, essi pirò sono stati da noi attentamente esaminati.

23. Si veda, ad esempio, la tabella di p. 213.

senz'ombra di dubbio, l'«origine Italia settentrionale» attribuita dalla Ferrari [24] al cod. b-15/128 della Capitolare di Monza.

b) Il secondo elemento per meglio localizzare la provenienza del codice é costituito — come già aveva rilevato la prof. sa M. Ferrari — dai nomi di alcuni santi presenti nel Canone romano del Sacramentario, che é parte costitutiva dello stesso Rituale.

Nel *Communicantes* l'elenco dei santi proprio del Canone romano continua con «Ilarii Martini Augustini Gregorii Hieronimi Benedicti» (f. 30r) : nomi che ricorrono anche nel «Communicantes» di due altri Sacramentari scritti probabilmente a Monza [25].

Questo elenco [26], che in prima lettura sembrerebbe situare il cod. b-15/128 a Monza, riceve un'ulteriore specificazione e integrazione da quest'altro pur breve ma significativo elenco tramandato dall'embolismo *Libera nos* del Canone e presente nello stesso codice : «intercedente... helecto harchangelo tuo Michaele... sanctisque martiribus tuis levita Vincentio Laurentio atque Alexandro... » (f. 33v) [27].

In particolare, i martiri Vincenzo ed Alessandro da secoli godono nel territorio di Bergamo di grande venerazione e di un culto speciale [28] ; essi sono pure menzionati nell'embolismo «Libera nos» del Sacramentario Gelasiano di Monza, che presumibilmente proviene da Bergamo [29] : «intercedente... electo archangelo tuo Michael... sanctis martyribus tuis levita Vincentio atque Alexandro.. » (GeM 885).

Il culto dei martiri Vincenzo ed Alessandro é all'origine stessa delle due

---

24. A. Belloni et M. Ferrari, *La Biblioteca Capitolare di Monza*, op. cit., p. XXX e p. 30.

25. Sono il Sacramentario e-18/19 (scritto nella 2ª metà del sec. X) e il Sacramentario e-19/100 (scritto nella 1ª metà del sec. X per la chiesa di S. Eugenio in Concorezzo, presso Monza) : cf. A. Belloni e M. Ferrari, *La Biblioteca Capitolare di Monza*, op. cit., p. 94-97.

26. Nel Sacramentario Gelasiano di Monza (cod. f-1/101) lo stesso elenco si sviluppa come segue : «Alexandri Mauritii Hilarii Ambrosii Martini Augustini Gregorii Hieronimi Benedicti» (GeM 878). — Maurizio (al secondo posto di questa lista) è, molto probabilmente, il martire di Agauno, cioè il comandante della «Legione Tebea» alla quale, secondo la leggenda, apparteneva anche il martire Alessandro di Bergamo. Ancora prima dell'anno mille sorgeva a Bergamo, *extra moenia*, una chiesa dedicata a S. Maurizio : L. Chiodi, «Dal vescovo Adalberto al libero Comune», in : A. Caprioli-A. Rimoldi-L. Vaccaro (a cura di), *Diocesi di Bergamo* (= Storia religiosa della Lombardia, 2), (Fondazione Ambrosiana Paolo VI/Gazzada-VA), Brescia 1988, p. 53 ; in seguito citato soltanto con il titolo.

27. La «basilica» (cioè chiesa secondaria di un *vicus* o quartiere) di S. Lorenzo, situata nel suburbio di Bergamo (cioè «extra moenia») é ricordata (per la prima volta) nel diploma (755) di Astolfo, re longobardo, e nel testamento del gasindio longobardo Taidone del 774 ; nel 1165 viene costruito accanto a questa chiesa un ospedale ; nel sec. XII é tra le chiese della città che sono indipendenti dalla cattedrale. In diocesi di Bergamo esistono 9 chiese dedicate a S. Lorenzo : cf. *Diocesi di Bergamo*, p. 22, 26, 28, 52, 77, 80.

28. Cf. P. Bertocchi, «Alessandro, santo, martire, patrono di Bergamo», in : *Bibliotheca Sanctorum*, I, Roma 1961, 770-776 ; T. Moral, «Vincenzo, diacono di Saragozza, santo, martire», *Ibid.*, XII, Roma 1969, 1149-1155. Si veda anche : F. Lanzoni, «Le diocesi d'Italia, dalle origini al principio del secolo VII (an. 604)»,, vol. 2 (= Studi e Testi, 35), Faenza 1927 (riprod. anast. 1963), p. 971-972.

29. Cf. CLLA², n° 801.

cattedrali sorte nel IV-V secolo in Bergamo[30] : « extra moenia » la « basilica » dedicata a Sant'Alessandro e « intra moenia » la « ecclesia » dedicata a San Vincenzo. Concomitante alle vicende storiche di questi due edifici in rapporto allo sviluppo della città stessa e delle comunità cristiane ivi presenti, é il fiorire e lo sviluppo del culto dei due santi martiri, con prevalenza maggiore e costante diffusione del culto a Sant'Alessandro, il cui sepolcro era venerato e custodito nella stessa basilica a lui dedicata[31].

c) Un terzo elemento che induce a collocare in diocesi di Bergamo il Rituale in questione é dato — a nostro giudizio — dal formulario di messa (con prefazio) per la festa di S. Giorgio martire (23 aprile; f. 49r) : é l'unico santo presente nel Sacramentario del nostro Rituale. Si ha notizia che

30. Scrive L. Chiodi : « Bergamo entra nella geografia cristiana con la prima metà del IV secolo che vide, fin dal secondo decennio, un notevole aumento numerico delle comunità cristiane e il loro allargarsi, dovuto all'editto di tolleranza di Galerio (311) con la conseguente libertà di propaganda, e più ancora alla pace di Costantino (313). » Non sappiamo quale siano le prime realizzazioni dovute allo sviluppo di quelle comunità cristiane : « Certo tra di esse la basilica di S. Alessandro, che rimase chiesa unica, non soltanto in città, fino a quando altri centri, in città e fuori, ebbero » nuove esigenze, « non definibili nel tempo, ma certamente molto al di là dei secoli IV e V, presumibilmente » : Id., « Dall'introduzione del cristianesimo al dominio franco », in *Diocesi di Bergamo*, p. 18.

31. Cf. *Diocesi di Bergamo*, p. 16-17; 19-20; 52-57; 201-202. Si veda anche : G. Finazzi, « Antichi calendari della Chiesa di Bergamo », in *Miscellanea di Storia Italiana* XIII, 1872, 5-69. Scrive A. Pesenti : « Bergamo aveva due cattedrali. La cattedrale dedicata a S. Vincenzo, diacono e martire, era posta nel cuore della città, limitrofa all'episcopio. La cattedrale dedicata a S. Alessandro martire era posta "propre muros civitatis Bergomi", conservava il corpo del santo. Ognuna era dotata di un capitolo di canonici. (...). Ognuno dei capitoli delle due cattedrali era dotato della canonica. Sembra che ancora per tutto il secolo XII la vita comune tra i canonici fosse in onore, anche se doveva essere a larghe maglie, soprattutto per quanto riguardava la povertà » : Id., « La Chiesa nel primo periodo di vita comunale », in *Diocesi di Bergamo*, p. 69. Nel secolo XV il vescovo Giovanni Barozzi (1449-1465) « volle una nuova cattedrale, più ampia e più funzionale. La volle dedicata a S. Alessandro e a S. Vincenzo, così da avviare un discorso più unitario... » (*Ibid.*, p. 152). Nel 1561 veniva demolita l'antica basilica di S. Alessandro e la « ecclesia » di S. Vincenzo diventava l'unica cattedrale nella quale convivevano insieme i due capitoli canonicali (cf. *Ibid.*, p. 176, 186 e 202), « restando però i beni mobili, et immobili di ciascun Capitolo diuisi, et separati. Hoggi ne fu stabilito Instromento di Concordia rogato da Alessandro Annegri Notaro alla presenza, et con approuatione del Vescovo Federico Cornaro, in esso frà l'altre cose dichiarandosi, che se mai a Canonici della Congreg. di S. Alessandro fosse da legitimo superiore concesso il poter nella Città o Borghi edificare nuoua Catedrale, sotto l'inuocazione di S. Alessandro, in tal caso potessero da S. Vincenzo à detta Chiesa trasferirsi... » (D. Calvi, *Effemeride sagro-profana di quanto di memorabile sia successo in Bergamo...*, vol. III, Milano 1677, alla data del 17 dicembre 1561).
In merito alla nuova ed unica cattedrale si hanno notizie dal Dentella, il quale, citando un documento del vescovo Giacomo Radini Tedeschi († 1914), scrive : « Ottenuto il beneplacito apostolico (*Innocentio XI donante decreto die julii 1688*)... poste le fondamenta del nuovo coro ed elevatone la fabbrica fino ad un metro sopra il suolo, il 4 novembre 1689 si stipulò l'atto definitivo di unione [tra i due Capitoli]... e nello stesso giorno il Vescovo Daniele Giustiniani [1664-97] *Ecclesiam Cathedralem sub invocatione solius S. Alexandri Martiris consecravit*, assignato *pro die anniversario celebrationis festi dedicationis 14 Inanuarii in qua cadebat etiam consecratio antiquae ipsius Cathedrali* (sic !) *S. Alexandri* » (Dentella, *I Vescovi di Bergamo*, Bergamo 1939, p. 400-401).

intorno al mille esisteva a Bergamo, in città, un monastero femminile denominato « San Giorgio di Spino » : tale fondazione si fa risalire a Carlo Magno [32].

d) A giudizio della prof. sa Mirella infine « forse avvicinano a Bergamo anche larghi punti di contatto con (il Sacramentario) f-1/101, di origine bergamasca, nell'ufficio e nelle messe dei defunti » [33] : tale affermazione trova conferma nel prospetto-elenco (v. sotto) dei formulari di messa presenti anche nel nostro Rituale.

In conclusione, il codice b-15/128 offre effettivamente elementi caratteristici e qualificanti tali da ritenere sufficientemente sicura — salvo l'acquisizione in seguito di nuovi elementi che potrebbero orientare in altra direzione — la sua provenienza dalla diocesi di Bergamo nell'Italia settentrionale.

2. Struttura del Rituale-sacramentario votivo

La struttura del codice in rapporto ai contenuti é la seguente :

a) Rituale [34] :

ff. 1r-6v   Ordo poenitentiae (mutilo all'inizio)
    6v-10r   Ordo ad ungendum infirmum
    10r-14r   Commendatio animae
    14r-20r   Ordo in agenda mortuorum
    20r-22v   Ordo defunctorum
    22v-28v   Matutinum Laudes et Vesperae defunctorum.

b) Sacramentario [35] :

ff. 29r-33v   Canon missae (GeM 875-885)
    33v-34r   Missa pro sacerdotibus (GeM 896-897.899).
    34r-34v   Missa pro temptationibus inimicorum invisibilium (GeM 922-924)
    34v   Missa votiva (GeG 1843-1844.1846)

---

32. *Diocesi di Bergamo*, p. 53, 55 e 127. « Nel 1313 il monastero femminile di S. Giorgio di Spino incorporò quello di S. Giuliano di Bonate Sotto per l'esiguità dei membri » (*Ibid.*, p. 138). Sempre a motivo dell'esiguo numero di membri, nel corso del sec. XIV al monastero femminile delle Umiliate di S. Maria Novella, esistente in città, « erano stati uniti i due monasteri di S. Giorgio di Spino e di S. Giuliano di Bonate » (*Ibid.*, p. 227).

33. A. Belloni e M. Ferrari, *La Biblioteca Capitolare di Monza*, op. cit., p. XXX e p. 30.

34. Per questa sezione, i titoli non riproducono "ad litteram" quelli del codice, ma riflettono fondamentalmente i contenuti del Rituale medesimo.

35. Si veda a p. 193 l'elenco delle sigle dei Sacramentari ai quali si fa riferimento in questa tabella.

34v-38r *Aliae missae votivae* (GeM 926-927.929 ; 930-933 ; GeG 1847-1850 + Tripl 2963) [36]

38r-39r *Missa pro infirmis* (GeM 1035-1038.1040 + Tripl 3454 pf)

39r-41r *Missa pro infirmo* (Tripl 3452-3453.3455) [37]

41v-42r *In natale sanctorum vel in agenda mortuorum* (GeG 2948.2950.2952)

42r-45r *Missae defunctorum* (GeM 1064-1066 ; 1074-1076 ; 1067-1070 + Tripl 3533 ; Tripl 3576-3577.3579 ; GeM 1083.1085-1088)

45r-46v *Missa in cimiterio* (GeM 1089-1091) [38]

47r-48r *Missa pro febribus* (GeM 1129-1131 + GeB 2023 et 2025) [39]

48r-49r *Missa pro peccatis vel in tribulatione* (GeM 962-964 + Tripl 3357)

49r-49v *Natale sancti Georgii* (Tripl 1599.1601-1602b.1604)

---

36. All'ultimo formulario (probabilmente « Pro devoto ») di messe votive seguono (f. 37v-38r) due letture bibliche : Is 18, 7a ; 19, 4b, 19, 21a. c. 22b. 24a. c ; Mc 12, 41-44.

37. Con due letture bibliche : Giac 5, 13-16a ; Lc 7, 1b-10.

38. Con due letture bibliche : 2 Mac 12, 42b. 43-46 ; Gv 6, 37-40.

39. Non è facile determinare le fonti eucologiche dalle quali ha preso nuova redazione questo formulario. L'orazione *(Omnipotens sempiterne deus quique sanctos apostolos tuos...),* maldestramente compaginata, riprende quella della « Missa sancti Sigismundi regis » *(Omnipotentem deum, fratres karissimi, deprecemur, qui per sanctos apostolos...)* presente nel Sacramentario di Vich (ediz. A. Olivar, *El Sacramentario de Vich,* Madrid-Barcelona 1953, p. 198 s., n° 1269. Cf. anche ediz. E.A. Lowe, *The Bobbio Missal a Gallican Mass-Book, [Ms. Paris lat. 13246].* Text [= HBS, LVIII], London 1920, n° 336) e, parallelamente, *Sacramentarium Bergomense* [ediz. A. Paredi, n° 1646]. Anche la « Secreta » è tramandata, con alcune varianti, dal Sacramentario di Vich (ediz. A. Olivar, n° 1270).

Più complessa, invece, si presenta la trasmissione del testo del prefazio. Il Rituale di Monza tramanda il prefazio secondo una redazione meno ampia rispetto a quella del Sacramentario di Vich (ediz. A. Olivar, n° 1971 : *Qui hunc famulum tuum ill. corporaliter verberas),* del Gelasiano Phillipps 1667 (ediz. O. Heiming, n° 2023 : *Qui hunc famulum tuum illum ideo corporaliter verberans)* e ancor più dal Messale di Bobbio (Ediz. E.A. Lowe, n° 338 : *Vere dignum et iustum est omnipotens deus nomen tuum laudare...)* e, parallelamente, dal *Sacramentarium Bergomense* (n° 1649). Il nostro Rituale dal testo sopra segnalato (con varianti, più o meno lievi, nelle fonti citate) riprende soltanto la seconda parte con varianti significative *(Tu ergo domine deus noster... Tua enim dona sunt... corporis sanitatem, Christe Iesu salvator mundi, quem laudant).* Anzi rispetto al Messale di Bobbio ha in comune, si potrebbe dire, soltanto la parte finale : *Tua enim dona sunt domine... ad sanitatem pristinam revocare digneris.*

Soltanto un'attenta comparazione critica tra le diverse redazioni del testo con l'esame delle varianti potrà, forse, offrire elementi più sicuri per una identificazione del testo primigenio.

Nel Rituale b-15/128 il testo del prefazio in questione (emendato da sgrammaticature del copista) e il seguente : « VD per Christum dominum nostrum. Te, domine, deus noster, qui electo tuo Sigismundo triumphum martirio contulisti, secutus gratiam, consecutus misericordiam. Tua enim (dona) sunt, domine, in nomine electi tui Sigismundi per comunicacionem corporis et sanguinis domini nostri Iesu Christi tempestatis frigoris excucias (?) febrium ardore repellas, et ad sanitatem pristinam hunc famulum tuum ill. revocare digneris. Quem laudant angeli » (f. 47v).

Infine i due testi di orazione « Ad complendum » sono tramandati dal Gelasiano Phillipps 1667 (n° 2024-2025).

Per la documentazione con apparato critico del testo del prefazio sopra riportato si veda anche E. Moeller (ed.), *Corpus Praefationum : Textus* (Q-V), p. 82, 160, 308 e 486s ; *Apparatus* (Q-V), p. 128, 277, 481 e 795 s. (=CChr, Series Latina, CLXI C et CLXI D), Turnhout 1980, n° 269, 578, 997 e 1601.

50r-52v   *Missa in letaniis* (I, II et III die) (GeM 389-390.392 ; 368.366-367 ;
          369-371)[40]
52v//   *Missa in letania vel in tribulatione* (GeM 971).

I testi eucologici della sezione « Sacramentario » del nostro Rituale
corrispondono — come é stato segnalato — in larga parte ai formulari
tramandati dal Sacramentario di Monza (GeM)[41], classificato tra i Gelasiani
del sec. VIII[42] : per tale motivo, nell'elenco sopra riportato abbiamo
indicato i testi corrispondenti in questo Sacramentario. Ciò non significa
che i testi eucologici raccolti nel codice b-15/128 derivino originariamente
e direttamente dal Sacramentario in questione ; assumiamo questo Sacramentario come libro di riferimento o confronto perché esso si trova nella
Biblioteca Capitolare di Monza e in particolare, perché scritto — come
affermano A. Dold e Kl. Gamber — « nell'Italia settentrionale, presumibilmente in diocesi di Bergamo »[43].

3. Gli « Ordines » del Rituale-sacramentario votivo

La presentazione e lo studio dei singoli *Ordo* costituisce la parte centrale
di questo contributo : qui dobbiamo limitarci alla presentazione — sufficientemente esaustiva — della sua struttura rituale, integrata — come si é
già accennato — dalla riproduzione del testo di quattro *Ordo*, rimandando
perciò ad altra sede lo studio più approfondito ed adeguato dei testi
eucologici — e dello stesso Rituale — comparati con altri Rituali (sec. X-XI)
dell'area italica.

a) Ordo paenitentiae

La situazione — già segnalata — del cod. b-15/128 mutilo all'inizio e con
il testo dei ff. 1 e 2r in buona parte illeggibile, non consente di presentare
l'*Ordo paenitentiae* nel suo effettivo svolgimento rituale. Dal raffronto
dell'ultima parte dell'*Ordo* con quello di alcuni Rituali della stessa area

---

40. Al formulario del terzo giorno seguono le letture bibliche : Giac 5, 16-20 ; Lc 11, 5-13.

41. E' in preparazione, per la collana « Biblioteca Italiae Liturgica » (BIL), l'edizione
integrale del codice : Monza, Bibl. Capit., f 1/101, a cura di F. Dell'Oro e Basilio Rizzi. — In
merito ai contenuti del Sacramentario, cf. A. Chavasse, « Le Sacramentaire de Monza (B.
Capit. f 1/101) », in *Ecclesia Orans* II, 1985, 3-29.

42. C. Vogel, *Introduction aux sources*, p. 58-67. Più in generale. E. Bourque, *Étude sur
les sacramentaires romains*, II/1 (= Bibliothèque théologique de Laval), Québec 1952, in
particolare, p. 156-177 (Les principaux représentants en Italie).

43. Cf. A. Belloni e M. Ferrari, *La Biblioteca Capitolare di Monza*, op. cit., p. 97. Scrive
A. Chavasse nell'articolo citato sopra alla nota 41 : « Par ses sources principales, qui
appartiennent au dernier tiers du VIIIe siècle et au premier du IXe, le contenu de M [= Monza]
ne peut être plus ancien que le milieu du IXe siècle. Un certain étalement temporel est requis,
de toute façon, pour le dépôt successif des quelques strates qu'il a fallu enregistrer, principalement dans le Sanctoral de M » (p. 29).

geocultuale, come Vercelli ed Asti [44] e, principalmente, l'Ambr. T 27 sup. [45] — con i quali il nostro Rituale ha in comune soltanto la struttura-base —, si può ricostituire approssimativamente la fisionomia e la struttura dell'*Ordo* in questione.

Si tratta di un *Ordo* per la penitenza privata, che comporta un'unica celebrazione in qualunque giorno dell'anno. Lo svolgimento — come sembra — é il seguente :

1. Preparazione del sacerdote al sacramento con preghiere personali.
2. Accoglienza del penitente : il sacerdote recita « super poenitentem » prostrato davanti all'altare, prolungate preghiere : versetto salmico con risposta-salmo-orazione. Questa successione si ripete per otto volte ed é guidata dai sette salmi penitenziali [46] tra i quali trova posto anche il salmo 102.
3. Il sacerdote interroga il penitente su alcuni articoli di fede, se é disposto a perdonare le offese ricevute, se é disposto ad un vero pentimento e, quindi, ad una sincera confessione.
4. Riconciliazione del penitente (formula deprecativa di assoluzione).
5. Benedizione di congedo (o benedizione solenne) [47].

— La preghiera prolungata « super poenitentem » (v. sopra n. 2), testimoniata — con diversa struttura — dall'Ambr. T 27 sup. [48] ed anche dal Rituale di Asti (ff. 25v-27r), é pure prevista dal Rituale di Monza, come possiamo ricavare da frammenti di testo : all'orazione (leggibile soltanto in parte) *Deus cuius indulgentia nemo non indiget* segue il salmo 102 *(Benedic anima mea)* con l'orazione *Deus sub cuius oculis omne cor trepidat* (f. 1r).

Frammenti di orazioni sui ff. 1v-2r (illeggibili) e il testo completo dell'orazione di ff. 2v-3r *(Domine sancte pater omnipotens eterne deus, qui per Iesum Christum filium tuum...)* probabilmente si collocano ancora tra le preghiere « super poenitentem » [49].

— Il dialogo continua — molto probabilmente — nella forma del cosiddetto « esame di coscienza » proposto dal sacerdote, ma la parte illeggibile del f. 3v non lascia intuire altro. A conclusione del dialogo seguono alcuni versetti salmici (f. 4r).

— Nel Rituale di Monza, i testi eucologici per i due ultimi momenti del rito (v. sopra n. 4-5) sono riportati di seguito, sotto la rubrica : *Oratio ad*

---

44. CLLA², n° 1510 (cod. CLXXVIII, ai ff. 2r-8v) ; n° 1585 (Mazarine ms. 525, ai ff. 25r-44r). Cf. P.-M. Gy, *Collectaire*, p. 455. Vedi sopra nota 22.

45. Ediz. C. Lambot (citato sopra alla nota 20), p. 35-42.

46. Sono i salmi 6, 31, 37, 50, 101, 129 e 142.

47. Nell'Ambr. T 27 sup., che ha in comune qualche testo con il nostro Rituale, il rito di riconciliazione si presenta con uno svolgimento alquanto diverso : cf. ediz. C. Lambot, p. 40-42 e p. XL. Altro svolgimento diverso si ha nel Rituale di Asti (ff. 44v-44r).

48. Ediz. C. Lambot, p. 36-38.

49. Nel Rituale di Asti, l'orazione *Domine sancte pater* etc. (ff. 26v-27r) fa parte delle preghiere prolungate « super poenitentem ».

solvendum. Di fatto essi coprono tutto lo spazio dato al rito di riconciliazione, che si articola in tre momenti distinti :

a) *Preghiera invocativa o deprecativa :*
1 Misereatur sit tibi omnipotens deus; donet tibi dominus veram humilitatem et
veram patientiam, sobrietatem et tolleranciam, fidem perfectam et bonam
perseverantiam; inluminet te spiritus sanctus; indulgeat tibi dominus omnia
peccata tua; remissionem omnium peccatorum tribuat et tibi omnipotens
deus. Amen. (f. 4r). [50]
2 *Alia.* Exaudi, domine, preces nostras et tibi confitentium parce peccatis...
(f. 4v) [51].

b) *Formula di assoluzione :*
3 *Alia.* Omnipotens deus qui habet potestatem dimittendi peccata, et sanctus
Petrus cui dedit Christus potestatem ligandi et absolvendi, et ad alios apostolos
dixit : Quorum remiseritis peccata, remittuntur eis in eternum ;ipse te absolvat
ab omni peccato, ut pro istis peccatis non reddas racionem in die iudicii; et
si antea transieris (f. 5r) de isto seculo quam istud iciunium peragas, tamen tu
neglectum non facias, et videat deus cor tuum quod facere voluisti, et sis
absolutus. Per. [52]
4. *Alia.* Intercedente pro nobis ad dominum beata et gloriosa semperque virgine
dei genetrice Maria et beato Petro principe apostolorum... [53]

c) *Preghiera di benedizione :*
5 *Alia oratio.* Benedicat te deus pater qui te (ff. 5v) creavit. Solvat te dominus
noster qui pro te passus est in cruce. Benedicat te spiritus sanctus qui in te
effusus est in baptismo. Sancta trinitas sit semper tecum omnibus diebus... [54]

Seguono, quindi, altre tre formule (f. 5v-6v : *Alia oratio*) che costitui-
scono — come sembra — un secondo rito di riconciliazione, anche se la
rubrica *Alia* potrebbe indurre a ritenerlo una continuazione del precedente.

---

50. Questa formula, con lievi varianti, si trova anche nell' *Ordo paenitentiae* del Rituale di
Vercelli cod. CLXXVIII (citato sopra alla nota 44) a f. 6v e nell'Ambr. T 27 sup. (ediz.
C. Lambot, p. 42). E' presente, ma con varianti significative, pure nell' *Ordo ad penitentiam
dandam* del Rituale di Asti (v. sopra nota 44) a f. 39r.

51. E' tramandato pure dall' *Ordo paenitentiae* del Rituale di Vercelli a f. 7v, e similmente
dal Rituale di Asti a f. 39v.

52. La formula, con lievissime varianti, è tramandata anche dall'Ambr. T 27 sup. (ediz.
C. Lambot, p. 40-41).

53. Cf. anche l'Ambr. T 27 sup. (ediz. C. Lambot, p. 42) con lievi varianti. Nel Rituale
di Asti la formula è tramandata nella seguente redazione : « Intercedente beata et gloriosa
semperque virginis Maria, et beato Petro apostolo principis apostolorum, qui habet potestatem in caelo et in terra ligandi atque solvendi ab omnibus vitiis quae tibi pro peccatis tuis
debentur; secundum magnam misericordiam suam omnipotens deus te absolvat et parcat,
[h]ac remittat [h]ac deleat omnia peccata, et perducat te in vitam aeternam. Amen »
(ff. 41v-42r).

54. Simile a questa, ma con significative varianti nella parte finale, è la formula tramandata
dall' *Ordo ad penitentiam dandam* del Rituale di Asti a f. 44r, e dall'Ambr. T 27 sup. (ediz.
C. Lambot, p. 41).

Esso comprende la formula di assoluzione propriamente detta e due orazioni (a scelta) di benedizione :

6 *Alia*. Absolvat te deus omnipotens, et beatus Petrus apostolus domini, qui habet potestatem alligandi et absolvendi, ille te absolvat ab omnibus peccatis tuis...

7 *Alia*. Dominus Iesus Christus qui benedixit vestigia Petri et Pauli et Andreae, ille te salvet et benedicat...

8 *Alia*. Caput tuum deus exaltet; aures tuas deus aperiat; oculos tuos deus inluminet; pedes tuos cum angelis domini in viam pacis dirigat. Dominus qui totum mundum salvat et benedicit, ille te salvet et benedicat, et ad vitam eternam te perducat. Per eiusdem.

b) *Ordo ad ungendum infirmum* [55]

Il Rituale di Monza, diversamente da altri della stessa epoca [56] e dall'Ambr. T 27 sup. [57], non ha l' *Ordo ad visitandum infirmum* [58] ma soltanto l' *Ordo* per l'unzione degli infermi (ff. 6v-10r).

Il rito é molto sobrio — come, del resto, tutte le rubriche del nostro Rituale — e si differenzia da quello tramandato, ad esempio, dal Rituale di Vercelli (ff. 105v-109v) e di Asti (ff. 47v-58r). Nell'Ambr. T 27 sup. lo stesso rito [59] assume già un certo sviluppo e arricchimento eucologico.

Nel nostro Rituale l' *Ordo ad ungendum infirmum* presenta il seguente svolgimento [60] :

— imposizione delle mani sul malato, da parte del sacerdote, accompagnata dall'orazione *Sanctum et venerabile* (n. **9**) ;
— unzione dei vari membri del corpo accompagnando il gesto la formula *Ungo te oleo sanctificato* (n. **10**) ;
— preghiera con la quale si implorano i frutti dell'unzione (n. **11**) ;

---

55. Sull'argomento si veda, in particolare, il II Capitolare di Teodulfo di Orleans (+ 831 c.) in *PL* 105, 220 CD-222 BC; C. de Clercq, « "Ordines unctionis infirmi" des IXe et Xe siècles », *ELit* 45, 1930, 100-122; A. Chavasse, *Étude sur l'onction des infirmes dans l'Église latine du IIIe siècle au XIe siècle,* t. 1 : *Du IIIe siècle à la Réforme carolingienne,* Lyon 1942.

56. Come, ad esempio (v. *sopra* p. 197), il Collettario-rituale di Vercelli cod. CLXXVIII (*Incipiunt orationes ad visitandum infirmum* : f. 101v-105r) e il Rituale-sacramentario di Asti (*Ad visitandum infirmum* : ff. 44v-46v).

57. Ediz. C. Lambot, p. 42-43 (*Oratio in domo infirmorum*).

58. Testi eucologici per la *Visitatio et unctio infirmorum* si possono trovare, ad esempio, in J. Deshusses (ed.), *Le Sacramentaire grégorien. Ses principales formes d'après les plus anciens manuscrits.* Édition comparative, t. 3 : *Textes complémentaires divers* (= Spicilegium Friburgense, 28), Fribourg Suisse 1982, p. 127-154.

59. Ediz. C. Lambot, p. 43-45.

60. A partire dalla presentazione di questo *Ordo* i numeri in neretto entro parentesi rimandano il lettore all'edizione parziale del Rituale b-15/128 qui riprodotto come appendice al presente studio. La numerazione però é provvisoria (come anche quella di p. 204-205).

— viatico (nn. **12-13**);
— riconciliazione (nn. **14-15**)⁶¹.

Quest'ultime due formule — osserva C. Lambot — « doivent être considérées, d'après leurs parallèles dans les *Ordines* de la pénitence, comme des
rites de réconciliation »⁶². In questo contesto la loro collocazione dopo il
viatico non trova spiegazione; secondo la prassi generale « confession et
absolution n'ont lieu qu'après l'onction. La communion sous les deux
espèces suit aussitôt⁶³. »

Non é improbabile che le due orazioni in questione (nn. **14-15**) facciano
parte dell'*Ordo ad ungendum infirmum* solo per accostamento, cioé
secondo una successione di testi trascritti dall'amanuense del nostro
Rituale. Tale ipotesi sembra trovare conferma in un frammento di Sacramentario del sec. IX (*Cod. Vat. lat. 337*, f. I-II) simile al Gelasiano di Monza
(« M-Typus ») pubblicato dal Gamber⁶⁴. Al rito del viatico conferito
all'infermo seguono tre orazioni con il titolo *Reconciliatio penitentis ad
mortem*; il primo e secondo testo corrispondono fedelmente alle orazioni
14-15 del Rituale di Monza⁶⁵.

---

61. Significativo — e con diversa accentuazione teologica — é il rito del viatico tramandato
dal Rituale monastico di Grazzano (citato sotto alla nota 82). La comunione eucaristica viene
data sia all'infermo sia ai membri della comunità presenti al rito : essa é preceduta dalla
« confessio » dell'infermo con relativa "absolutio" come segue : « Confiteor domino et
omnibus sanctis eius et vobis patres : quia peccavi mea culpa nimis in cogitatione, locutione
et opere. Precor vos orate ad dominum pro me ». Tutti i presenti (o congregati) rispondono :
« Misereatur vestri omnipotens dominus et dimittat vobis omnia peccata vestra, liberet vos ab
omni malo, conservet et confirmet in omni opere bono, et perducat vos ad vitam eternam.
Amen. » Segue la comunione sotto forma di viatico : « Domine, sancte pater, omnipotens
aeterne deus, te fideliter deprecamur, ut accipienti fratri nostro *ill.* etc. », con la formula :
« Corpus domini nostri Iesu Christi sanguine suo inclitum (?) intinctum mundet te ab omni
peccato, et conservet animam tuam in vitam eternam. » Segue la preghiera di ringraziamento :
« Accepto salutaris divini corporis cibo salvatori nostro Iesu Christo, graias agimus quod per
sui corporis et sanguinis sacramentum nos a morte liberavit, et tam corpori quam animae
humani generis remedium donare dignatus est, qui vivit et regnat » (ff. 58v-59v). Tutti i
presenti scambiano con l'infermo il bacio di bace e di congedo.

62. C. Lambot, *Recueil d'Ordines du XIᵉ siècle provenant de la Haute Italie, op. cit.,*
p. XL-XLI.

63. *Ibid.*, p. XLI. Cf. M. Magistretti (ed.), *Manuale Ambrosianum ex codice saec. XI olim
in usum canonicae Vallis Travaliae*, Pars I (= Monumenta Veteris Liturgiae Ambrosianae, II),
Mediolani 1905, p. 82, 99 e 151-152. In seguito citato : *Manuale Ambrosianum.* — Nel
Rituale (sec. XIII) riportato alle p. 94-99, la comunione viene data soltanto sotto una sola
specie eucaristica, quella del pane consacrato (p. 99). La testimonianza dei Rituali milanesi
riflette ovviamente — come si é accennato — una prassi generale nella Chiesa. Ne é testimone
anche il Rituale di Asti, più volte citato. Dopo l'unzione delle varie membra del corpo ed altre
preghiere complementari al rito stesso dell'unzione, il sacerdote recita l'*Oratio ad reconci-
liandum infirmum* a cui segue l'*absolutio* (ff. 56v-57v); da ultimo la comunione sotto le due
specie (f. 57v). Similmenti in Ambr. T 27 sup. (ediz. C. Lambot, p. 45-47).

64. Kl. Gamber, « Oberitalienische Sakramentarfragmente : III. Ein oberitalienisches
Sakramentarfragment des M-Typus », in *Sacris Erudiri* XIII, 1962, 367-376. Cf. CLLA²,
n° 809.

65. *Ibid.*, p. 370-371.

Ad una più attenta osservazione le due orazioni (*Deus misericors, deus clemens; Maiestatem tuam*) sembrano invece costituire un rito quasi a sé stante; sotto questo profilo si trovano già nel Supplemento anianense al Sacramentario Gregoriano-adrianeo con il titolo : *Reconciliatio paenitentis ad mortem* [66] e in alcuni libri liturgici milanesi [67].

Ma la peculiarità di questa sezione del Rituale di Monza è costituita dai testi eucologici milanesi che compongono l'*Ordo ad ungendum infirmum* (nn. **9-10**; **12-13**); con maggior coerenza tale *Ordo* prende dai libri liturgici milanesi anche il titolo : *Impositio manuum super infirmum* [68].

Con questo titolo l'*Ordo* del nostro Rituale si trova già nel Sacramentario Gelasiano di Monza (sec. IX-X) [69]; in ambito milanese quest' *Ordo* è riportato dal Sacramentario ambrosiano-monastico di S. Simpliciano [70], scritto più « probabilmente verso il 900 o all'inizio del sec. X » [71], e conservato nella Biblioteca del Capitolo Metropolitano di Milano; dal *Liber monachorum S. Ambrosii* del sec. XI [72] e da un Sacramentario Ambrosiano del sec. XI [73].

La rubrica, alquanto generica « postea ungis eum de oleo sanctificato » n. **10**), ripete quella del rituale milanese, la quale però indica quali membra

---

66. GrS 1396-1397. Nel Sacramentario Gelasiano antico le due formule in questione fanno parte di un gruppo di quattro orazioni con diversi elementi in comune : GeV lib.I, XXXVIIII, 364-367 (*Reconciliatio paenitentis ad mortem*). Stesso raggrupamento e disposizione in alcuni Gelasiani del sec. VIII come GeG 288-289 e GeB 1910-1913.

67. Cf. AmB 1500-1501 (*Item reconciliatio paenitentis ad mortem*); AmJ 1365-1366 (CCXLIIII. *Reconciliatio paenitentis ad mortem*).

68. Cf. P. Borella, « L'orazione e l'imposizione delle mani nell'Estrema Unzione », in *Ambrosius* 20, 1944, 49-57; Id., « L'Estrema Unzione nell'antico rito ambrosiano », in *Ambrosius* 38, 1962, 89-95; 163-161 ; A.M. Triacca, « "Impositio manum super infirmum". L'unzione degli ammalati nell'antica liturgia romana », in *Eulogia. Miscellanea liturgica in onore di P. Burkhard Neunheuser OSB*, *op. cit.*, p. 534-590. Il nostro Rituale b-15/128 non è preso in considerazione dall'autore (cf. p. 518-523).

69. GeM 1041-1044. L'*Ordo ad visitandum et unguendum infirmum* del Rituale di Asti — un *Ordo* assai ampio e ricco di testi eucologici — tramanda anche l'orazione milanese *Sanctum et venerabile nomen* (ff. 50v-51v) e l'orazione *Adesto domine salvator* (f. 55r) caratteristiche del nostro Rituale.

70. AmJ 1360-1363 (CCXLII. *Impositio manuum super infirmum*). Cf. P. Borella, « Il Rituale del Messale di S. Simpliciano », in *Ambrosius* 25, 1949, 83-88.

71. In un periodo cioè in cui il monastero di S. Simpliciano in Milano godeva di completa autonomia rispetto all'altra abbazia dei santi Protasio e Gervasio : cf. J. Frej (ed.), *Das Ambrosianische Sakramentar D 3-3...* (citato sopra a p. 193), p. 20-21.

72. Milano, Bibl. Ambrosiana, Cod. T 96 sup.; Excerpta in M. Magistretti, *Manuale Ambrosianum*, Pars I, p. 79-82 (*Incipit impositio manuum super infirmum*); descrizione del codice, *Ibid.*, p. 33-37.

73. Milano, Bibl. Ambrosiana, Cod. T 120 sup., a f. 259. Segnalato da P. Borella, « I Sacramenti nella Liturgia ambrosiana : l'Estrema Unzione », in M. Righetti, *Manuale di storia liturgica*, vol. IV, Milano² 1959, p. 597 a nota 2. Riguardo alla provenienza di questo libro estivo « Dom Heiming conjecture qu'il a été tardivement en usage au *monasterium novum* de Milan, c'est-à-dire à l'abbaye bénédictine de Saint-Vincent-in Prato, situé ad *Portam Comensem* » : R. Amiet, « La tradition manuscrite du Missel ambrosien », in *Scriptorium* 14, 1960, 28.

del corpo devono ricever l'unzione : « primum pectus, secundo manus, tertio pedes, dicendo his verbis : *Ungo te...* »[74].

La formula dell'unzione (n. **10**) é indicativa nella prima parte, allude cioé al rito medesimo, mentre la seconda parte é deprecativa ed assume la forma di esorcismo[75]. Secondo questa configurazione sono pure le quattro formule di unzione che il Rituale di Vercelli (ff. 106v-107r) affida a quattro diversi presbiteri presenti al rito[76].

Da ultimo l'orazione *Adesto domine salvator* (n. **11**), che allude esplicitamente all'imposizione delle mani compiuta sul malato, si trova anche nel Rituale di Asti tra le diverse preghiere dopo l'unzione (f. 55r) per ottenere i frutti del sacramento. Invece l'Ambr. T 27 sup. propone questo testo come « oratio » immediatamente dopo l'imposizione delle mani e in concomitanza con la formula deprecativa[77].

c) *Commendatio animae*[78]

Le preghiere per l'infermo in agonia e già prossimo alla morte fanno da cerniera tra l' *Ordo* dell'Unzione e quello delle esequie. Nel Rituale di Monza

---

74. « Liber Monachorum S. Ambrosii » in M. Magistretti, *Manuale Ambrosianum*, Pars I, p. 82 ; si veda anche p. 96 e 149. — Il numero di tre unzioni sul corpo dell'infermo é notevolmente aumentato nel Rituale di Asti (2a metá sec. X), che propone anche formule appropriate per le singole unzioni : l'ultima é « ubi dolor tenet amplius » (ff. 51v-53v). Nel Rituale di Vercelli (sec. X) la rubrica che riguarda le unzioni sull'infermo (f. 106v) — e che si legge meglio su un Sacramentario di Vercelli del sec. XI ex. (Milano, Bibl. Ambrosiana, Cod. 200 inf.) — cosi si esprime : « Tunc perungat sacerdos de oleo sanctificato faciendo cruces in collo et in guttur et pectus et inter scapula et supra quinque sensus corporis et super cilia oculorum et in aures intus et foris et in narium sumitatem et labia exterius et in manus similiter exterius id est foris ut macule ave (?) per quinque sensus corporis fragilitatem carnis aliquomodo inheserunt. Hac medicina spiritali et domini misericordia pellantur... » (f. 188v).

75. P. Borella, « I Sacramenti nella Liturgia ambrosiana : l'Estrema Unzione, », in M. Righetti, *op. cit.*, p. 598. « Si é discusso — scrive il Borella — se questa formula, che nei Messali di Stowe e di Bobbio [ediz. E.A. Lowe, nᵒ 242-243] si trova identica o simile nel rituale del Battesimo, sia passata da questo sacramento a quello dell'Estrema Unzione o viceversa... » (*Ibid.*) Cf. P. Borella, « Materia e forma dell'Estrema Unzione nell'antico rito ambrosiano », in *Ambrosius* 20, 1944, 13-18. — La formula del Messale di Bobbio, a cui accenna il Borella, si trova (con lievi varianti) anche nel Rituale di Vercelli cod. CLXXVIII a f. 107r : « Ungimus te de oleo sancto sicut uncxit Samuhel propheta David in regem. Operare creatura olei in nomine dei patris omnipotentis, ut non lateat spiritus inmundus neque in membris neque in medullis neque in ullis compage membrorum, sed habitet in eo virtus Christi altissimi et spiritus sancti. »

76. Vedi sopra nota 74.

77. Ediz. C. Lambot, p. 44.

78. Sull'argomento si veda in particolare : L. Gougaud, « Étude sur les "Ordines commendationis animae" », *ELit* 49, 1935, 3-27 ; D. Sicard, *La Liturgie de la mort dans l'église latine des origines à la réforme carolingienne* (= Liturgiewissenschaftliche Quellen und Forschunghen, 63), Münster Westfalen 1978. In seguito citato : *La Liturgie de la mort*. Cf. F. Dell'Oro, in *Rivista Liturgica* 68, 1981, 830-834.

la *commendatio animae*[79] comprende 6 testi eucologici (nn. **16-25**) :
il momento culminante é costituito dall'esortazione *Proficiscere anima
famuli tui ill. de hoc mundo* (n. **19**), che assume poi la forma di
orazione invocativa (n. **20**) con a tema : *Libera domine animam servi
tui ill. sicut.*

L'esortazione-orazione é l'unico testo tramandato per la « commendatio »
dal *Liber monachorum S. Ambrosii* (sec. XI)[80] e dall'Ambr. T 27 sup.[81];
é invece assente dal Rituale di Vercelli e dal Rituale (sec. X) proveniente dal
monastero di Grazzano in provincia di Asti[82].

Non é facile dipanare il materiale eucologico che il redattore del Rituale
di Monza ha raccolto attorno all'esortazione *Proficiscere*[83], e neppure é
nostra intenzione addentrarci nel complesso capitolo delle fonti inerenti ai
riti esequiali. Ad un primo sondaggio sembra che il copista del nostro
Rituale abbia attinto alle *Orationes super defunctum vel commendatio
animae* del Sacramentario di Gellone — il rappresentante più significativo
del Gelasiani del sec. VIII —, il quale ha sviluppato e meglio configurato il
rito della « commendatio animae » come indica la tabella riportata più
sotto.

A sua volta nel *Liber Sacramentorum Gellonensis* sono confluiti testi
eucologici che provengono dal Gelasiano antico *(Reginensis 316)*. In questo
Sacramentario romano alla fine del sec. VII o all'inizio dell' VIII secolo é
stato inserito prima della *Commendacio animae*[84] — quindi non al suo
posto giusto — il rituale gallicano delle esequie con il titolo : *Orationes post
obitum hominis*[85].

---

79. Cf. « Commendatio » in A. Blaise, *Dictionnaire latin-français des auteurs chrétiens*, Turnhout 1954, p. 173.

80. Excerpta in M. Magistretti, *Manuale Ambrosianum*, Pars I, p. 83.

81. Ediz. C. Lambot, p. 47-48.

82. Vercelli, Bibl. Capitolare, Cod. CXCV ; ff. 59v-60v. Vedi sopra p. 197 e nota 22. — Il monastero di S. Pietro, poi S. Vittore e S. Corona in Grazzano — ora Grazzano Badoglio nella provincia di Asti ma in diocesi di Casale Monferrato — venne fondato nel 961 ca. dal marchese Aleramo *sub tutulo S. Salvatoris, S. Mariae, S. Petri et S. Christinae*; nel 1118 passa alle dipendenze del monastero benedettino di S. Solutore Maggiore di Torino : N.M. Cuniberti, *I Monasteri del Piemonte e i principali d'Italia*, Chieri 1970, p. 215-218. — Vedi sopra nota 61.

83. Cf. L. Gougaud, « Étude sur les "Ordines commendationis animae" », art. cit., p. 12, 24-46 ; D. Sicard, *La Liturgie de la mort*, p. 361-372.

84. GeV lib. III, [XCIII], 1626-1627.

85. GeV lib. III, XCI, 1606-1625. Cf. A. Chavasse, *Le Sacramentaire gélasien (Vaticanus Reginensis 316). Sacramentaire presbytéral en usage dans les titres romains au VIIe siècle* (= Bibliothèque de théologie, Série IV : Histoire de la théologie, vol. I), Tournai 1958, p. 57-61 ; D. Sicard, *La Liturgie de la mort*, p. 260-386 (in particolare, p. 351-378).

Rituale Modoetiense [86]	GeV Or. post obitum hominis	GeV Commen- dacio animae	GeG [87]	GeM
16. Ds apud quem omnia		1627	2895	1092
17. Suscipe dne animam... de Agypto exitu	1610		(2903)	1093
17a. Suscipe dne animam...				1094
18. Tu nobis dne auxilium	1609		2896	
19. Proficiscere anima famuli tui *ill.* de hoc mundo			2892	
20. Suscipe dne servum tuum in bonum			2893	
21. Commendamus tibi dne animam fratris nostri		1626	(2921)	(1102)
22. Migranti in tuo nomine			(2922)	
23. Deus ante cuius conspec- tum defertur			2894	
24. In memoria eterna (*cap.*)			2897	Capitulum
25. Omnipotentis dei miseri- cordiam deprecamur	1618		(2911)	(1099)

d) Ordo in agenda mortuorum [88]

L'*Ordo* delle esequie (o dei funerali) si compone di cinque parti : sono cioé cinque momenti rituali e di intensa preghiera con la quale la Chiesa accompagna i suoi figli dal momento della morte fino alla sepoltura del loro corpo.

I riti si svolgono come segue :

1. Quando anima de corpore egreditur (nn. **26-34**).
2. Post lavationem corporis (nn. **35-36**).
3. Ad levandum corpus cum egreditur de domo vel ecclesia (n. **37**).
4. Oratio ante sepulturam corporis (nn. **38-39**).
5. Oratio post sepulturam corporis (nn. **40-44**).

La struttura dell'*Ordo* e i testi eucologici che lo compongono [89] riman-

---

86. Analisi e testo critico delle orazioni, in D. Sicard, *La Liturgie de la mort*, p. 88-101 ; 280-282 ; 275-279 ; 308-319 ; 372 s.

87. Entro parentesi sono segnalati i testi che in GeG e GeM non fanno parte delle « Orationes super defunctum vel commendatio animae ».

88. Sull'argomento si veda, in particolare, D. Sicard, *La Liturgie de la mort*, p. 102-142 (De la maison du défunt à l'église cémétériale) e p. 142-239 (Service de prière et mise au tombeau).

89. Complessivamente sono 17 a cui vanno aggiunti i versetti salmici che compongono il « capitulum ». Per un approfondimento di questi testi si veda : D. Sicard, *La Liturgie de la mort*, p. 419 (Index des pièces eucologiques analysées e rapportées) con i rimandi di pagina.

dano, senza esitazione, alla sezione CIII del Supplemento anianense al Sacramentario Gregoriano-adrianeo; tale sezione ha come titolo : *Orationes in agenda mortuorum*[90].

Nella composizione di questo rituale, Benedetto d'Aniano († 821) ha derivato dai Gelasiani del sec. VIII alcune formule[91], ma fonte principale — come giustamente afferma J. Deshusses — risultano essere i libri della liturgia mozarabica o visigotica[92].

Il rituale del Supplemento anianense si trova — con lo stesso titolo e momenti rituali — nel Sacramentario ambrosiano-monastico D 3-3, più conosciuto come Sacramentario di S. Simpliciano (sec. X)[93]. Anche il *Sacramentarium Bergomense* (sec. IX) tramanda le medesime *Orationes in agenda mortuorum*[94] però in numero di 13 anziché 17 testi eucologici.

Quale possa essere la fonte diretta o più prossima alla quale far risalire l'*Ordo in agenda mortuorum* del Rituale di Monza è — al presente — assai difficile determinare.

In merito ai testi eucologici e — in parte — anche alla struttura rituale l'*Ordo in agenda mortuorum* del nostro Rituale non ripropone materialmente quella tramandata dal Supplemento anianense al Gregoriano-adrianeo : esso presenta due particolarità che sembra opportuno sottolineare.

L'*Ordo* del nostro Rituale inizia il corteo funebre dalla casa o dalla chiesa dove si trova il feretro : quivi si recita una preghiera (n. **37**). Poiché questo momento rituale non è previsto dall'*Ordo* del Supplemento anianense, il redattore del nostro Rituale ricorre — pensiamo noi — al Sacramentario Gelasiano antico per il testo dell'orazione (GeV 1611); però la sua originaria collocazione è nel rituale gallicano dei defunti che venne poi inserito — come precedentemente è stato ricordato — nel Sacramentario romano denominato Gelasiano[95]. Pertanto si può affermare che tale particolarità costituisce una caratteristica propria del Rituale di Monza.

---

90. GrS 1398-1515.

91. Cf. J. Deshusses (ed.), *Le Sacramentaire grégorien*, t. I (citato sopra, a p. 193), apparato critico di p. 457 s. (al. n° 1398 = GeG 2899; al. n° 1399 = GeG 2896) e p. 462 (al. n° 1412 = GeG 2910; al. n° 1413 = GeG 2916). Cf. pure E. Bourque, *Étude sur les sacramentaires romains II/2* (= Studi di antichità cristiana, XXV), Roma 1958, p. 211.

92. Cf. J. Deshusses (ed.), *Le Sacramentaire Grégorien*, t. I, p. 457-463, (apparato dei testi paralleli) e p. 69 a nota 2. Cf. pure J. Décréaux, *Le Sacramentaire de Marmoutiers (Autun 19 bis) dans l'histoire des sacramentaires carolingiens du IX° siècle*, vol. I : *Étude* (= Studi di antichità cristiana, XXXVIII), Roma 1985, p. 118.

93. AmJ : CCXLV. *Orationes in agenda mortuorum*, 1367-1375 (Quando anima egreditur de corpore); 1376-1377 (Orationes post lavationem corporis); 1378-1379 (Orationes ante sepulchrum priusquam sepelitur); 1380-1384 (Oratio post sepultum corpus).

94. AmB 1502-1514.

95. A. Chavasse, *Le Sacramentaire gélasien*, op. cit., p. 59-60. Nel rituale gallicano l'orazione *Suscipe domine animam servi tui... vestem caelestem indue eam* è parte integrante della « commendatio animae » (*Ibid.*, p. 60). Il Sacramentario di Gellone — come si è accennato — colloca questo testo (GeG 2898) tra le *Orationes super defunctum vel commendatio animae;* nel Sacramentario Gelasiano di Monza al medesimo testo viene premessa la rubrica : *Collecta ad lavandum* (GeM 1098). — Nella redazione gelasiana l'orazione in questione (GeV 1611), anche se di uso frequente nei secoli XIII-XIV, tuttavia « ne se présente

L'altra particolarità del nostro Rituale é la seguente : tra le orazioni proposte « quando anima de corpore egreditur » introduce, al secondo posto, la formula *Diri vulneris* (n. **27**) e tralascia l'orazione *Deus cui omnia vivunt* del Supplemento anianense (GrS 1390)[96].

Infine, in un contesto rituale che assume gradualmente un proprio sviluppo ed una diversa strutturazione, il materiale eucologico tramandato dal Rituale di Monza si trova presente anche in alcuni Rituali (sec. X-XI) dell'Italia settentrionale, come é indicato dalla seguente tabella :

Rituale b-15/128 Monza	Vercelli[97]	Grazzano[98]	Asti[99]	Amb. T 27 sup.[100]
26. Pie recordationis	+	+	+	+
27. Diri vulneris	+		+	
28. Suscipe dne animam... de ergastulo	+		+	
29. Non intres	+	+	+	+
30. Fac qs dne hanc	+	+	+	+
31. Inclina dne aurem	+	+		+
32. Absolve dne animam	+		+	+
33. Annue nobis			+	+
34. In memoriam (*cap.*)		+	+	+
35. Deus vitae dator	+	+	+	
36. Deus qui humanarum	+	+	+	
37. Suscipe dne animam... revertentem				
38. Obsecramus misericordiam tuam	+	+	+	
39. Deus apud quem	+	+	+	+
40. Oremus... pro spiritu	+	+	+	+
41. Deus qui iustis	+	+	+	
42. Debitum humani	+	+	+	+
43. Temeritatis quidem	+	+	+	
44. Tibi dne commendamus animam	+	+	+	+

---

chez aucun témoin, en dehors des témoins celtiques (Saint-Gall ms. 1395, Irish Missal; VII-IX sec.), mozarabes (Silos, Codex Silensis 2, Liber Ordinum Mozarabe; IX sec.) ou ambrosiens (Milano, Bibl. Capit. (m), Rituale sacramentorum ecclesiae sancti Laurentii; sec. XIII) avec des particularités telles qu'une lecture synoptique présente un réel intérêt » : D. Sicard, *La Liturgie de la mort*, p. 314 (testo critico alle p. 314-316).

96. Anche questa orazione deriva dal rituale gallicano delle esequie inserito nel Sacramentario Gelasiano antico (GeV 1608) ed è propria della « commendatio animae » gallicana : A. Chavasse, *Le Sacramentaire gélasien, op. cit.*, p. 60. Nel *Liber Sacramentorum Gellonensis* si trova tra le *Orationes ad lavandum* il corpo del defunto (GeG 2901). Cf. D. Sicard, *La Liturgie de la mort*, p. 305-308.

97. Vercelli, Bibl. Capitolare, Cod. CLXXVIII; ff. 109v-114v : *Incipiunt orationes in agenda mortuorum*. Cf. nota 22.

98. Vercelli, Bibl. Capitolare, Cod. CXCV; ff. 59v-73v. Vedi sopra nota 82.

99. Paris, Bibl. Mazarine, ms. 525 (olim : T 742); ff. 59v-75r. Cf. nota 22.

100. Ediz. Lambot, p. 48-62 e p. XLI-XLII.

e) Ordo defunctorum

Questo secondo *Ordo* (trascritto da un altro copista) si colloca — a nostro giudizio — accanto agli *Ordines romani* della morte che il prof. Damien Sicard indica come primi testimoni dell'antica liturgia romana « in obsequium defunctorum »[101]. Tra questi *Ordines* (sec. VIII-XI), il primo, anche in ordine di classificazione, è l'*Ordo XLIX* (a 700-750 ca.) della collezione di Andrieu[102].

La provenienza « romana » di quest'*Ordo* — a noi pervenuto in un solo esemplare : il cod. *Vat. Ottoboni 312*[103] — è dimostrato dallo stesso Andrieu con argomentazioni valide e documentate[104] : se quest'*Ordo* « n'avait pas représenté l'usage romain, on ne l'aurait pas incorporé à une Collection (= Collezione A)[105] destinée à propager en pays gallican la liturgie de la cité apostolique »[106].

L'esame degli *Ordines romani* sopra indicati, induce il Sicard a distinguere in essi « trois traditions de la liturgie romaine de la mort »[107] che ci sembra opportuno riassumere per poter collocare in queste « tradizioni » l'*Ordo* del Rituale di Monza.

La prima « tradizione » (o consuetudine) è rappresentata dall'*Ordo* del codice Phillipps 1667 (sec. VIII ex.), scoperto dallo stesso prof. Sicard nel

---

101. Cf. D. Sicard, *La Liturgie de la mort*, p. 2-33 (Les *Ordines Romani* de la mort). Riguardo all'*Ordo* di Subiaco parzialmente pubblicato (con frequenti *incipit*) dal Sicard (p. 19 s.) si veda : S.M. Pagano, « Un *Ordo defunctorum* del secolo X nel codice CLX di S. Scolastica a Subiaco », in *Benedictina* 27, 1980, 125-159 (in particolare, p. 147-159 e le conclusioni di p. 152-153). Si attende la continuazione (cf. p. 125 e 153) di questo studio.

102. M. Andrieu, *Les Ordines Romani du haut Moyen Age*, t. IV : *Les textes (Ordines XXXV-XLIX)* (= Spicilegium Sacrum Lovaniense, 28), Louvain 1956, p. 521-526 (Introduction), p. 527-530 (Texte : *Ordo qualiter agatur in obsequium defunctorum*). — In seguito citato : *Les Ordines Romani*.

103. Cf. *Ibid.*, p. 523.

104. Cf. *Ibid.*, p. 523-526. Successivamente tali argomentazioni sono state riprese e approfondite da D. Sicard, *La Liturgie de la mort*, p. 4-6. — Tra l'*Ordo infirmorum vel defunctorum* dell'Ambr. T 27 sup. — più volte citato — e l'*Ordo XLIX* esiste, a giudizio di B. Capelle, una certa somiglianza o affinità : l'Andrieu però fa notare che l'*Ordo* proveniente dall'Italia settentrionale, più sviluppato, « est manifestement le plus récent »; esso « reprend à peu près toutes les rubriques de l'*Ordo XLIX* ou un texte intermédiaire qui en dérivait. Le compilateur a donc eu entre les mains notre *Ordo XLIX* ou un texte qui en dérivait ». E conclude : « Cette dépendance s'accorde aisément avec l'hypothèse de l'origine romaine de l'*Ordo XLIX*. Au VIII⁺ siècle et plus tard, nombreux sont les documents liturgiques qui, de la cité apostolique, ont émigré vers les pays du Nord » (*Ibid.*, p. 525 e nota 2).

105. Cf. M. Andrieu, *Les Ordines Romani du haut Moyen Age*, t. I : *Les Manuscrits* (= Spicilegium Sacrum Lovaniense, 11), Louvain 1957 (ediz. anast.), p. 467-470.

106. M. Andrieu, *Les Ordines Romani*, t. IV, p. 523. La « Collezione A » di *Ordines* « est, dans l'ensemble, authentiquement romaine ». Vedi sopra, nota 105.

107. D. Sicard, *La Liturgie de la mort*, p. 27-33 (in particolare la tabella di p. 31).

1954[108]; esso é classificato come « tradition cléricale ou monacale » e si distingue dalle altre due [109].

La seconda « tradizione » é rappresentata fondamentalmente dal cod. *Vat. Ottoboni 312* (sec. XI in.) — cioé dall'*Ordo XLIX* — con altri quattro *Ordines* (sec. IX-X)[110] : tra questi il cod. CLX (sec. X) dell'Abbazia di S. Scolastica a Subiaco[111].

La terza « tradizione » ha nell'*Ordo defunctorum* (sec.X) del Cod. 123 della Cattedrale di Colonia (K) il suo testimone più qualificato[112], al quale va unito l'*Ordo* del *Sacramentarium Rhenaugiense* (Rh; sec. VIII)[113].

---

108. *Ibid.*, p. 6-11. Il Sacramentario venne poi pubblicato da O. Heiming con a titolo : *Liber Sacramentorum Augustodunensis* (= *CChr* Series Latina, CLIX B), Turnhout 1984. L'*Ordo* in questione si trova inserito (senza numerazione propria) tra la sez. CCCCLXI (*Reconciliatio penitentis ad mortem*) e la sez. CCCCLXII (*Orationes super defunct.*) alle p. 241-242 (*Incipit de migratione animae*).

109. D. Sicard, *La Liturgie de la mort*, p. 27. A giudizio di Andrieu quest'*Ordo* é « plus archaïque » ed é « en étroite affinité » con l'*Ordo XLIX*. « La parenté est évidente » ; non dispone però di elementi sufficienti per affermare « si l'un des deux *Ordines* dépend de l'autre. Mais, sans aucun doute, il faut les placer tous les deux au même stade, dans le développement de la liturgie occidentale. Chronologiquement aucun des deux ne peut être de beaucoup antérieur à l'autre » : M. Andrieu, *Les Ordines Romani*, t. IV, p. 525-526. Diversa é la valutazione di C. Vogel, *Introduction aux sources*, p. 169.

110. D. Sicard, *La Liturgie de la mort*, p. 27-32. Il *Vat. Ottoboni 312* « reste, semble-t-il, le témoin le plus fidèle du rit romain » (p. 32).

111. Cf. *Ibid.*, p. 19-20. Il testo dell'*Ordo* pubblicato dal Sicard occupa i ff. 183v-184r ; questo testo indicato come incompleto in realtà non lo é : esso viene integrato « nel medesimo codice pochi fogli piu avanti, alle cc. 169r-171 ». Un dubbio però — spiega il Pagano — avrebbe dovuto insospettire il prof. Sicard « e cioé una parte del titolo stesso : *Incipit ordo defunctorum qualiter agatur erga infirmum Sqt* ». Questa abbreviazione finale non venne sciolta dal Sicard : « é evidente che essa non ha più nulla a che fare con il titolo, che, in questa tradizione, é completo con *infirmum* », pertanto « deve essere una nota del copista ». A giudizio del prof. Pagano l'abbreviazione *Sqt* di f. 183v si può sciogliere « leggendo *Sequitur*, ed allora é ovvio il rimando ad una parte dell'*Ordo* scritta altrove. Notiamo tuttavia — prosegue il Pagano — che il *sequitur* accanto all'*Incipit ordo defunctorum* non si giustifica, e si comprende solo se si tiene conto della tipologia del codice e della libertà dei copisti, che spezzano a volte brani omogenei... per inserirne altri a piacimento. Non si può escludere, nel nostro caso, una scelta dell'amanuense, che forse ha voluto radunare nelle cc. 169r-171v l'eucologia dell'*Ordo*, lasciando la parte antifonale e le restanti rubriche... per la seconda parte, dovendo il rituale essere scritto al suo posto, cioé dopo l'*Ordo paenitentiae* » : S.M. Pagano, « Un Ordo defunctorum del secolo X nel codice CLX di S. Scolastica a Subiaco », art. cit., p. 148-149. « Ricostruito interamente [alle p. 149-152], il rituale del codice sublacense — conclude l'Autore — si dimostra come copia molto indipende dell'*Ordo romanus* della morte [cioé l'*Ordo XLIX*], con uno schema che lo avvicina alla liturgia funeraria del Sacramentario di Lorsch (Palat. lat. 485), ma che presenta pure elementi propri, dei quali é senz'altro utile lo studio che, come si é detto [a p. 125] compiremo in un altro tempo » (*ibid.*, p. 153). Ad una conclusione pressoché simile a quella del Pagano giunge anche il Sicard, *op. cit.*, p. 29-30. Da notare, infine, che nello studio, più volte citato, dello stesso Sicard il Sacramentario di Lorsch (cf. *ibid.*, p. 22-25) fa parte della seconda « tradizione » dell'*Ordo* romano dei defunti.

112. D. Sicard, *La Liturgie de la mort*, p. 27 e 32-33 (cf. anche p. 11-17). « K est une authentique copie de l'*Ordo* romain de la mort, même si elle fut probablement transcrite au Xe siècle dans la moyenne vallée du Rhin » (*ibid.*, p. 13).

113. Cf. *ibid.*, p. 20-21.

In quest'ultima « tradizione » — cioé la terza — si colloca appunto l'*Ordo defunctorum* del Rituale di Monza con alcune particolarità che lo distinguono da K e Rh.
La struttura rituale[114] del nostro *Ordo* é la seguente :

1. Preparazione del moribondo alla morte imminente : viatico e lettura della Passione (n. **45**).
2. Il decesso é accompagnato da antifone e dal salmo *In exitu* (nn. **46-47**).
3. Riti funebri nella casa del defunto : « lavatio corporis », deposizione nel feretro, orazione (n. **48**).
4. Dalla casa il feretro viene portato nella chiesa cimiteriale al canto di antifone (nn. **49-50**).
5. Nella chiesa : preghiere prolungate e messa (n. **51**).
6. Processione al sepolcro al canto di antifone e del salmo *Cum invocarem;* orazione, sepoltura del defunto. « Et orent omnes pro ipsa anima » (nn. **52-53**).

— Nell'*Ordo defunctorum* del nostro Rituale, come pure nella terza « tradizione » (K e Rh) dell'*Ordo XLIX*, due sono le orazioni affidate al sacerdote : la prima (n. **48**) — diversamente da K e Rh — dopo che il defunto, appena lavato, é stato collocato nel feretro; la seconda (n. **53**) prima di chiudere il sarcofago o sepolcro[115]. Il testo dell'orazione davanti al defunto deposto nel feretro (o come viene indicato da K e Rh) si può identificare — come sembra — nell'antica orazione romana *Deus apud quem omnia morientia vivunt* (GeV 1627) della « commendatio animae »[116].
Più complessa é invece la rubrica che riguarda la seconda orazione, situata nel contesto del rito di sepoltura, come si può rilevare dal seguente prospetto :

114. Cf. *ibid.*, p. 30-31. Per un approfondimento della struttura rituale dell'antica liturgia romana della morte, cf. *ibid.*, p. 33-239.
115. Per questi due momenti rituali l'*Ordo* del Cod. 123 della Cattedrale di Colonia usa l'espressione « dicit sacerdos orationem sicut in sacramentorum continetur » (cf. D. Sicard, *La Liturgie de la mort*, p. 12); invece nel nostro Rituale (n. 53) questa espressione, al plurale, viene usata soltanto per la preghiera davanti al sepolcro.
116. D. Sicard, *La Liturgie de la mort*, p. 79-101. Cf. A. Chavasse, *Le Sacramentaire gélasien, op. cit.*, p. 61. — L'orazione *Deus apud quem* è tramandata in tre redazioni : quella romana del Gelasiano antico *(Reginensis 316)* (sec. VIII in.), la redazione del Supplemento anianense al Gregoriano-adriadeo (sec. IX in.) (GrS 1399 : *Deus cui omnia vivunt)* e, infine, nella redazione gallicana del Sacramentario di Saint-Denis di Parigi (sec. IX in.) *Deus cui omnia vivunt... ut quicquid)* *(ibid.*, p. 89-92).
L'orazione in questione si trova anche nella « commendatio animae » del Rituale di Grazzano a f. 60r (redazione gelasiana) e nel Rituale di Vercelli, « post lavationem corporis », a f. 111 (redazione del Supplemento anianense). L'*Ordo defunctorum* del cod. CLX di Subiaco propone invece, « ut anima de corpore fuerit egressa », l'orazione *Tibi domine commendamus* (GrS 1415) : S.M. Pagano, « Un Ordo defunctorum del secolo X... », *art. cit.*, p. 149-150. La stessa orazione si trova pure nell'Ambr. T 27 sup. (ediz. Lambot, p. 49). Cf. pure D. Sicard, *La Liturgie de la mort*, p. 101-102.

Ordo K 123 [117]	Rituale b-15/128	Ordo Rh 30 [118]
11. Postea ponatur in sarcofagum et antequam operiatur dicit sacerdos orationem sicut in sacramentorum continetur	**53.** Et antequam operiatur dicat sacerdos oraciones qu(a)e in sacramentorum continentur.	**1340.** Et ponunt in sarcofago et antequam cooperiatur
interim canentibus ant. *Sitivit anima mea.* Ps. *Que madmodum.* Ant. *Ingrediar in locum tabernaculi.* Ps. *Iudica me deus.*	Et orent omnes pro ipsa anima canendo *Miserere mei deus.*	orant omnes pariter pro ipsa anima et cantant (Psalmus) : *Miserere mei deus.* Et sacerdos dicit praefacionem sepulture. *Debitum humani corporis sepelliendi officium...*
12. Item antiphona priusquam operiatur. Ant. *Haec requies mea in seculum seculi, hic habitabo quoniam elegi eam.* Ps. *Memento domine David.*	**54.** Ant. *Aperite mihi portas iustitiae et ingressus in eas confitebor domino.* Ps. *Confitemini,* etc.	**1341.** Postea cooperitur canentibus interim anteplonam : *Aperite mihi portas.* Ps. *Confitemini domino.* Commendatio anime. *Tibi domine commendamus animam famuli tui...*

Da questa comparazione é dato rilevare che nell'*Ordo defunctorum* del Rituale di Monza, il rito di sepoltura assume una forma composita, nella quale la tradizione « romana » viene adattata e inserita nella tradizione « gallicana » dei Gelasiani del sec. VIII come é appunto quella tramandata da Rh 30 [119].

Ipotizzare che il *Liber sacramentorum* a cui rimanda la rubrica del nostro Rituale potrebbe essere eventualmente il Sacramentario Gelasiano di Monza é anche possibile, ma tale ipotesi é da verificare in tutta la sua estensione : in particolare l'ambito o la tradizione liturgica in cui si collocano l'*Agenda mortuorum* del Gelasiano di Monza [120] e quella del nostro Rituale, eventuali elementi in comune e quelli divergenti ecc., senza trascurare la presenza o meno di libri liturgici consimili nella stessa area geocultuale.

— L'ufficiatura che si svolge nella chiesa cimiteriale per l'anima del defunto (cfr. n. **51**) comporta — secondo le circostanze — la recita del Mattutino (con tre notturni), delle Lodi e del Vespro dei defunti. Questa

117. G. Haenni, « Un "Ordo defunctorum" du Xe siècle (Cologne : Cathédrale, ms. 123) », *ELit* 73, 1959, 434 (studio e testo, p. 431-434).

118. A. Hänggi, A. Schönherr (ed.), *Sacramentarium Rhenaugiense. Handschrift Rh 30 der Zentralbibliothek Zürich* (= Spicilegium Friburgense, 15), Freiburg Schweiz 1970, p. 275 (il rituale alle p. 273-276 : CCLXVII. *Orationes super defunctis vel commendatio anime*, nn. 1331-1341).

119. Cf. D. Sicard, *La Liturgie de la mort*, p. 230-239.

120. Cf. GeM 1092-1102.

ufficiatura nel Rituale di Monza — come pure nel Rituale di Asti (ff. 75r-82r) — costituisce una sezione a sé stante (ff. 22v-28v : *Incipit antiphona vel responsorium in agenda mortuorum*) : invece nel Rituale monastico di Grazzano (ff. 62r.-67v) e nell'Ambr. T 27 sup.[121] é situatio all'interno dell'*Agenda mortuorum* di cui é parte integrante.

— Infine nell' *Ordo defunctorum* del Rituale b-15/128, al rito di sepultura segue un « corpus » di 15 antifone con corrispondente salmo (soltanto l'*incipit*) senza alcuna rubrica che indichi la loro funzione nel contesto dell'*Ordo* medesimo.

Probabilmente venivano utilizzate — tutte o in parte —, secondo la lunghezza del percorso, durante la processione che dalla chiesa cimiteriale portava al luogo del sepolcro. Una conferma di tale ipotesi si ha dall'Ambr. T 27 sup., che per questa processione propone — come parte costitutiva dell'*Ordo* — un « corpus » di 8 antifone con il corrispondente salmo ed altre 16 antifone senza salmo[122]. In questo « corpus » sono presenti 8 antifone del nostro Rituale[123].

Un'ulteriore conferma della fondatezza della nostra ipotesi[124] proviene dall'*Ordo in agenda mortuorum* del cosidetto *Sacramentarium Warmundi episcopi Eporediensis*[125] : per la processione dalla chiesa al luogo della sepoltura (cioé al cimitero) l'*Ordo* tramanda (ff. 203v-205r) un « corpus » di 44 antifone !

---

121. Ediz. C. Lambot, p. 50-57.

122. *Ibid.*, p. 58-59. Per la processione dalla casa del defunto alla chiesa cimiteriale, l'*Ordo infirmorum vel mortuorum*, qui segnalato, propone invece un « corpus » di 22 salmi con una sola antifona all'inizio (*ibid.*, p. 49-50).

123. Sono le antifone; *Aperite michi*; *Qui posuit animam*; *Animam de corpore*; *Archangele Christi*; *In paradisum*; *Audivi vocem*; *Leto animo*; *Tu iussisti.*

124. Tale ipotesi non esclude « a priori » che il « corpus » di antifone con relativo salmo potesse servire anche per il corteo funebre dalla casa alla chiesa cimiteriale. Vedi sopra nota 122.

125. Ivrea, Bibl. Capitolare, cod. 31 (LXXXVI); scritto nel 1001 oppure 1002. Cf. A. Ebner, *Quellen und Forschungen zur Geschichte und Kunstgeschichte des Missale Romanum im Mittelalter. Iter Italicum*, Graz 1957 (ediz. anast.), p. 52-62. — E' recente l'edizione in fac-simile e in anastatica del codice medesimo (Editori Priuli & Verlucca, C.P. 245, 10015 Ivrea) con annessa trascrizione integrale del codice (a cura di Ferdinando Dell'Oro) e la riproduzione parziale dell'opera di L. Magnani, *Le Miniature del Sacramentario d'Ivrea e di altri codici Warmondiani*, Città del Vaticano 1934.

EXCERPTA
E RITUALI-SACRAMENTARIO MODOETIENSI

<ORDO AD UNGENDUM INFIRMUM>

9 *Imposicio manuum sŭ<per> in<firm>um.* Sanctum et uenerabile
nomen glorie (f. 7r) tue inuoco ex<c>else deus pater omnipotens, qui
fecisti celum et terram, mare et omnia que in ei<s>^a sunt. Deus
Abraam, Deus Isaac, Deus Iacob, Deus qui in altis habitas et humilia
resspicis : resspice super inposicionem manuum nostrarum, quam
facimus super <h>unc famulum tuum *ill.*, que manus^b spiritaliter
opere<n>tur super eum. Da ei, domine, sanitatem corporis, integritatem mentis, lo<n>gitudinem vite, prosperitatem in valitudine. Et ab
omni inquietudine inimici (f. 7v) libera eum, qui liberasti filios Israel
de terra Egypti, Petrum de custodia carceris^c, Paulum de uinculis,
Susannam de falso crimine, Teglam de medio expectaculo^d, Danielem
de lacu leonis, tres pueros de camino ignis ardentis, Ionam de profundo
maris, Loth de Sodomis : ita et miserearis^e, domine, qui misertus es^f
ciuitati tue Nineue, in qua commorabantur plus quam centum uiginti
milia hominum. Domine, sis ei adiutor (f. 8r) et protector atque
defensor, sicut fuisti puero tuo Dauit ad expugnandum Goliat. Et aperi
oculos cordis eius ad cognoscendam uoluntatem tuam, sicut aperuisti
oculos Tobie ad uidendum uisibilia^g, ut perducas eum ad regnum^h
tuum celeste. Quod ipse prestare.

10 *Postea ungis eum de oleo sanctificato* //// Ungo te oleo sanctificato, ut
more militis unctus et preparatus ad luctamen ereas^a possis superare
cateruas. Operare creatura (f. 8v) olei in nomine patris et filii et spiritus
sancti. Non lateat hic spiritus inmundus nec in membris nec in m<e>
dullis nec in nulla compagine membrorum huius hominis, sed operetur
in eo uirtus Christi filii dei altissimi, qui cum eterno deo patre uiuit et
regnat.

11 *Alia.* Adesto, domine saluator, et hanc inposicionem manus mee
nominis tui inuocatione^a confirma, ut huic famulo tuo *ill.*, quem
clemencie <tue> obsecratione benedicimus (f. 9r) adsit medicina
celestis; ut sicut illa quo<n>dam beati Petri apostoli tui socrus ad
manus tue tactum et uerbi tui preceptum febribus fugientibus surrexit

et illico tibi, domine, ministrauit, ita et hic famulus tuus nominis tui
uirtute sanatus surgat in corpore roboratus simulque firmatus in
spiritu. Indultum sibi temporalis uite istius commeatum idcirco co-
gnoscat ut tibi seruiat liberatus, et per bone conuersationis actum si
quid[b] in preterito et presenti peccauit emundet, et in futurum saluatio-
nem adquirat. Quod ipse[c] prestare.

12 <*Communica eum et dic* :> Corpus domini nostri Iesu Christi sanguine[a] suo tinctum conseruet animam (f. 9v) tuam in uitam eternam.
Amen.

13 P<*ost communionem.*> Domine sancte pater te fideliter deprecamur,
ut accipiente fratre nostro sacrosanctam[a] hanc eucharistiam[b] <tam>
corporis quam anime sit salus. Per e(u)ndem.

14 /////// Deus misericors, deus clemens qui secundum multitudinem
miserationum tuarum peccata penitentium deles, et preteritorum
criminum culpas uenia remissionis euacuas : respice super hunc famulum tuum *ill.*, et remissionem sibi omnium peccatorum suorum tota
cordis confessione poscentem[a], deprecatus exaudi. Renoua in eo,
pissime pater, quicquid[b] diabolica[c] fraude uiolatum est, et in unitate
(f. 10r) corporis ecclesie tue membrorum perfecta remissione restitue.
Miserere, domine, gemit<u>um, miserere lacrimarum, et non haben-
tem fidutiam nisi in tua misericordia, ad sacramentum reconciliationis[d]
admitte. Per.

15 *Alia.* Maiestatem tuam, domine, supplices deprecamur, ut huic famulo
tuo[a] *ill.*, longo squalore penitentie macerato, miserationis tuae ueniam
largire digneris, ut nuptiali ueste recepta ad regalem mensam, unde
eiectus fuerat, mereatur introire. Per.

---

9 a ei, *cod.*; b munus AmJ 1360; c carcere, *cod.*; d expectaculum, *cod.*; e miserere,
cod.; f sum, *cod.*; g inuisibilia, *cod.*; h rennum, *cod.*
10 a arias AmJ 1361.
11 a inuocationem, *cod.*; b qua, *cod.*; c isse, *cod.*
12 a scanguine, *cod.*
13 a sacrosanctum, *cod.*; b AmJ 1393 *add.* + corporis et sanguinis domini nostri Iesu Christi
filii tui.
14 a possientem, *cod.*; b AmJ 1365 *add.* terrena fragilitate corruptum est uel quicquid;
c diabolice, *cod.*; d reconsciliationis, *cod.*
15 a hunc famulum tuum, *cod.*

COMMENDATIO ANIMAE

16 *Oratio commendacionis anime.* Deus apud quem omnia morientia
uiuunt, cui non pereunt moriendo corpora nostra sed mutantur in

melius, supplices te (f. 10v) deprecamur, ut suscipere iubeas animam famuli tui *ill.* per manus sanctorum angelorum ducendam in sinu amici tui patriarche Abra<h>e resuscitandam in nouissimo[a] magno die iudicii; et si quid de regione mortali tibi contrarium contraxit fallente diabolo, tua pietate ablue indulgendo. Per.

17 *Alia.* Suscipe, domine, animam serui tui *ill.* de Egypto exitu proficiscentem ad te, et mitte angelos tuos sanctos obuiam ei, et uias iustitie demonstra ei, et aperi ei portas iustitie, et repelle ab ea principes tenebrarum. Agnosce, domine, creaturam tuam non ex diis (f. 11r) alienis creatam, sed a te solo deo uno et uivo quia non est <deus> preter te et non est secundum opera tua. Letifica, domine, animam serui tui; ne memineris pristine iniquitatis et ebrietatis quam suscitauit feruor mali desiderii; licet enim peccauit, patrem et filium et spiritum sanctum tamen <non> negauit, sed credidit et zelum dei habuit, et deum qui fecit omnia adoravit.

17a Suscipe, domine, animam serui tui *ill.* reuertentem ad te; ueste ce<le>sti indue eam, et da ei requiem celestem; <et in paradisi gaudio noticiam ministe>riorum dei agnoscat, et inter possidentes uitam eternam possideat. Per.

18 *Alia.* (f. 11v) Tu nobis, domine, ausilium prestare digneris, tu opem feras, tu misericordiam largiaris, et spiritum etiam famuli tui *ill.* uinculis corporis liberatum in pace sanctorum tuorum precipias collocare, ut locum penalem et gehennam ignis flammamque tartari in regione uiuentium euadat. Qui reg<nas>.

19 *Alia.* Proficiscere anima famuli tui *ill.* de hoc[a] mundo, in nomine dei patris omnipotentis, <qui te creavit,> et in nomine[b] Iesu Christi filii dei uiui, qui pro te passus est[c], in nomine angelorum et archangelorum, in nomine thron<or>um et dominationum, in nomine principatum[d] et potestatum et omnium uirtutum celestium, in nomine cherubin et serafin, in nomine (f. 12r) omnis humani generis quod a deo susceptum est, in nomine patriarcharum et prophetarum, in nomine apostolorum et martirum, <in nomine> confesorum et episcoporum, in nomine sacerdotum et leuitarum et omnis ecclesie catholice gradum, in nomine uirginum et fidelium uiduarum. Hodie factus sit in pace locus tuus et habitacio tua in Hierusalem celestem.

20 *Alia.* Suscipe, domine, seruum tuum in bonum. Libera, domine, animam serui tui *ill.* ex omnibus periculis infernorum et de laqu<ei>s penarum et de omnibus tribulacionibus. Libera, domine, animam serui tui *ill.,* sicut liberasti Noe per diluuium. Libera, domine, animam (f. 12v) serui tui *ill.,* sicut liberasti Enoch et Heliam de communi morte mundi. Libera, domine, animam serui tui *ill.,* sicut liberasti Loth de

Sodomis et de flamma ignis. Libera, domine, animam serui tui *ill.*, sicut liberasti Moysen de manu Egypciorum. Libera, domine, animam serui tui *ill.*, sicut liberasti[a] Isaac de <h>ostia et de manu patris sui Abrahe[b]. Libera, domine, animam serui tui *ill.*, sicut liberasti Iob de passionibus. Libera, domine, animam serui tui *ill.*, sicut liberasti Danielem de lacu leonis. Libera, domine, animam serui tui *ill.*, sicut liberasti tres pueros de camino ignis ardentis et de manu regis iniqui. Libera, domine, animam serui tui *ill.*, sicut liberasti Ionam[c] de uentre ceti. Libera, domine, animam serui tui <*ill.*,> sicut liberasti Susannam (f. 13r) de falso testimonio. Libera, domine, animam serui tui *ill.*, sicut liberasti David de manu Saul regis et Goliae et de omnibus uinculis eius. Libera, domine, animam serui tui *ill.*, sicut liberasti Petrum et Paulum de carceribus. Libera, domine, animam serui tui <*ill.*,> sicut liberasti Teglam de manu tormenti. Sic liberare digneris animam hominis istius, et tecum habitare concede in bonis celestibus. Per dominum.

21 *Alias.* Commendamus tibi, domine, animam fratris nostri *ill.*, et precamur <ut> propter quam ad terram tua[a] pietate descenderas, patriarcharum tuorum sinibus insinuare non renuas miserando. Per.

22 *Alia.* Migranti in tuo nomine <de> die instabili[a], sempiternam illam (f. 13v) uitam ac letitiam in celestibus presta, saluator mundi. Per.

23 *Alia.* Deus ante cuius conspectum defertur omne quod geritur[a], qui cum sis institutor uite, et de suppliciis esto moderator, quesumus, pro famulo tuo *ill.* ut des ei partem cum sanctis tuis et hereditatem cum electis tuis. Per.

24 *Et dic capitulum.* In me<mo>ria eterna erit iustus.
℟. Ne tradas, domine, bestiis animam confitentem t<ibi.>
Exultent iusti in conspectu dei.
Preciosa est in conspectu domini.
Exultabunt iusti in gloria.
Letabuntur.

25 *Alia.* Omnipotentis dei misericordiam deprecemur, cuius iuditio et nascimur et finimur, ut spiritum (f. 14r) fratris nostri, quem domini[a] pietas de incolatu mundi huius transire precepit, et[b] <eum> requies eterna suscipiat[c] et in beata resurreccione representet, et in sinibus Abrahe Isaac collocare dignetur. Per.

16 a noviscimo, *cod.*

19 a ohc, *cod.*; b nominae, *cod.*; c GeG 2892 *add.* in nomine spiritus sancti qui in te effusus est; d principatu, *cod.*

20 a lebirasti, *cod.*; b Abrabe, *cod.*; Ionum, *cod.*

21 a tuam, *cod.*

22 a Amb. T 27 sup. (p. 60) *add.* et tam incerta

23 a genitur GeG 2894.

25 a dominus, *cod.*; b *fortasse* ut; c suscipias, *cod.*

\<ORDO IN AGENDA MORTUORUM\>

26 *Oratio quando anima de corpore egredi\<tur.\>* Pie recordacionis affectu, fratres karissimi, commemoracionem facimus cari nostri *ill.*, quem dominus de temtacionibus huius seculi assumpsit, obsecrantes dei nostri misericordiam, ut ipse ei tribuere dignetur placitam et quietam mansionem, et remittat omnes[a] lubrice temeritatis offensas, ut concessa uenia plene indulgentie[b], quicquid in hoc seculo proprio reatu deliquid, totum ineffabili pietate ac benignitate sua (f. 14v) deleat et abstergat. Quod ipse.

27 *Alia.* Diri vulneris nouitate perculsi et quodammodo cordibus sauciati, misericordiam tuam, mundi redemtor, flebilibus uocibus imploramus, ut cari nostri *ill.* animam ad te datorem proprium reuertentem blande leniterque suscipias, ut si quas illa ex hac carnali commigracione contraxit maculas, tu, deus, solita bonitate clementer deleas, pie indulgeas, obliuioni in perpetuum \<tradas\> atque hanc eandem laudes tibi cum ceteris re\<d\>dituram et ad corpus quandoque reuersuram sanctorum \<tuorum\> cetibus adgregari precipias[a]. Per.

28 *Alia.* Suscipe, domine, animam serui tui, quam (f. 15r) de ergastulo[a] huius seculi uocare dignatus es[b], et libera eam de principibus tenebrarum et de locis penarum, ut absoluta omnium uinculo peccatorum, quietis ac lucis eterna beatitudine perfruatur, et inter sanctos et electos tuos in resurreccionis gloriam resuscitari mereatur. Per.

29 *Alia.* Non intres in iudicium cum seruo tuo, domine, *ill.*, quia nullus apud te iustificabitur homo, nisi per te omnium peccatorum tribuatur remisio. Non ergo eam tua[a], quesumus, iudicialis sententia premat, quam tibi uera supplicacio fidei christiane commendat, sed gracia tua illi succurrente mereatur euadere iudicium ulcionis, (f. 15v) qui dum uiueret insignitus est signaculo trinitatis. Per.

30 *Alia.* Fac, quesumus, domine, hanc \<cum\> seruo tuo *ill.* defunto misericordiam, ut factorum suorum[a] in penis non recipias uicem, qui tuam in uotis tenuit uoluntatem, ut sicut hic eum uera fides \<iunxit\> fidelium turmis, ita eum illic[b] tua miseracio societ[c] angelicis choris. Per.

31 *Alia.* Inclina, domine, aurem tuam ad preces nostras quibus misericordiam tuam supplices deprecamur, ut animam famuli tui *ill.* quam de <h>oc seculo migrare iussisti, in pacis ac lucis regione constituas, et sanctorum tuorum iubeas esse consortem[a]. Per.

32 *Alia.* Absolue, domine, animam famuli tui *ill.* (f. 16r) ab omni uinculo delictorum, ut in resurreccionis gloria inter sanctos tuos resuscitatus respiret. Per.

33 *Alia.* Annue nobis, domine, ut animam famuli tui *ill.* remissionem, quam semper obtauit, mereatur percipere peccatorum. Per.

34 *Et postea dicat capitulum*[a]. In memoria eterna erit iustus.
Ne tradas bestiis animam confitencium tibi.
Preciosa est in conspectu domini mo<r>s sanctorum.
Non intres in iudicium cum seruo tuo do<mine>.
Requiem eternam dona ei domine.

35 *Incipit oratio post lauacionem corporis.* Deus uite dator et humanorum corporum reparator, qui te a peccatoribus exorare uoluisti, exaudi preces (f. 16v) quas<s>peciali deuocione pro anima famuli tui *ill.* tibi lacrimabiliter fundimus, ut liberare eam ab inferorum cruciatibus, et collocare inter agmina sanctorum tuorum digneris, ueste quoque celesti et stola immortalitatis indui, et paradisi amenitate confoueri iubeas. Per.

36 *Alia.* Deus qui humanarum animarum eternus[a] amator es, animam famuli tui *ill.* quam uera dum in corpore maneret tenuit fides, ab omni cruciatu inferorum redde oxtorrem, ut segregata ab infernalibus clau<s>tris, sanctorum mereatur adunari consorciis. Per.

37 *Oratio ad leuandum corpus cum <e> greditur de domo uel ecclesia.* (f. 17r) Suscipe, domine, animam serui tui *ill.* reuertentem ad te; uestem[a] celestem indue eam et laua eam sancto fonte uite eterne, ut inter gaudentes gaudeat et inter sapientes sapiat, et inter martires consedeat, et inter patriarchas proficiat et inter prophetas letificet, et inter apostolos Christum sequi studeat, et inter[b] paradisi rutiles lapides gaudia[c] possideat, et noticiam misteriorum[d] dei agnoscat, et inter <c>herubin et sera<p>hin claritatem dei inveniat[e], et inter uiginti quatuor seniores cantica canticorum audiat, et inter lauantes stolas in fontem luminis (f. 17v) uite uestem lauet, et inter pulsantes depulsans[f] portas celestis Hierusalem apertas inueniat, et inter uidentes deum facie ad faciem uideat, et inter canentes canticum nouum cantet, et inter audientes audito celeste[g] sonum exaudiet. Per.

38 *Oratio ante sepulturam.* Obsecramus misericordiam tuam eterne omnipotens deus qui hominem ad imaginem tuam creare dignatus es, ut
spiritum et animam famuli tui *ill.*, quam hodierna die rebus humanis
eximi et ad te accersire iussisti, blande et misericorditer suscipias. Non
ei dominentur umbre mortis nec tegat[a] <eum> chaos et caligo tenebrarum, sed exutus omnium criminum labe, in sinu Abrahe patriar<c>he
(f. 18r) conlocatus, locum lucis et refrigerii se adeptum esse gaudeat[b],
<et> cum dies iudicii aduenerit <cum sanctis> et electis tuis resusci-
tari iubeas. Per.

39 *Alia.* Deus aput quem mortuorum spiritus uiuunt, et in quo electorum
anime deposito carnis onere plena felicitate letantur, presta supplicibus
nobis, ut animam famuli tui *ill.* quae[a] temporali per corpus uisionis
huius luminis caruit uisu, et eterne[b] lucis solacio potiatur; non eum
tormentum mortis adtingat, non dolor horrende uisionis afficiat[c], non
penalis timor excrutiet, non <r>eorum proxima[d] catena constringat,
sed concessa sibi delictorum (f. 18v) omnium uenia obtate quietis
consequatur gaudia repromissa. Per.

40 *Oratio post sepulturam corporis.* Oremus, fratres karissimi, pro spiritu[a]
cari nostri *ill.* quem dominus de laqueo huius seculi liberare dignatus
est, cuius corpusculum hodie sepulture traditur, ut eum pietas domini
in sinu Abrahe et Isaac et Iacob conlocare dignetur, ut cum dies iudicii
aduenerit, inter sanctos et electos suos eum in parte dextera conlocan-
dum resuscitari faciat. Prestante domino nostroi <esu.>

41 *Alia.* Deus qui iustis supplicacionibus semper presto[a] es, qui pia uota
dignaris intueri, da famulo tuo *ill.* cuius (f. 19r) depositioni[b] hodie
officia humanitatis ex<h>ibemus, cum sanctis atque fidelibus tuis
beati muneris porcionem. <Per.>

42 *Alia.* Debitum humani corporis sepeliendi officium fidelium more
complentes, deum cui omnia uiuunt fideliter deprecemur ut hoc corpus
cari nostri *ill.* a nobis in infirmitate sepultum, in ordine sanctorum
suorum resuscitet, et eius spiritum sanctis ac fidelibus adgregari iubeat,
cum quibus inenarrabili gloria et perhenni felicitate perfrui mereatur.
Prestante.

43 *Alia.* Temeritatis quidem est, domine, ut homo hominem, mortalis
mortalem, cinis cinerem[a], tibi domino deo nostro audeat (f. 19v)
commendare : sed quia terra suscepit terram, et puluis conuertitur in
puluerem donec omnis caro in suam redigatur originem[b], inde tuam,
deus piissime pater, lacrimabiliter, quesumus, pietatem, ut huius[c]
famuli tui *ill.* animam, quam de huius[d] mundi uoragine cenulenta ducis
ad patriam, Abrahe amici tui sinu recipias et refrigerii rore perfundas.
Sit ab estuantis[d] gehenne truci incendio segregatus, et beate requiei[e] te

tedonante coniunctus; et si que illi sunt, domine, digne cruciatibus culpe, tu eas <gratie> mitissime lenitate indulge, <nec> peccati recipiat uicem, sed indulgentie tue (f. 20r) piam sentiat bonitatem. Cumque finito mundi termino supernum cun<c>tis inluxerit regnum, omnium sanctorum cetibus adgregatus, cum electis resurgat in parte dextere coronandus. Per.

44 *Alia*. Tibi, domine, commendamus animam famuli tui *ill.*, ut defunctus seculo tibi uiuat, et si qua per fragilitatem mundane conuersacionis peccata admisit, tu uenia misericordissime pietatis absterge. Per.

---

26 a omnis, *cod.*; b indulligentie, *cod.*
27 a percipias, *cod.*
28 a argastulo, *cod.*; b est, *cod.*
29 a tuam, *cod.*
30 a tuorum, *cod.*; b illuc, *cod.*; c socii et, *cod.*
31 a consortes, *cod.*
34 a capituli, *cod.*
36 a eternis, *cod.*
37 a veste, *cod.*; b GeV 1611 *add.* angelos et archangelos claritatem dei peruideat et inter (cf. Geg 2898); c gaudiat, *cod.*; d ministeriorum, *cod.*; e inueniant, *cod.*; f depulset et, *cod.*; g celestem, *cod.*
38 a regat, *cod.*; b gaudiat, *cod.*
39 a quem, *cod.*; b et ne illius, *cod.*; c efficiat, *cod.*; d prosima, *cod.*
40 a spiritum, *cod.*
41 a pro<p>esto, *cod.*; b depositione, *cod.*
43 a cinnerem, *cod.*; b orriginem, *cod.*; c iuius, *cod.*(?); d iuius (?) *cod.*; d estuentis, *cod.*; e requie(s)i, *cod.*

ORDO DEFUNCTORUM

45 *Mox ut eum uiderit ad exitum adpropinquare, communicandus est de sacrificio sancto, etiamsi commedisset ipso die, qu<i>a communio erit* (f. 20v) *ei adiutor et defensor in resurreccione iustorum. Ipsa enim resuscitabit eum. Post communionem perceptam, legende sunt passiones dominice ante corpus infirmi sive presbiteri sive diaconi, quoadusque egrediatur anima de corpore.*

46 *Primitus enim ut anima de corpore fuerit egre<s>sa, dicit responsorium* : Subuenite, sancti dei; ocurrite, angeli domini, suscipientes animam eius, offerentes eam in conspectu altisimi. *Versus.* Suscipiat[a] te Christus qui uocauit te, et in sinu Abrahe angeli deducant[b] te. *Responsum.* Offerentes.

47 <*Sequitur alia antiphona.* Suscipiat te Christus qui uocaui<t> te, et in sinu Habra<h>e angeli deducant te. *Psalmus.* In exitu (f. 21r) *Anti-*

phona. Chorus angelorum te suscipiat, et cum Lazaro[a] quondam
paupere[b] eternam habeas requiem.

48 *Postea lauatur corpus et ponatur in feretro. Et <cum> in feretro
positum fuerit, dicat sacerdos orationem[a].*

49 *Et cum de domo egredi debet, dicat* <antiphonam :> De terra formasti
me et carne induisti me. Redemtor meus domine, resuscita me in
nouissimo die. *Antiphona.* Exultate iusti *cum psalmo usque dum
uenerit ad ecclesiam.*

50 *Antiphona.* Tu[a] iussisti nasci[b] me, domine; tu promi<si>sti michi ut
resurgerem iusso tuo; uenio, sancte, ne derelinquas me, quia pius es[c].
Psalmus. Quemadmodum.
Antiphona. Audiui uocem, *ut supra.* <*Psalmus.*> Dilexi quoniam[d] *cum
antiphona siue alleluia uel responsorio. Leccio ad ipsum* (f. 21v) *officium pertinentes de Iob.*

51 *Et ipse corpus in ecclesia debet esse usquequo pro ipsa anima misse
celebrantur.*

52 *Cum uero ipse misse explete fuerint, leuetur ipsum corpus, procedenti-
bus ante eum cereis uel turibulis, canentibus hec antiphona :* In
paradisum deducant <t>e angeli, in tuo[a] aduentu suscipia<nt> te
martires, et perducant te in ciuitatem sanctam in Hierusalem. *Psalmus.*
Cum inuocarem *usque ad sarcofago[a].*

53 *Et antea quam operiatur[a], dicat sacerdos oraciones que in sacramentorum contine<n>tur. Et orent omnes pro ipsa anima canendo :* Miserere
mei deus[b].

54 *Antiphona.* Aperite michi portas[a] iustitie, et ingressus in ea confitebor
domino. *Psalmus.* Confitemini[b].
<*Antiphona.*> Qui posuit animam tuam ad uitam suscipia<t> (f. 22r)
te cum sanctis[c] tuis, et faciat tecum misericordiam. *Psalmus.* Domine,
quis habitabit.
<*Antiphona.*> Suscipiat te Christus. *Psalmus.* Dominus inluminacio
<mea.>
Antiphona. Animam de[d] corpore. *Psalmus.* Exaltabo te d<omine.>
Antiphona. Ego, domine, cum iusti<ci>a a<p>parebo, conspectu tuo
saciabor. *Psalmus.* Exaudi d<omine> iusti<ci>am.
Antiphona. Vide, domine, humilitatem meam et laborem meum, et
dimitte omnia peccata mea. *Psalmus.* Ad te d<omine> leva<vi>.
Antiphona. Archangele[e] Christi, per coronam quam meruisti deprecamur te : per unigenitum dominum nostrum ut eripias eam de laqueo
mortis. *Psalmus.* Miserere mei, deus, quoniam.

Antiphona. Chorus angelorum. *Psalmus*. Dilexi quoniam.

Antiphona. In paradisum, *ut supra*. *Psalmus*. Misericordias domini.

Antiphona. Audiui uocem. *Psalmus*. Benedic anima <mea domino> (?).

Antiphona. De terra formasti. *Psalmus*. Exultate.

Antiphona. In regnum dei deducan<t> te angeli, cum gloria suscipia<nt> te (f. 22v) martyres in regnum tuum.

Antiphona.Domine, de terra formasti eum et carne induisti eum : red tor meus domine, resuscita eum in nouissimo die. *Psalmus*. Miserere mei, deus, miserere.

Antiphona. Laeto animo pergo ad te; suscipe me, domine, quia de limo terre plasmati me; spiritus de celo introiuit <in> me : iussio tua uenit ut commendes terre corpus meum; animam quam dedisti, suscipe illam, deus. *Psalmus*. Domine exaudi orationem.

Antiphona. Tu iussisti. *Psalmus*. Quemadmodum.

---

46 a Suscipiad, *cod.*; b deducam, *cod.*

47 a Lazarum, *cod.*; b quandam pauperem, *cod.*

48 a oratio, *cod.*

50 a Cum, *cod.*; b nassi, *cod.*; c pium est, *cod.*; d segue, nel codice, spazio di una linea e mezza in bianco.

52 a tua, *cod.*; b csardofago, *cod.*,

53 a operiatur, *cod.*; b segue, nel codice, spazio di una linea e mezza in bianco.

54 a portas *bis in cod.*; b Confetemini, *cod.*; c scantis, *cod.*; d ac, *cod.*; e Arhanhele, *cod.*

DISCOURS THÉOLOGIQUE
ET RÉALITÉ SACRAMENTAIRE

Joseph DORÉ

L'objectif de ces pages [1] est très circonscrit. Comme voudrait le suggérer leur titre, elles ne visent qu'à établir — ou plutôt : à vérifier — le lien indissoluble qui existe, et doit donc être reconnu comme existant, entre : théologie chrétienne ou, plus précisément encore, *discours* théologique d'une part, et *réalité* sacramentaire de l'autre. En si peu de pages, soulignons-le d'entrée de jeu, il ne pourra s'agir d'établir et vérifier rien d'autre que le *principe* d'un tel lien. En tirer toutes les conséquences pour ce qui concerne l'accomplissement effectif et concret de la tâche théologique en son détail, est évidemment exclu.

Plus rapide, une première partie se rapportera à la foi chrétienne, sans laquelle il n'y aurait assurément pas de théologie chrétienne. Elle reprécisera que la foi ne se définit, au bout du compte, que par une référence effective et constitutive à la Réalité même du Mystère (révélé) de Dieu. Une seconde partie, qui constituera l'essentiel de la réflexion proposée ici, aura pour tâche de faire apparaître que et pourquoi, si la théologie est ainsi « de la foi » et si la foi « va au Mystère », *c'est alors par essence que la théologie est, et comme telle, rapportée à la réalité sacramentaire.* Cela, pour la raison précise — que ces pages voudraient justement établir — qu'il y a, pour et selon la foi chrétienne, une continuité infrangible entre le Mystère (de Dieu) et les sacrements (de l'Église).

Lien de la foi et de la théologie au Mystère de Dieu, puis lien du Mystère aux sacrements de l'Église — *et donc lien de la théologie* comme discours de la foi *aux sacrements* comme communication réelle du Mystère : tel est, ainsi, l'objet précis de ces pages. Une fois clarifié *le principe* de ce troisième lien — car, répétons-le, c'est au principe qu'on se limitera —, une très brève conclusion se bornera à apporter quelques illustrations et compléments.

---

1. Ces pages sont la reprise d'un enseignement donné, à la demande de Paul de Clerck, à l'Institut supérieur de liturgie de l'Institut catholique de Paris, le 6 décembre 1989. Leur ayant intentionnellement gardé le caractère didactique qu'elles doivent à cette circonstance, je les dédie, comme un hommage reconnaissant et respectueux, à celui qui dirigea pendant tant d'années l'organisme auquel elles doivent leur origine.

I. *Théologie et foi chrétiennes*

Intellectus quaerens fidem et *fides quaerens intellectum*, la théologie a par nature rapport à la foi; mais qu'en est-il, exactement, de la foi *chrétienne*, en tant que, ainsi que le donnent à penser ces « définitions » traditionnelles, elle *commande* la conception que l'on peut avoir de la théologie chrétienne?

1. La foi chrétienne n'est pas réductible à une *doctrine.*

Certes, elle propose bien un enseignement, une vision du monde, une conception de l'homme, de Dieu et de leurs rapports; et tout cela s'exprime bien en une série de « vérités » proposées à l'intelligence croyante. En ce sens, la foi a bel et bien un contenu intellectuel, propositionnel, doctrinal. Sa communication ne saurait donc faire l'économie d'un exposé discursif. Mais elle est très loin de se réduire à cela : elle n'est vérité qu'en étant *en même temps* voie et vie. La théologie, qui est réflexion sur la foi, ne peut donc pas se contenter d'être une opération purement discursive, purement intellectuelle, traitant seulement des « idées » reçues d'une tradition qui ne serait qu'une tradition de *pensée.*

Parce que la foi chrétienne ne se réduit pas à une doctrine, la théologie, qui la réfléchit, ne peut se contenter de se rapporter à des textes et à des idées.

2. La foi chrétienne n'est pas non plus réductible à une *morale.*

Certes, elle propose bien un style d'existence et des valeurs de vie : une *voie* et une *vie.* Et donc elle va comporter normes, consignes et même lois, qui relèveront elles-mêmes d'une réflexion explicative et critique à la fois, et en ce sens appelleront d'elles-mêmes un discours approprié qui sera la théologie morale. Mais la vie chrétienne et donc la morale chrétienne n'ont rien à voir avec un simple moralisme, ni même avec un pur système de valeurs proposé à l'adhésion d'individus qui seraient souverains dans leur décision de mise en pratique, et qu'une réflexion appelée théologie devrait seulement aider à prendre leur décision en meilleure connaissance de cause. La vie chrétienne, l'agir chrétien, la morale chrétienne sont d'abord l'accueil d'*une grâce,* et ensuite la vie en réponse aux sollicitations, au soutien et aux dynamismes de cette grâce. La théologie, comme réflexion sur une foi qui est non seulement vie mais grâce, ne peut donc se contenter d'exposer et d'expliciter un programme de vie, un ensemble de principes et de règles, un ordre de valeurs, etc.

Parce que la foi chrétienne ne se réduit pas à une morale, la théologie, qui la réfléchit, ne peut se contenter de se rapporter à des normes et à des valeurs.

3. La foi chrétienne n'est pas davantage réductible à une *mystique.*

Certes, étant grâce ainsi que cela vient d'être rappelé, elle est saisie de tout l'être du croyant, et elle l'entraîne sur la voie d'une communion avec l'Autre, avec Dieu, qui, à travers épreuves et nuits, le fera accéder à une union purificatrice mais savoureuse, à une union indicible mais illuminante avec Dieu. Mais tout le problème de la mystique est de savoir comment elle peut identifier comme *Dieu* cet « Autre », cette transcendance, cette gratuité dont elle fait l'expérience. Et, quitte à faire trop bref, il faut bien dire que, du point de vue de la foi chrétienne qui est le nôtre ici, la seule manière de répondre à cette question est de s'en rapporter à l'Église, à sa tradition vivante et à son institution présente. A l'Église, c'est-à-dire : aux enseignements d'ordre doctrinal et au discernement d'ordre éthique qu'elle propose. Bref : à la médiation historique et sociale qu'elle représente en elle-même — médiation de nous-mêmes vers Dieu et médiation de Dieu vers nous. La théologie ne peut donc se contenter d'être l'effort, d'ailleurs alors déclaré d'emblée désespéré, pour porter au langage une expérience toujours strictement personnelle, et qui reste à vrai dire toujours d'ordre indicible.

Parce que la foi chrétienne ne se réduit pas à une mystique, la théologie, qui la réfléchit, ne peut se contenter de se rapporter à des expériences et à des « affects » — qu'ils soient visions, auditions ou « motions ».

4. Mais la foi chrétienne n'est pas non plus réductible à une *institution*, ou à l'appartenance à une institution.

Certes, on ne vient à la foi chrétienne que par la médiation *ecclésiale* qui vient d'être évoquée. On ne devient chrétien qu'en accueillant la doctrine chrétienne que seule *l'Église* est habilitée à proposer dans sa vérité; qu'en adoptant le style de vie chrétienne auquel *l'Église* a reçu mission d'appeler les hommes. Mais pour la foi, l'Église n'est pas une organisation, une formation sociale parmi d'autres; elle n'est pas une institution ou un ensemble d'institutions parmi d'autres, un système organisationnel ou un appareil socio-idéologique parmi d'autres. Elle est le lieu de la communication vivante avec Dieu. Elle est, par le Christ, avec lui et en lui, ni plus ni moins, le lieu et le lien de l'auto-communication salvatrice de Dieu... Réflexion sur et dans la foi, la théologie ne saurait donc se présenter comme un discours « d'appareil », qui serait du même coup tout entier au service d'une idéologie partisane, visant à se conquérir des adeptes par les moyens d'une propagande... avec l'objectif, en augmentant ses troupes, d'assurer et d'accroître son pouvoir.

Parce que la foi chrétienne ne se réduit pas à (l'appartenance à) une institution, la théologie, qui la réfléchit, ne peut se contenter de se rapporter à des consignes et à des fonctionnements d'appareil.

5. S'il en va ainsi, qu'est-ce donc, au juste, que la foi, et comment la théologie peut-elle alors se définir par rapport à elle, puisqu'elle n'a pas d'existence propre et réelle en dehors d'elle ?

La foi est assurément, et en toute hypothèse, démarche personnelle d'accueil et d'adhésion impliquant engagement de l'existence et fidélité à l'engagement pris. Mais la vraie question qui se pose à partir de là est celle de savoir à quelle « *objectivité* » corrélative se rapportent ces attitudes qui, coordonnées, caractérisent la foi *subjectivement*. La réponse est que, si cette donnée objective n'est ni seulement une doctrine, ni seulement une morale, ni seulement une mystique, ni seulement une réalité institutionnelle, c'est qu'elle est d'un autre ordre. D'un ordre certes capable d'englober et d'intégrer tout cela, mais en le dépassant et en le débordant. Elle est, à proprement parler, de l'ordre de ce que la Tradition chrétienne, et déjà le Nouveau Testament lui-même, appellent « *le Mystère* ». A savoir :

— l'auto-communication vivante et salvatrice *de Dieu lui-même* aux hommes ;
— auto-communication qui s'est décidée et scellée une fois pour toutes en Jésus-Christ : dans la naissance en humanité et la vie historique, dans la mort et la résurrection *de Jésus-Christ* ;
— auto-communication qui continue de s'accomplir et de s'actualiser constamment *dans l'Église*, en tant que celle-ci à la fois accueille et transmet sans cesse, et ainsi médiatise sans cesse, l'auto-communication accomplie par Dieu, en l'unique Jésus-Christ, certes au temps fixé, mais pour l'unicité *toujours renouvelée* de chaque moment de l'histoire et de chaque membre de l'humanité.

Bref, la foi est démarche d'accueil de/et d'adhésion à un « Mystère » : ce mystère qu'est l'auto-communication de Dieu dans l'histoire, pour le salut des hommes. On peut noter que la présentation même qui vient d'être faite du « Mystère » sous ses trois aspects, renvoie à une formulation usuelle dans les catéchismes jusqu'à une époque récente : au premier aspect, qui concerne la Réalité même de Dieu, correspond « le mystère de la Sainte Trinité » ; le deuxième, qui se concentre sur Jésus-Christ, renvoie au « mystère de l'Incarnation » ; au troisième, qui a trait à l'entrée effective des hommes dans le fruit, salvifique pour eux, de l'auto-communication de Dieu, répond la désignation, usuelle elle aussi dans le contexte évoqué, de « mystère de la Rédemption ».

II. Du Mystère aux sacrements chrétiens

Si l'« objet », le « contenu » de *la foi* est le Mystère entendu comme on vient de le rappeler et si, quant à elle, *la théologie* n'a, de toute manière, de sens que par rapport à la foi, alors il faut bien l'admettre : la théologie elle-même ne se rapporte *finalement* à rien d'autre qu'à cette auto-communication vivante et salvatrice de Dieu que la foi chrétienne invite à confesser et par quoi elle se définit. Ce n'est donc qu'à condition de clarifier autant que possible ce que cela implique, que l'on y verra également plus clair sur le statut réel de la théologie. Et c'est précisément de procéder à une telle clarification qui permettra d'établir et/ou de vérifier le propos annoncé comme le propos essentiel de ces pages : c'est par essence et *comme telle* que la théologie — entendons : *toute* la théologie — est rapportée à la *réalité sacramentaire.*

1. *Le Mystère est premier*

Certes, le Mystère se porte bien à la connaissance des hommes, et donc il y aura une doctrine à expliciter; il appelle bien à un certain style de vie, et donc il y aura une morale à mettre en œuvre; il engage bien à une vie de communion avec Dieu, et donc il y aura à faire place à une mystique; il se médiatise bien, enfin, par le corps social hiérarchisé de l'Église, et donc il y aura à honorer une dimension institutionnelle.

Mais, dûment reconnu, tout cela devra être tenu pour second par rapport à une *Réalité* première. Réalité qui est celle *du Mystère lui-même,* avec lequel la démarche de foi met en relation vivante et en relation auquel, *donc,* la théologie doit elle-même se concevoir. Cela, sous peine de parler, en fait, toujours d'autre chose que de ce dont parle la foi hors de laquelle, ainsi qu'on l'a rappelé, elle n'a pourtant rien en propre. C'est bien d'ailleurs parce qu'il en va ainsi, parce que la théologie est avant tout et essentiellement rapportée au Mystère, que s'explique et se justifie ce qui a été vérifié ci-dessus : qu'elle ne se rapporte ni seulement à une doctrine, même portant sur le Mystère; ni seulement à une morale ou une mystique, même indissolublement liées à lui; ni seulement à une institution, même si celle-ci est seule à en ouvrir véritablement l'accès.

Mais comment, concrètement, le Mystère nous rejoint-il; comment prend-il figure pour nous ?

2. *Le Mystère est Sacrement*

Ce qui est essentiel à la notion chrétienne de Mystère, c'est qu'il n'est pas seulement d'un autre ordre que celui de nos évidences et de nos certitudes immédiates et d'un autre ordre que celui de nos entreprises et de nos réalisations mondaines. Il est bien cela assurément, et il ne faut donc ni nier ni occulter que, en conséquence, le Mystère est par essence Réalité non immédiate, *cachée* à nos yeux, inaccessible à nos pouvoirs et à nos savoirs propres. En ce sens, il est bel et bien Réalité *transcendante.* En termes bibliques, il est « ce que nos yeux n'ont pas vu, ce que nos oreilles n'ont pas entendu, ce qui n'est pas même monté à notre cœur ». Mais ce que professe la foi chrétienne, c'est très précisément que ce Mystère inaccessible s'est mis lui-même à notre portée. C'est que cette transcendance s'est faite immanence à notre histoire; c'est que ce que nous n'avions pas entendu s'est fait parole pour nous, ce que nous n'avions pas vu s'est fait chair parmi nous, ce qui n'était pas monté à notre cœur nous a comblés de grâce.

De sorte que l'essentiel, dans le Mystère chrétien, ce n'est pas qu'il soit transcendance, de soi inaccessible, et qu'il soit donc Tout-Autre. C'est qu'étant assurément cela, il se soit fait *tout-nôtre;* c'est qu'il se soit communiqué à nous. Le caractère tout-autre et transcendant n'aura pas disparu pour autant d'ailleurs, au contraire! Révélé, le Mystère apparaît plus grand encore qu'on ne le pressentait tant qu'il restait caché. Inexplicable, incompréhensible, « renversant », il ne l'est pas seulement comme une réalité qui nous resterait toujours inconnue à cause de ce qui serait notre totale incapacité d'un savoir à son sujet, compte tenu des limites de notre puissance de connaître. Il l'est comme une Réalité *qui s'est fait connaître, mais* dont la face par laquelle elle se fait connaître, ne fait qu'ouvrir une fenêtre sur toute une infinie richesse que nous n'aurions, sinon, pas même soupçonnée. Et que rendre plus incompréhensible encore, et donc plus comblant, le fait qu'étant la richesse que nous le pressentons maintenant être, il se soit cependant réellement décidé à entrer en communication vivante avec la pauvreté, la petitesse, la misère que nous sommes.

Mais cette communication, cette révélation du Mystère, comment s'est-elle opérée ? Elle ne s'est justement pas opérée par mode de communication de vérités constituant une doctrine. Elle ne s'est pas davantage proposée sur le mode d'une rétribution d'un comportement moral qui resterait toujours à appliquer si l'on veut toujours bénéficier d'elle. Elle ne se réalise pas par l'entrée mystique dans un monde de ténèbres lumineuses sans forme, ni nom, ni visage. Elle n'a rien à voir avec un quelconque embrigadement socio-institutionnel... Cette communication, cette révélation du Mystère qu'est la Réalité même de Dieu, s'est opérée par la venue de Dieu même vers nous. Tant et si bien que l'étonnant et *le mystère* de ce Mystère même, c'est justement qu'il se soit *vraiment* fait nôtre en restant lui-même. De telle sorte que la face par laquelle il est nôtre nous est vraiment accessible puisqu'elle est nôtre. Mais de telle sorte, aussi, que cette face n'est que la face tournée vers nous, n'est qu'une figure accessible, visible, touchable et audible, de sa Réalité à lui, qui est tout-Autre que la nôtre puisqu'elle est proprement divine et qu'elle est donc, de soi, inaccessible, invisible, intouchable, inaudible...

C'est bien évidemment Jésus-Christ qui, selon la foi chrétienne, accomplit cette visibilisation, cette verbalisation, cette prise de parole, cette incarnation, cette manifestation, cette révélation, cette historicisation de Dieu même. Et, en ce sens, on peut et même on doit dire que s'il y a un sacrement de Dieu, c'est Jésus-Christ lui-même qui *l'est*. Car, selon la foi chrétienne toujours, c'est bel et bien en lui seul qu'est réellement donnée aux hommes cette *possibilité*, que leur ouvre, et en laquelle consiste précisément le sacrement, *d'entrer en communication et en communication avec Dieu* à même leur condition historique et selon le régime même de leur corporéité propre. C'est en effet en Jésus-Christ seul que s'accomplit réellement la venue de Dieu lui-même vers nous, l'auto-communication de Dieu à nous en dehors de laquelle il n'y aurait pas, pour nous, de possibilité d'entrer en communion réelle avec lui.

Concluons : si le Mystère, c'est fondamentalement Dieu, et s'il se communique en Jésus-Christ, ce n'est pas autrement qu'en se faisant sacrement qu'il se révèle à nous.

3. Du Sacrement aux sacrements

Une question ne peut manquer, toutefois, de se poser à partir de là : si, de la sorte, Dieu se communique aux hommes par et en son Sacrement Jésus-Christ, que se passe-t-il quant à la poursuite de cette auto-communication lorsque Jésus meurt, ressuscite et monte au ciel ? Alors, en effet, Jésus disparaît du champ de la visibilité historique. Par lui, Dieu avait parlé et agi ; il s'était montré, manifesté, révélé. Quand Jésus part et nous quitte au terme de sa destinée terrestre, faut-il considérer que Dieu ne se communique plus à nous, ou bien qu'il le fait sur un autre mode ?

Selon la foi chrétienne il n'y a pas d'hésitation possible : Dieu continue bel et bien de se communiquer puisque, selon elle, c'est justement pour entrer en communication salvatrice avec tous les hommes de tous les temps, qu'il est venu une fois pour toutes en son Christ. Et donc le premier terme de l'alternative est clairement tranché par la négative ; mais reste à clarifier le second : si Dieu se communique sur un autre mode, duquel s'agit-il alors ? — Il y a ici essentiellement deux éventualités : soit il le fait directement et exclusivement par ce que la tradition théologique a pu nommer la « mission invisible » de l'Esprit ; soit il le fait (certes par l'Esprit, mais) en continuant de signifier visiblement, corporellement, historiquement cette communication qu'il n'a pas cessé et ne cesse pas de faire de lui-même, une fois close la geste terrestre de Jésus-Christ.

Dans les deux éventualités, c'est bien ce qui s'est passé par et en Jésus-Christ, et par et en lui seul, qui permet à tout homme d'entrer en communication avec Dieu. Car c'est bien parce que Dieu s'est communiqué à *Jésus* (dans cette « union hypostatique » qui, comme telle, le concernait pourtant lui seul), que tous les hommes peuvent, à leur tour, par, avec et en lui, entrer en communication réelle avec Dieu. Le Verbe qui s'incarnait en Jésus restait en effet en communication vivante avec Dieu par l'Esprit qui continuait, comme Verbe, de le lier à Dieu. L'Esprit pouvait donc investir toute l'humanité de Jésus en tant qu'elle était unie au Verbe dans une seule personne : la personne du Verbe, précisément. Mais, à strictement parler, dans le Mystère de l'Incarnation du Verbe qui s'accomplissait ainsi en Jésus, c'est seulement *son humanité à lui* qui recevait cette auto-communication de Dieu à l'homme que permettait la venue et le don de l'Esprit. C'est seulement l'humanité *de Jésus* qui était en communion salvatrice avec le Mystère de Dieu : le reste de l'humanité n'était pas directement et *de soi* concerné par l'union hypostatique *comme telle !* Pourtant, par et en la personne du Verbe, l'Incarnation n'en rendait pas moins Dieu présent à l'histoire humaine. Elle engageait et insérait vraiment Dieu dans cette histoire, puisque la réalité humaine de Jésus que par elle Dieu investissait pleinement, était comme telle partie prenante de cette histoire dans sa dimension collective comme dans sa durée totale. Simplement, c'est *historiquement* que, engagée en Jésus-Christ, la communication de Dieu devait encore s'accomplir pour tous les hommes de tous les temps, pour chaque homme de chaque moment de l'histoire.

En somme, la foi chrétienne invite à confesser que l'union hypostatique du Verbe de Dieu avec l'humanité de Jésus a, une fois pour toutes, ouvert *la possibilité réelle* d'une auto-communication de Dieu par son Esprit, à tout homme de l'histoire; mais elle précise que *l'effectivité* de cette communication suppose de la part de *chaque* être humain une démarche, une prise de position — la foi ou son équivalent — qui, de fait, l'ouvre à cet Esprit par lequel Dieu entend en effet se communiquer à lui.

4. *L'Église et les sacrements chrétiens*

... Or, c'est ici que nous retrouvons le problème de la modalité soulevé il y a un instant. Nous disions : si Dieu continue à se communiquer aux hommes après Jésus, après la Pâque de Jésus, c'est, certes, dans son Esprit, mais c'est aussi, en toute hypothèse, grâce à Jésus-Christ, par, avec et en lui — et cela, nous venons précisément de l'établir. Mais nous ajoutions encore : cette auto-communication de Dieu (par Jésus-Christ) dans son Esprit reste-t-elle « invisible », ou continue-t-elle, au contraire, de se signifier en visibilité et corporalité historiques ? Si oui, il faut bien reconnaître que ce n'est plus l'humanité de Jésus qui peut le permettre, et du même coup il faut bien chercher ce qui peut alors intervenir d'autre pour assurer une telle modalité de communication. Sur ce point, les positions varient beaucoup au sein du christianisme lui-même, ainsi que, trop schématiquement, nous allons pouvoir maintenant le vérifier.

a) C'est assez clair, le courant *protestant* tend à dire : la démarche croyante d'accueil de l'auto-communication gracieuse et salvifique de Dieu en Jésus-Christ est reconnaissance personnelle, individuelle, de ceci, qui est la Bonne Nouvelle de la Grâce de Dieu : Dieu m'atteint moi, directement, ici et aujourd'hui par la justification, grâce à son Esprit, qui a été libéré dans et pour le monde par Jésus le Christ. A strictement parler, c'est cette foi-là, qui doit d'ailleurs se faire pure confiance, et rien d'autre, qui ouvre à la grâce et justifie chacun, croyant par croyant, individuellement et personnellement.

A la limite, il faut donc considérer que l'auto-communication que Dieu a voulu faire de lui-même par la médiation de Jésus-Christ n'a aucune autre actualisation ou « visualisation » (!) que la parole qui actualise sans cesse pour aujourd'hui le témoignage que l'Écriture est désormais seule à rendre à l'œuvre accomplie par Dieu une fois pour toutes dans l'incarnation rédemptrice. L'Église n'est pas tant médiatrice de la proposition de Dieu aux hommes, de la venue de Dieu vers les hommes, que fruit de l'accueil par eux, dans une décision croyante, de l'événement toujours renouvelé de la Parole annonçant la grâce de Dieu en Jésus-Christ.

b) En ce qui concerne le courant des églises de *l'Orthodoxie*, il considère, lui, que l'entrée des hommes en communion avec le Dieu qui vient effectivement se donner à eux par le Christ dans l'Esprit, est en somme déjà chose accomplie et vérifiée pour eux. L'Incarnation du Verbe a déjà, de fait, radicalement divinisé « la nature humaine ». Et, en conséquence, l'Esprit de Dieu a déjà, de fait, envahi le monde sous la forme et la figure de l'Église, laquelle est en quelque sorte toute pénétrée et investie de l'Esprit-Saint.

Au point que, à la limite, l'Église ne serait plus médiatrice de la venue et de la communication de Dieu, mais serait cette communication même, Sa présence même. Quant aux sacrements, puisqu'il y en a dans l'Orthodoxie (à la différence de ce qui se vérifie le plus souvent dans le protestantisme, qui connaît cependant le baptême et la Cène!), ils ne seraient pas vraiment des actes historiques, ponctuels, et effectifs à ce titre, de la communication de Dieu et du don de la grâce à tel(s) homme(s), ici et aujourd'hui. Ils seraient plutôt épiphanie, manifestation, affleurement d'une grâce déjà donnée à et dans un monde — celui, précisément, de l'Église — déjà transformé par la divinisation.

c) Du côté *catholique* cependant, il n'en va pas de même. Selon la foi catholique, en effet, cette communication salvifique de Dieu (en laquelle consiste, rappelons-le, le Mystère) s'accomplit par la *médiation* de l'Église. C'est-à-dire : sans que l'Église soit déjà, comme telle, la présence accomplie du salut dans l'histoire; mais plutôt en tant que l'auto-communication (du même coup salvatrice) de Dieu requiert, pour s'accomplir, de s'articuler en *une diversité de sacrements*. Sacrements qui se présentent alors comme des actes ponctuels, historiques, inscrits dans la corporéité et la durée humaines, pour faire advenir, toujours ici et aujourd'hui, à travers les temps et les lieux, ce qui s'est donné une fois pour toutes en Jésus-Christ et continue de se donner visiblement, audiblement et corporellement dans et par l'Église qui continue elle-même Jésus-Christ.

De sorte que tel est ici l'aboutissement de la foi catholique : si l'objet de la foi est bien le Mystère, *ce qui permet d'entrer en communication effective avec lui*, ce n'est pas seulement la foi, une foi de pure confiance, ni seulement une réalité ecclésiale globalement prise qui serait toujours-déjà tout investie de Dieu; mais (dans la foi et par l'Église) *des sacrements ponctuels*, toujours renouvelés, et venant sans cesse rejoindre les hommes dans le concret de leur histoire, et chaque homme dans l'ici et le maintenant de son existence.

5. *Les sacrements et la théologie*

C'est ici, alors, que l'on est en mesure d'apprécier la pertinence exacte du propos que se donnaient ces pages. Elles l'énonçaient dès le départ : elles voulaient établir/vérifier au moins *le principe* de l'existence d'un lien congénital et indissoluble entre *discours* théologique au sens générique et *réalité* sacramentelle au sens précis du terme. Il s'avère maintenant que le propos peut effectivement être tenu ! On nous pardonnera d'adopter, pour la clarté, une formulation déductive de forme sans doute quelque peu didactique :

— si la théologie est « de la foi » au sens où elle est réflexion sur la foi *dans la foi*;

— si la foi est elle-même accueil du Mystère de l'*auto*-communication de Dieu;

— si l'auto-communication de Dieu est *Sacrement;*

— et si le Sacrement se différencie et s'articule en *sacrements...,* alors la conclusion s'impose : la théologie est réflexion croyante sur et dans le Mystère tel qu'il est réellement accueilli *dans les sacrements :* sur Dieu même tel qu'il se communique effectivement *dans les sacrements.*

Bref : si *la foi* chrétienne est foi à l'auto-communication de Dieu *dans les sacrements* (de l'Église de Jésus-Christ), *la théologie chrétienne a elle-même rapport essentiel aux sacrements de cette foi.* C'est là, évidemment, un point de vue catholique. Il serait possible — et il serait fort intéressant — de le comparer, avec ses conséquences, aux points de vue protestant(s) et orthodoxe, tels qu'ils découlent de ce qui a été rapidement évoqué ci-dessus concernant respectivement ces deux autres courants du christianisme. On pourrait ainsi, entre beaucoup d'autres aspects, vérifier que, et comment, ce n'est pas sans cohérence que la théologie catholique : 1. s'estime référée à un magistère hiérarchique, à la différence de ce qui se passe en régime protestant, et 2. se conçoit tout autrement obligée que la théologie orthodoxe à l'égard de la culture et du monde contemporains.

Mais la place manque, et le temps est venu de mettre un terme à ce propos tel qu'il avait été annoncé.

C'est la notion de Mystère qui a servi de base à la réflexion que développent ces pages. Après avoir rapidement vérifié dans une première partie que et pourquoi la théologie, en tant qu'elle est fondamentalement rapportée à la foi, est du même coup constitutivement rapportée au Mystère, on est parti de là pour établir, en une seconde partie, qu'alors il faut bien en déduire que la théologie est elle-même essentiellement rapportée aux sacrements de la foi. C'était là une conclusion : la conclusion précisément du parcours accompli dans ces pages...

Une fois ce parcours effectué, il est cependant sans doute indiqué de n'y pas mettre un terme sans le situer avec un peu plus de précision non seulement par rapport à l'aval qu'appelle de fait la conclusion qu'il a établie, mais aussi et même d'abord par rapport à l'amont qu'il présuppose.

L'amont, c'est tout le processus historique par lequel les croyants ont été (et sont) effectivement conduits à formuler en termes de Mystère la foi qu'ils professent. On pourrait montrer sans peine que ce processus est originel dans le christianisme. Et que le Nouveau Testament lui-même en porte irrécusablement la trace, au point que l'on peut dire que ce n'est pas ailleurs que dans la célébration cultuelle elle-même, que les communautés chrétiennes primitives ont élaboré leur profession de foi spécifique et que se sont initiées les rédactions évangéliques, ainsi que le montre bien, par exemple, Charles Perrot dans le chapitre conclusif de son ouvrage *Jésus et l'histoire*[2].

Quant à *l'aval*, c'est l'application qu'il faudrait faire, au développement de l'ensemble du discours théologique, du principe (qui se présente donc comme la *conclusion*, en tous les sens du terme, de ces quelques pages) du lien indissoluble de la théologie comme telle aux sacrements, plus exactement : du *discours* théologique à la *réalité* des sacrements, ainsi qu'il a été dit ici dès le départ. Il est évidemment hors de cause de procéder à un tel travail, qui devrait d'ailleurs se dérouler sur deux fronts. D'une part, sur le front de la théologie dogmatique en général (pour ne pas parler de la morale), il devrait faire apparaître comment il n'y a, par exemple, ni théologie de la Trinité ni théologie de la rédemption possibles indépendamment d'une référence effective à la célébration chrétienne du baptême et de l'eucharistie. D'autre part, sur le front de la théologie sacramentaire en particulier où, à l'inverse en quelque sorte, partant cette fois des sacrements eux-mêmes, il devrait manifester comment ceux-ci, qui sont d'abord sacrements de l'Église, n'ont de sens qu'à se réaliser effectivement comme sacrements du Mystère de Dieu se communiquant... Mais, pour des raisons évidentes, on se contentera à nouveau ici d'un renvoi bibliographique précis :

— pour le premier cas au dernier chapitre de l'ouvrage *Sacrements de Jésus-Christ*[3];

— et, pour le second, à l'article conclusif du dossier constitué par la revue *Recherches de science religieuse* et dont le beau titre converge bien avec le propos fondamental de ces pages : « Les sacrements de Dieu »[4].

---

2. Ouvrage paru en 1979 aux éditions Desclée, Tournai-Paris, comme n° 11 de la collection « Jésus et Jésus-Christ », que dirige le signataire de ces lignes.

3. Ouvrage également paru (mais, en 1983, comme n° 18 et « sous la responsabilité de J. Doré ») dans la collection « Jésus et Jésus-Christ » ; le chapitre indiqué est de L.-M. Chauvet et s'intitule : « Sacramentaire et Christologie. La liturgie, lieu de la christologie » (p. 213-254). Soulignons que le même ouvrage comporte une contribution — dont on ne saurait lui être trop reconnaissant — de P.-M. Gy : « La relation au Christ dans l'Eucharistie selon S. Bonaventure et S. Thomas d'Aquin » (p. 69-106).

4. *Recherches de science religieuse*, t. 75, n° 2 (avril-juin) et n° 3 (juillet-septembre) 1987. Signé de J. Doré, l'article cité figure aux pages 371-378 du second de ces numéros, et porte le titre : « Des sacrements de l'Église aux sacrements de Dieu ».

EIN BISHER UNVERÖFFENTLICHTER ENTWURF DES EINLEITUNGS-DOKUMENTS PAULS V. ZUM RITUALE ROMANUM VON 1614

Balthasar FISCHER

Der helle und frische Apriltag des Jahres 1961, an dem ich — in einer Sitzungspause der Praeparatoria des Konzils für das Liturgieschema — am Tor des römischen Barnabitenkollegs rechts neben dem Eingang zur Kirche San Carlo ai Cattinari geschellt und nach dem Bibliothekar gefragt hatte, wird einer der denkwürdigsten in meiner ganzen Laufbahn als Liturgiker bleiben. Mein Anliegen war in sich durchaus nicht aufregend. Ich wollte das Handexemplar des Rituale Romanum anschauen, das nach einer Auskunft von M.D. Bouix[1] im Besitz des Redaktors, des Barnabiten Johannes Antonius Gabutius, gewesen war und deshalb in der Bibliothek seines römischen Ordenshauses, in dem er 1627 gestorben war, aufbewahrt wurde. Als ich mein Anliegen recht und schlecht auf Italienisch vorgetragen hatte, rief man den damaligen Archivar P. Luigi Manzini. Er entgegnete mir lächelnd : « Wenn Sie Liturgiker sind, dann ist der Autor, nach dem Sie suchen, sicher nicht Gabutius, sondern Bartolomeo Gavanti (1569-1638)[2], Zeitgenosse des Gabutius, der General unseres Ordens war und an den nachtridentinischen Reformen des Missale und Breviers mitgewirkt hat. » Natürlich war der Name dieses « Princeps Rubricistarum » mir vertraut, aber ich mußte weiter nach meinem bescheideneren Gabutius und seinem Handexemplar des Rituale Romanum fahnden. Nach langem Suchen fand es sich dann auch, und schon der erste Blick auf den vorderen Deckel brachte die große Überraschung. Hier stand mit großen Lettern in offenbar zeitgenössischer Schrift deutlich zu lesen : Manuscriptum originale Ritualis Romani[3]. Natürlich traute ich meinem Glück zunächst nicht, zumal ich

---

1. M.-D. Bouix, *Tractatus de iure liturgico* (Institutiones iuris canonici 10), Arras ²1860, 297 Anm. 1.

2. Vgl. F. Cabrol, art. « Gavanti », *DACL* VI, 1924, 668.

3. Unter diesem Titel (Das Originalmanuskript des Rituale Romanum) habe ich erstmals in einem kurzen Artikel der *Trierer Theologischen Zeitschrift* : *TThZ* 70, 1961, 244-246 über meinen Fund berichtet ; in meiner Trierer Rektoratsrede vom 27.6 1964 bin ich noch einmal auf das Thema zurückgekommen und habe die damals verfügbaren Angaben zu den Biographien der oben im Text aufgezählten Mitglieder der Redaktionskommission nachgetragen :

bei meinen Studien niemals etwas von einem erhalten gebliebenen Originalmanuskript eines der nachtridentinischen römischen liturgischen Bücher gehört hatte. Aber da fand sich auf der letzten Seite die am 25. November 1613 datierte, eigenhändige Unterschrift der fünf « Revisoren » :

Antonius von Aquin, Bischof von Sarno (1565-1627) [4],

Petrus Alagona SJ (1549-1624) [5],

Johannes Antonius Gabutius, Barnabit (1551-1627) [6],

Ascanius Torrius, Pfarrer an St. Peter in Rom [7],

TThZ 73, 1964, 257-265. Ausgewertet hat meinen Fund inzwischen lediglich der amerikanische Kanonist Gerald J. Sigler, der seine römische Dissertation über den Einfluß von Karl Borromäus auf das Rituale Romanum veröffentlicht hat : « The influence of Charles Borromeo on the laws of the Roman Ritual », *The Jurist* 29, 1964, 119-168, 319-334; zu meinem Fund 122-125.

Sowohl dieser Artikel wie meine beiden eigenen werden im weiteren Verlauf der Anmerkungen lediglich mit dem Familiennamen des Verfassers zitiert (Fischer 1961; Fischer 1964). Weitere Angaben zu den Biographien der Kommissionsmitglieder, die sich nach 25 Jahren machen lassen, folgen in den Anm. 4-8. Von unserem Originalmanuskript, das im römischen Archiv der Barnabiten unter der Nr. FF 22 aufbewahrt wird, besitzt die Bibliothek des Deutschen Liturgischen Instituts in Trier eine Fotokopie.

4. Die überragende Bedeutung Antonio d'Aquinos als Konzilshistoriker und Konzilseditor ist schon 1964 durch eine gründliche Untersuchung von Vittorio Peri in helles Licht gerückt worden : « Due protagonisti dell'Editio Romana dei Concili Ecumenici : Pietro Morin ed Antonio d'Aquino », in *Mélanges Eugène Tisserant* 7/2 : Bibliothèque Vaticane, Città del Vaticano 1964, 131-232 mit 7 Tafeln; zu Antonio d'Aquino 171-185. Nach der Meinung des Verfassers gehört Antonio d'Aquino zu den zu Unrecht vergessenen großen Gelehrten seines Landes und Jahrhunderts. Geburtsjahr ist 1565; er starb als Erzbischof von Taranto am 27.8. 1627 (nicht « vor dem 27.8. », wie es noch Fischer 1964, 260 Anm. 5 heißt). Er arbeitete mit Kardinal Carafa an der Ausgabe der päpstlichen Dekretalien und besorgte nach dem Tode des Kardinals den Druck und schrieb das Vorwort (1591); ebenso war er an der Ausgabe der Vulgata beteiligt. Vor allem hatte er entscheidenden Anteil an der großen, 1612 abgeschlossenen vierbändigen Ausgabe der Ökumenischen Konzilien. Von Aquinos Beteiligung an der Vorbereitung des Rituale Romanum weiß Peri nichts; so gibt er auch keine Erklärung dafür, daß im Inhaltsverzeichnis der 16 Bände seines Nachlasses (211-229), die als Cod. Barb. lat. 3158 in der Vatikanischen Bibliothek aufbewahrt werden, der Band 10 (fol. 56ʳ-68ʳ) den Titel trägt : « Rationes quibus explicantur ritus in novo Rituali Romano descripti, de Baptismo scilicet, fontis benedictione extra sabbatum Paschae et de reliquis » (227). Wir besitzen also in diesen bisher als anonym geltenden und niemals ausgewerteten 13 Blättern nichts mehr und nichts weniger als ein kostbares Stück Redaktionsbericht eines der wichtigsten und zugleich des gelehrtesten Mitglieds der Redaktionskommission des Rituale Romanum.

5. Von Petrus Alagona wissen wir jetzt auf Grund einer Untersuchung von Josef Wicki SJ, daß er nicht nur ein angesehener moraltheologischer Autor war, sondern daß er zwischen 1596 und 1604 zu wiederholten Malen Rektor der Poenitantiarie an St. Peter war, was ihn sicher für die Beratung beim Kapitel des Rituales über die Buße besonders qualifizierte. Die Untersuchung von J. Wicki trägt den Titel : *Die Jesuiten-Beichtväter in St. Peter, Rom 1569-1773. Ein geschichtlicher Überblick.* Sie ist im *Archivum historicum Societatis Jesu* 56, 1987, 83-115 erschienen; zu Alagona vgl. 104f.

6. Die bekannten biographischen Daten über Gabutius finden sich knapp zusammengefaßt Sigler 131f.

7. Von Ascanius Torrius ist nichts weiter bekannt geworden, als daß der als Exeget angesehene Jesuit Benedetto Giustiniani († 1622) für ein 1607 erschienenes Werk über die Freiheit der Kirche das Pseudonym « Ascanius Torrius » gebraucht hat; vgl. *Sommervogel* 3, 1892, 1490 Nr. 3.

Felix Veronicus [8], Pfarrer an der römischen Pfarrei San Lorenzo in Damaso.

Nun konnte kein Zweifel mehr sein : hier hatte sich in der Hausbibliothek des Redaktors das Originalmanuskript des Rituale Romanum erhalten (das wegen seines entlegenen Aufbewahrungsortes dem kenntnisreichen Erforscher der Vorgeschichte des Rituale Romanum, dem nunmehr emeritierten Erfurter Liturgiker Bruno Löwenberg [9], entgangen war).

Bei näherem Zusehen stellte sich heraus, daß das hier von der Liturgiewissenschaft erstmals gesichtete Originalmanuskript neben kleinen, meist unbedeutenden Varianten zwischen Druckmanuskript und Erstdruck [10] nur einen « aufregenden » Text enthält, der bis heute ungedruckt geblieben ist : einen Entwurf für die umstrittenste unter den Apostolischen Konstitutionen, die die jeweiligen Päpste den nachtridentinischen Büchern als Promulgationsdokument vorausgeschickt haben : einen Entwurf, der völlig vom definitiven Text abweicht und am Schluß mit der Bemerkung abbricht, hier müsse noch etwas über den Verpflichtungsgrad gesagt werden : ob dieses Rituale, ähnlich wie das Pontificale Romanum Papst Klemens VIII. von 1598, unter Verzicht auf alle bisherigen Ritualien [11] in der ganzen Welt eingeführt werden müsse. Wie diese Entscheidung ein halbes Jahr später gefällt wurde, ergibt sich eindeutig aus der definitiven Konstitution vom 17. Juni 1614.

Wir bieten im folgenden nebeneinander den Entwurf von 1613 und die definitive Gestalt von 1614, damit der Leser die geringfügigen Gemeinsamkeiten und die das Gesamtbild beherrschende Abweichung mit einem Blick überschauen kann. Mit dem Abdruck des bisher unveröffentlichten Entwurfs hoffen wir einen kleinen neuen Beitrag zur Werdegeschichte der nachtridentinischen liturgischen Bücher zu liefern.

---

8. Felix Veronicus stammte nach Ausweis der Pfarrbücher von San Lorenzo in Damaso aus der Diözese Spoleto und war 35 Jahre Pfarrer in San Damaso gewesen, als er 63 jährig am 16. Oktober 1625 starb; vgl. Sigler 124.

9. Vgl. B. Löwenberg, *Das Rituale des Kardinals Julius Antonius Sanctorius. Ein Beitrag zur Entstehungsgeschichte des Rituale Romanum* = Dissertation der Gregorianischen Universität in Rom 1936; ein 46 S. umfassender Teildruck erschien München 1937; vom gleichen Verfasser : « Die Erstausgabe des Rituale Romanum von 1614 », *ZKTh* (Innsbruck) 66, 1942, 141-147.

10. Vgl. meine 1964 angestellten diesbezüglichen Beobachtungen : Fischer 1964, 263.

11. Mit der Wendung « ceteris Ritualibus omissis » am Ende des oben abgedruckten Entwurfs ist, wie ein Blick auf das Einleitungsdokument des Pontificale Romanum zeigt, Abschaffung gemeint; vgl. Fischer 1964, 262 mit Anm. 17.

Entwurf von 1613	Definitiver Text von 1614

Paulus Papa Quintus
ad perpetuam rei memoriam

Inter gravissimas Romani Ponti-
ficis curas eam constat esse praeci-
puam, summo studio praevidere, ut
in Ecclesia Dei divinus cultus purus
et integer constituatur ac sacri ritus,
quantum fieri potest, inviolati ubique retineantur. Itaque superioribus
annis cum singulari Dei beneficio ac
pastorali Summorum Pontificum
Pii V et Clementis VIII, quorum
memoria in benedictione est, prae-
decessorum nostrorum sollicitudine
ad divinum retinendum cultum
primo Breviarium Missaleque romanum, deinde ad Episcopales
functiones rite obeundas Pontificale
ac demum Caeremoniale Episcoporum emendata prodierint, illud
praecipue desiderari et omnino
congruere videbatur, ut ritualis liber, ad communem catholicae ecclesiae usum accomodatus, edere-
tur, quo caerimoniae sacrique ritus
quibus ex Apostolico instituto et
antiqua Sanctorum Patrum tradi-
tione in sacramentorum administratione atque aliis sacris parochorum
actionibus Romana Ecclesia, omnium Ecclesiarum mater et magis-
tra, uti consuevit, ad suam integritatem revocati contineantur. Quod
sane eo magis necessarium esse videbatur, quo plures rituales libros
per christianum orbem (ut ab iis,
qui viderunt, accepimus) tam varios
atque inter se differentes extare
compertum est, ut fere tot iam
Ritualia quot Episcopales Ecclesiae
aut provinciae reperiantur. Ac licet
in iis, quae ad sacramentorum vim
aut naturam pertineant, ea recte

PAULI PAPAE V
CONSTITUTIO APOSTOLICA
DE RITUALIS ROMANI EDITIONE

PAULUS PAPA V
ad perpetuam rei memoriam

Apostolicae Sedi per abundan-
tiam divinæ gratiæ, nullis suffra-
gantibus meritis, præpositi, Nostræ
sollicitudinis esse intelligimus, super universam domum Dei ita invi-
gilando intendere, ut opportunis in
dies magis rationibus provideatur,
quo sicut admonet Apostolus, omnia in ea honeste, et secundum
ordinem fiant, præcipue vero quæ
pertinent ad Ecclesiæ Dei Sacramentorum administrationem, in
qua religiose observari Apostolicis
traditionibus et Ss. Patrum decretis
constitutos ritus et cæremonias pro
Nostri officii debito curare omnino
tenemur. Quamobrem fel. rec. Pius
Papa V Prædecessor Noster, hujus
Nostri tunc Sui officii memor, ad
restituendam sacrorum rituum ob-
servationem in sacrosancto Missæ
sacrificio, divinoque Officio, et simul ut Catholica Ecclesia in fidei
unitate, ac sub uno visibili capite
B. Petri successore Romano Ponti-
fice congregata, unum psallendi et
orandi ordinem, quantum cum
Domino poterit, teneret, Breviarium primum, et deinde Missale
Romanum, multo studio et diligentia elaborata, pastorali providentia
edenda censuit. Cujus vestigia eodem sapientiæ spiritu secutus simi-
lis memoriæ Clemens Papa VIII
etiam Prædecessor Noster, non solum Episcopis et inferioribus Ecclesiæ Prælatis accurate restitutum

conveniant in illa tamen ita multa vel iniuria temporum vel hominum inscitia nimiaque licentia temere immutata seu mutilata vel aucta passim irrepserint, ut quid potissimum in iis ritibus sit tenendum in tanta varietate non pauci saepius ambigerent et ab antiquis atque usitatis Romanae Ecclesiae ritibus aberrantes inter se quoque discreparent.

Cum igitur, ut etiam Sacrosancti Concilii Tridentini canone [12] graviter cavetur, receptos et approbatos Ecclesiae Catholicae ritus in sacramentorum administratione adhiberi consuetos contemni aut omitti vel per quemcumque ecclesiarum pastorem mutari non liceat, ut quae in hoc genere corruptelae subrepserant tollerentur ecclesiasticique ritus qua oportet autoritate restituerentur, nonnullis venerabilibus fratribus nostris S.R.E. Cardinalibus in ecclesiastica disciplina perite versatis, adhibitis etiam aliis piis et eruditis viris, ordine romano et aliarum Ecclesiarum ritibus, praesertim illo quod olim vir sacrorum bene peritus, Julius Antonius Card. Sanctae Severinae piae memoriae magnis laboribus collegerat atque aliis praeterea libris ad id opportunis diligenter inspectis ex iis veteres ac magis probatos ritus tum in Sacramentorum ministeriis quam in ceteris parochialibus functionibus iuxta Rom. Ecclesiae Consuetudinem adhiberi consuetos ad pristinam integritatem et usum revocarent.

Quod cum illi ea, qua par est, fide ac diligentia praestiterint, Ritualeque ita compositum et ordinatum nobis obtulerint, ipsum nos,

Pontificale dedit, sed etiam complures alias in Cathedralibus et inferioribus Ecclesiis cæremonias promulgato, Cæremoniali ordinavit. His ita constitutis, restabat, ut uno etiam volumine comprehensi, sacri et sinceri Catholicæ Ecclesiæ ritus, qui in Sacramentorum administratione, aliisque ecclesiasticis functionibus servari debent ab iis, qui curam animarum gerunt, Apostolicæ Sedis auctoritate prodirent, ad cujus voluminis præscriptum, in tanta Ritualium multitudine, sua illi ministeria tamquam ad publicam et obsignatam normam peragerent, unoque ac fideli ductu inoffenso pede ambularent cum consensu. Quod sane jampridem agitatum negotium, postquam Generalium Conciliorum græce latineque divina gratia editorum opus morari desivit, sollicite urgere Nostri muneris esse existimavimus. Ut autem recte et ordine, ut par erat, res ageretur, nonnullis ex Venerabilibus Fratribus Nostris S.R.E. Cardinalibus pietate, doctrina et prudentia præstantibus, eam demandavimus, qui cum consilio eruditorum virorum, variisque præsertim antiquis, et, quæ circumferuntur, Ritualibus consultis, eoque in primis, quod vir singulari pietatis zelo et doctrina bonæ memoriæ Julius Antonius S.R.E. Cardinalis S. Severinæ nuncupatus, longo studio, multaque industria et labore plenissimum composuerat, rebusque omnibus mature consideratis, demum divina aspirante clementia, quanta oportuit brevitate, Rituale confecerunt. In quo cum receptos et approbatos Catholicæ Ecclesiæ ritus suo ordine digestos

---

12. Eine Randbemerkung gibt die genaue Quelle an : Sessio 7, Can. 13 (= *DB* 1613).

268   B. FISCHER

matura adhibita consideratione, Apostolica nostra autoritate approbandum esse duximus, prout huius decreti tenore illud comprobamus. Ut igitur ex hoc labore et opere quos speramus et intendimus pietatis fructus in Domino omnes percipiant, opus ipsum Romae quamprimum typis imprimi atque impressum edi mandavimus.

His addi possunt quae pertinent ad promulgationem operis, ut quibus sit indicendum, an ubique per christianum orbem sit recipiendum, ceteris ritualibus omissis, etc.

conspexerimus, illud sub nomine Ritualis Romani merito edendum publico Ecclesiæ Dei bono judicavimus. Quapropter hortamur in Domino Venerabiles Fratres Patriarchas, Archiepiscopos, Episcopos, et dilectos Filios eorum Vicarios, nec non Abbates, Parochos universos, ubique locorum exsistentes, et alios, ad quos spectat, ut in posterum tamquam Ecclesiæ Romanæ filii, ejusdem Ecclesiæ omnium matris et magistræ auctoritate constituto Rituali in sacris functionibus utantur, et in re tanti momenti, quæ Catholica Ecclesia, et ab ea probatus usus antiquitatis statuit, inviolate observent.

Datum Romæ apud S. Mariam Majorem sub Annulo Piscatoris, die XVII Junii MDCXIV, Pontificatus Nostri Anno X.

S. Cobellutius.

A. Wer hat den Entwurf geschrieben und verfaßt?

Eine sichere Antwort auf diese beiden Fragen scheint nicht möglich. Die Handschrift ist zwar von der des Gesamtmanuskripts (wohl von einem Schreiber stammend) verschieden; ob sie mit der identisch ist, in der Gabutius eigenhändig unterschrieben hat, wird sich auf so schmaler Basis nicht ausmachen lassen. Selbst wenn wir die Handschrift Gabutius' sicher vor uns hätten, bliebe die Möglichkeit, daß er die von einen Breven-Sekretär des Papstes (wohl kaum von diesem selbst) entworfene Vorrede abgeschrieben und an die Spitze des Originalmanuskripts gestellt hätte. Man wird also Sigler nicht ohne weiteres folgen können, wenn er in Gabutius den Verfasser und Schreiber des Entwurfes sieht[13].

B. Gemeinsamkeiten zwischen Entwurf und definitivem Text

Hier ist zunächst festzustellen, daß es — wie zu erwarten — sachliche Gemeinsamkeiten gibt, daß man aber nirgendwo den Eindruck einer Anlehnung an die Formulierungen des Entwurfes hat. Offenbar liegt eine Neuredaktion von anderer Hand vor.

---

13. Vgl. Sigler 134.

1. Gemeinsam ist beiden Texten der Hinweis darauf, daß Missale, Brevier, Pontifikale und Caeremoniale inzwischen durch die betr. Vorgänger auf dem Heiligen Stuhl abgeschlossen sind.

2. Beide Texte sprechen von einer Kardinalskommission [14], die von einer Expertenkommission unterstützt wurde.

3. Beide Texte erwähnen — ein Novum in der Geschichte der nachtridentinischen liturgischen Bücher — mit hohem Lob ein Vorgänger-Rituale, an das man habe anknüpfen können, das des Kardinals von St. Severina, Julius Antonius (Sanctorius) [15].

C. Überschuß des Entwurfes

1. Die bewegte Schilderung des auf dem Feld des Rituale im Lauf des Mittelalters entstandenen Wirrwarrs (fere tot iam Ritualia quot Episcopales Ecclesiae aut provinciae) und der aus ihr entstandenen Unsicherheit der Gläubigen (in tanta varietate non pauci sæpius ambigunt) bis zum « Abirren » von den in der römischen Kirche üblichen Riten und zur Diskrepanz untereinander fehlt im definitiven Text; er spricht wesentlich gedämpfter von der « tanta ritualium multitudo » und möchte, daß die Gläubigen sich im Bereich der Sakramentenfeiern « inoffenso pede cum consensu » bewegen könnten. Interessant ist, daß das Motiv « Episcopales Ecclesiae », und damit der ausdrückliche Bezug auf die Diözesanritualien im endgültigen Text ganz fehlt : vermutlich, weil man sie weder abrufen noch ihre Weitergeltung ausdrücklich gewährleisten wollte.

2. Auch das Zitat aus der Sessio 7 des Konzils von Trient such man im endgültigen Text vergebens. Ob der Redaktor eingesehen hat, daß das Konzil unter « recepti ritus » die Fülle der in den Teilkirchen oder in der Gesamtkirche rechtmäßig eingeführten Riten gemeint und kaum ein zukünftiges Einheits-Rituale im Sinn gehabt hat ?

D. Überschuß der endgültigen Fassung

1. Auffällig narrativ wirkt wegen des fehlenden inneren Zusammenhangs die Bemerkung, daß man das Werk angegangen habe, als das große « negotium » der griechisch-lateinischen Edition der Konzilien beendet war ; tatsächlich fällt der Abschluß dieser Arbeit in das Jahr 1612 [16].

2. Der entscheidende Überschuß der endgültigen Fassung gegenüber dem Entwurf mußte sich durch die Ausführung der am Ende des Entwurfs noch offengelassenen Frage nach der Allgemeinverbindlichkeit des neuen

---

14. Zu ihrer Zusammensetzung vgl. Fischer 1964, 260 Anm. 12.

15. Vgl. o.Anm. 9.

16. Es handelt sich um die von Bischof Aquino mitbetreute Edition, von der o.Anm. 4 die Rede war.

Rituale ergeben. Sie ist eindeutig negativ entschieden. Eine « omissio » der geltenden Ritualien, die nach der Schlußbemerkung des Entwurfs in Erwägung gezogen war, wird nicht angeordnet. Das entscheidende Verbum lautet nicht etwa « praecipimus ac mandamus » wie beim Pontifikale, oder « statuimus et ordinamus » wie beim Missale, sondern « hortamur in Domino » : statt rechtsverbindlicher Einführung pastorale Empfehlung. Papst Paul V. hat sich bemerkenswerterweise in dem halben Jahr seit dem Entwurf dafür entschieden, daß sein Rituale Romanum im Gegensatz zu den anderen nachtridentinischen Liturgiebüchern kein der Weltkirche auferlegtes, sondern ein der Weltkirche empfohlenes Buch sein soll.

3. In merkwürdigem Gegensatz zu dieser eindeutigen Entscheidung steht, daß die Mahnung zum Gebrauch dieses Rituale nicht nur die Patriarchen, Erzbischöfe, Bischöfe und Äbte, sondern ausdrücklich (über die Köpfe der Bischöfe hinweg) « parochos universos ubique locorum existentes » einbezieht. Als Söhne der Römischen Kirche, der Mutter und Lehrerin aller Kirchen, sollen sie den von ihr gebilligten und festgesetzten überlieferten Brauch (usus antiquitatis) unverletzt einhalten. Unwillkürlich fragt man sich : Was soll ein Pfarrer tun, dem sein Bischof den Gebrauch eines weitergeltenden, vom Rituale Romanum abweichenden Rituales vorschreibt ? Warum beläßt der oberste Gesetzgeber es nicht bei einer Mahnung an die Bischöfe, sich bei der Entwicklung ihrer Ritualien an dieses (wahrhaft großartige) Modell-Rituale zu halten ?

Diese ekklesiologische Inkonsequenz trübt den Eindruck der Großzügigkeit, den die Entscheidung Paul V. auf den ersten Blick macht. In ihr ist die ganze spätere Auseinandersetzung um den Geltungsbereich des Rituale Romanum vorprogrammiert [17]. Erst die entschiedene Dezentralisierung der Sakramentenliturgie durch das Zweite Vatikanische Konzil (SC 63) und die Entscheidungen des Consilium ad exsequendam Constitutionem Liturgicam haben hier klare Verhältnisse im Sinne der antizentralistischen Grundentscheidung geschaffen, die Paul V. gefällt hat, aber nicht konsequent durchzuhalten vermochte.

Am Ende dieser Darlegungen soll es auch hier [18] — in Erinnerung an die Zusammenarbeit mit dem Adressaten dieser Festschrift im Dienst des nachvatikanischen Rituale Romanum — nicht unerwähnt bleiben, daß an einem kleinen Punkt die Wiederauffindung des Originalmanuskripts des Rituale Romanum zu einer nicht unwichtigen Änderung in den neuen Texten geführt hat. Wenn es im Ritus der Kindertaufe beim Gebet zur Scheitelsalbung nicht mehr heißt : « quique dedit tibi remissionem omnium

---

17. Eine knappe Skizze zur Geschichte dieser Auseinandersetzung habe ich in meiner Trierer Rektoratsrede geboten (Fischer 1964). Ein klassisches Zeugnis für die Kontroverse bleibt die Besprechung, die V. Thalhofer in der Tübinger Theologischen Quartalschrift 43, 1861, 272-297 dem Werk von W.A. Meier über die liturgische Behandlung des Allerheiligsten, Regensburg 1860, gewidmet hat.

18. Eine erste Darstellung des hier zu schildernden Zusammenhangs habe ich in meinem Artikel « Die Intentionen bei der Reform des Erwachsenen-und Kindertaufritus », Liturgisches Jahrbuch. 21, 1971, 69 geboten.

peccatorum » (eine beim Säugling unerträgliche, blindlings aus dem Er-
wachsenentaufritus übernommene Formulierung), sondern stattdessen :
« qui te a peccato liberavit », so geht das auf eine von mir ins Spiel
gebrachte Randbemerkung zurück, die Kardinal Bellarmin, Mitglied der
Kardinalskommission für das Rituale Romanum, in sein Handexemplar
des Originalmanuskripts [19] eingetragen hat : « Melius : qui te a peccato
liberavit, eo quia pueri non habent nisi peccatum originale. »

Die 1613 ungehört gebliebene Beanstandung hat so mit einer Verspätung
von dreieinhalb Jahrhunderten Niederschlag in der nachvatikanischen
Liturgie der Kindertaufe gefunden : ein kleines Beispiel, wie eine scheinbar
meilenweit von der Praxis entfernte Forscherarbeit in ihrer Weise für den
lebendigen Gottesdienst der Kirche fruchtbar werden kann.

---

19. Dieses « Rituale Bellarmins » ist im Besitz der Bibliothek der Gregoriana in Rom
(Fotokopie in der Bibliothek des Deutschen Liturgischen Instituts in Trier) ; unser Text
fol 10 r°.

« BAPTISMUS, IANUA SACRAMENTORUM » (*CJC*, c. 849) BAPTÊME ET DROITS DE L'HOMME

Jean GAUDEMET

Acte initiatique de la vie chrétienne, le baptême prête à des interprétations multiples. Déjà lorsque son rituel s'élaborait, dans cet « âge d'or » des IIIe-Ve siècles, une double thématique était apparue, dont Mgr Victor Saxer a bien montré les sources et la portée[1]. Le baptême est « nouvelle naissance » ; c'est le thème johannique (Jn 3, 3-5) qu'appuient des textes de la Genèse (1, 2.26) et que symbolise l'onction frontale, par laquelle est imprimée « la marque » du Créateur. Le baptême est aussi, c'est la leçon paulienne (Rm 6, 3-11), participation à la Passion et à la Résurrection du Christ. Il emporte le pardon des péchés et, par là, il est régénération (*métanoia*). La *Didachè*, le *Pasteur* d'Hermas, Clément d'Alexandrie et Justin l'ont souligné[2]. Mais il est aussi rite d'initiation, introduction dans une nouvelle vie et association à une communauté de foi. La *Tradition apostolique*, et, après elle et avec elle, les *Canons des Apôtres* (ch. 27-34) soulignent cet aspect, en décrivant longuement les étapes du temps de préparation et d'instruction du futur chrétien.

Notre propos n'est pas de nous engager sur des terrains qui ne sont pas les nôtres : ceux de la liturgie et de la théologie. Nous envisagerons, en juriste, et pour une époque moins lointaine, les incidences de cette polyvalence. L'attention qu'a toujours portée aux « choses du droit » le Maître de la liturgie à qui ces lignes souhaitent apporter un témoignage de vieille et respectueuse amitié, nous incite à situer les rites liturgiques dans leur perspective juridique.

$$\overset{*}{}\overset{*\,*}{}$$

A propos du droit des personnes, le c. 96 du Code de droit canonique pour l'Église latine de 1983 déclare que « par le baptême, l'homme est

---

1. *Les Rites de l'initiation chrétienne du IIe au VIe siècle*, Spolète 1988, spéc. p. 658-660.
2. *Ibid.*, 102-103.

incorporé à l'Église du Christ et constitué dans cette Église, comme personne avec les devoirs et les droits [...] propres aux chrétiens [...] ».

La première partie de cette formule se retrouve dans le c. 849, qui ouvre le Titre consacré au baptême : « Le baptême, porte des sacrements [...] par lequel les hommes sont incorporés à l'Église. »

De ce c. 96, il faut rappeler l'histoire, avant de tenter d'en préciser la portée.

I

Le c. 96 reconnaît au baptême un double effet : «Il incorpore l'homme à l'Église du Christ » et il le « constitue comme personne ». Chacune de ces affirmations a son histoire et leur réunion dans un même texte a, elle aussi, la sienne.

1. Que le baptême soit l'acte d'« incorporation » à l'Église est affirmé depuis longtemps [3]. Sans en rechercher les plus anciennes expressions, on rappellera simplement que telle était la doctrine des grands théologiens du XIIIe siècle, en particulier celle de saint Thomas. On la retrouve très clairement formulée dans la Bulle d'union avec les Arméniens, du 22 novembre 1439 [4]. Eugène IV y reconnaît que par le baptême, *vitae spiritualis ianua*, on devient « membre du Christ » et l'on appartient au « corps de l'Église ». En termes analogues, Suarez dira un peu plus tard que la réception du baptême fait acquérir la qualité de « membre de l'Église ».

L'« incorporation » (*corpus Ecclesiae*) est ainsi présentée comme l'effet essentiel du baptême. Celui-ci est rite d'initiation et d'intégration d'un « nouveau membre ».

La même idée est reprise en 1943 par Pie XII dans l'encyclique *Mystici corporis : In Ecclesiae autem membris [...] ii soli annumerandi sunt qui regenerationis lavacrum receperunt [...].* « Le bain de la régénération » fait les membres de l'Église. C'est encore le même vocabulaire et la même dominante ecclésiologique.

Terminologie et doctrine qui sont amplement reprises au IIe Concile du Vatican. Deux documents, promulgués l'un et l'autre le 21 novembre 1964, sont à cet égard particulièrement nets. Dans son n° 14, la constitution dogmatique *Lumen gentium* déclare que « par le baptême les hommes entrent dans l'Église *tanquam per ianuam* ». Et le Décret sur l'œcuménisme *Unitatis redintegratio* (n° 3) parle d'« incorporation au Christ par le baptême » [5].

L'entrée par la porte du baptême, l'incorporation à l'Église, la qualité de

---

3. O. Heggelbacher, *Die christliche Taufe als Rechtsakt nach dem Zeugnis der frühen Christenheit*, Fribourg, 1953. Idem, « *Die Taufe als rechtserheblicher Akt in der christlichen Frühzeit* », ÖAKR, 20, 1969, 257-269.

4. *COD* 542.

5. *COD* 910.

membre sont donc des notions et des images traditionnelles de l'ecclésiologie. Le c. 96 s'inscrit à cet égard dans une longue histoire.

2. Mais le même canon dit aussi du baptisé qu'il est « fait personne ». De la théologie, on glisse vers le droit. Ici le Code de 1983 prend modèle sur son prédécesseur de 1917. Ce dernier disait dans son c. 87 : « Par le baptême, l'homme est constitué personne dans l'Église du Christ. » La formule reparaît, et dans les mêmes termes, en 1983. La filiation d'un canon à l'autre est évidente.

Mais pourquoi en 1917 avait-on abandonné *membrum* et préféré *persona* ?

Désir de mettre en évidence « le juridisme », dans un code qui se voulait à l'image des codes séculiers modernes ? Emprunt à la dogmatique du droit moderne et, par-delà, à celle de la Rome antique ? On l'a parfois suggéré[6].

De telles affirmations gagneraient à être nuancées. Le législateur de 1917 était plus soucieux de donner la forme d'articles de code à des acquis anciens que d'apporter de grandes nouveautés. Il l'a lui-même affirmé[7] et ses commentateurs se sont plu à souligner cette volonté de fidélité au passé. Le c. 87 en donne un exemple.

La notion de personne est inscrite depuis des siècles dans la doctrine chrétienne[8]. Sans en rechercher ici les lointaines origines[9], rappelons seulement que saint Thomas désignait ainsi, sans référence spéciale aux aspects juridiques, l'« individu raisonnable » : *omne individuum rationalis naturae dicitur persona*. Chez les canonistes médiévaux *persona* désigne le sujet de droit. Sinibaldo Fieschi (le futur Innocent IV) avait fait la théorie de la *persona ficta et representata* à propos des « personnes juridiques », là où les juristes romains parlaient d'*universitates personarum*. Ce vocabulaire deviendra de plus en plus fréquent chez les canonistes[10]. Le législateur de 1917 n'avait donc qu'à suivre une tradition bien établie, sans aller compulser le *Digeste* de Justinien !

Ce vocabulaire n'était pas cependant exempt de toute équivoque. « Personne » peut en effet être entendu de deux façons. Au sens large, comme le dit l'*Epitome iuris canonici* de Vermeersch-Creusen[11] : « Tout homme est une personne », et cela par nature. Mais « dans l'Église, est personne l'homme qui a un statut ecclésial »[12]. Une telle « personne » est « sujet de droits et d'obligations d'Église ». Cette « personne », dotée d'un statut

---

6. G. Forchielli, *Precizione sul concetto di « persona »* ; Acta congr. intern. iuris canonici, Rome 1950, 127-128 ; P. Fedele, *Enciclop. del diritto*, VI, Milan 1960, 167.

7. C. 6.

8. Tertullien emploie fréquemment *persona*, cf. R. Braun, *Deus Christianorum*, Paris 1962, 207-242.

9. S. Schlossman, *Person und prosôpon im Recht und im christlichen Dogma*, Darmstadt 1968².

10. A. Gomez de Avala, *Gli Infideli e la personalità nell'ordinamento canonico*, Milan 1971.

11. Malines-Rome 1962, 209.

12. *Ibid.*

juridique, « sujet de droit » dans l'Église n'est plus seulement « la personne humaine ». C'est le membre d'un groupe, de la communauté ecclésiale. Et cela, elle l'est devenue par son baptême.

C'est ce que disait très clairement Benoît XIV dans une lettre du 9 février 1749 *(Singularis)* : *Illi qui [...] rite baptismum acceperunt... Ecclesiae subditi sunt et legibus ecclesiasticis tenentur.* Si le pape n'emploie pas le mot de *persona*, il en évoque les aspects juridiques. Le baptême « fait » des sujets de droit ; ce que Benoît XIV exprime dans un vocabulaire de souverain absolu : il fait « des sujets de l'Église, tenus par ses lois ».

Le code de 1983 n'innovait donc pas en parlant de « personne ». Mais il mettait en avant les effets juridiques du baptême en reconnaissant qu'il créait « un sujet de droit dans l'Église »[13].

3. Ainsi s'était précisée peu à peu la double portée du rite baptismal : il introduit dans l'Église du Christ, dont le baptisé devient membre ; en même temps, il fait de celui-ci une personne juridique, avec les droits et les obligations propres au chrétien. Aspect ecclésiologique et structures juridiques s'offraient ainsi au législateur de 1983.

Cette richesse des perspectives l'aurait-elle embarrassé ? L'histoire sinueuse de l'élaboration du canon 96 invite à se poser la question.

Lorsqu'elle eut à discuter des canons relatifs à la notion de personne dans l'Église, la Commission de réforme du code estima qu'une question aussi fondamentale devait être réglée par cette sorte de constitution de l'Église que serait la *Lex Ecclesiae fundamentalis (LEF)*. Aussi renvoya-t-elle l'examen de la question à la Commission spéciale chargée de préparer le projet de cette loi.

En 1969, un premier schéma de la loi proposait un long canon 6 divisé en deux paragraphes qui juxtaposaient les deux effets du baptême :

§ 1. *Baptismate homo in Ecclesiam, tanquam per ianuam, intrat...*
§ 2. *Baptismate homo Christo incorporatur et in Ecclesia Christi constituitur persona cum omnibus Christianorum officiis et iuribus, nisi [...]*

Après observations faites par la Commission au cours de sa session de mai-juin 1970, ce texte fut modifié afin de mieux mettre en évidence, dans chacun de ses paragraphes, le double effet du baptême, surnaturel, par l'incorporation au Christ et à l'Église, et juridique, par l'acquisition de la qualité de personne dans cette Église. Pour ce faire, le projet reprenait le c. 87 du code de 1917, en y ajoutant la dimension spirituelle, reprise à la constitution *Lumen gentium* et au Décret sur l'œcuménisme. D'où le texte suivant :

---

13. Dès les XIIe-XIIIe siècles, le baptême est envisagé par les canonistes dans une perspective juridique, et le droit romain est utilisé à cette fin, cf. E.F. Vodola, « Fides et culpa. The Use of Roman Law in Ecclesiastical Ideology », dans *Authority and Power. St [...] to W. Ullmann*, Cambridge 1980, 83-97.

c. 6, § 1 : *Baptismate homo Christo incorporatur et in Ecclesiam, tanquam per ianuam, intrat [...][14].*

§ 2 : *Baptismate homo in Ecclesia Christi constituitur persona cum omnibus Christianorum officiis et iuribus, nisi [...][15].*

Ce *textus emendatus* du Schéma de la *LEF* de 1971[16] fit l'objet d'un nouvel examen devant la même Commission en avril 1974. Quelque peu remanié dans sa forme, il devint le c. 5 du Schéma. On le retrouve sans changement dans la cinquième rédaction de la *LEF* en 1976, puis dans celle de 1979. Il était approuvé par la Commission de la *LEF* en septembre 1979[17] et discuté en octobre de la même année[18] comme, on le verra plus loin[19], par la Sous-Commission de réforme du code chargée du Livre *De Populo Dei.*

Après envoi de l'ensemble du projet de code pour avis à diverses instances romaines et régionales, une révision générale du projet, tenant compte des observations de ces instances, eut lieu en 1981. A propos de ce texte, la question fut à nouveau posée de savoir s'il devait figurer au début du Titre *De personis* du Livre I du code ou être maintenu dans la *LEF*[20]. Tout dépendait évidemment du sort encore incertain qui serait fait au projet de cette loi. Avec l'abandon du projet, l'art. 5 de la *LEF* fut repris dans le code, où il devint le c. 96[21].

C'est ainsi que le code réunit en un seul canon les deux aspects du baptême qu'avait dégagés la doctrine chrétienne, l'entrée *quasi per ianuam* dans l'Église du Christ et « la constitution » de l'homme en personne avec ses droits et ses obligations.

Si, comme nous l'avons précisé dès le début de cette note, l'aspect ecclésiologique ne relève pas de notre compétence, il nous faut maintenant interpréter en juriste *Homo in Ecclesia Christi constituitur persona.*

II

Le sens de cette formule paraît clair : par le baptême l'homme devient personne. Mais aussitôt se manifeste l'équivoque de *persona*, dont on a dit plus haut les deux acceptions. Tout individu doué de raison est, par nature, une personne, notait saint Thomas. L'être humain est donc une personne, et toute personne, entendue en ce sens, est titulaire de droits, les fameux

---

14. Cf. *Lumen gentium* n° 14, *supra.*

15. Cf. *Décret sur l'œcuménisme* n° 3, *supra.*

16. Voir ce texte dans la publication du projet de la *LEF* de 1971, p. 119, et sur *persona* le commentaire, *ibid.*, p. 76.

17. *Communicationes*, XII, 1, 1980, 33.

18. *Ibid.* 54-58.

19. *Infra* 281.

20. *Comm.* XIV, 2, 1982, 140.

21. *Comm.* XV, 1, 1984, 96.

« droits de l'homme ». Mais la personne peut aussi être envisagée dans un groupe, famille, nation, église. Dans ces divers cadres, elle jouit d'un statut particulier, père, époux, enfant, national ou étranger, accueilli, toléré ou honni, membre d'une Église, infidèle, hérétique, apostat, etc.

Dans laquelle de ces deux acceptions faut-il entendre « la personne constituée par le baptême » du c. 96 ?

Incontestablement, la seconde s'impose. Le texte précise en effet que le baptisé devient « personne dans l'Église du Christ ». Il ajoute qu'il le devient « avec les devoirs et les droits [...] propres aux chrétiens ». C'est donc bien la personne intégrée dans la société chrétienne, qui, d'après le c. 96, est « instituée par le baptême ». Acte religieux, celui-ci confère un statut dans une société religieuse. Il fait « un chrétien ».

Cependant, le terme le plus souvent employé par le code, lorsqu'il parle de membres de l'Église, n'est pas celui de personne, mais celui de *Christifidelis*, que la traduction officielle française du code transpose en « fidèle du Christ ». Ce terme revient régulièrement dans le Livre II, consacré au « Peuple de Dieu ». *Persona* ne trouve place qu'au Livre I, Titre VI, qui traite *De personis physisis et iuridicis*, c'est-à-dire dans une partie du code de pure technique juridique, lorsqu'il s'agit de définir et de classer les sujets de droit. Il est bien vrai de dire qu'ici « le juridisme » l'emporte. Mais on ne saurait s'en étonner ni le déplorer[22]. Dans un Titre consacré aux « Normes générales », le code avait à présenter les « sujets de droit ». Il ne pouvait le faire qu'en les qualifiant de « personnes », comme le font tous les droits. Point n'est besoin de débusquer ici un quelconque emprunt au droit romain. Si les jurisconsultes romains ont utilisé le mot de « personne », ils ne l'ont pas réservé aux « sujets de droit » puisqu'ils l'appliquent aux esclaves. Sans doute pour les juristes, a-t-il pris progressivement cette signification mais ce succès même doit écarter l'idée selon laquelle les codificateurs de 1917 ou de 1983 ont dû aller le chercher dans les *Institutes* de Gaius ou dans le *Digeste*! Il figurait dans la langue canonique la plus usuelle, la plus traditionnelle, comme la plus récente.

Si la « personne » envisagée par le c. 96 est « le chrétien », qu'en est-il de la personne qui n'est pas devenue chrétienne par le baptême ? Le code semble l'ignorer. Cette attitude s'expliquerait-elle parce qu'une telle personne n'appartient pas au groupe pour lequel seul le code a été rédigé ?

Est-il possible de s'arrêter à pareil cloisonnement, si peu conforme au monde moderne ?

Sur les quelque cinq milliards d'hommes et de femmes qui peuplent la Terre, l'Église catholique n'en réunit que moins de 800 millions, soit moins du 1/6[23]. Même si elle n'a pas à légiférer pour « les autres », elle ne peut méconnaître leur existence. Il lui faut, en particulier, fixer l'attitude que

---

22. Voir à ce propos les réserves de Mgr E. Corecco, « La réception de Vatican II dans le Code de droit canonique », in *La Réception de Vatican II*, Paris 1985, spéc. p. 32.

23. Il s'agit d'ordre de grandeur, car, pour des raisons multiples, tous ces chiffres sont approximatifs.

doivent observer ses membres à l'égard des « autres ». Tous sont des « hommes ». Au point de vue religieux, ils sont plus ou moins proches des chrétiens catholiques. Que de situations diverses, des chrétiens de la Réforme ou de l'Orthodoxie aux fidèles des religions monothéistes, aux « païens », aux agnostiques !... L'Histoire montre combien l'attitude de l'Église catholique a varié vis-à-vis des uns et des autres, selon les époques, les circonstances, les doctrines dominantes chez les théologiens et chez les politiques : de l'ignorance à l'évangélisation, du mépris à l'accueil, des guerres de religion aux rencontres interconfessionnelles.

Que tous les hommes soient des personnes, qui ont droit au respect et que le droit ne peut ignorer, est aujourd'hui doctrine commune, malgré de rares et surprenantes mises en question. Le Concile de Vatican II a sur ce point nettement exprimé sa doctrine. A Rome, des organismes ont été mis en place pour veiller à leur respect et développer le dialogue. Des gestes spectaculaires ont traduit cette volonté de respect mutuel. Peu de voix dans le monde proclament avec autant d'insistance que celle de Rome « les droits de l'homme ». Il serait vain de s'engager ici dans le débat quelque peu puéril qui s'est ouvert pour déterminer où et quand, pour la première fois, ces droits ont été reconnus ; qui s'est le mieux efforcé d'en assurer le respect. Déjà dans « la société esclavagiste » de la Rome antique le stoïcien Sénèque avait dit des esclaves : « Ce sont des esclaves, mais ce sont des hommes. » Et l'on pourrait remonter plus loin dans le passé...

Pour en revenir à la portée du c. 96, on doit donc constater que la qualité de personne n'est pas le monopole des chrétiens. Le baptême fait de l'*homo* une *persona christiana*, un *Christifidelis*. Mais, par nature, tout *homo* est *persona humana*.

On trouverait dans un passé déjà lointain de la pensée chrétienne des expressions plus ou moins nettes de cette doctrine. Au XIIIe siècle Sinibaldo Fieschi écrivait : « *Tam fideles quam infideles oves sunt Christi per creationem.* » Depuis le milieu du XXe siècle de nettes déclarations du Magistère en ce sens se sont multipliées. En 1963, l'encyclique *Pacem in terris* (n° 3) reconnaît que « tout être humain est une personne, sujet de droits et de devoirs ». Deux ans plus tard, la constitution *Gaudium et spes* sur « l'Église dans le Monde de ce temps » proclamait « les droits et obligations universels et inviolables de la personne humaine » (n° 26), ainsi que « l'égalité fondamentale de tous les hommes doués de raison, créés à l'image de Dieu, ayant même nature et même origine » (n° 29). A plusieurs reprises, la constitution parle de « la personne humaine » (n°s 25, 26, 27, 29). Elle énumère en différents passages les principaux de ces droits tenus pour « fondamentaux » : droit au nécessaire pour assurer une vie digne (vivres, vêtements, habitation), droit au libre choix de sa condition de vie, droit de fonder une famille, droit à l'éducation, au travail, au respect de la bonne réputation, à l'information, à la liberté d'agir selon sa conscience, à la protection de la vie privée, à la liberté, en particulier en matière religieuse. A ces droits qu'énumère le n° 26, il faut ajouter le droit d'exprimer ses opinions (n° 59, 4), le droit de réunion et d'association (n° 73, 2), celui de participer aux décisions économiques et sociales (n° 68), de rechercher librement la vérité (*Dignitatis humanae*, n° 3).

On peut s'étonner de ne pas retrouver dans le code de 1983 l'écho de ces affirmations des droits de la personne humaine. Le code ne connaîtrait-il que la *persona christiana*?

On ne saurait expliquer ce silence par une simple constatation d'évidence : fait pour les chrétiens de l'Église latine, le code n'a pas à légiférer pour d'autres. Ses canons 1 et 11 le disent clairement. Mais reconnaître les droits d'autrui n'implique pas que l'on légifère ou que l'on exerce une juridiction à son égard.

Cette distinction a depuis longtemps été reconnue par la doctrine canonique. Déjà la seconde Épître aux Corinthiens l'exprimait dans cette formule « *Quid enim mihi de his qui foris sunt iudicare ?* » (5, 12). Un *Dictum* du *Décret* de Gratien (c. 23, q. 2 *dictum post* c. 14) reconnaissait que l'on ne pouvait exercer la discipline à l'égard de non-chrétiens « parce qu'ils ne relèvent pas de notre droit ». S'appuyant sur ce texte, les décrétistes rejettent toute judiriction de l'Église sur des non-chrétiens *quia non sunt nostrae iuris*.

Tout en tenant les Infidèles pour « membres du troupeau du Christ » (cf. *supra*) Sinibaldo Fieschi enseignait dans son commentaire sur les *Décrétales* : « *Non pertinet ad nos iudicare de his qui foris sunt* » (reprise de l'expression de l'Épître aux Corinthiens).

Même doctrine au Concile de Trente (sess. 14, *De penitentia*) qui, à propos du baptême, et en se référant au même texte, disait *Ecclesia in neminem iudicium exerceat qui non prius in ipsam per baptismi ianuam fuerit ingressus*. Et Suarez[24] reconnaissait que les Infidèles ne sont pas soumis aux lois de l'Église.

Si, n'ayant pas « franchi la porte du baptême », les non-chrétiens ne relèvent ni de la législation ni de la juridiction de l'Église, cela n'implique nullement qu'ils n'aient pas la qualité de personne humaine.

Le projet de *Lex Ecclesiae fundamentalis* levait à cet égard toute incertitude. Dans un article 3, il précisait : « L'Église reconnaît et proclame la dignité propre de la personne humaine à tous les hommes et à chacun d'entre eux. Elle reconnaît les obligations et les droits qui découlent de cette dignité. » Ce texte ne faisait que transposer en formules juridiques la Déclaration conciliaire *Dignitatis humanae* du 7 décembre 1965. Ainsi était levée toute incertitude sur la portée du c. 5 (le futur c. 96 du code). Le c. 3 concernait la « personne humaine », en droit la personnalité juridique de tout être humain. Il reconnaissait que, du seul fait de sa « dignité », elle avait des droits et des obligations. Le c. 5, de son côté, concernait la personnalité de ceux qui, devenus chrétiens par le baptême, ont de ce fait des droits et des obligations propres. Ainsi étaient bien marqués deux « niveaux » de personnes, humaine et chrétienne, avec des droits et des

---

24. *De Leg.*, L.L, c. 19, n° 2.

obligations spécifiques, découlant soit de la « dignité humaine », soit de
l'entrée dans l'Église par la porte du baptême.

On peut regretter que cette belle harmonie n'ait pas été conservée par le
code de 1983. Les choses se sont jouées le 16 octobre 1979 à la sous-
commission *(Coetus studiorum) De Populo Dei*[25]. A cette date, le sort de
la *Lex Ecclesiae fundamentalis* était encore en suspens. Serait-elle promulguée, avec ses c. 3 et 5 sur la personne humaine et la personne baptisée,
ou serait-elle abandonnée ? Envisageant cette seconde hypothèse (qui en fait
se réalisa), la sous-commission se demandait quel serait alors le sort du c. 5,
qu'elle avait fait figurer dans un projet de Titre *De personis*, comme c. 1.
Ce Titre *De personis* devrait-il figurer au Livre II *De Populo Dei*, que
préparait la sous-commission ou devrait-il être renvoyé au Livre I, confié
à une autre sous-commission, qui traiterait des « Normes générales » ?

Sur ce débat de localisation du texte se greffa une discussion de fond sur
la personnalité juridique des non-baptisés. Le texte soumis à la sous-
commission n'envisageait que celle des baptisés dans son c. 1 (= le c. 5 de
la *LEF*). Fallait-il y mentionner également celle des non-baptisés ? On fit
observer, en faveur de cette solution, que Vatican II l'avait clairement
reconnue. On devait suivre ici, comme en bien d'autres points, la leçon
conciliaire. A quoi le rapporteur de la sous-commission objecta que « le
baptême était nécessaire pour qu'un homme devienne dans l'Église un sujet
de droit canonique. Les non-baptisés n'ont ni obligations ni droits canoniques. » Ce qui, à ses yeux, justifiait le silence du code à leur égard. On lui
fit valoir que cependant le c. 3 du projet de *Lex Ecclesiae fundamentalis*
leur était consacré. On ajoutait que « tous les codes du monde » faisaient
état de cette reconnaissance des droits fondamentaux de tout être humain.
Après discussion, on passa au vote. A l'unanimité moins une voix, la
sous-commission écarta toute adjonction au texte, ayant pour objet de faire
mention de la personnalité juridique qui appartient à tout être humain ainsi
que des droits et des obligations qui y sont attachés.

C'est ainsi que toute référence aux « droits de l'homme », solennellement
reconnus par plusieurs documents officiels de Vatican II, fut écartée du
code de 1983.

Il ne faudrait pas en conclure que les rédacteurs de ce code aient mis en
question la réalité de ces droits. Ils estimaient qu'ils n'avaient pas à figurer
dans un code canonique. D'où leur silence sur ce point.

Cependant, certains canons du code postulent la reconnaissance de la
personnalité juridique des non-catholiques. C'est ainsi que le c. 1059
dispose que « le mariage des catholiques, même si une partie seulement est
catholique, est régi non seulement par le droit divin, mais aussi par le droit
canonique ». Le non-catholique est donc sujet du droit canonique pour son
mariage. Le c. 1476 admet toute personne *(quilibet)*, baptisée ou non, à
agir en justice, comme demandeur ou comme défenseur. Or seule une

---

25. *Communicationes*, XII, 1, 1980, 54-58.

personne peut agir en justice. Le c. 1549 reconnaît qu'en principe *omnes possunt esse testes.*

Aussi la doctrine, malgré le silence de principe du code, est-elle quasiment unanime à reconnaître que les non-baptisés sont des « personnes » et qu'en tant qu'« hommes », ils ont des droits et des obligations[26].

N'ayant pas clairement distingué la qualité de personne, qui appartient à tout être humain, de celle que fait acquérir le baptême aux seuls *Christifideles*, le code n'a pas non plus nettement distingué les droits propres de ces derniers du fait de leur entrée dans l'Église par la porte du baptême (par exemple le droit aux sacrements, c. 231), des droits de l'homme, qui appartiennent à chaque individu quelle que soit sa position religieuse.

Lorsqu'il traite dans ses c. 208-223, au L. II, T. I, des « droits et obligations de tous les chrétiens », le code envisage, malgré cet intitulé trop large, essentiellement les catholiques latins, pour qui le code a été fait (c. 1) et non tous les chrétiens. Il en va ainsi, par exemple, du droit aux sacrements (c. 231)[27]. D'autre part, il mêle dans ses canons droits et obligations propres aux catholiques et droits et obligations incombant aux catholiques du seul fait de leur qualité humaine. Appartiennent manifestement à ce second groupe, le droit de former des associations de charité (c. 215), la liberté de recherche (c. 218), le droit de choisir son état de vie (c. 219), le droit au respect de la bonne réputation, à l'intimité (c. 220) ou celui d'être jugé selon les formes légales (c. 221). La plupart des droits ici mentionnés sont repris aux énumérations de la constitution *Gaudium et spes*[28]. Mais celle-ci les présentait fort justement comme des droits de l'homme et non comme des droits propres aux chrétiens.

Imperfection technique, sans doute. Il faut cependant reconnaître qu'elle ne met pas en cause cette double série de droits, que le code se refuse à expliciter, les uns appartenant à tout homme par nature, les autres étant acquis en franchissant le seuil de la porte baptismale.

---

26. Voir R. Sobanski, « L'ecclésiologie du nouveau code », in *Le Nouveau Code de droit canonique*, Ottawa 1984, 254-258.

27. Ce canon vient du projet de *LEF* (voir A. Montan, Diritti di ricevere i sacramenti e diritti fondamentali dei fedeli, in *Diritti fondamentali della persona umana*, (Atti del V° Coll. giuridico, Latran 1984, Utrumque ius, n° 12, Rome, 1985) 494-495.

28. Voir *supra*, 279-280.

L'OBRA EUCOLÒGICA DE PRISCIL.LIÀ, BISBE D'ÀVILA

Miguel S. GROS

El Corpus de les obres de Priscil.lià conservat al manuscrit Würzburg, Universitätsbibliothek, Mp.th.q.3, dels segles V-VI[1], publicat d'una manera exemplar pel prof. G. Schepps al *CSEL*[2], es clou amb una peça eucològica, desgraciadament inconclusa per manca dels últims quaderns del volum. El text porta el títol de *benedictio super fideles*, però una senzilla lectura del seu contingut mostra clarament que no es tracta pas d'una veritable benedicció del poble, almenys en l'estil de les tradicionals « super populum » romanes i de les extenses benedicions gal.licano-hispàniques, sinó més aviat d'un text eucològic de lloança a Déu Pare a la manera de les antigues « preces » romanes i de les « contestationes » i « inlationes » pròpies dels llibres litúrgics de les Gàl.lies i d'Hispània.

Aquesta afirmació no és únicament nostra, perquè Dom Férdinand Cabrol ja ho digué, l'any 1907, en la seva interessantíssima introducció als estudis litúrgics[3], i encara ho repetí l'any 1930 en el també molt important resum sobre els llibres de les litúrgies llatines[4]. Després d'ell, l'únic que tornà a suggerir-ho fou el malaguanyat Emmanuel Bourque, en el primer volum del sou estudi dels sacramentaris romans publicat l'any 1949[5]. Bourque podria dependre de Dom Cabrol, encara que no ho digui explícitament. Que sapiguem, cap altre autor no ha fet aquesta afirmació, i tampoc cap investigador, inclosos els esmentats Cabrol i Bourque, no ha intentat de provar-ho.

Sorprèn que una peça de tanta importància per a l'eucologia occidental hagi passat gairebé desapercebuda dels investigadors de la litúrgia. Potser

---

1. Cf. E.A. Lowe, « More Facts about our Oldest Latin Manuscripts », dins *Paleographical Papers 1907-1965*, Oxford 1972, pàg. 262, núm. 127, i K. Gamber, *Codices Liturgici Latini Antiquiores*, Freiburg Schweiz 1968, pàg. 70, núm. 048.

2. Cf. G. Schepps, *Priscilliani quae supersunt*, Viena 1889, p. 103-106, *CSEL* 18.

3. Cf. F. Cabrol, *Introduction aux Études liturgiques*, Paris 1907, pàg. 14.

4. Cf. F. Cabrol, *Les Livres de la liturgie latine*, Paris 1930, pàg. 28.

5. Cf. E. Bourque, *Étude sur les Sacramentaires romains*, I. *Les textes primitifs*, Roma 1949, pàg. 76.

com que el seu autor fou considerat un heretge i un cismàtic[6], la peça també només ha estat considerada com la mostra d'un text propi d'una secta i no com una veritable manifestació litúrgica de l'església occidental en els últims decennis del segle IV.

L'objectiu d'aquestes breus notes és només fornir alguns arguments per provar que en la « Benedictio super fideles » priscil.liana tenim dues « inlationes » eucarístiques, una d'íntegra i el principi d'una altra. Donem el nom d'« inlationes » a aquestes dues peces simplement pel fet que foren escrites en l'àrea geogràfica on després es formarà la litúrgia hispana.

El text es troba als ff. 141v-145v del manuscrit, i forma part del conjunt de textos compilats segurament per provar l'ortodòxia del grup en el concili de Burdeus de l'any 384, o bé davant el mateix tribunal imperial de Trèveris que en els anys 385-387[7] condemnà Priscil.lià a mort per fetiller. Això es pot deduir del fet que els textos homilètics priscil.lians — tractats IV-X — i la « Benedictio super fideles » — peça XI — són precedits del « Liber apologeticus », del « Liber ad Damasum episcopum » i del « Liber de fide et de apocryphis » — tractats I-III —, peces totes elles de caràcter eminentment apologètic. Si aquest « corpus » fos compilat únicament per a la lectura espiritual dels seus seguidors, no es veu clar perquè el mateix Priscil.lià o els seus prosèlits l'haurien encapçalat amb els tres tractats apologètics i haurien posat al final textos litúrgics. Aquests detalls només tenen sentit si es considera la compilació com un volum destinat a provar davant d'un tribunal eclesiàstic o civil que Priscil.lià i el seu grup són completament ortodoxos en les reflexions teològiques, en la predicació i àdhuc en la pregària pública.

Es evident que aquest « corpus » no conté pas totes les obres escrites per Priscil.lià — els « multa opuscula » esmentats per sant Jeroni[8] —, però sí que segurament inclou les de més importància i fins i tot les que, aleshores, alertaren la suspicàcia de part de l'episcopat occidental. També és possible que si veritablement fou compilat per a la defensa davant d'un tribunal, el « corpus » contingui les més ortodoxes i que algunes hagin estat retocades en els punts doctrinals més imprecisos per evitar tota possibilitat d'una lectura en sentit herètic.

A continuació editem novament aquest text en la versió donada per Schepps després de revisar-lo amb fotocòpies del manuscrit original. La divisió en versets és nostra i tot el que hi hem afegit és posat entre parèntesis angulars[9].

---

6. La posició doctrinal de Priscil.lià mai no ha quedat prou clara i definida. Segurament té molta raó el professor H. Chadwick de considerar-lo com un aficionat autodidacte amb unes quantes idees molt fixes. Cf. H. Chadwick, *Prisciliano de Avila*, Madrid 1978, pàg. 126.

7. Cf. Chadwick, *Prisciliano*, pàg. 179.

8. Cf. *PL* 23, col. 711, *Liber de Viris illustribus*, cap. 121.

9. Agraïm cordialment als bons amics Dr. Vicenç Esmarats i Dr. Marc Mayer les molt interessants observàcions que ens han fet sobre la interpretació d'alguns punts obscurs d'aquest text.

BENEDICTIO SUPER FIDELES

I

<Dignum et iustum, aequum et iustum est
    nos tibi gratias agere,>
Sancte pater, omnipotens deus,
5   qui multiformis gratiae tuae templum
    et dispositae in te ecclesiae tabernaculum
    formans inmensurabilis gloriae
    extendens mensuras
    Christo in te auctore docuisti,
10 ut in te uno et invisibilitatis plenitudo,
    quod pater filio
    et visibilitas agnoscentiae,
    quod filius patri
    in operatione sancti spiritus deberet,
15   ageretur,
    sic in te omni<s> definitae rei terminum
    et infinitorum receptaculum ponens,
ut ex te uno venientibus nobis unum profectum
    et revertentibus ad te unum aditum
20   in ortum fili
    in te orientis aperires,
    et quamvis ex diversis vocationum viis
    in tabernaculum tuum tenderent,
    omnes tamen uno ingressu
25   ad te Christi operantis intrarent,
ut, cui se ille clausisset
    accessum ad te,
    quia patrem fili in filio
    et filium patris in patre ignoraverat,
30   non haberet.
Tu enim es deus,
    qui cum in omnibus originibus virtutum
    intra
    extraque
35 et supereminens
    et internus
    et circumfusus
    et infusus
    in omnia unus deus crederis,
40   invisibilis in patre,
    visibilis in filio
    et unitus in opus duorum
    sanctus spiritus inveniris,

quia tu tibi ad id quod es auctor es
45   et nihil extra te quod praestantius
       tibi videatur ostendis,
       et quamvis mens nostra
       inexplicabilis intelligentiae opus
       moliens
50   intra humanae inbecillitatis
       claudatur errore,
       unicum tamen de te religiosae sententiae
       modum
       propheticis vocibus adpraehendit,
55   quod sic te unum deum
       in omnibus novimus,
       ut nullum non in te
       neque ullum extra te locum
       et facti
60   et operantis habeamus;
     sicque cum habes adque haberis
       neque extra totum in aliquo
       neque non in omnibus inveniris.
     In te enim et per te
65   processuum tota procuratio:
       tu animarum pater,
       tu frater filiis,
       tu filius fratribus,
       tu electis amicus,
70   tu propinquantibus proximus,
       tu operatio spirituum,
       tu principium archangelorum,
       tu angelorum opus,
       tu virtutificatio tota virtutum es,
75   per te disposita sunt opera cunctorum,
       tu distincxisti singularum rerum partes
       et inter se elementa conpingens
       disciplinati operis
       terminos conlocasti,
80   dans in eis spiritum vitae,
     ut, quae etsi se facere nil possent,
       magnitudine tamen operantis
       animata ministerium deligatae
       per te servitutis inplerent.
85   Et posthaec respiciens in terram
       eduxisti animam vivam;
       quae etsi ex se ipsa non esset,

tamen, ne vacuus esset [10]
sermo praecepti,
90   ubi iussio tua
initium eorum
quae non erant fuit,
animatione praecepti protulit
terra quod ipsa non habuit.
95   Et iussio tua in apparabilium
facta natura est,
ut ex nihilo opus proferens
primum inconposita
et intenebrata parerent,
100   postea insensibilibus sensibilitatem
tenebrosis visum,
brutis odoratum,
sonum duris
et obduratis distribueres auditum,
105   ut ubique te praestans materiam rerum,
quam iussio protulerat informem,
in usum operis tui sermo disponeret
et unumquid vocans nomine suo,
si sublimaret erecta
110   divexa vergeret,
praessa plenaret,
aperiret campestria,
silvarum tegeret occulta,
tibi soli ad agnitionem scientiae tuae
115   factorum gloria tota concineret,
cui etsi confiteri in loquellam
muta non possent
tamen dispositionibus rerum
loquens ratio omnipotentiae
120   testimonium non negaret,
in [ter divinorum deam]bulacra statutum [11],
quam commutationem tibi
dignam dabimus
pro animabus nostris.
125   <Per dominum nostrum Ihesum Christum... qui
in qua nocte tradebatur, accepit panem...
Quotienscumque manducaberitis panem hunc...
Te praestante sancte domine, quia tu haec...>

---

10. Et *add* ms.

11. Llacuna completada amb el text del lloc paral.lel del Tractat X. Cf. Schepps, *Priscilliani*, pàg. 93, línia 4.

II

```
        <Dignum et iustum est, aequum et iustum est
130        nos tibi gratias agere,>
        Sancte pater, omnipotens deus,
            aut quid est homo
                quod memor es eius
            aut filius hominis
135             propter quod visitas eum ?
                nisi quo<d> in gloriam tanti operis
                emissi agnoscimus
                quia figmentum tuum sumus
                in operibus bonis quae praeparasti
140             ut in illis ambulemus ?
        Et ideo te sensus noster loquitur
            et sermo,
            quia per te inexterminabiles facti
            ubi simi[litudinis tuae...
```

COMENTARI

El títol

El mot « benedictio » originàriament tenia el sentit de lloança i d'acció de gràcies, però en els textos litúrgics occidentals acabà designant únicament textos dedicats a consagrar les persones destinades al ministeri i a la vida monàstica, els espais sagrats, a santificar objectes d'ús normal, i a impetrar la protecció divina sobre els homes. Les antigues litúrgies occidentals, tal com ens han arribat, mai no usen aquest títol per a designar pregàries estrictament eucarístiques. Res, però, no impedeix que en un estadi més antic, i concretament en les zones centrals de la península ibèrica, hagués estat emprat en aquest sentit abans que la unificació litúrgica promoguda des de la seu de Toledo, en l'últim quart del segle VII, implantés arreu el mot « inlatio », que certament presenta un caràcter sacrificial molt més explícit.

Més dificultats crea que el mot « benedictio » vagi seguit de l'explicació « super fideles ». No hem trobat cap explicació lógica per poder dir que una pregària estrictament eucarística pugui ésser considerada, com sembla deixar entendre el nostre text, com una benedicció del poble. És cert que tota lloança a Déu porta alhora una benedicció pels homes i per tot l'univers, especialment pels que intervenen a fer-la. ¿ L'òptica teològica de Priscil.lià incloïa aquest matis ? Pel que queda de les seves obres no hem pas pogut aclarir-ho amb seguretat, encara que en el « Liber Apologeticus » cita la frase del profeta Balaam : « Qui benedicunt eum benedicti sunt et qui maledicunt eum maledicti sunt [12]. » També, però, podria ésser un afegitó posterior, fet en copiar el manuscrit en un ambient on el mot « benedictio » aplicat a una pregària eucarística ja no tenia sentit. Aquesta solució, però, sembla massa senzilla per ésser defensada.

Primera « benedictio »

Ocupa les línies 1-124. Els mots « Sancte pater... tuae temp- », corresponents a les tres primeres línies del text, són escrits, al manuscrit, en tinta vermella, com l'inici de tots els altres tractats priscil·lianistes del manuscrit de Würzburg, per fer ressaltar el principi de la peça. En la nostra edició els fem precedir de l'inici « Dignum et iustum... gratias agere » que manquen al manuscrit. Per això són posats entre parèntesis angulars. Hem escollit aquest inici perquè figura en la « contestatio » núm. 294 de les Misses de Mone [13], on, després, també va seguit dels mots « Sancte pater, omnipotens deus qui ». Aquesta expressió també figura en el *De Trinitate* d'Hilari de Poitiers [14], cosa que ens mostra que devia ésser força normal en els antics textos litúrgics occidentals. Fins i tot podem pensar que Priscil·lià els copià d'aquest cèlebre tractat perquè, després, en les línies 30-38, el tornà a copiar gairebé al peu de la lletra.

El text, com de costum en les peces de tipus eucològic, després d'evocar els títols del Pare i de recordar de manera general la seva acció — amb ús dels mots « templum/tabernaculum », que també es fan servir al « Liber Apologeticus » [15] —, indica que la funció reveladora del Pare — « docuisti » — s'ha realitzat a través de Crist. Això el porta a introduirse en la vida trinitària, amb expressions « pater filio/filius patri » i « in operatione sancti spiritus » que es troben gairebé literalment en la « Immolatio missae » del dimecres de l'octava de Pasqua del sacramentari gal·licà München *CLM* 14429, núm. 73 [16].

En les línies 18-30 segueixen una sèrie de reflexions amb ús de les partícules « quamvis/tamen », molt utilitzades en els altres tractats priscil·lianistes, que recorden que l'únic camí i entrada al « tabernaculum » del Pare no és altre que Crist. En les línies 26-29 tornem a trobar els jocs de mots « patrem fili in filio/filium patris in patre », molt característics dels tractats de Priscil·lià.

Segueix, en les línies 31-41, la lloança de Déu Pare, amb un text gairebé copiat al peu de la lletra del Llibre 1, cap. 6, de l'esmentat tractat *De Trinitate* d'Hilari de Poitiers [17], al qual el nostre text afegeix, en les

---

12. Cf. Schepps, *Priscilliani*,Tractatus I, pàg. 27, línies 7-9.
13. Cf. L.C. Mohlberg, *Missale Gallicanum Vetus*, Roma 1958, pàg. 81.
14. Cf. *PL* 10, col. 466.
15. Cf. Schepps, *Priscilliani*, Tractatus I, pàg. 24, línia 9.
16. Cf. A. Dold - L. Eizenhöfer, *Das Irische Palimpsestsakramentar im CLM 14429 der Staatsbibliothek München*, Beuron 1964, pàg. 91, línies 13-15, que diu « pro quo merito tibi pater in filio . filius in patre . una cum spiritu sancto... ».
17. Cf. *PL* 10, col. 29.

línies 42-43, una conclusió trinitària on s'insisteix en el fet que el Déu veritable se'ns ha fet visible en el seu Fill per l'acció de l'Esperit Sant.

En les línies 44-60 es parla de l'esforç humà per aconseguir la coneixença i l'accés a Déu amb la coneguda contraposició « quamvis/tamen ». Hi figuren les expressions « intelligentiae opus moliens », que també trobem al Tractat X de Priscil.lià [18] i que copia una frase de l'esmentat De Trinitate d'Hilari de Poitiers [19], i « humanae inbecillitatis claudatur errore », que igualment es troba en els dos citats tractats [20]. En la línia 54 s'esmenten les « propheticis vocibus » que també ens donen accés a la coneixença de Déu a través de les coses creades. És el « in omnibus novimus » de la línia 56, que en les línies 57-58 va seguit dels jocs de mots « in te/extra te » i en les línies 62-63 del « neque extra totum/neque non in omnibus ».

Després, en les línies 64-74, ve una nova lloança del Pare amb jocs de mots com aquests : « frater filiis/filius fratribus » i « electis amicus/propinquantibus proximus » [21]. En aquesta lloança s'indica que Déu Pare és el principi dels éssers espirituals, amb una possible al.lusió a Hebreus 12, 9, dels arcàngels i dels àngels, com a pas per parlar de la creació dels éssers materials, als quals, en senyal de poder, ha assenyalat, en crear-los, els seus límits — « terminos conlocasti » de la línia 79 — i, a més, ha vivificat donant-los el « spiritum vitae » esmentat en la línia 80. Tot seguit, l'acció creadora de Déu — el « respiciens in terram » de la línia 85 — queda més especificada en les línies 87-88, amb ús de la contraposició ja prou coneguda del « etsi/tamen », on s'indica que el món material, malgrat que per si mateix no té consistència — « ex se ipsa non esset » —, no obstant, pel poder diví, deixà d'ésser « vacuus », al.ludint a Genesi 1, 2, i quedà vivificat.

La potent acció divina ha fet que — en les línies 97-104 —, les coses tretes del no-res — « ex nihilo » —, es presentessin, primer, sense ordre i sense llum — « incomposita et intenebrata » — i que després, en un segon estadi, poguessin captar les olors i oir els sons. En les línies 108-113, com a complement d'aquesta acció creadora, també es recorda que Déu actua « unumquid vocans nomine suo », que és una possible al.lusió al Salm 146, 1, i que això ha fet que entre altres coses s'aixequessin les muntanyes, sorgissin les planes i apareguessin els boscos.

El text, en les línies 114-124, acaba recordant que totes les coses creades ens porten al coneixement de la saviesa de Déu, al qual, emprant també la contraposició « etsi/tamen », no poden manifestar el seu agraïment amb la parla — « confiteri in loquellam » —; però del qual donen, per la seva magnífica organització — « dispositionibus rerum » —, testimoni de la seva omnipotència.

En la línia 121, el manuscrit presenta una llacuna que hem completat

---

18. Cf. Schepps, Priscilliani, pàg. 95, línia 15.
19. Cf. PL 10, col. 28-29.
20. Cf. Schepps, Priscilliani, pàg. 95, línies 16-17, i PL 10, col. 30.
21. Aquestes últimes expressions segurament depenen de Jo 15, 15, i de Jm 4, 8.

a partir del lloc paral.lel del ja citat Tractat X [22]. Aquesta frase serveix de pas a la conclusió del text, en la qual es diu que la comunitat, per boca del ministre sagrat que oficia, fa l'acció de gràcies en lloc de les coses creades que no poden parlar. En les línies 122-124, en acabar, s'utilitza una frase treta de Mt 16, 26.

El text acaba ací, però l'hem completat amb el « Per dominum nostrum Ihesum Christum » normal en les pregàries occidentals, posat entre paréntesis angulars. No es pot excloure del tot que la pregària acabés amb un text de pas al cant del « Sanctus », com el clàssic « Cui merito » de moltes « inlationes » hispanes. La gran antiguitat de la pregària sembla, però, excloure-ho, perquè a l'occident no serà fins a mitjan segle V que aquest cant serà utilitzat normalment en les celebracions eucarístiques de tipus festiu [23].

Suposant, doncs, que a Hispània encara no es coneixia el cant del « Sanctus », hem posat, després del « Per dominum » i també dins de parèntesis angulars, l'« incipit » del text de la institució de l'Eucaristia segons la tradició hispana, seguit de la breu explicitació del memorial, també tradicional a les esglésies hispanes, i de la doxologia final « Te praestante sancte domine » corresponent al « Per ipsum et cum ipso » romà [24].

Segona « benedictio »

La segona « inlatio » comença en la línia 131 novament amb l'expressió « Sancte pater, omnipotens deus », mots que aquesta vegada no presenten en el manuscrit cap signe especial que els faci remarcar. Al text també els hem fet precedir del tradicional « Dignum et iustum est... » tret de les Misses de Mone [25]. Tot seguit, les línies 131-134, copiades del Salm 6, 5, ens presenten, d'una manera força brusca, l'home ja creat com objecte de l'amor de Déu. En explicar, després, la raó d'aquesta predilecció, l'autor copia també al peu de la lletra el text d'Efesis 2, 10, en el qual l'apòstol Pau ens recorda que la grandesa « tanti operis » radica en el fet d'haver estat

---

22. Cf. Schepps, *Priscilliani*, pàg. 93, línia 4.

23. Cf. L. Chavoutier, « Un Libellus Pseudo-Ambrosien sur le Saint-Esprit », dans *Sacris Erudiri* 11, 1960, 186.

24. Aquesta « inlatio », en la celebració eucarística, devia també ésser seguida d'una pregària d'intercessió, formada per una admonició i una col.lecta sacerdotals a l'estil del sacramentari gal.licà de München, esmentat a la nota 16. Sobre aquesta pregària d'intercessió, que al principi sempre devia ésser feta amb el mateix formulari, i la seva posterior substitució per les fórmules « Post pridie », vegeu M.S. Gros, « Notes sobre les dues col.lectes "Post secreta" del sacramentari gal.licà München CLM 14429 », dins *Revista Catalana de Teologia* 10, 1985, 369-376. Al davant, abans del ritu de la pau i del « Dominus vobiscum » previs a la « inlatio », es devien recitar els díptics, tal com encara es fa a la litúrgia hispana. Consta que el priscil.lianistes hi posaven els noms del fundador i dels seus companys ajusticiats a Tréveris perquè els consideraven màrtirs, cosa que disgustava a Ambròs de Milà. Sobre això vegeu Chadwick, *Prisciliano*, pàg. 205.

25. Cf. nota 13.

creada a semblança i imatge — « figmentum » — de Déu. Al final, ja en les
línies 141-144, es cita el text del Llibre de la Saviesa 2, 23, on s'insisteix
en la idea que tenim un destí etern — som « inexterminabiles » —, també
a semblança del creador.

Ací, malauradament, el text queda tallat per la pèrdua dels últims
quaderns. No és pas, però, gens agosarat suposar que continuava seguint
els primers capítols del Gènesi, recordant que Déu havia col.locat l'home
al Paradís, que li havia donat Eva per companya, que Adam i Eva, malgrat
l'ordre divina, havien menjat del fruit prohibit de l'arbre del bé i del mal,
i que, alhora que Déu els donava el càstig a la desobediència, també els
anunciava la vinguda d'un redemptor que seria un descendent seu. També
és lògic suposar que les dues benediccions no eren pas peces úniques i que
devien formar part d'un conjunt d'« inlationes » en les quals es recordaven
els passos més importants de la història de salvació i es lloava Déu per totes
les « mirabilia » fetes en bé dels homes.

CONCLUSIONS

L'anàlisi ràpida i breu que acabem de fer del text de la « Benedictio super
fideles » priscil.liana ens ha mostrat clarament que aquest text no és pas una
fórmula de benedicció del poble, almenys en el sentit que aquests mots
tenen en totes les litúrgies cristianes, sinó dues peces eucològiques més aviat
pròpies i específiques de les celebracions eucarístiques, les quals, d'acord
amb la tradició litúrgica hispana, han d'ésser anomenades « inlationes ».
Queda, però, encara per aclarir qui n'es el veritable autor i la data en què
foren compostes.

Sobre el primer punt crec que no hi ha pas cap dubte possible. És evident
que procedeixen del mateix Priscil.lià. De fet, fins ara ningú no ha aportat
arguments seriosos per negar-ho. Hom ha fet objeccions sobre la paternitat
dels tres primers tractats de tipus apologètic, que més aviat podrien ésser
atribuïts als amics de Priscil.lià i als dirigents del grup com a tal. Però la
resta dels escrits del manuscrit de Würzburg, és a dir, els sermons,
Tractats IV-X, amb excepció del Tractat V, i la benedicció, Tractat XI,
sembla, d'acord amb l'autoritzada opinió del Prof. Chadwick[26], que són
veritablement de Priscil.lià. El vocabulari i la construcció sintàctica força
rebuscada, propis del llatí tardà, escauen molt bé a Priscil.lià, del qual
sabem pel testimoni de Sulpici Sever que era « multa lectione eruditus »[27].
L'evident relació que les dues pregàries tenen amb el Tractat X i els
múltiples préstecs literaris fets a Hilari de Poitiers que ambdós textos
presenten també ho avalen.

A més, som en una època què el culte litúrgic, i els textos que s'hi
empren, encara és dirigit molt directament pel bisbe de cada comunitat, i

---

26. Cf. Chadwick, *Prisciliano*, p. 100-101.
27. Cf. *PL* 20, col. 155.

això explica molt bé que Priscil.lià, l'any 381, en ésser consagrat bisbe d'Àvila, procurés, entre les primeres actuacions, escriure uns textos eucarístics d'acord amb la seva ideologia i el lèxic que li era més plaent.

Les « inlationes », llavors, haurien estat escrites en els anys 381-384, abans del concili de Burdeus, i més aviat entorn del 381-382, abans que les reaccions apassionades que el seu moviment creà no obliguessin Priscil.lià i els seus amics a traslladar-se primer a Roma i a Milà, per obtenir el favor del papa Damas, del bisbe sant Ambròs i de l'administració imperial, i, posteriorment, després de retornar a la península, vers Burdeus, on s'iniciaria el tràgic camí que més tard els portaria a Trèveris.

BREVIERREFORMEN IM 16. JAHRHUNDERT MATERIALIEN VON DAMALS UND ERWÄGUNGEN FÜR MORGEN

Angelus A. Häußling, o.s.b.

Es ist schon sehr lange her, seit Pierre-Marie Gy in Cahier 21 von *La Maison-Dieu* über zeitgenössische « Projets de réforme du bréviaire » geschrieben hat[1]. Das war im Heiligen Jahr 1950, einem Höhepunkt im Pontifikat Papst Piŭs' XII., des, wie wir heute wissen, letzten Papstes « alten Stils ». Vier Jahrzehnte später fällt es schwer zu glauben, daß die Spane der Verhältnisse von damals zu heute auch die Spanne eines einzigen, in der Liturgie, ihrer Wissenschaft und ihrer Reform tätigen Lebens umfassen soll − so viel ist geschehen. Aber die Daten stimmen : es ist der gleiche gelehrte und liebenswürdige père Gy, der damals über vage Projekte einer Reform schrieb, die inzwischen schon wieder zur Geschichte der Liturgie unserer Kirche gehört.

Es ist lehrreich, die Ausführungen von 1950 zu lesen und mit den Realitäten heute zu vergleichen, und es wäre interessant, eine Relecture des Aufsatzes von damals durch den Verfasser selbst zu erleben. Ich weiß nicht, war er heute im einzelnen sagen wollte. Aber ich meine sicher zu sein, daß wir in Einem gleicher Überzeugung sind : die Reform des « Brevieres », die 1950 noch Diskussion war und dank damals nicht zu erwartenden Ereignissen (Papst Johannes XXIII., das Zweite Vatikanische Konzil) inzwischen eine Realität darstellt, ist kein der Diskussion enthobenes Faktum, sondern hat der Liturgiewissenschaft die Geschichte des « Breviers » neu aufgetragen. Nur ein Geschichtsfremder − und der wäre kein Theologe − kann ja meinen, in der Kirche Jesu Christi sei Reform ein für allemal geschehen und somit der Erforschung in der Geschichte für die Zukunft enthoben. Darum auch hier die Frage, père Gy zu Ehren : wie war das mit « Brevierreformen » in früheren Zeiten ? Und wir wenden uns gleich einer brisanten Epoche der abendländischen Christenheit zu, dem 16. Jahrhundert.

Keine Frage : das ist eines der schicksalsträchtigsten Jahrhunderte der

---

1. G[y], « Projets de réforme du bréviaire », in *LMD* 21. 1950, 110-128. Wegen seines Informationswertes ist dieser Aufsatz heute noch nützlich, etwa durch die Bibliographie S. 111f Anm. 3. Das Heft trägt übrigens den Stücktitel « Le trésor de l'Office divin ».

abendländischen Kirche. Noch heute prägen uns die damals getroffenen Entscheidungen; denn : nichts anderes als Reformation und Konzil von Trient sind die Stichworte. Auch in der Geschichte des « Breviers » ist diese Epoche ein bewegtes Kapitel. Ja, wahrscheinlich ist in dem beschränkten Sektor der « Breviergeschichte » niemals, trotz der Neubreviere im Frankreich des 17. und 18. Jahrhunderts und trotz vorkonziliarer, konziliarer und nachkonziliarer Liturgiereform im 20. Jahrhundert, material mehr geschehen als damals. Doch sehen wir im einzelnen zu.

« Brevier »

Zuerst sind allerdings noch drei Vorbemerkungen vonnöten.

Mit Absicht ist hier « Brevier » in Anführungszeichen gesetzt. Mit dem Wort « Brevier » ist schon ein bestimmtes Verständnis dessen mitgegeben, was, von einer guten Theologie der Liturgie her, am besten tatsächlich mit « Liturgia horarum », « Tagzeitenliturgie » umschrieben wird[2]. Diese meint das Faktum, daß die Kirche nur als eine glaubend-betende und deshalb Gott im gemeindlichen Gebet bezeugende existiert, dies aber sich so auswirken muß, daß der ersterfahrene und grundlegende Zeit-Raum der menschlichen Existenz, der (Licht-) Tag zwischen Morgen und Abend, Anlaß zu einer Ordnung von Gottesdiensten bietet, die so regelmäßig wie die Abfolge der Tage im ganzen ansetzt und die Struktur des Einzeltages (Tageszeiten wie Morgen, Abend) in ihren einzelnen Feiern aufnimmt. Träger dieser « Tagzeitenfeiern » ist, sinngerecht, die ganze, die einzelne und jede Gemeinde. « Brevier » hingegen schreibt schon den Zustand einer geschichtlichen Entwicklung in der Kirche des Abendlandes fest, die sich vom frühen Mittelalter an ausgebildet und zunehmend verfestigt hat : diese Art Gottesdienst ist eine Sache des kirchlichen Sonderpersonals, also des Klerus und der Religiosen; sie ist ferner in einem mehr oder weniger authentischen Buch (dem « Brevier »), für den Insider bequem handhabbar, aus dem Herkommen nach Struktur und Text festgeschrieben. Diese Liturgie ist gewiß *für* die Gemeinde, aber ist nicht (mehr) deren eigene Liturgie. Hier zahlt das 16. Jahrhundert seinen Zoll an die vorausgegangene Geschichte, und es wird die Frage sein, auf die wir zu achten uns vorgenommen haben, ob es im 16. Jahrhundert gelingt, durch die Geschichte hindurch zur Freiheit der urtümlichen Verhältnisse zu stoßen.

---

2. Im Deutschen hat sich zwar « Stundengebet », zunehmend auch schon « Stundenliturgie », eingebürgert. Das is nicht falsch, aber insofern mißverständlich, als « Stunden » auch die absolut berechneten (von den Tagzeiten unabhängig fixierten) Festpunkte des meßtechnisch eingeteilten 24-Stunden-Tages sind. Es geht aber um die ursprüngliche Situation des (Licht-) Tages, die Tageszeit (nach Jahreszeiten unterschiedlich datiert und erlebt) — womit freilich schon ein Problem der Liturgia horarum in unserer von der Technik bestimmten Gegenwart gegeben ist. Aber dieses wird jetzt nicht traktiert.

Das gedruckte Liturgiebuch und seine Folgen

Ein Zweites hat auf den ersten Blick sehr wenig mit Liturgie zu tun, wird auch wenig von den Gelehrten der Liturgiewissenschaft bedacht und genannt, und scheint doch ein weittragendes Faktum zu sein, weittragender als viele theologische Axiome und kanonistische Dekrete. Das 16. Jahrhundert ist die erste Epoche der Kulturgeschichte, in der die große Erfindung des 15. Jahrhunderts nun voll zum Tragen kommt, nämlich die technische Fähigkeit, mittels des Buchdruckes bequem und billig, also für eine weitaus größere Zahl von Menschen als zuvor je möglich, Bücher herzustellen [3]. « Brevier » heißt jetzt nicht mehr ein sehr kostbares Buch, sei es ein großer Codex aus Pergament oder ein kleinformatiges Buch aus Papier, dessen Besitz nicht von jedem erwartet werden darf — einfach weil Bücher teuer sind — und das zudem noch immer, weil Handschrift, stets ein Individuum ist, also nicht absolut normierbar und normiert, und wo niemals zwei Exemplare vollkommen identisch und somit austauschbar sind. Wer im 16. Jahrhundert sich mit « Brevier » abgibt, aus welchen Gründen auch immer, wer ein Brevier abändern oder ein neues Brevier einführen will, hat es jetzt mit dem gedruckten Buch zu tun. Er kann relativ leicht ein neues Buch in großer Anzahl an mehreren Orten zur fast gleichen Zeit anbieten und dazu noch mit diesem einen Buch zugleich einen absolut identischen Inhalt durchsetzen. Beide Vorgaben kannten frühere Zeiten in dieser Perfektion nicht. Ja, im 16. Jahrhundert waren die Zeiten noch nicht lange vergangen, da faktisch nur die großen Kirchen und die Gemeinschaften der Orden « richtiges » Stundengebet halten konnten, weil nur diese sich den Aufwand der nötigen Handschriften zu leisten imstande waren. Der über das Land hin lebende Klerus mußte froh sein — nötigen Eifer schon einmal vorausgesetzt —, wenn er einige wenige Libelli oder sonstiges Zusammengeschriebene zur Hand hatte. Das übrige war Kenntnis « ex corde », « par cœur », wie die französische Sprache schön sagt : man tat das Bestmögliche mit dem, was man an Psalmen, Hymnen, Lesungen, Responsorien, Versikeln einmal auswendig gelernt hatte. Das Buch, das gedruckte Buch, veränderte nun diese Situation radikal. Der Buchdruck ist ein unbestreitbarer, freilich oft nicht beachteter Faktor der Liturgiegeschichte.

Eine weitere Folge des mittels des Druckes weit verbreiteten Buches für das Verständnis der Liturgie ist : das nun authentischere, weil klar in dieser konkreten Form, mit diesem Wortbestand vorgelegte Buch verstärkt die schon vorhandene Tendenz ungemein (und schließlich weithin durchschlagend), daß « Liturgie » ist mit dem liturgischen Buch, mit dem, was im kirchenamtlichen Buch steht und gemäß diesem getan wird. Das rechte Formular und der korrekte Vollzug werden immer auschließlicher die Kennzeichen der « richtigen » Liturgie. Andere, früher einmal als noch

---

3. Zur Bedeutung des Buchdruckes, freilich zunächst unter anderem Aspekt als hier vorgegeben, vgl. A.-G. Hamman, *L'épopée du livre. Du scribe à l'imprimerie*, Paris 1985, chap. 5 : « La révolution de l'imprimerie » (143-183).

wichtiger erachtete Momente — Mittun aller, Liturgie als Feier, nicht allein als Rechtsakt — diese Momente entschwinden zunehmend aus der Unterweisung und aus dem Verständnis. Man weiß inzwischen, wie fatal das gewesen ist. Liturgie und Spiritualität gingen eudgültig auseinander.

Die Frage : Reform — Erneuerung des Urzustandes ?

Wir haben nun gar nicht den Ehrgeiz, hier eine Geschichte der « Brevierreformen » des 16. Jahrhunderts vorzulegen. Wir beschränken uns — wie oben schon angedeutet — auf eine einzige Frage : erreichten diese Reformen nach Absicht und Durchführung die Erneuerung des Urzustandes, daß nämlich die Christengemeinde wieder zu einer Ordnung täglichen Gebetes angehalten wird und eine solche faktisch durchführen kann, erreichten sie die Ordnung einer Ecclesia orans, die doch ein erstes gemeinsames Zeugnis des Glaubens ist ?[4] Und : was ist daraus für uns zu lernen, oder konkret : wie sollen wir, von den Erfahrungen des 16. Jahrhunderts her, mit dem umgehen, was die Erneuerung der Tagzeitenliturgie nach dem Zweiten Vatikanischen Konzil uns gebracht hat ?

Breviergeschichte im 16. Jahrhundert

Was geschah an « Breviergeschichte » im 16. Jahrhundert ? Wir haben in diesem Jahrhundert eine auffallend große Zahl von « Brevierreformen » zur Kenntnis zu nehmen. Daraus nehmen wir vier, wohl die vier bedeutendsten, heraus. Die Kirchen der Reformation schafften das Brevier nicht einfach ab ; sie versuchten sich in Reformen — mit wechselndem Erfolg. Ohne Vergleich ist die Reform in der Anglikanischen Kirche, die noch heute mit der Ordnung der ersten Ausgabe des « Book of Common Prayer » von 1549 täglich in ihren Gemeinden Tagzeitenliturgie feiert. Die römischkatholische Kirche, die in die Defensive gebrachte Papstkirche also, kennt zwei markante Reformen des Breviers, jene, die mit dem Namen des Kardinals Quiñones verbunden ist (erstmals 1535 erschienen), und die päpstlich-amtliche Reform von 1568, für die der Dominikaner-Papst Pius V. (1566-1572) verantwortlich zeichnet.

Tagzeitenliturgie in den Kirchen der Reformation[5]

Martin Luther lebte zwar eineinhalb Jahrzehnte als Augustinereremit in einer Gemeinschaft, die täglich das Stundengebet als Chordienst verrich-

---

4. Vgl. etwa — um anderes zu übergehen — Apg 2, 42.
5. Eine umfassende und liturgiewissenschaftlich genügende Darstellung der Tagzeitenliturgie in den Kirchen der Reformation scheint es noch nicht zu geben. Schon die Fragestellung

tete. Aber er hat zeitlebens das Chorgebet in denkbar schlechtester Erinnerung[6]. Es ist dem Verfasser nicht eine einzige gute Äußerung Luthers über das Stundengebet bekannt geworden. Es war das Leistungsprinzip, das ihm diesen Gottesdienst zeitlebens vergällte : hier wird Gebet als ein Handeln des Menschen verstanden, das als solches Gott wohlgefällig sein soll, je mehr, desto eher und besser. Streng vorgeschrieben, bringt es den Menschen, der nach dem gnädigen Gott fragt, in ein Sklavenjoch und deformiert die Freiheit des Christenmenschen. Der Sinn des Gebetes ist dabei gar nicht gefragt; immer betont Luther, wie unfromm, eilig und plärrend, das Stundengebet vollzogen worden sei und von den « Papisten » jetzt noch so gehandhabt werde. Tatsächlich hat denn auch in seinem engeren Umkreis das Stundengebet kaum Freunde gefunden.

Anderseits wollte Luther den ursprünglichen Glauben erneuern. Das bedeutete : das Leben des Christen ist vom Wort der Heiligen Schrift geführt. Gebet des einzelnen und der jeweiligen Gemeinde der Getauften und zum gleichen Priestertum von Gott Gerufenen ist, nach Lehre der Schrift und dem Vorbild der Urkirche, keine Frage; es gehört zum Leben des Christen und der Kirche. Die von Luther und seinem Kreis erstrebte Erneuerung der Kirche setzt hier auf mehreren Ebenen an.

Zunächst gibt Martin Luther, getreu seiner theologischen Einsicht, daß alle Getauften vor Gott gleiches Recht und gleiche Pflicht haben, dem einfachen Christen und den Hausgemeinschaften, in denen die meisten Christen leben, eine Minimalordnung des täglichen Gebetes. Der *Kleine Katechismus* (1529) enthält nicht nur das Minimum des Glaubenswissens, sondern auch eine elementare Gebetsordnung, die das tägliche Leben der christlichen Familien und der einzelnen führen soll, mit den festen Daten des Morgen- und Abendgebetes und dem Gebet zum Mahl. Mit dieser Grundordnung des Gebetes hat Luther tatsächlich über Generationen hin die Spiritualität der evangelischen Christen tief geprägt.

Eine zweite Ebene ist die Gottesdienstordnung für die Gemeinden, in der, neben dem Hauptgottesdienst am Sonntag vormittag, regelmäßige Gebetsgottesdienste vorgesehen sind, morgens und abends, in denen die « Mette » (Matutin) und die Vesper weiterleben. Diese Gebetsgottesdienste

---

müßte gut bedacht sein, sollen nicht die Ergebnisse von vornherein belastet werden. Die Standardwerke lassen durchweg im Stich. Sehr gut informiert immer noch Herbert Goltzen, « Der tägliche Gottesdienst », in *Leiturgia. Handbuch des evangelischen Gottesdienstes.* 3. Kassel 1956, 99-294, bes. 187-214. Sehr dicht schreibt Frieder Schulz, « Die Ordnung der liturgischen Zeit in den Kirchen der Reformation, *LJ* 32, 1982, 1-24, 18ff : Die Lernzeiten. Eine knappe, aber eher auf die Gegenwart ausgerichtete Übersicht bietet D. H. Tripp, « The Office in the Lutheran, Reformed and Free Churches », in *The Study of Liturgy*, ed. by Ch. Jones u.a. London 1978, 396-402. Da im Folgenden Belege nur zufällige Daten geben könnten, verzichten wir in diesem Abschnitt so gut wie ganz auf Einzelbelege. Der Leser kann aber gewiß sein, daß sich unsere Sätze aus den Quellen sichern lassen.

6. Wir verweisen für genauere Angaben auf A. Häußling, « Martin Luther und das Stundengebet », in *Festschrift für Frieder Schulz. Freude am Gottesdienst*, hrsg. von Heinrich Riehm. Heidelberg 1988, 419-427. Diese Studie will allerdings keine erschöpfende Darstellung bieten, sondern eher die zutreffende Fragestellung formulieren.

zeigen sich nach Gemeinden differenziert : dort, wo Schulen sind, wirken diese mit — vor allem der Morgengottesdienst ist fast ganz von der Schule getragen —, und dementsprechend kann der Gottesdienst an Formen und Aufwand reicher gestaltet sein; dort, wo keine Schulen sind, ist der Gottesdienst bescheidener, auch bald, wenn überhaupt je, nicht mehr täglich, und dort überlebt er auch meist nicht das 15. Jahrhundert. Ein ziemlich festes Datum ist der Gebetsgottesdienst am Samstag abend; er dient auch der seelischen Vorbereitung des Sonntagsgottesdienstes, der Abendmahlsfeier also, schließt mit der Beichte, die freilich dann zunehmend die Elemente des Gebetes und der Schriftlesung ganz ablöst. — Es sind die einflußreichen « Kirchenordnungen » Johannes Bugenhagens, des Stadtpfarrers von Wittenberg, die auf diese Gottesdienstordnungen achten und sie festschreiben. Luther, offenbar auch Philipp Melanchthon, halten sich eher zurück.

Daß die Schulen nun das « Stundengebet » übernehmen, ist zunächst nicht so befremdlich, wie es scheinen mag. Die Klöster und Stifte, so sagt man, seien ursprünglich zu dem Zweck der Erziehung und Bildung gegründet worden. Nun werden sie wieder zu Stätten der Bildung rechter Christen zurückverwandelt und übernehmen auch, als christliche Lebensgemeinschaften, die vom Evangelium gebotene Pflicht des täglichen Betens. Daß sich darin auch pädagogische Effekte ausdrücken, ist nicht beabsichtigt, aber sachlich mitgegeben. Zugleich ist klar, daß in diesem Milieu die Frage der gottesdienstlichen Sprache — ob Latein oder Deutsch — keine erhebliche Rolle spielt, da Latein immer noch die Sprache der Bildung ist. Im « Stundengebet » der Schulen gehen beide Sprachen nebeneinander her, übrigens noch lange über das 16. Jahrhundert hinaus. Die Struktur dieser Gottesdienste kann nur ein Ziel haben : Lesung des heilbringenden Wortes der Schrift, der ganzen Schrift, Weckung des Glaubens in einer gewinnenden Predigt, Äußerung des Glaubens im Gebet. Tatsächlich werden Schriftverkündigung und Predigt zum formalen Kennzeichen dieser Horen. Im Eifer, die ganze Schrift zu verkünden, werden Formen aufgegriffen, die auch in der Frühzeit des Mönchtums begegnen : die Psalmen etwa werden « currente psalterio » vorgetragen, beginnend mit Psalm 1, je Hore ein Ternar, und nach Psalm 150 folgt wieder Psalm 1, ungeachtet, an welchem Tag und zu welcher Hore der Schnitt folgt [7]. Ebenso geschieht es auch mit der Schriftlesung, während die übrigen Elemente, also Hymnen, Cantica, Responsorien, wenn überhaupt beibehalten, sehr selektiv beigezogen werden, immer jedoch zuvor auf ihre Aussage geprüft, ob sie auch nicht gegen das Zeugnis der Schrift spreche. Dabei geschieht manches Merkwürdige und Befremdliche, etwa was alles im Einzelfall das Canticum des Magnificat ersetzen kann. Aber hier verwaltet die Reformation nur das Erbe des

---

7. Immerhin gibt es auch Ordnungen, die für die Morgen- und Tageshoren den Block der Psalmen 1 bis 109 (108) vorsehen, die Abendhore (Vesper) mit dem Traditionspsalm der Vesper, Ps. 110 (109), einsetzen lassen.

Mittelalters; schon diesem war doch der liturgietheologische Zugang zum Stundengebet weithin verlorengegangen.

Die Reformation hat für den Idealfall mittels solcher Ordnung tatsächlich erreicht, daß in regelmäßiger Gebetsordnung versammelte Gemeinden, in größerem und kleinem Kreis, eine Tagzeitenliturgie hielten. Diese stand zwar programmatisch gegen « Chorgebet » und « Brevier » der alten Kirche. Aber die prinzipielle, aus dem Gehorsam gegen die Schrift — wie man sie verstand — begründete Ablehnung des sakramentalen, « besonderen » Priestertums setzte die Kirchen der Reformation unter den Zwang, das Stundengebet, in der alten Kirche ein theologisch abgesichertes Privileg des Klerus und der Religiosen, durch eine Gebetsordnung der Gemeinden zu überbieten : denn alle sind jetzt Priester, Bischof, Papst, Religiosen. Dafür zeugen die regelmäßig in den Kirchenordnungen wiederkehrenden Mahnungen, das Horengebet nicht so hastig und unfromm wie bei den Papisten zu plärren, sondern es sinngerecht, gesammelt und fromm vorzutragen, mit der Würde, die dem lebenführenden Worte Gottes zukommt; es bezeugt aber auch der Eifer, mit dem die Kirchenordnungen die Gebetszeiten durchsetzen und dabei, Freiheit der Kinder Gottes hin oder her, auch vor Kontrolle und Strafe für die Säumigen nicht zurückscheuen.

Es muß noch eine dritte Situation des Stundengebetes genannt werden, mit der sich die Reformation auseinanderzusetzen hatte. Was sollte in den Klöstern und vor allem Stiften geschehen, die sich nicht einfach auflösten, die weiterbestanden, zwar von dem neuen Verständnis von Gottes Wort geführt und oft genug auch durch Weisungen der fürstlichen Obrigkeit entsprechend gehalten, die sich aber weiter an den Stiftungszweck — Gebet für das Gedeihen des herrscherlichen Hauses und die öffentliche Wohlfahrt — gebunden fühlten? Sehr pragmatisch wird, zwar von Fall zu Fall differenziert, aber im ganzen einhellig die Antwort gegeben : gesetzt, diese Gemeinschaften betrachten das Chorgebet nicht als ein vor Gott verdienstliches Werk, sollen sie bei der herkömmlichen Ordnung bleiben, diese allerdings gründlich « reinigen », also alles eliminieren, was Gottes lauterem Wort zuwider ist (was also die « falschen Lehren » des Papsttums bezeugt), was Gottes und Christi alleinige Ehre schmälert (weg mit den Offizien der Heiligen), und schließlich auch alles aufgeben, was den Verdacht der Werkerei nähren mag, und das lief praktisch auf eine spürbare Kürzung und strukturelle Vereinfachung hinaus. Die so entstandenen Ordnungen sind für den Historiker der Tagzeitenliturgie sehr interessant [8]. Sie zeigen die Wertigkeiten, die nach dem Zeitverständnis den einzelnen Elementen

---

8. Das interessanteste Beispiel scheint uns die 1533 erlassene « Ordnung singens und betens bei den Stiften » für das Stift St. Gumbert in Ansbach (kritisch ediert in *Die evangelischen Kirchenordnungen des XVI. Jahrhunderts*, hrsg. von E. Sehling, Bd. 11, 1, Bayern, Franken, bearb. von M. Simon, Tübingen 1961, 311-316. Diese Ordnung wurde wenig später auch auf das Stift Öhringen übertragen). Mit erstaunlicher Pedanterie werden hier etwa alle Orationen des Proprium de tempore durchgegangen und konstatiert, was bleiben kann und was abgetan werden muß, weil es nicht schriftgemäß klingt. Über diese Stundengebetsordnung gibt es eine Studie des katholischen Theologen J.B. Götz, « Eine protestantische Reform des Breviers », in

zugemessen werden; sie zeigen, wie stark oder schwach sich theologische
Axiome erweisen, je nachdem wieweit sie die Praxis zu beeinflussen im-
stande sind[9]. Aber es ist keine Frage : diese Gemeinschaften stehen am
Rande des Interesses und sin schnell verdächtig, doch wieder so etwas wie
einen Klerus mit standesentsprechendem Sondergebet abzugeben. Die
Reformation war dieser Lebensform zunehmend weniger günstig, und
tatsächlich überlebten die wenigen Stifte und Klöster, für die solche
Ordnungen bezeugt sind, nicht das 16. Jahrhundert.

Hat die Reformation im Bereich der Aufgabe, den Christgläubigen und
den Gemeinden eine Ordnung des täglichen Gebetes zu bieten, das gesetzte
Ziel erreicht? Für den Idealfall hat sie sicher nützliche Hilfen geboten. Das
nähere Zusehen legt indes ein interessantes, von der Liturgiewissenschaft
wohl noch zu wenig reflektiertes Problem frei : programmatisch — wir
sagten es schon — wandte sich die Reformation gegen das Stundengebet als
Klerusliturgie; sie schaffte mit dem Klerus auch diese konsequent ab. Weil
die Taufe eine durchgehende, nirgends gebrochene Gleichheit aller besagt,
mußte die Reformation eine Gebetsordnung für jedermann, für jeden
Christen und die ganze Gemeinde, schaffen. Aber doch zeigen sich sofort
Differenzierungen : wo Schulen sind, wo es also ein geeignetes Personal gibt
und eine gewisse Bildung vorausgesetzt werden kann, ist eine Gebetsordnung leichter durchführbar und kann diese reicher gestaltet sein als wo
diese Voraussetzungen fehlen. Und ehe man sich recht versieht, ist nun
doch wieder innerhalb der Gemeinde eine Gruppe da, die « mehr »,
sachgerechter ihrem Glauben Zeugnis geben kann, weil sie sich leichter tut,
regelmäßige Gottesdienste abzuhalten und diese dazu noch in einer geprägten Form. Zeigt sich ein neuer « Klerus » — die Gebildeten, die Theologen —
an ? Oder gilt es nur, eine Kerngruppe an Mitfeiernden zu bilden, die für
die übrigen Feiernden zum Kristallisationspunkt wird? Oder ist ein gewis-
ses Maß an nicht nur humaner, sondern auch intellektueller Bildung
überhaupt eine Voraussetzung für eine höhere Form von Gottesdienst ?

Das « Kreuzbrevier » des Kardinals Quiñones

Gehen wir in der Reihe der oben angezeigten Reformschritte weiter
voran, müssen wir uns nun dem Brevier, dem explizit « römischen »

Theologisch-Praktische Monatsschrift 12. 1902, 236-244, die wiederum in den Kriterien ihres
Urteils für die enggeführte apologetische Tendenz der damaligen katholischen Theologie
typisch ist.

9. So taucht in diesem Zusammenhang wieder der Hinweis auf die sinnvolle « veritas
horarum » auf : « Weiter bitten wir, die Vesper, welche nach papistischem Gebrauch zuweilen
früh gehalten wird, zur rechten Stunden Nachmittags vier Uhr halten zu dürfen, damit das
papistische Wesen ausgereutet [ausgerodet] werde » (Eingabe der Chorherren des Stiftes St.
Gumberg in Ansbach an ihren Fürsten, 1531; nach : G. Muck, *Geschichte des Klosters
Heilsbronn*, 1, Nördlingen 1879, 358). Die Horen nicht zu ihrer Stunde zu halten, gilt hier
als « papistisches » Kennzeichen und steht für sinnlose Gebetsformen.

Brevier des Kardinals Francisco de Quiñones zuwenden, das, nach der Titelkirche des Kardinals einfach « Kreuzbrevier » genannt, 1535 erstmals, im folgenden Jahr in der fortan gültigen Überarbeitung erschien [10]. Von dem einen Papst, Clemens VII., angeregt, von dem anderen, Paul III., huldvoll entgegengenommen und gefördert, vom nächsten Papst, Paul IV., verboten, von einem folgenden, Pius IV., wieder genehmigt, schließlich von einem anderen, Pius V., 1568 definitiv verboten, war es immerhin 32 Jahre lang ein offizielles und, wie die zahlreichen Drucke in Italien, Frankreich, am Niederrhein und in den Niederlanden zeigen, auch ein vielbenutztes Buch, das zu Recht noch heute die Aufmerksamkeit der Fachgelehrten auf sich zieht [11]. Das Werk versteht sich als Reformunternehmen : die Schwächen der traditionellen Breviere sollten überwunden, die Erwartungen der Zeit sollten wahrgenommen werden. Das bedeutete : planmäßige Lesung der ganzen Heiligen Schrift einschließlich einer systematischen, gleichmäßigen und durch keine Ausnahmetage oder -horen veränderbare Verteilung der Psalmen ; realistische Anpassung an die Normalsituation des Breviergebrauchs, nämlich das Gebet des einzelnen, nicht einer Gemeinschaft, und deshalb Aufgabe von Elementen, die ihren vollen Sinn nur im gemeinschaftlichen Handeln haben ; Gleichmäßigkeit der zeitlichen Länge über die einzelnen Horen und Tage hin, nicht zuletzt auch ein neues, dem Stand der Quellenkenntnis und den füglichen Erwartungen des Benutzenden entsprechendes Lektionar aus den Kirchenvätern und Konzilstexten. Was aber weiter ? An wen denkt dieses reformierte Buch der Tagzeitenliturgie ? Es muß enttäuschen, was die praefatio der Ausgabe 1536 offenbart : gedacht ist nur an ein Buch des Gebetes und der geistlichen Bildung des Klerus, nicht an die Stütze einer Gebetsordnung, die den Gemeinden und den Christen in diesen hilft, ihrer Pflicht nachzukommen, Gott das Glaubenszeugnis des Gebetes zu geben. Als sei nicht im Norden Europas eine religiöse Revolution in Gang gekommen, die auf der prinzipiellen Gleichheit aller Getauften besteht, begründet der gelehrte Kardinal sein Unternehmen mit recht traditionellen Argumenten zu Händen des Klerus : es sei, sagt er, die Standesaufgabe des Klerus, innerhalb der Gesellschaft das Amt der Beter wahrzunehmen und für alle die heilbringende Fürbitte zu erbringen ; es sei ferner Aufgabe des Klerus, dem Volk auch das gute Beispiel des Gebetes zu geben, und darüber bleiben die Priester, weil nicht müßig, selbst eher vor den Nachstellungen des Teufels bewahrt ; schließlich, zum dritten,

---

10. Zugänglich in der materialreichen Edition *The Second Recension of the Quignon Breviary*, prepared and ed. by J. Wickham Legg, 1-2, London 1908-1912 (HBS 35. 42). Vom gleichen Bearbeiter auch eine Edition der Erstausgabe : *Breviarium Romanum a Francisco Cardinal Quignonio ed. et recogn. iuxta Ed. Venetiis A. D. 1535 impressum*, cur. J.W. Legg, Cantabrigiae 1888. Nachdruck Farnborough 1970.

11. Wir nennen beispielhalber J.A. Jungmann, « Warum ist das Reformbrevier des Kardinals Quiñonez gescheitert ? » in ders., *Liturgisches Erbe und pastorale Gegenwart. Studien und Vorträge*, Innsbruck 1960, 265-282 (erstmals 1956), und, als wohl bisher letzte Studie, A. Bernal Palacios, « Juan de Arze, Antonio Agustin y el Breviario de Quiñones », in *Teologia espiritual* 32, 1988, 305-350.

sollen jene, die jetzt und künftig lehren, täglich durch Lesung der Heiligen Schrift und der Dokumente aus der Geschichte der Kirche sich befähigen, das rechte Wort zu sagen [12]. Darum also dieses (übrigens selbstverständlich : lateinische) Brevier.

Gewiß ein Fortschritt gegenüber dem, was bisher in den Händen der Priester war. Gewiß kann Kardinal Quiñones auch für vieles, was er neu ordnet, Traditionszeugen anrufen. Aber er verbleibt bei dem Zustand einer relativ späten Epoche, er bleibt innerhalb der Grenzen, die das frühe Mittelalter gebracht, die die Liturgie der Tagzeiten zur Liturgie des Klerus machte. Trotz Reformation und einer neuen Fragestellung überschreitet er diese Grenzen nicht, ja, es scheint, daß sich ihm die Aufgabe gar nicht zeigte, sich um die Gemeinden, nicht allein um den Klerus zu sorgen. Sein Werk heischt Respekt. Aber ist unrichtig geurteilt, daß der Autor die Zeichen der Zeit nicht erkannte und das, was der Zeit nottat, verfehlte? Woher dieses Ausmaß an « Amtsblindheit » in einem Bereich des kirchlichen Lebens, der doch im ganzen, nicht in Details, in Frage gestellt wurde?

Das Book of Common Prayer

Daß wir nun vom römischen Kardinal aus Spanien nicht zuviel an Innovation erwartet haben, mag der Blick auf England zeigen, wo 1549 das nach Anlage und Wirkung einzigartige « Book of Common Prayer » herausgebracht wurde [13]. Unter den Vorlagen, in die bei der Bearbeitung hineingeschaut wurde, war auch Quiñones' « Kreuzbrevier ». Thomas Cranmer, Bearbeiter des neuen Buches, fühlte sich auch der Tradition des römischen Stundengebetes in der Weise der englischen Ortskirchen verpflichtet, hatte aber auch auf dem Kontinent die Anliegen der Reformation wahrgenommen und sich zu eigen gemacht. Sein Ziel ist eine Reform der Tagzeitenliturgie, die diese aus der mittelalterlichen Klerusliturgie in eine solche der Gemeinde überführt, ohne jedoch die Traditionsbindung in den Einzelelementen über Gebühr zu verleugnen. Geboten werden je ein Morgen- und Abendgottesdienst, deren Struktur, neben den Rahmenelementen, die Psalmen (je Monat einmal der ganze Psalter) und Lesungen aus der Heiligen Schrift beider Testamente darstellen [14]. Theologische Lesung aus den Vätern der Kirche tritt hingegen zurück; sie ist für einen gemeindlichen Gottesdienst nicht sonderlich günstig. Und natürlich ist das alles in der Muttersprache präsentiert. So gelingt es der Anglikanischen Kirche, übrigens als einziger Kirche des Abendlandes,

---

12. Legg 1 S. XXIVf.

13. Die Ausgaben — für den Bereich der Tagzeitenliturgie bis in die Gegenwart durch alle Editionen ohne erhebliche Unterschiede — sind allenthalben leicht erreichbar. Für die Sekundärliteratur verweisen wir auf die Zusammenfassungen von G. Guiver CR, « Das Stundengebet in der Anglikanischen Kirche », in *Lebendiges Stundengebet. Vertiefung und Hilfe*, hrsg. von M. Klöckener und H. Rennings, Freiburg/Br. 1989, 108-120, sowie ders., *Company of Voices*, London 1988, 115-126, jeweils mit Angabe weiterer Literatur.

14. Eine Übersicht bei Guiver, « Stundengebet » 109f.

ungeachtet einiger Krisen über die Jahrhunderte hin in den Gemeinden eine tagtägliche Tagzeitenliturgie zu üben[15].

Die gemeindliche Gebetsordnung des Book of Common Prayer wird ergänzt durch Hilfen für das persönliche Beten des einzelnen, die in Stil und Textangebot dem kirchlichen Gottesdienst nahestehen, so etwa, indem sie die im Book of Common Prayer nicht vorgesehenen sog. « kleinen Horen » einfügen[16]. Das ist umso leichter möglich, als es gelungen war, der Sprachgestalt des amtlichen Kirchenbuches stilistisch so überzeugend zu formen, daß sich die intellektuelle Bildung daran orientieren konnte und mußte. Die aus der Praxis der Reformationskirchen vorhin aufgeworfene Frage, wieviel intellektuelle Bildung die Tagzeitenliturgie voraussetzt und diese deshalb sich selbst als Gemeindeliturgie verhindert, stellt sich hier weniger streng.

Man ist geneigt, das Book of Common Prayer so etwas wie ein Ideal zu nennen. Es vermeidet die Schwäche der Ordnungen, so überhaupt vorhanden, der festländischen Reformationskirchen, denen es im ganzen nicht gelingt, eine gute Theorie — das aus der Taufe erfließende Recht zum vollen kirchlichen Leben — in eine gute Praxis umzusetzen ; das Book of Common Prayer gibt stattdessen konkrete und auch durchführbare Weisungen an die Gemeinden ; es überwindet das Mittelalter und dessen Dualismus : hier Klerusliturgie, dort Volksfrömmigkeit. Das Book of Common Prayer vermeidet aber auch die Schwäche der Ordnung der römischen Kirche, die nicht über das Mittelalter hinaus zurückfindet und aus vorgeblicher, in Wahrheit aber aus nicht kritisch bedachter Traditionstreue weiter bei einer Klerusliturgie verbleibt, diese zwar reinigt, aber die Gemeinden sich selbst überläßt. Das Book of Common Prayer bietet eine Grundordnung von täglichen Verkündigungs- und Gebetsgottesdiensten in den Gemeinden, die zugleich wieder die Grunddaten für eine weitergehende Frömmigkeit von einzelnen und von Gruppen innerhalb der Kirche vorzugeben vermag. Man muß bis in die Zeiten der Alten Kirche zurückgehen, um eine ähnliche geschlossene Institution gemeindlicher, christlicher Spiritualität zu finden.

Das tridentinische Brevier 1568

Das Konzil von Trient hatte sich zwar auch die Reform der Liturgie vorgenommen, darunter auch jene der Tagzeitenliturgie, um den Verwer-

---

15. Guiver, « Stundengebet » 111-115 bringt statistisches Material nach den Kirchgemeindetypen, auch einige Hinweise über Teilnehmerzahlen. Eine Krisenzeit war die erste Hälfte des 19. Jahrhunderts. Allerdings erwähnt Guiver nicht, daß der Oxford-Bewegung das Angebot des Book of Common Prayer dann doch wieder zu dürftig war ; dort entdeckt man wieder das Breviarium Romanum. John Henry Newman (1801-1890) schreibt 1836 (ein Jahrzehnt vor seiner Konversion) den Tract No. 75 in der Reihe der von ihm herausgegebenen, so einflußreichen « Tracts of the Times » über das Römische Brevier als ein Buch des geistlichen und liturgischen Lebens.

16. Guiver, « Stundengebet » 116ff.

fungen der Neuerer zu begegnen. Man weiß : das Konzil sammelte zwar
Material, konnte die Causa aber nicht mehr selbst traktieren, sondern
übergab sie zur Erledigung dem Apostolischen Stuhl. Pius V., zwar nur
sechs Jahre Papst, führte den Konzilsauftrag durch. 1568 erscheint das
reformierte « Breviarium Romanum » [17]. Wer unbefangen die das Buch
promulgierende Bulle « Quod a nobis » [18] studiert, sieht sich recht unver-
mittelt einer mehrfachen Zielsetzung gegenüber : dem Konzilsauftrag will
der Papst genügen, indem er einerseits dieses neu bearbeitete Brevier an
dem Herkommen der Tradition, « juxta sanctorum Patrum normam ac
ritum », ausrichtet, dies aber — zweites Ziel — nicht so geschehen darf, wie
es in dem sog. Kreuzbrevier geschehen ist, das hiermit ein für allemal
abgetan und verboten wird. Das neue Buch soll ferner für diesen Bereich
der Liturgie der römisch-katholischen Kirche kraft päpstlicher Promulgation die bisher vermißte Einheitlichkeit schaffen.

Die profilierte Gegenposition gegen das Brevier des Kardinals Quiñones
muß überraschen. Daß sich auch dieser auf die Tradition berief, an der sich
seine Neuordnung ausrichten wollte, mag dahingehen; Tradition kann für
vieles herhalten, je nachdem, unter welchen Vorgaben und Absichten sie
befragt wird. Unter dem Gesichtspunkt aber, der hier vor allem interessiert,
sind das Kreuzbrevier und das reformierte Brevier Pius' V. dem gleichen
Herkommen verhaftet : sie sind beide an der Vorgabe orientiert, Stundengebet sei Klerusliturgie und solle dies offenkundig auch bleiben. Die Motive
für diese Vorentscheidung mögen verschieden sein. Quiñones will dem
vielbeschäftigten Seelsorgepriester ein übersichtliches Handbuch des geistlichen Lebens präsentieren. Pius V., von der hohen Warte des Papsttums
dem Ansturm der Reformation wehrend, will die Tradition der Kirche auch
im überlieferten Stundengebet wahren und diese als gut, nützlich und Gott
gefällig erweisen. Daß nun die Detailkenntnisse der Reformkommission des
Papstes nicht über das hohe Mittelalter hinausgehen, daß, allein schon
wegen der einsehbaren Quellen, die Epoche Gregors VII. (1073-1085) das
Leitbild abgibt, haben spätere Generationen eher wahrnehmen können als
die Zeitgenossen. Die Reform des Breviers Pius' V. fragt nicht nach der
betenden Gemeinde; sie versucht keine Antwort auf den durch die Reformation verschärft ins Bewußtsein gerufenen Auftrag an die Kirche, in allen
Gliedern eine gemeinsam betende zu sein; sie müht sich nicht, den
Gemeinden eine hilfreiche Ordnung des täglichen Gebetes an die Hand zu
geben. Sie bleibt beim Dualismus des hohen Mittelalters : Trennung der
betenden Kirche in den Klerus, der die eigentliche Liturgie hält, und die
übrigen, die intentional mitbeten [19], deren Spiritualität aber der Sorge des

---

17. Zum Folgenden, zumal zum Reformgrundsatz « juxta sanctorum Patrum normam ac
ritum », vgl. A. Häußling, « Liturgiereform. Materialen zu einem neuen Thema der Liturgiewissenschaft », ALW 31. 1989, 1-32.

18. Der Text der Bulle « Quod a nobis » ist in den meisten Ausgaben des *Breviarium
Romanum* bis 1962 eingangs abgedruckt.

19. Dieser Dualismus wird exemplarisch in Capitularia von Bischöfen der Karolingerzeit
belegt : in der Sonntagsmesse sollen die Priester nach der Predigt die Gläubigen mahnen, nach

frommen Brauchtums, der Andachten, der — wie es eine spätere Zeit nennen wird — pia exercitia überantwortet wird. Für eine lange Zeit werden so in der katholischen Kirche die Defizienzen des Mittelalters festgeschrieben — als habe es keine Reformation, keine Anfrage aus einem Paradigmenwechsel der religiösen Erfahrung in der beginnenden Neuzeit gegeben. Die Vorzüge des Breviers Pius' V. sollen nicht übersehen werden, auch wenn sie sehr bald schon zu einem guten Teil wieder verdeckt wurden. Etwa die Einfachheit der Struktur, weil zunächst nur wenige Fest- und Heiligenoffizien das Ordinarium störten [20]. Auch hat das Reformbrevier der römischen Kurie manche Anleihen bei Quiñones gemacht, etwa in den um vieles als früher gewohnt nüchterneren Biographien der Heiligen oder in der recht radikalen Eliminierung der Zusatzoffizien [21]. Anderes haben spätere Zeiten verdorben : 60 Jahre nach Pius V. ließ ein anderer Papst, Urban VIII., die altkirchlichen und mittelalterlichen Hymnen modisch überarbeiten (1634) und tat damit auf seine Weise dem Axiom von den « sanctorum Patrum norma ac ritus » Abbruch. Das Brevier Pius' V. versuchte aber nicht etwa, in einem Corpus von Lesungen aus den Kirchenvätern, deren Aussagen die theologischen und spirituellen Fragen der Gegenwart aufgenommen hätten, der Zeit zu genügen, einer Zeit, in der schon viel mehr Quellen offenlagen als sie die Epochen Karls des Großen und auch der Scholastik kennen konnten. Es versuchte gar nicht, das Gebet der Stunden spirituell zu vertiefen, noch eine Ordnung vorzugeben, in der es zu einer Grundlage der Spiritualität hätte werden können. Auch die Leseordnung der Heiligen Schrift blieb, gemessen am Kreuzbrevier, vernachlässigt [22]. Einen Hinweis auf die wünschenswerte, ja notwendige und darum auch rubrizistisch zu stützende « veritas horarum » sucht man vergebens. Die Reformation hatte auf die Berufung aller in der Taufe aufmerksam gemacht und daraus das Gebet der ganzen Kirche zu gestalten versucht.

---

der Weisung der Apostel (zitiert wird 1 Tim 2, 1) für die öffentliche Wohlfahrt zu beten (= oratio universalis seu fidelium) ; das Volk solle derweil still Vaterunser beten, während der Priester die « orationes convenientes », auch : « orationes ad hoc pertinentes », singt (Capitula Helmstadensia 10, ed. R. Pokorny, DA 35, 1979, 506 ; inhaltlich auch : Regino von Prüm, De synodalibus causis 1, 192, ed. F.G.A. Wasserschleben, Lipsiae 1840, 98f).

20. Die Mehrung der Heiligenfeste, die schon bald nach 1568 einsetzt und bis zur Reform Piūs' X. 1911 fast alle Tage besetzt, war den Brevierbetern nicht unwillkommen : die Heiligenoffizien verkürzten das Offizium. Das gilt besonders für den Sonntag, dessen Matutin 18 Psalmen umfaßte, eine der Schwächen dieses Breviers, die erst die Reform Piūs' X. besserte.

21. Sie wurden einerseits alle als nicht mehr verpflichtend erklärt (und darum ohne Sanktion als vernachlässigbar, allerdings mit Ablässen wieder schmackhaft gemacht), anderseits wurde das Zusatzoffizium zu Ehren Mariens in das marianische Votivoffizium an den freien Samstagen umgewandelt und das Trinitätsoffizium, das im Mittelalter normalerweise das Sonntagsoffizium ersetzte, prägte den zweiten Teil der Samstagsvesper.

22. Das trifft besonders für die « kleinen » Schriftlesungen (Capitula) zu, für die der merkwürdige Brauch des Mittelalters beibehalten wurde, ohne Beachtung der unterschiedlichen Situation die Epistel des Meßoffiziums, in drei Abschnitte zerlegt, zu wählen. Das Capitulum der Sext des Weihnachtsfestes kann demonstrieren, welche absurden Ergebnisse dieses Prinzip zeitigte.

Auch wenn es ihr im ganzen — bis auf die Ausnahme des Book of Common
Prayer — nicht gelang, überzeugende und in der Praxis des kirchlichen
Lebens hilfreiche Formen zu gewinnen, blieb die Anfrage gestellt. Gewiß
darf die Liturgiewissenschaft nicht die Frage nach moralischer Schuld
stellen, noch weniger darf sie diese beantworten wollen. Aber es bleibt der
Zwang zur sachlichen Feststellung, daß die Brevierreform Papst Pius' V. die
im Bereich der Gebetsordnung durch die Reformation aufgeworfene
Anfrage nicht beantwortet hat. Es scheint, daß von allen Reformen der
Tagzeitenliturgie des 16. Jahrhunderts die römische Brevierreform von
1568 die theologisch dürftigste ist. Weder ist die Klerusliturgie des Stundengebetes stringent unterbaut (was freilich theologisch auch nicht mehr
möglich war), noch ist das reformatorische Kriterium, laut dem es in der
Kirche keine Klerusliturgie gibt, der theologischen Unzulänglichkeit überführt. Es bleibt beim hergebrachten spirituellen Dualismus[23].

Erwägungen für morgen

Nun hat die römisch-katholische Kirche in diesem Jahrhundert nicht nur
die Liturgiereformen der Päpste Pius X. (1903-1914) und Pius XII.
(1939-1958) erlebt, sondern, tiefgreifender, ein Ökumenisches Konzil, das
den Auftrag gab, eine « generalis instauratio » der Liturgie ins Werk zu
setzen[24]. Auch die Tagzeitenliturgie wurde in den Jahren nach dem Konzil
überarbeitet, tiefgreifender als unter den bisherigen Päpsten dieses Jahrhunderts und auch tiefgreifender als seinerzeit unter Papst Pius V. Das
große Reformkonzil der jüngsten Kirchengeschichte stand hier unter
günstigeren Vorzeichen als das Konzil von Trient, weil es sich auf Bewe-
gungen innerhalb der Kirche abstützen konnte, vorzüglich auf die « liturgische Bewegung », die unter Klerus und Volk von langher festgefahrene
Mentalitäten schon aufgelockert hatten, demnach für Reformen in der
Weite der Weltkirche Erwartungen bestanden, die eine Erneuerung der
Kirche und ihrer Gestalt, auch der Gestalt des Gottesdienstes, begrüßten.
Sicher trifft dies für die Reformen des Ritus der Eucharistiefeier zu, auch
für einen Teil der Reformen des liturgischen Kalendariums und der Riten
des Pontifikale und Benediktionale. Im Bereich der Tagzeitenliturgie aber,
so zeigt es sich inzwischen, ist ein Durchbruch zu einem theologisch

---

23. Diese Feststellung mindert nicht die Anerkennung, die der pastoralen Leistung der
nachtridentinischen Seelsorge zu zollen ist, die mittels einer gepflegten Volksfrömmigkeit das
religiöse Leben der Menge der Gläubigen auf einen Stand brachte, der den des Mittelalters
wohl übertroffen hat. Voraussetzung war allerdings der konfessionell geschlossene Lebens-
raum. Genau diese Voraussetzung besteht aber, spätestens in der Gegenwart, nicht mehr.

24. Konstitution des Zweiten Vatikanischen Konzils über die heilige Liturgie, « Sacrosanctum Concilium » 21. — Im Folgenden zitiert mit SC und Abschnittsnummer.

hinreichenden Neuansatz nicht gelungen [25]. Der Ansatz, den die Konzils-
konstitution über die Heilige Liturgie « Sacrosanctum Concilium » zur
Begründung der Tagzeitenliturgie gewählt hat [26], ist für eine Ordnung des
Gemeindegebetes denkbar ungünstig : Die Horen der Tagzeiten, so das
Konzil, sind in den großen Hymnus integriert, den die zweite Person der
göttlichen Trinität aus den Höhen des Himmels « in die Verbannung dieser
Erde » brachte und mittels dessen nun der Mittler seines priesterlichen
Amtes waltet − unbestreitbar tiefsinnige Sätze, zweifellos auch wahr und,
entsprechende Vorprägung vorausgesetzt, der Erbauung dienend, aber eine
Perfektion der Sinngebung schaffend, in der der arme, glaubensschwache,
selten über den Zustand des Katechumenats hinauskommende Christ der
nordatlantischen Gesellschaft gegen Ende des 20. Jahrhunderts sein dürftig
scheinendes Tun nicht mehr wiederfindet. Dieser Ansatz entmutigt statt zu
animieren. Zwar hat dann das Konzil in einigen, nun wie beigefügt
anmutenden Bemerkungen den Ansatz aufzubessern versucht, es hat auch
vermerkt, daß die Tagzeitenliturgie löblich auch in den Gemeinden statt-
finden sollte und alle Christen zum Mitbeten und Mitfeiern eingeladen
sind [27]. Noch weiter geht die « Institutio generalis de Liturgia horarum » [28],
die ganz neu konzipiert wurde und stillschweigend Verengungen der
Konzilskonstitution aufsprengt. Die Reform selbst hat ohne Zweifel vieles
verbessert, was 1568 noch liegengeblieben war : eine Entlastung des
Umfangs, eine gut überlegte Aufteilung des Psalmenpensums, eine um
vieles bessere Lesung und Verkündigung der Heiligen Schrift [29], ein Corpus
an theologischen und spirituellen Lesungen aus den Kirchenvätern und
Kirchenlehrern, das vieles bietet. Das Konzil und die folgende Reform
haben, realistisch genug, auch die prinzipielle Festlegung auf die lateinische
Sprache vermieden. Aber prägend blieb doch die Klerusliturgie der langen
Geschichte seit dem Mittelalter : auch das neue Brevier ist eher ein Buch
für die Priester und die Ordensleute. Eine unmittelbar umsetzbare Ordnung
für Verkündigungs- und Gebetsgottesdienste in den Gemeinden ist Liturgia
horarum wieder nicht geworden.

Woran liegt es ? Warum dieses Defizit ? Wir blicken zurück auf die
Erfahrungen mit den Reformen des 16. Jahrhunderts. Das damals neu
Ausgesprochene war ein theologisches Kriterium, das die Praxis führen
sollte : die Rechtfertigung des sündigen Menschen allein aus der Gnade
Christi. In die gottesdienstliche Praxis umgesetzt hieß das : kraft der Taufe

25. Dazu A. Häußling, « Ist die Reform der Stundenliturgie beendet oder noch auf dem
Weg ? » in *Lebt unser Gottesdienst ? Die bleibende Aufgabe der Liturgiereform.* (Festschrift
Bruno Kleinheyer), hrsg. von Th. Maas-Ewerd, Freiburg/Br., 1988, 227-247.

26. *SC* 83. Kommentar dazu in dem in der vorausgehenden Anmerkung genannten
Aufsatz.

27. Besonders *SC* 100.

28. Leicht auffindbar in *Liturgia horarum iuxta ritum Romanum.* 1. Vaticano 1971 (u.ö.),
S. 19-92 ; für das Folgende vgl. v.a. die Textnummern 3-18.

29. Allerdings ist der Zusatzband mit dem zweiten Jahreszyklus der Schriftlesung noch
nicht erschienen.

haben alle gleichermaßen Recht und Pflicht der gestalterischen und spirituellen Mitwirkung in der Liturgie der Kirche, was nichts anderes heißt als :
weg mit der reinen Klerusliturgie. Den Reformationskirchen gelang es nur,
den Grundsatz zu formulieren und kritisch-destruktiv einzusetzen ; zu einer
bleibenden Ordnung der Tagzeitenliturgie reichte es nicht hin. Das Book of
Common Prayer nahm den Grundsatz auf und versuchte eine Durchführung, der ein erstaunlicher Erfolg beschieden war. Die Reformen im
Bereich der römisch-katholischen Kirche, also den Brevieren des Kardinals
Quiñones und des Papstes Pius' V., gelangen Teillösungen anstehender
Einzelfragen, aber die aus dem Grundsätzlichen begründete Neuschöpfung
gelang nicht, ja, es scheint, das Problem sei gar nicht wahrgenommen.

Das Zweite Vatikanische Konzil zeigt sich hier auffallend gespalten : als
allgemeinen Grundsatz der Reform und als Kriterium der rechten Liturgie-
feier formuliert es genau das, was im 16. Jahrhundert erneut in der
Christenheit, dieses Mal von den Reformatoren, ausgesprochen worden
war : die Kirche hat die Vollmacht zum vor Gott gültigen, zum wahren
Gottesdienst aus dem Heilsmysterium Christi — das Konzil spricht vom
« Pascha-Mysterium » —, dessen Applikation über die Zeiten hin das
Sakrament der christlichen Initiation ist. Kraft der Taufe ist jeder Christ als
Liturge berufen. Das Reformkriterium des Konzils kann darum nur lauten :
« volle, bewußte und tätige Teilnahme » aller Gläubigen « an den liturgi-
schen Feiern, wie sie das Wesen der Liturgie selbst verlangt und zu der das
christliche Volk, "das auserwählte Geschlecht, das königliche Priestertum,
der heilige Stamm, das Eigentumsvolk" (1 Petr 2, 9 ; vgl. 2, 4-5) kraft der
Taufe berechtigt und verpflichtet ist » [30].

Wer die Geschichte der Kirche kennt, den wird nicht wundern, daß ein
Konzil nicht in allen seinen Äußerungen und Verordnungen die Grundsätze
geltend zu machen imstande ist, die es sich selbst gibt. Formale Unvoll-
kommenheit gehört zu den Gegebenheiten kirchlicher Existenz in der Zeit
zwischen Pfingsten und Parusie. Aber der Theologie bleibt die Aufgabe
gestellt, auf solche Defizienzen aufmerksam zu machen und auf Ausgleich
zu drängen. In der Reform der Tagzeitenliturgie besteht noch ein Nachhol-
bedarf. Die der Liturgiereform im ganzen vorgegebenen Grundsätze müssen
für die Tagzeitenliturgie noch vollends in Geltung gebracht werden. Die
Reformen des 16. Jahrhunderts, kritisch gesichtet, können den Blick dafür
schärfen, was eigentlich zu tun ist. Sie können auch zeigen, daß offenbar
bisher nirgends als in den Dokumenten des Zweiten Vatikanischen Konzils
die leitenden Grundsätze so präzis formuliert wurden. Es gilt, nicht müde
zu werden, sie auch anzuwenden.

Dazu muß noch ein anderes treten, worauf die Liturgiegeschichte
aufmerksam machen kann. Denn die Geschichte der Reformen des Breviers
in der römisch-katholischen Kirche demonstriert die Macht der aus einer
problematischen Praxis vorgeprägten Mentalität ; die eigentlichen Probleme

---

30. *SC* 14, in der von den Bischöfen des deutschen Sprachgebietes vorgelegten Übersetzung.

werden deshalb nicht wahrgenomme, und die Reform greift nicht tief
genug. Der Blick auf die Kirchen der Reformation zeigt die fortschreitende
Sklerose der Tagzeitenliturgie, weil die Praxis solcher Gottesdienste im
ganzen für obsolet erklärt wird; sie hört weithin einfach auf. Neben der
theoretischen Reflexion auf die rechte Reform und de Arbeit an den
liturgischen Büchern muß es in der Kirche auch Stätten der rechten Praxis
geben, Gemeinschaften und Gruppen, die zum Gebet, zum Mitbeten selbst
einladen, damit endlich die lang gefestigte Mentalität aufgebrochen wird,
als könne Kirche ohne Ordnung des Gebetes existieren, als wäre Glaube
— und dieser zumal in wahrhaftig angefochtener Zeit — ohne die Stütze des
Miteinander im Gebet möglich [31].

Die « Brevierreformen » des 16. Jahrhunderts machen ferner noch auf
eine Frage der Praxis aufmerksam. Das wahrscheinlich Beste an den
Versuchen zur Tagzeitenliturgie in den deutschen Reformationskirchen war
ihre Offenheit, entsprechend den sozialen und intellektuellen Gegebenheiten die Möglichkeit einer Wahl zwischen unterschiedlich anspruchsvollen
Formen zu bieten. Das « Kreuzbrevier », das Brevier Pius' V., auch Liturgia
horarum gebärden sich, als könne die je im liturgischen Buch vorgesehene
Form allen denkbaren Möglichkeiten einer Weltkirche genügen. Die Fakten
stehen heute, zu Recht, schon anders. Wo Tagzeitenliturgie wirklich
gefeiert wird, ist sie aus Liturgia horarum adaptiert, nicht (wie früher beim
« Brevier ») einfach reproduziert. Das ist auch durchaus sachgerecht und
im Sinne des konziliaren Liturgieverständnisses. Man wird aber in Zukunft
noch realistischer die Pluralität der Formen begünstigen müssen.

« Projets de réforme du Bréviaire » : das war kein Thema, das père Gy
1950 endgültig abgehandelt hat. Sieht man die damals anvisierte und
inzwischen in Gang gebrachte Reform im Zusammenhang der Liturgiegeschichte, zumal jener des so aufgeregten 16. Jahrhunderts, ist das Thema
immer noch aufgegeben. Gewiß, anders als es sich 1950 zeigte, in einer
Phase der konstruktiven Restauration, ehe die allgemeine Säkularisierung
durchschlug [32]. Aber es geht auch heute um das gleiche wie 1950 : daß Gott
in der Kirche geehrt, weil geliebt wird und die Christen ein lauteres, auch
einander stärkendes Zeugnis des Glaubens im zuverlässig verlauteten und
gemeinsamen Gebet geben.

---

31. Im Beschluß « Orden und andere geistliche Gemeinschaften. Auftrag und pastorale
Dienste », Abschn. 3.1.5, hat die « Gemeinsame Synode der Bistümer in der Bundesrepublik
Deutschland » (in Würzburg), 1975, die Klöster an die schuldige Aufgabe erinnert, « Hilfen
zum Gebet » zu geben (Gemeinsame Synode [...] Beschlüsse der Vollversammlung, Frei-
burg/Br. u.a., 1976 [Offizielle Gesamtausgabe 1] 568). Der Hinweis hat seitdem nichts an
Aktualität verloren.

32. Es war P.-M. Gy, der auf die unerwartete Koinzidenz von Liturgiereform und allgemeiner gesellschaftlicher Säkularisation hinweis : P.-M. Gy, « La réforme liturgique de Vatican II
en perspective historique », in Liturgia opera divina e umana. Studi [...] offerti a S.E. Mons.
Annibale Bugnini [...] a cura di P. Jounel [u.a.]), Roma 1982 (Bibliotheca « EL ». Subsidia 26)
(45-) 58. Noch nicht alle Liturgiewissenschaftler scheinen zu einer solchen nüchternen
Analyse fähig.

PASSION ET RÉSURRECTION DU CHRIST A SAINT-PIERRE-LES-ÉGLISES

Carol HEITZ

Contrairement à ce que l'on pourrait penser, les Crucifixions monumentales du haut Moyen Age sont rares. L'Antiquité tardive préférait l'image du Bon Pasteur, jeune homme musclé, à la tête bouclée, auquel viendra, dans un second temps, se substituer le symbole de l'Agneau. Ce n'est qu'à la fin du VIIᵉ siècle que nous assistons à la résurgence du thème de la Crucifixion. A ce propos, le XIᵉ canon du concile *in Trullo*, tenu à Constantinople en 692, a force de symptôme. Dans un langage clair et poétique, il récuse le symbole de l'Agneau crucifère et recommande aux artistes de représenter le Christ en chair et dans sa souffrance, subie pour la rédemption des péchés du monde. En 618, à Narbonne, on a encore jeté à la mer une représentation du Christ en croix, sculptée. Deux générations plus tard, aux alentours de 700, l'abbé Mellebaude ornera son hypogée des Dunes, à Poitiers, d'un Christ en croix entouré des deux larrons. Cette Crucifixion aura frappé l'imagination contemporaine au point de la voir reproduite, gravée hâtivement et de façon malhabile, par quelque tailleur de pierre ayant travaillé à l'édification de l'abbatiale carolingienne de Ligugé.

Mais de Crucifixion monumentale, peinte, il n'y en aura guère avant le IXᵉ siècle. L'une de ces représentations, bien datée, fait partie d'un cycle de fresques d'Italie centrale. La crypte de San Vincenzo, aux sources du Volturne, est couverte de peintures murales datant de l'abbatiat d'Epiphanius (826-842). Parmi elles, une Crucifixion, la Vierge et saint Jean se tenant de part et d'autre de la croix, alors que *Sol* et *Luna* veillent en haut de la fresque. MULIER ECCE FILIUS TUUS peut-on encore lire, alors qu'au pied de la croix DOM̄ EPYPHANIUS ABB̄ se tient agenouillé, la tête cernée d'un nimbe carré signifiant que la peinture a été exécutée de son vivant.

Mais notre pays de France possède également une Crucifixion monumentale fort ancienne, celle de Saint-Pierre-les-Églises en Poitou.

Dans le plus doux des paysages, sur la rive droite de la Vienne qui abordera deux kilomètres plus loin les quartiers périphériques de la ville de Chauvigny, se dresse une modeste église carolingienne. Le cadre est vraiment enchanteur : un vieux cimetière où les sarcophages mérovingiens affleurent le sol entoure l'édifice. Une haute rangée de peupliers accompagne la rivière et forme, en automne, un rideau doré aux maçonneries grises de la nef unique qui date du IXe siècle et a été restaurée en 1642. Une seule abside profonde projette en avant son volume arrondi : on distinguera, au changement de l'appareil mural, très nettement trois périodes de construction : une première ayant utilisé des pierres relativement petites, équarries avec soin et alignées en couches régulières, selon un procédé fort antique, propre aussi à l'église mérovingienne de Civaux — située une vingtaine de kilomètres en amont sur la même rivière. Suivent quinze rangées de pierres plus grandes, elles aussi dégrossies avec soin : elles traduisent le surhaussement roman du chevet et son voûtement intérieur, intervenu au XIIe siècle. Les couches les plus hautes, noyées dans un épais mortier jaune, sont récentes et appartiennent aux différentes restaurations (XVIIe, XIXe s., voire 1966). A l'intérieur, la nef unique ouvre sur le chœur par un simple arc découpé dans un mur-écran que l'on aurait quelque réticence à qualifier de « triomphal ». L'abside est entièrement recouverte de fresques dont la thématique est double : christologique et mariale. Plusieurs épisodes capitaux de la vie de la Vierge trouvent leur représentation de part et d'autre de la fenêtre centrale : la Visitation, l'Adoration des Mages au nord, la Nativité et le Bain de l'Enfant au sud.

Les deux extrémités de la paroi absidiale sont cependant décorées de scènes violemment opposées aux représentations idylliques de l'enfance de Jésus.

Au nord, une grande Crucifixion surplombe une tête ceinte d'une couronne. C'est celle du roi Hérode, auquel les Rois Mages venaient de rendre visite. A l'opposé, au sud, ce n'est pas une Annonce aux bergers (comme on l'avait d'abord cru) qui couvre le mur, mais une scène de martyre, opposée en symétrie à la Passion du Christ : les pauvres restes de ce panneau abîmé permettent de reconnaître un gril — celui de saint Laurent — et le corps supplicié que l'on évacue avec précaution (vraisemblablement pour sa mise au tombeau).

Au revers de l'arc « triomphal » figurent quelques personnages debout : non identifiés du côté sud, d'une présence inouïe du côté nord. Car de ce côté, voisin de la Crucifixion, le peintre a tenu à représenter la Résurrection d'une manière à la fois originale et fidèle au texte de l'Évangile (Marc 16, 1 ; Matthieu 28, 1). *Maria Jacobi* — le titre est encore lisible — présente le linceul, preuve tangible de la Résurrection. Pour moi, cette scène est d'une importance essentielle car elle constitue l'un des premiers témoignages peints du drame liturgique pascal, né peu avant, au IXe siècle, comme corollaire à la liturgie pascale, grandiosement célébrée à l'époque carolingienne.

Nous ne parlerons, dans cette brève étude, que de ces deux panneaux « extérieurs » cadrant côté nord les scènes mariales qu'au demeurant complète l'impressionnant combat victorieux livré par l'archange saint Michel contre le dragon apocalyptique à sept têtes.

La Crucifixion de Saint-Pierre-les-Églises — assurément la plus importante des scènes peintes dans cette abside — n'est pas une Crucifixion
« simple ». Au côté « narratif », le peintre a ajouté une dimension supplémentaire : le symbole de l'Eucharistie. Le sang du Christ tombe goutte à
goutte dans un calice au pied de la Croix[1].

Il n'est peut-être pas inutile de procéder à une succincte description de
ce premier panneau du cycle absidial. Une croix immense tranche sur un
fond de neuf rubans, de largeurs différentes, aux couleurs alternées.
Comme les croix précarolingiennes (cf. Crucifixion des Lettres de saint Paul
conservées à la Bibliothèque universitaire de Wurtzbourg, ms. p. th. f. 63,
f° 7 r°), celle de Saint-Pierre-les-Églises est bordée, sur tout son pourtour,
d'une plinthe étroite, d'un ton plus clair. Un Christ, au corps long, émacié,
les bras étirés jusqu'à l'extrémité de la barre horizontale, remplit la surface
de la Croix. Un large nimbe crucifère entoure la tête, petite par rapport au
corps. Les yeux sont ouverts comme dans la plupart des Crucifixions
carolingiennes.

Les jambes, étroitement serrées l'une contre l'autre ne s'écartent qu'au
niveau des pieds, dont l'orteil majeur vient effleurer un calice fait de deux
triangles inversés et reliés par un cabochon.

De part et d'autre de la Croix, deux personnages tout en mouvement :
à gauche Longin, coiffé d'un bonnet phrygien, est en train de percer de sa
lance l'aisselle droite du Christ. Personnage aux traits presque caricaturaux,
la main droite posée avec art aux deux tiers de sa lance. Le vêtement
ressemblant à une jupe couvre à peine les genoux et le devant de sa tunique,
brochée à hauteur d'épaule, ressemble à un tablier que viennent strier
horizontalement des traits blancs. Derrière ce personnage, sur la partie
rubannée la plus large, teinte de rouge, son *titulus* est encore parfaitement
lisible : *Longinus*, le L majuscule, légèrement décalé en hauteur et le U de
la terminaison relié dans une jolie ligature au N précédent. La lettre la plus
étrange est cependant le G, tracé de manière mérovingienne, un G qui selon
les experts d'écriture n'est plus guère utilisé après le début du Xe siècle[2].

En face, Stéphaton tend, au bout d'un bâton, l'éponge en direction du
visage du Christ. La gauche tient un seau de toile rempli d'eau vinaigrée.
L'habit diffère quelque peu de celui de Longin, il manque notamment cette
espèce de tablier de bourreau que porte son vis-à-vis[3].

---

1. Ce double aspect, historique et symbolique à la fois, a été également mis en relief dans
l'une des scènes mariales : comme à Castelseprio, en Italie septentrionale, la Nativité est
jumelée avec le Bain de l'Enfant. Et comme dans la crypte de Saint-Vincent aux sources du
Volturne, Jésus se trouve placé par ses nourrices dans un large calice, si grand qu'on le
prendrait pour des fonts baptismaux !

2. Cf. R. Favreau et J. Michaud, *Corpus des inscriptions de la France médiévale*, I, 2,
1975, p. 27-31.

3. Les Évangiles dits de François II (ms. lat. 257 de la Bibl. nat. de Paris) contiennent au
folio 12 verso une Crucifixion d'esprit et de forme assez proches de celle de Saint-Pierre-les-
Églises : un Christ également triomphant, mais plus paisible, moins étiré ; Longin et Stéphaton
avec des gestes presque identiques ; enfin les deux médaillons du Soleil et de la Lune,
remplissant les vides au-dessus de la Croix.

D'autres personnages complètent la scène. A gauche, derrière Longin, et un peu plus haut que lui, la Vierge s'avance vers la Croix, les mains jointes, alors qu'en face, en symétrie avec elle, il y avait Marie-Madeleine (dont le *titulus*, encore bien lisible, marque MARIA MAG - DALENE). Une grande partie du corps est effacée. Lors de la réfection romane, pour soutenir la voûte, une forte demi-colonne est venue étayer l'intérieur du chœur. Elle a fait disparaître le personnage de Jean qui ne manque que très rarement dans les Crucifixions préromanes et romanes.

Au-dessus de la barre horizontale de la Croix, on distingue bien deux médaillons, à la droite du Christ SOL, le soleil personnifié, signifie vie et avenir que suggère également une plante aux feuilles épaisses. A ce côté diurne est opposée la nuit, représentée ici par la lune, personnifiée également dans un médaillon.

Une porte percée malencontreusement dans le mur sous le panneau de la Crucifixion n'a laissé subsister d'Hérode que le haut du personnage. Une tête joufflue, ceinte d'une couronne triplement dentée, le bras tendu dans un geste large vers les trois Mages qui s'éloignent à cheval. Cette jonction Hérode - Crucifixion me rappelle un vocable d'autel ainsi jumelé à l'abbaye carolingienne de *Centula*/Saint-Riquier. Dans la tour occidentale de celle-ci se trouvait l'un des deux autels majeurs, celui du Sauveur, qui comportait comme vocable second celui des saints Innocents, tués par Hérode. A Saint-Pierre, malheureusement, le reste de la scène a été détruit par le percement de la porte menant à la sacristie, située sur le flanc nord du chœur.

Placée en angle droit, sur le revers du mur-écran séparant l'abside de la nef, une femme debout, vue de face, déploie, dans un geste démonstratif, le linceul : *ecce linteamina*. Il s'agit de *Maria Jacobi*, dont le *titulus*, moins lisible que celui de *Longinus*, ne laisse cependant aucun doute sur l'identité du personnage. Il s'agit bien de *Marie*, mère de Jacques (cf. Marc 16, 1).

La présence de *Maria Jacobi* dans cette attitude ne peut s'expliquer que par l'existence du drame liturgique. En effet, la coutume s'était établie de présenter au peuple, après le rite de la *Visitatio sepulcri*, le linceul vide. Plusieurs textes du Xe siècle, dont l'un rédigé entre 908 et 933, provenant de l'abbaye Saint-Martial de Limoges[4] attestent l'existence de cette liturgie dès le début du Xe siècle. Avec Léon Gauthier, nous pensons que cette liturgie théâtrale est même née plus tôt, vraisemblablement vers 870/880.

On a beaucoup discuté la date du cycle de Saint-Pierre-les-Églises. Otto Demus, dans son ouvrage sur la peinture murale romane en Europe[5], pense assez paradoxalement qu'il pourrait s'agir d'un cycle tardif du XIIe siècle. A cette thèse, peu crédible, s'oppose celle de Paul Deschamps et Marc Thibout qui, eux, datent les fresques de Saint-Pierre-les-Églises du

---

4. Paris, Bibliothèque nationale, ms. lat. 1240, *Trop. Sancti Martialis Lemovicensis saec X*, f° 30 v°.

5. O. Demus, *La Peinture murale romane*, Paris, Flammarion, 1970, p. 139.

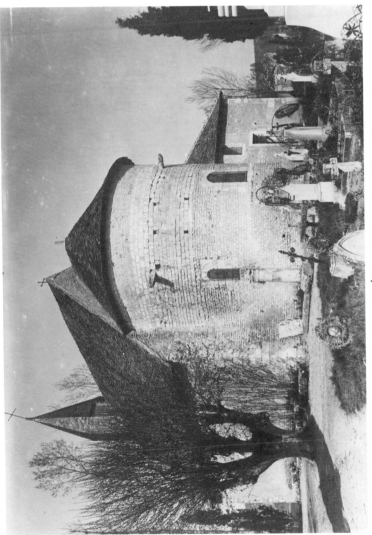

Fig. 1. Saint-Pierre-les-Églises (départ. de la Vienne).
L'église vue depuis le sud-est.

Fig. 2. Saint-Pierre-les-Églises. Intérieur du chœur, moitié sud. Au registre
supérieur des fresques, la Nativité et le Bain de l'Enfant; en dessous, saint
Michel terrassant le Dragon; à droite, presque effacé, le martyre de saint
Laurent.

Fig. 3. Saint-Pierre-les-Églises. Crucifixion.

Fig. 4. Saint-Pierre-les-Églises. Détail de la Crucifixion : *Longinus*.

Fig. 5. Paris, Bibliothèque nationale, ms. lat. 257,
Évangiles dits de François II,
f° 12 v° montrant la Crucifixion (IX⁰ siècle).

Fig. 6. Trèves, crypte de Saint-Maximin : Crucifixion Xᵉ siècle
(aujourd'hui au Musée archéologique de la ville).

Fig. 7. Moulage d'un bas-relief de Crucifixion de Saint-Mexme de Chinon, conservé au Musée de la Société des amis du vieux Chinon.

dernier quart du IXe siècle [6]. Nous serions enclins à les suivre avec peut-être une très légère rectification d'une ou de deux décennies. Le geste théâtral de *Maria Jacobi* constitue le plus précieux des indices ; une date aux alentours de 900 est sans doute la plus vraisemblable.

Une comparaison peut aider à fortifier cette date : dans la crypte de Saint-Maximin de Trèves se trouvait peinte, sur un tympan mural, une Crucifixion qui, en raison de son état ruineux, a été transférée au Musée archéologique de la ville. Cette Crucifixion est en beaucoup de points semblable à sa sœur aînée poitevine. La croix est la même, plinthée semblablement ; le corps du Christ, son vêtement, ressemblent à s'y méprendre à ceux de Saint-Pierre et surtout, il y au pied de la Croix un calice en forme de petite amphore qui recueille le précieux sang. Longin et Stéphaton, en pleine action, évoquent par leurs mouvements la Crucifixion poitevine et, comme à Saint-Pierre-les-Églises, la Vierge, désignée par le *titulus* MARIA, se tient derrière Longin, alors que SCS JOHANNES a pris la place de Marie-Madeleine.

Les dernières recherches, notamment celles de M. Cuypers, datent la Crucifixion de Saint-Maximin de Trèves de 915 à 925. La date légèrement postérieure à celle de Saint-Pierre-les-Églises se justifie aussi par un ajout supplémentaire du peintre : en effet, minuscules aux pieds de Longin et de Stéphaton, deux geôliers sont en train de clouer les pieds du Christ.

Mais la Crucifixion la plus proche de celle de Saint-Pierre nous paraît être un relief très abîmé, inséré au sommet de l'arc occidental ouvrant sur la nef de Saint-Mexme de Chinon. Heureusement, plusieurs moulages nous ont conservé cette œuvre dont le Christ émacié, aux bras largement étendus, à la tête légèrement penchée, cernée d'un immense nimbe, rappelle la Crucifixion de Saint-Pierre-les-Églises. La figure de Longin — chauve et barbu — semble prise par le même mouvement fiévreux, alors qu'en face, saint Jean tient serré contre lui le Livre. Sa figure placide est entourée de feuilles vivifiantes et l'ensemble sous le bras gauche du Crucifié est placé sous un arc, sans doute pour en signifier la sainteté. Et comme à Saint-Pierre, Soleil et Lune assistent, aux mêmes endroits, et d'un même mouvement de tête, à la Passion du Seigneur.

*
* *

Le cycle de fresques de Saint-Pierre-les-Églises a été réétudié ces temps derniers à plusieurs reprises. Dans sa thèse intitulée : *Le Crucifix des origines au Concile de Trente*, parue à Nantes en 1959, P. Thoby qualifie la Crucifixion poitevine de « seule peinture murale du IXe siècle consacrée

---

6. P. Deschamps, « Peintures du chœur de Saint-Pierre-les-Églises dans la Vienne », *Compte rendu de l'Académie des Inscriptions et Belles-Lettres*, 1950, p. 164-178. Id., « Saint-Pierre-les-Églises », *Congrès archéologique*, Poitiers 1951, p. 164-178.
P. Deschamps et M. Thibout, *La Peinture murale en France. Le haut Moyen Age et l'époque romane*, Paris-Plon, 1951, p. 38-45. Des mêmes auteurs : « A propos de nos plus anciennes peintures murales », dans *Bulletin monumental*, 1953, p. 369-390.

à la Crucifixion en France ». Mme Dominique Poulain, maître de conférences à l'Université d'Amiens, dans une thèse soutenue à Nanterre, récemment reprise dans une étude publiée à l'occasion du Congrès national des sociétés savantes à Poitiers (1986), met l'accent sur la « signification sacramentale » de la mort sur la Croix. L'allusion eucharistique, qui occupe une place privilégiée parmi les crucifixions carolingiennes, est à mettre, selon elle, en relation avec la pensée de Paschase Radbert, formulée dès 831 dans le *Liber de corpore et sanguine Domini* (XIX, 1-3)[7].

A cette dimension eucharistique s'ajoute la preuve de la Résurrection apportée de manière aussi grandiose que pédagogique par *Maria Jacobi*, l'une des saintes femmes s'étant rendue au Tombeau. Ce geste, au-delà de sa portée spirituelle, nous vaut l'assurance de l'existence à cette haute époque d'un genre littéraire, le théâtre chrétien, dont nous décelons ici l'origine, telle la source qui nourrit la rivière et la rivière les fleuves.

---

7. Cf. *PL* 120, 1327-1328. Paschase tend dans cet écrit, destiné à Charles le Chauve, à prouver l'identité absolue entre le pain et le corps du Christ, le vin et son sang.

LA LITURGIE COMME MANIFESTATION
DU TEMPS DE DIEU
DANS LE TEMPS DES HOMMES

Mgr Albert HOUSSIAU

La liturgie est l'activité symbolique et répétée de l'Église. Elle se déroule donc dans le temps et implique une conception du temps. Pour la dégager nous relèverons d'abord les significations inscrites dans les structures expressives, ce que les anciens appelaient une « historia », c'est-à-dire une observation. Nous évoquerons ensuite les discours théologiques qui éclairent l'action liturgique. Ce discours de foi porte sur les conceptions de Dieu, du Christ, de l'Église, de l'homme. On y restitue les signes dans tout l'univers symbolique de la communauté célébrante. Il s'agit d'une contemplation ou « theoria ».

1. L'action observée ou « historia »

1.1. L'action liturgique

Le mot *action* définit la prière eucharistique de la liturgie romaine : « actio ». Cette prière est, en effet, essentiellement une action. Et qui dit action, dit un mouvement dans le temps. Précisons d'ailleurs que toute la liturgie, et donc le culte, est une *action*. Ce n'est pas un discours sur Dieu, comme le fait la théologie. C'est une action qui n'existe que dans la mesure où on l'exerce, tout comme la musique n'existe que quand on la joue. Dans les deux cas, nous avons un déroulement, une *action qui se passe*, ce qui suppose un jeu de la mémoire. Saint Augustin a fort bien analysé ce jeu : quand une syllabe se termine, dit-il, il faut encore pour l'entendre avoir en mémoire son début. De même, le « canticus » tient par la mémoire des notes qui précèdent[1]. Ce caractère temporel se retrouve aussi dans la liturgie dont le fonctionnement repose entièrement sur la mémoire qui maintient ce qu'on a entendu et vu durant son déroulement.

En outre, cette action est très structurée : elle se déroule selon un ordre

---

1. Augustin, *Confessions*, XI, 38/38, BA 14, p. 336.

qu'on ne saurait bousculer ni renverser. Dans les funérailles, on commence
par le « Kyrie » et par le « Requiem aeternam » chantés sur un ton
suppliant ; on termine par le « Lux aeterna » et l'« In paradisum », lumi-
neux d'espérance. Il serait inconcevable d'inverser ces chants. Dans chaque
action liturgique, je dirais même à l'intérieur de chaque prière, il y a ainsi
un mouvement structuré et irréversible, car quelque chose se passe au cours
de la célébration. Toutes les prières chrétiennes sont par ailleurs caractéri-
sées, comme les prières juives, par l'alternance de l'évocation d'une action
passée et d'une supplication pour une action de Dieu à venir : ceci implique
une conception de Dieu dans le temps. On passe ainsi d'un moment
rétrospectif à un moment prospectif. Ce mouvement se marque en particulier dans la prière eucharistique mais aussi dans les oraisons du Missel
romain.

La liturgie est une *action qui se refait*. On pourrait d'ailleurs en dire
autant de toute poésie pour laquelle il y a un moment de création,
« poiétique », qui préfigure l'action à faire, et l'exécution elle-même, qui
permet à l'auditeur de la goûter et de se l'accaparer (moment esthésique).
Chaque interprétation renoue ainsi avec le moment originel, le recrée en
quelque sorte et en déploie des significations nouvelles.

Liturgie, poésie et musique ont en commun de procéder par répétition.
On rejoue toujours la 9ᵉ *Symphonie* ou l'*Alleluia* de Haendel ; en liturgie,
on reproduit également une ancienne action et on la reprendra encore
demain. Pour la mieux comprendre mais aussi pour en améliorer l'exécution actuelle, on ne cesse dès lors d'en étudier l'origine et l'évolution. En
un sens, on entend communier par l'identité d'un signifiant répété, à un
signifié identique. Ainsi, dans la liturgie des funérailles, la reprise de chants
anciens répond au désir de participer au mystère de la mort dans la
continuité de ce qui fut vécu par les parents ou les amis. Cette répétition
n'exclut pas une certaine créativité, mais celle-ci ne peut effacer le mystère
qui reste le même.

L'action liturgique est symbolique

Cette action se déroule et se refait, non seulement pour réexécuter ce qui
se fit la veille ou depuis longtemps mais pour revivre un événement
fondateur. Elle se revêt ainsi d'un caractère symbolique en ce sens qu'elle
manifeste — au sens fort du terme — une réalité qui transcende la
performance humaine.

La célèbre définition d'Aristote de la poésie peut nous éclairer jusqu'à un
certain point : « *mimèsis praxeos*, imitation d'une action » [2]. L'agencement
d'un drame doit être semblable à l'action rapportée par le mythe ou la
légende. La liturgie est représentation ou imitation *(mimèsis)* d'une action
vraie. En outre, l'action actuelle, humaine, figure symboliquement une
autre action : celle de Dieu dans le temps des hommes, c'est-à-dire l'*oiko-*

---

2. Aristote, *Poétique*, 6, 1449 b. Cf. P. Ricœur, *Temps et Récit*, I, Paris 1983, p. 55-129.

nomia, comme la désignent les Pères grecs. Elle la figure mais, en même temps, elle est chargée de cette action, de sorte que son temps est situé et inséré dans le vaste temps de l'économie. Elle est traversée par l'action de Dieu.

L'action liturgique est tout ensemble *mémoire,* la mémoire ou proclamation de la mort et de la Résurrection du Seigneur ; elle est *attente* « jusqu'à ce qu'Il revienne », comme l'exprime le « Maranatha » de la liturgie primitive ; et elle est *communion* avec le Seigneur ressuscité. A l'intérieur de la célébration qui se déroule, il y a mémoire d'un fait réel passé, attente d'une venue finale, et ce dans un partage qui est communion. Comme l'a fort bien chanté saint Thomas dans l'antienne de la Fête-Dieu : « Banquet très saint où le Christ est reçu en nourriture ; le mémorial de sa Passion est célébré, notre esprit est rempli de sa grâce, et nous recevons le gage de la gloire à venir. »

1.2. Les prières de l'Eucharistie

Cette conception est impliquée dans la prière eucharistique. La 4e prière eucharistique du Missel romain évoque particulièrement bien ce déroulement de l'action de Dieu depuis la Création jusqu'à l'envoi de l'Esprit « qui parachève toute sanctification » ; « sanctifie cette offrande afin que ceux qui la reçoivent soient sanctifiés eux-mêmes [...] ». Autrement dit, c'est au moment même de la prière que nous sommes insérés dans le mouvement de sanctification qui nous précède, nous transforme et se poursuit jusqu'à son accomplissement. Le temps qui passe est compris à l'intérieur d'un autre. Ce temps n'est pas le cycle qui règle le mouvement des astres, mais celui de l'œuvre de Dieu au long du temps des hommes, c'est-à-dire de l'économie. Nous ne pouvons mieux le résumer qu'avec une prière sur les oblats : « Chaque fois qu'est célébrée la commémoraison de cet [unique] sacrifice, c'est l'œuvre de notre rédemption qui s'accomplit [3]. »

Un deuxième exemple nous est fourni dans les 112 prières sur les oblats du Temporal actuel [4]. Une analyse sémantique nous a permis de déceler dans ce corpus un enchaînement de fonctions sémantiques qui correspond à une série consécutive d'actions temporelles :

1re fonction : Dieu qui a donné : « de tes dons, Seigneur, [...] » ;

2e fonction : nous lui offrons, « nous t'offrons ces dons » ;

3e fonction : Dieu reçoit ces dons, « reçois Seigneur », « daigne accepter » ;

4e fonction : Dieu consacre, « daigne les bénir, les consacrer, les transformer »,

5e fonction : Dieu nous rend aptes à recevoir le fruit du sacrement ou,

---

3. *Missel romain,* 2e dim. ordinaire, prière sur les oblats.

4. La toute grande majorité en est reprise au Missel de 1570 et aux anciens sacramentaires. Ces oraisons témoignent bien de l'ancienne tradition eucologique de Rome. Les collectes et les postcommunions du Temporal situent également le temps de la célébration par rapport à l'économie divine.

parfois, à offrir dignement; il y a curieusement comme
un cercle où le don précède et suit la disposition à bien
donner;

6ᵉ fonction : Dieu nous accorde le fruit demandé : l'aide, la réconciliation, la purification, l'absolution, le remède, le salut, la
conversion, l'accroissement de la charité, la joie, tous les
sacrements, ... et finalement « Toi même, le Christ », et
la vie éternelle.

1.3. Le transitus pascal

L'économie, c'est-à-dire le temps de l'œuvre de Dieu dans le temps de
l'homme, comprend ainsi une double histoire : l'histoire du Christ et
l'histoire de l'Église et du chrétien, imbriquées l'une dans l'autre. Ceci
apparaît clairement dans la fête de Pâques.

En dehors de l'eucharistie dominicale, on ne célébrait primitivement que
la Nuit pascale. En une seule célébration durant de quatre à cinq heures,
on commémorait la passion, la mort et la résurrection du Christ, la venue
de l'Esprit et l'établissement du Royaume. Au matin de Pâques, on se
trouvait déjà au temps de la Pentecôte pour célébrer pendant cinquante
jours le Royaume éternel de Dieu[5]. On célébrait donc conjointement en une
courte durée tout le mystère pascal. Cette célébration, comme le mystère
global, n'en a pas moins un début et une fin : le jeûne, le récit de la Passion,
le repas eucharistique.

La fête est par ailleurs située. Dès le début (à la fin du Iᵉʳ siècle et plus
tardivement à Rome, vers 150), cette célébration est accrochée à un
moment défini de l'année, conformément à la tradition néotestamentaire
qui situe chronologiquement la Passion et la Résurrection à la célébration
lors de la Pâque juive. Même si la fête chrétienne connaît des divergences
secondaires (le 14 nisan ou le dimanche suivant), le moment de la célébration manifeste bien que Dieu a agi à un moment déterminé.

On assiste toutefois par la suite à une expansion dans le temps de la
célébration de ce mystère global, c'est-à-dire à une ventilation historique qui
répartit sur différents jours les moments du mystère unique, le passage
unique. A Jérusalem, les traditions gardent la mémoire des endroits où se
déroulèrent les événements de la Passion et on se mettra à les y commémo-
rer à leur jour et à leur heure. La basilique du Golgotha (martyrium) est
édifiée sur le lieu du martyre du Christ et on y célèbre donc la crucifixion,
comme pour les martyrs, dont on célèbre le dies natalis près du lieu de leur
supplice ou de leur confession à l'anniversaire de leur naissance à la vie
éternelle. La Résurrection se fêtera au tombeau et, huit jours avant, on aura
refait l'entrée à Jérusalem; le mardi suivant on lit le sermon du Christ, au
mont des Oliviers qui fait face à la ville. On célèbre enfin la Dernière Cène
au Cénacle, au mont de Sion, le Jeudi saint. On finit ainsi par déployer le

---

5. Cf. O. Casel, *La Fête de Pâques selon les Pères*, Paris, Cerf, 1955.

mystère dans une longue action qui découpe spatialement et chronologiquement le récit.

La célébration liturgique ressemble ainsi en partie à une représentation
théâtrale, mais elle n'est pas une espèce d'Oberammergau ; elle est plutôt
une re-présentation. La Nuit pascale et plus tard le Triduum pascal sont
indivisiblement le « transitus » du Christ, du chrétien et de l'Église. Dans
un texte célèbre, saint Augustin répond à qui lui demande si la fête de Noël
peut être mise de ce point de vue sur le même pied que celle de Pâques :
à Noël, on se rappelle seulement le souvenir, tandis qu'à Pâques nous célébrons
et commémorons la mort et la résurrection du Christ de telle manière que
celui qui les comprend en son cœur et y correspond par la foi et la charité
les reçoit lui-même. En d'autres termes, le *transitus* du Christ de la mort
à la vie devient du même coup le nôtre. Le résultat final est notre participation
à l'événement commémoré car « dans la passion du Seigneur et dans sa
résurrection est consacré notre passage de la mort à la vie ». Cet emboîtement
du temps de l'œuvre de Dieu dans le temps de l'homme est ici manifesté
dans toute sa force et c'est à cette conjugaison de commémoration et de
participation qu'Augustin réserve l'appellation de *sacramentum*[6].

L'importance du *transitus* est en effet telle que la fête de Pâques
constituait l'événement central de la vie de l'Église autour duquel le temps
liturgique s'articule. Nous avons ainsi, avant Pâques, les trois semaines de
préparation des catéchumènes au baptême pascal et la quarantaine pour
mener les pénitents à la réconciliation le Jeudi saint. Ces périodes préparatoires permettent vraiment à la fête de Pâques d'être événement pour
l'Église où un nouveau peuple vient à la naissance et où les pénitents sont
régénérés. D'autre part, la fête sera suivie des commémorations distinctes
de l'Ascension et de la venue de l'Esprit à la Pentecôte. On récapitule ainsi
tout ensemble l'histoire du Christ, de l'Église et des chrétiens dans une
célébration qui se déploie dans une durée. Ce n'est pas la célébration de
l'éternité immobile, centre de tous les intelligibles et de toutes les intelligen-
ces : le *transitus*, comme son nom l'indique, est un *mouvement*.

1.4. *Natale Domini*

Les Romains célébraient à l'endroit de la tombe familiale un repas le jour
de la naissance d'un des leurs. Les chrétiens célèbrent la *memoria* le jour
anniversaire de leur mort, qui est passage de la mort à la vie. Ce « natale »
est naissance à l'éternité et non pas un simple événement passager. Cette
pratique est peut-être à l'origine romaine de la fête de Noël : « *In Natale
Solis invicti, hodie Christus natus est in Bethleem Judae.* » La plus ancienne
messe romaine est celle du jour et comportait le Prologue de saint Jean,
précédé du début de l'Épître aux Hébreux. En ce jour de la naissance
terrestre du Christ, l'Église proclame la filiation divine et éternelle de celui
qui naît selon la chair ; Dieu s'est fait homme pour que l'homme devienne

---

6. Augustin, *Ep.* 55 (à Januarius), 2-3 (*Mauristes*, II, 128) ; *PL* 33, 204-206.

fils de Dieu. Sous l'impulsion probable de saint Léon, la fête de Noël est conçue à l'instar de celle de Pâques. Une ancienne oraison de la messe disait en substance : « Que la célébration annuelle du mystère du Christ nous restaure toujours. » La célébration de la naissance du Christ nous fait participer davantage à la nouveauté de la vie : « [...] la naissance singulière [du Christ] nous délivre de la vieille servitude [7]. » La célébration de Noël est ainsi un sacrement, au sens augustinien évoqué plus haut.

Au cours de l'Avent, on retrouve à tout moment une imbrication des temps de l'histoire du salut, au point que l'ordre liturgique ne respecte pas le déroulement de cette histoire. On commence par la fin du monde pour finir par la naissance du Christ, naissance qui nous régénère du même coup aujourd'hui ; entre-temps, on évoque l'attente d'Israël. Jacques de Voragine traduit bien l'esprit régnant au Moyen Age : l'Avent du Seigneur renferme quatre semaines pour marquer les quatre sortes d'avènement de Jésus-Christ : en la chair, en l'esprit, en la mort et au jugement [8]. La liturgie orientale syrienne, qui centre la célébration de la venue du Christ sur la fête de l'Épiphanie, la prépare dans les semaines qui précèdent par le rappel des annonciations.

1.5. L'année de grâce

Ainsi se forme, sur l'arrière-fond des dimanches, une « couronne de l'année de grâce », c'est-à-dire une certaine organisation de l'année liturgique qui résume l'histoire complète de l'œuvre de Dieu. Dans l'Église latine, nous avons là un fait récent, postérieur au VIe siècle, et une telle organisation n'est même pas achevée puisque le cycle de Noël et celui de Pâques ne constituent que 4/10e de l'année. La liturgie syrienne orientale a systématisé davantage en sériant des groupes de semaines tout au long de l'année. Celle-ci commence par les sept annonciations ; puis viennent les semaines de la Théophanie ; ensuite les miracles du Christ sont évoqués les uns après les autres pour en venir à ses paroles et au temps de Pâques ; après la Pentecôte, on observe un long jeûne qui débouche sur le temps de l'Église depuis sa fondation jusqu'à la parousie. L'année liturgique imite ainsi l'économie divine (madebarnûta) dans son ensemble. Mais c'est un phénomène tardif, qui date probablement des VIIe et VIIIe siècles.

1.6. Les heures du jour

Parmi les interventions du temps dans la liturgie, on peut encore mentionner les allégories du jour et des saisons. C'est toutefois un sujet

---

7. *Sacramentaire grégorien*, n⁰ 48 (Deshusses) : Huius nos Domine sacramenti semper natalis instauret, cuius nativitas singularis humanam reppulit vetustatem. Cf. Léon le Grand, *Sermons*, 26, 1-2 ; 27, 2 (SC 22, p. 125-129 ; p. 139). Dans ses sermons de Noël, saint Léon fonde notre naissance spirituelle et notre libération de la mort éternelle sur la naissance virginale du Christ.

8. Jacques de Voragine, *La Légende dorée*, trad. J.B.M. Roze, 1967, p. 26-37.

secondaire au regard des précédents et saint Augustin ne leur conférerait certes pas la qualification de sacrement. Il s'agit plutôt de mémoires psychologiques qui, au travers des hymnes et des prières de l'Office, rattachent les heures du jour à des moments particuliers de la vie du Christ ou de l'histoire sainte. Cette manière remonte au IIIᵉ siècle. Les heures du jour symbolisent l'envoi de l'Esprit (tierce), la mort du Christ (none) ; ou elles reprennent, par allégorie, la vie humaine à l'intérieur de chaque journée : le lever du matin est lié à l'aube éternelle tandis que, le soir venu, sous le poids du jour et la crainte des ténèbres, on adresse un confiant appel à Dieu, comme au soir de la vie.

1.7. En définitive, quel temps est-il évoqué par la liturgie ?

Le *passé*, c'est l'action de Dieu dans l'histoire de Jésus-Christ et la vie de l'Église et des fidèles. On ne commémore pas des événements de l'histoire de l'Église tels qu'un concile. Il n'est évidemment pas question de ceux de l'histoire profane. On peut regretter que les livres liturgiques n'évoquent ni de pareils événements d'Église, ni des événements de l'histoire de l'humanité. Il est vrai que cette actualisation serait rapidement dépassée.

Le *présent*, c'est la communion avec le Christ, présent, les naissances nouvelles qui agrandissent le Peuple de Dieu, l'ordination des ministres, la consécration d'une vierge, l'alliance conjugale, la réconciliation.

Le *futur* demandé et espéré ne touche pas les réalités passagères *(transeuntia)*, mais la réconciliation, la purification de l'esprit, la paix et la joie ; ou la démarche de charité ou d'action de grâces pour exercer la vie reçue. Mais cette grâce est le gage de la gloire ou de la vie céleste. Le futur immédiat est le commencement de ce futur final. La liturgie ouvre ainsi sur la réalité plénière, dont elle est le sacrement.

2. L'action contemplée ou « theoria »

L'action liturgique est aussi l'objet de la réflexion théologique. Nous recueillons ici les théories qui nous paraissent les plus pénétrantes.

2.1. La théorie patristique du mystère

Pour l'Antiquité chrétienne, la réalité au sens fort du terme est le Christ, en qui réside en plénitude la divinité. En Lui nous avons le « corps » ; il ne faut donc plus s'attacher à l'ombre. Tout l'ordre terrestre ou historique n'est qu'annonce figurative de cette réalité ultime ; il n'est qu'un déroulement éphémère qui a passé et qui est dépassé. Les rites religieux eux-mêmes, voire les rites de l'Ancienne Alliance, y compris les plus grandes fêtes, les initiations et les sacrifices sont périmés (He 10, 1-18 ; Col 2, 11 ; 1 Co 5, 7). C'est dans cette optique d'histoire du salut que sera précisé le statut des rites du Nouveau Testament : la réalité annoncée est dorénavant donnée, les rites nouveaux permettent de participer déjà au salut réalisé (Col 2, 16-17).

S'aidant des catégories philoniennes appliquées au culte sensible des Pères et au culte intelligible de l'âme et du cosmos [9] et s'inspirant de la conception juive du temps, selon laquelle les interventions anciennes de Dieu sont promesses de l'avenir, Origène définit les rites chrétiens comme symbole, joignant l'ordre historique des figures à l'ordre spirituel de la pleine réalité [10]. Dans la tradition origénienne, les rites chrétiens sont des mystères : dans l'action sensible est cachée l'action de Dieu même; ils se définissent dans une perspective triadique : le *mystèrion,* dans lequel l'image reproduit la réalité, participe à l'ordre des *figures,* qui était celui des rites vétérotestamentaires, et à celui de la *réalité* du salut réalisé dans le Christ et dont nous attendons notre plein déploiement. De nombreuses prières de la liturgie (tant latine que grecque ou orientale) ne se comprennent que dans cette perspective. La lecture des Catéchèses mystagogiques de Jean de Jérusalem [11] initie fort bien à cette vision. Elle se retrouve encore dans le chef-d'œuvre d'Hugues de Saint-Victor, *Sur les sacrements de la foi chrétienne* [12] : les sacrements du Nouveau Testament se définissent en fonction aussi bien de la venue du Christ dans l'incarnation que de la gloire dont nous recevons le gage. Saint Thomas d'Aquin enseigne que nous *avons contact* avec la Passion du Christ, par la foi et les sacrements. La foi nous donne contact par l'« intentio animi », ce qui permettait aux anciens d'avant le Christ d'y participer, car par une intention, une visée, on peut avoir contact avec un événement futur. Mais pour nous, il s'agit d'un événement réalisé « in natura rerum », dans la Passion du Christ, et nous ne pouvons donc avoir contact avec lui que par un sacrement, lequel est nécessairement postérieur à cet événement [13].

2.2. L'intentio augustinienne

Saint Augustin reprend à Aristote les relations de la mémoire au passé, de la perception au présent et de l'espérance au futur; finalement, tout se résorbe dans le seul présent, car nous nous remémorons et nous espérons dans le moment présent [14]. Mais ce qui frappe Augustin, c'est la « distentio » (la *diastasis* plotinienne), cette déchirure continuelle de notre être entre la mémoire et l'attente. Nous sommes des êtres distendus par un écartèle-

9. Cf. Philon, *De somniis,* I, 211; cf. A. Jaubert, *La Notion d'Alliance dans le judaïsme aux abords de l'ère chrétienne,* Paris 1963.

10. *Homélies sur les Nombres,* 7, 2 (SC 29, p. 137-138).

11. SC 126.

12. *PL* 176.

13. Thomas d'Aquin, *Somme de théologie,* III, 62, 6.

14. *Confessions,* IX, 20/26 BA 14, p. 312; cf. Aristote, *De memoria.* Cf. P. Ricœur, *Temps et Récit,* I, Paris 1983, p. 19-53 : « Les apories de l'expérience du temps : le Livre XI des *Confessions* de saint Augustin »; A. Solignac, « La conception du temps chez Augustin », dans Augustin, *Confessions,* BA 14, p. 581-591.

ment entre un passé qui n'est plus et un futur qui n'est pas encore. Tout est fugitif. Dès que se réalise ce que l'homme attend, voilà que cela fuit déjà dans le passé dont il ne garde que la mémoire[15]. Si nous n'espérions rien d'autre qu'un futur qui s'évanouit aussitôt dans le passé, notre vie s'écoulerait dans l'inconsistance des *praetereuntia*. C'est la racine de l'inquiétude du cœur. Mais voilà que le Verbe est venu dans notre distension et tout est dès lors radicalement changé. Il nous donne une *visée*, une « intentio », grâce à laquelle notre attente n'est plus celle d'un futur qui passera comme tout le reste, mais d'un « avant » où l'homme trouvera son éternel repos. Car Dieu *est avant*, éternel. Notre attente se fonde sur l'« ante » qui est Dieu, à la fois avant nous et devant nous. C'est grâce au passage du Christ dans le temps que nous parvenons à passer dans l'éternité. Ce que nous attendons ainsi n'est pas un quelconque événement historique, mais c'est un au-delà de l'histoire : l'attente sera assouvie « au jour où je m'écoulerai en Toi, purifié, liquéfié au feu de ton amour »[16].

2.3. La théorie dionysienne de la hiérarchie

Le Pseudo-Denys a systématisé la vision origénienne du symbole. L'ordre des rites *(télétai)* chrétiens (hiérarchie ecclésiastique) participe par sa situation médiane aux deux hiérarchies extrêmes ; il partage avec l'ordre sensible de l'Ancien Testament (hiérarchie légale) l'usage de symboles variés et avec l'ordre de la perfection (hiérarchie céleste) les contemplations intellectuelles de l'unique Trinité (Théarchie). La voie de la contemplation s'y conjugue avec celle des rites. Les rites se situent ainsi dans un vaste mouvement où la Lumière sort du Père et se répand pour nous illuminer de ses dons et nous convertir, à travers les images sensibles, les allégories de l'Écriture, les images sacrées et symboliques des rites chrétiens, à la simplicité unifiante : « Tout vient de Lui et tout retourne vers Lui » (Rm 11, 36). Toutes les actions consécratoires se suivent dans un ordre croissant d'élévation spirituelle, du sensible à l'intelligible, et chaque action comme chaque acteur est traversée par ce vaste mouvement que constitue la hiérarchie, ramenant au principe de toute sanctification. Jésus-Christ, Dieu et homme, constitue le hiérarque par excellence, acteur central de tout le mouvement[17]. L'eucharistie ou communion en est, en tant qu'imitation de l'action théandrique du Christ, le rite suprême, tant en louant selon les Paroles sacrées les saintes œuvres de Dieu qu'en accomplissant saintement l'œuvre des plus divins mystères[18]. Cette vision dionysienne imprègne profondément l'interprétation de la liturgie par l'orthodoxie byzantine et par le christianisme syrien.

---

15. *Confessions*, XI, 28/37-38, BA 14, p. 334-336.

16. *Confessions*, XI, 29/39, BA 14, p. 338 ; cf. *ibidem*, I, 1/1, BA 13, p. 272 ; IV, 8/13-12/20, BA 13, p. 428-442.

17. *Hiérarchie ecclésiastique*, ch. I, PG 3, 369 D-377 D ; cf. *Hiérarchie céleste*, ch. III, PG 3, 164 D-168 A. Cf. R. Roques, *L'Univers dionysien*, Paris 1954.

18. *Hiérarchie ecclésiastique*, ch. III, PG 3, 425 D ; 441 CD.

2.4. La théorie casélienne du mystère

Réagissant contre l'interprétation subjective de la liturgie dans la spiritualité post-tridentine et en particulier dans le culte réformé, Dom Odon Casel († 1948), conçoit la liturgie (c'est-à-dire toutes les célébrations telles que la Pâque chrétienne et non seulement l'eucharistie et les sacrements) comme actualisation (*Vergegenwärtigung*, re-présentation) de l'événement de la mort et de la résurrection du Christ. L'Acte de Dieu, qui sauve en Jésus-Christ sous le voile des événements historiques, a lieu maintenant sous le voile des symboles cultuels de l'Église. L'événement ou l'acte du salut est présent en mystère. Nous avons part aux événements, non seulement en pensée et par grâce, mais en participant à l'acte même du Christ, au point que toute célébration est un agir de l'Épouse avec le Seigneur (*mit-tun*). La participation active n'est pas seulement une méthode psychologique ou pédagogique, mais l'agir conjoint du Christ et de l'Église [19].

Ce qui est présent, selon Casel, ce n'est pas l'événement de la vie du Christ avec toutes ses coordonnées spatiales et temporelles et avec les aspects affectifs de la scène, comme l'évoque la classique méditation ignatienne, mais l'Acte divin qui s'accomplit dans l'événement. On ne peut donc reprocher à Casel de mettre en cause l'historicité et notamment l'unicité des conditions spatiales et temporelles de l'événement originaire. Mais sa théorie présente des faiblesses : on ne voit pas comment l'événement peut être vraiment humain, s'il peut se dépouiller de coordonnées temporelles originelles pour être présent actuellement. C'est pourquoi des théologiens tels E. Schillebeeckx et J. Gaillard corrigent la conception mystérique de Casel en cherchant la permanence de l'acte sauveur du Christ dans la personne du Christ ressuscité, que nous rencontrons dans le mystère du culte.

3. Réflexions finales

3.1. L'unité du temps vécu dans la liturgie se fonde sur la *fidélité de Dieu*. Lorsque nous passons de l'évocation reconnaissante des événements passés (*eucharistia*) à la supplication (*déisis epiklèsis*) pour l'avenir, nous nous appuyons sur la confiance que les actions passées de Dieu sont le fondement même de ce qu'il réalisera parmi nous. La prière juive et la prière chrétienne impliquent en effet une conception de l'action de Dieu dans la durée humaine. Dieu est fidèle à son alliance : il poursuit l'œuvre qu'Il a commencée. Le Dieu que l'on invoque n'est d'ailleurs pas un ordre

---

19. O. Casel, *Le Mystère du culte. Richesse du Mystère du Christ* (LO 38), Paris 1964; *Faites ceci en mémoire de moi* (LO 34), Paris 1962; cf. I.H. Dalmais, « Théologie de la célébration liturgique », dans *L'Église en prière*, éd. nouvelle, t. I, Desclée, 1984, p. 275-281.

cosmique implacable. Tout se déroule non pas comme si tout était écrit d'avance; mais Dieu répond à l'appel qui l'invoque.

3.2. La liturgie nous fait participer, en notre existence temporelle, à l'*éfapax* de Jésus-Christ, à l'« une fois pour toutes », au caractère unique et irréversible de l'événement de Jésus-Christ. « Sa mort fut une mort au péché, une fois pour toutes; mais sa vie est une vie pour Dieu dans le Christ Jésus » (Rm 6, 10-11). Nous passons également une fois pour toutes, comme le Christ, de la mort à la vie. Pareille conception est incompatible avec des vues cycliques et infernales de l'éternel retour. Elle est basée sur cette conviction que tout est donné dans l'humanité du Christ : la justice et la créature nouvelle, notre avenir, car « notre vie est cachée en Jésus-Christ » (Col 3,3). Tout est dans cette tension selon laquelle l'avenir existe « en Dieu qui est avant », comme dit saint Augustin : il existe déjà en nous dans l'« éfapax » de Jésus-Christ.

3.3. Enfin, la liturgie nous fait bien voir que *le christianisme n'est pas une gnose*. Les gnostiques découvrent leur être spirituel et ils se détachent du flux inconsistant du temps et de la matière pour se libérer; il leur suffit d'avoir conscience de leur être spirituel, ils ne *deviennent* pas spirituels. Au contraire, l'être spirituel du chrétien est *en devenir*. On ne naît pas chrétien, on le devient (Tertullien). De la sorte, dans le temps de l'action liturgique s'entrecroisent l'histoire libre de Dieu venant en notre chair et l'histoire des hommes libres portant de plus en plus Dieu en eux. Comme Irénée le dit de l'entière économie divine, depuis la création jusqu'à la pleine ressemblance, Dieu s'habitue dans la liturgie à demeurer en l'homme et l'homme s'habitue à porter Dieu.

LES PROCESSIONNAUX DE POISSY

Michel HUGLO

En 1298, Philippe le Bel adressait aux membres du chapitre général des frères prêcheurs réunis à Metz un message de reconnaissance envers l'Ordre de saint Dominique, dont les membres avaient sollicité en cour de Rome la canonisation de son aïeul Louis IX, pour l'obtenir finalement en août 1297. Le roi venait en effet de décider la construction d'un couvent pour cent religieuses dominicaines, au lieu de naissance de Louis IX, c'est-à-dire à Poissy. L'année suivante, il ratifiait ce vœu et indiquait qu'il fallait pour le recrutement des postulantes porter le choix sur des jeunes filles capables de lire et de chanter [1].

A la suite d'un concours ouvert par le roi, c'est l'office de saint Louis composé par le dominicain Arnaud du Pré *(Ludovicus decus regnantium)* qui fut retenu pour la première célébration de la nouvelle fête, le 25 août 1298 en l'église de Saint-Denis. Un second office, reprenant plusieurs éléments du premier, fut composé huit ans plus tard pour la fête de la translation du chef de saint Louis à la Sainte-Chapelle, le 17 mai 1306 [2].

La construction du couvent et de son église durèrent un peu plus de trente ans : en effet, c'est seulement le dimanche 12 février 1330 qu'eut lieu la dédicace solennelle de l'église conventuelle. Ce long délai de construction est très compréhensible à l'examen des dimensions de l'édifice qui dépassent largement celles des autres églises dominicaines : 100 mètres de long sur 45 mètres de large à la croisée du transept. Ce qui est plutôt remarquable, c'est la ressemblance frappante de l'église des Dominicaines de Poissy et de celle des Cisterciens de Royaumont [3], lieu de retraite préféré de saint Louis, qui avait choisi là pour lecteur le frère Vincent, prieur du couvent de Beauvais.

Les faits rassemblés ci-dessus fournissent en quelque sorte la clé de

---

1. S. Moreau-Rendu, *Le Prieuré royal de Saint-Louis-de-Poissy*, Colmar, Alsatia, 1968, p. 37 s.

2. R. Folz, « La sainteté de Louis IX, d'après les textes liturgiques de sa fête », *RHEF* LVII, 1971, p. 31-45. Le texte et les mélodies de l'office parisien *(Ludovicus decus regnantium)* ont été réédités par M.J. Epstein dans *Speculum* LXIII, 1978, p. 283-334.

3. Les plans de l'église conventuelle de Poissy figurent dans l'ouvrage cité de S. Moreau-Rendu face à la p. 56. Le plan de l'église de Royaumont dans la plaquette descriptive *L'Abbaye royale de Royaumont*.

plusieurs particularités propres aux processionnaux de Poissy. Tout d'abord, les « suppléments » liturgiques ajoutés au processionnal dominicain fixé par Humbert de Romans dans l'*exemplar* des livres liturgiques de l'Ordre en 1254 : il était bien normal que dans cette fondation exceptionnelle, le culte de saint Louis ait pris une place qui n'avait aucune justification ailleurs qu'à Poissy.

Ensuite, la décoration soignée et parfois excessivement développée de ces livres mis à l'usage personnel des religieuses, qui contraste singulièrement avec la sobriété et la simplicité des nombreux processionnaux des prêcheurs et des sœurs dominicaines [4] : à Poissy, les sœurs de chœur, originaires de familles nobles qui leur avaient procuré une éducation soignée, pouvaient fort bien exercer leurs talents artistiques en décorant ces processionnaux, dont certains étaient parfois devenus le « refuge » de leurs dévotions privées.

Enfin, durant la Révolution, le couvent de Poissy — tout comme le monastère cistercien de Royaumont — risquait le pillage de ses biens, malgré la vérification de l'inventaire de 1790, exécutée le 29 septembre 1792, qui portait entre autres sur « l'argenterie, les livres, vases et ornements ». Cette mesure précédait de quelques jours l'opération « patrimoine recouvré », suivie de l'expulsion des religieuses qui probablement emportèrent avec elles les livres et objets de piété à leur usage. Ainsi s'expliquerait la dispersion des 23 manuscrits liturgiques de Poissy repérés jusqu'ici qui se trouvent aujourd'hui répartis dans 18 dépôts différents (dont trois aux États-Unis), tout comme les 27 manuscrits provenant de Royaumont, actuellement écartelés dans 21 collections publiques ou privées (dont quatre aux États-Unis).

Dans les dix processionnaux de Poissy, la jonction du processionnal et du rituel des fins dernières — qui a toujours intéressé les recherches du père Gy [5] — ne se constate qu'une seule fois, alors qu'elle était devenue habituelle dans la majorité des processionnaux provenant de couvents de sœurs dominicaines allemandes, dans lesquels les rubriques sont traduites en langue vernaculaire au moins dès le XIVᵉ siècle. Enfin, la collection des dix processionnaux décrits plus bas ne comporte pas d'exemplaire destiné à la sœur chantre *(cantrix)*, reconnaissable à la longue rubrique introductoire *Cum imminet aliqua processio*. Néanmoins, ces manuscrits permettront à l'historien d'évoquer la suite des 21 autels situés dans l'église conventuelle et de reconstituer du moins en partie la liturgie festive qui se déroula pendant plus de quatre siècles dans le couvent Saint-Louis-de-Poissy.

---

4. A l'exception des processionnaux du couvent Sainte-Agnès de Strasbourg recueillis par l'abbé de St. Peter im Schwarzwald, Philip Jakob Steyrer, et conservés aujourd'hui à la Badische Landesbibliothek de Karlsruhe : voir le compte rendu du catalogue des manuscrits de Sankt Peter par F. Heinzer et G. Stamm dans *Scriptorium*, XLIII, 1989.

5. P.-M. Gy, « Collectaire, Rituel, Processionnal », *RSPT* XLIV, 1960, p. 441-469.

CATALOGUE

1. BALTIMORE, MD. Walters Art Gallery, W. 107 (Cat. 66).
88 ff. parchemin, 150 × 98 mm. Reliure en maroquin de la fin du
XVIᵉ siècle, avec devises gravées (cf. le catalogue de L. Randall, p. 178).
Écriture du milieu du XIVᵉ siècle. Initiales bleues et rouges (parfois en or)
à filigranes. Initiale historiée, au f. 75 (la Cène : L. Randall, fig. 135). Trois
peintures ajoutées aux ff. 4-5 : Crucifixion ; Christ ressuscité (L. Randall,
pl. VIa) ; sœur dominicaine aux pieds de saint Dominique et de saint Pierre
martyr (L. Randall, fig. 133). Notation carrée, 8 portées par page, sauf
ff. 50-57 (5 portées par page). Origine : le couvent des dominicaines de
Saint-Louis-de-Poissy. Provenance : signature de Koff (ou Kott) ; revendu
par Olschki (nᵒ 814), en même temps que le ms. W. 218 (Olschki, nᵒ 815),
au début de ce siècle.
Processionnal dominicain de Poissy
1-6 [addition], Benedictio ramorum. 7, Dimanche des Rameaux : A/ Pueri
Haebreorum. 11v-12, Mandatum et ablution des autels, sans pièces propres
pour les titulaires. 36, Corpus Christi : R/ Panis oblatus v/ Confortantem
(*AH* 24, p. 31 : répons de l'office composé par Hervé de Nédellec, calqué
en partie sur l'office rythmique de saint Dominique). R/ Granum excussum
palea v/ Nisi lotus (*ibid.*). R/ Discedentem huic v/ Haec quicumque (*ibid.*,
p. 32). 38, Exultet. 44, Fête de saint Dominique : R/ Panis oblatus v/ Signo
crucis. 46v, Fête de saint Louis : R/ Felix regnum cujus rex v/ Rex erigit
(*AH* 13, p. 198). R/ Regnum mundi supergressus v/ Peregre Jacob (*AH*
13, p. 186). R/ O sparsor divitiarum v/ Qui tot egris (*AH* 13, p. 198). 49v
et ss. [additions] : Oroyson de notre dame. Tres certaigne espérance
deffenderesse. 50 (8 septembre) R/ Nativitas tua. 52 (24 juin) R/ Hic
praecursor. 58-73v, Office des morts suivant l'usage dominicain. 75,
Discours après la Cène (Jo XIII, 1-XVII, 26).
Bibliographie : L.M.C. Randall, *Medieval and Renaissance Manuscripts
in the Walters Art Gallery*, volume I : *France, 875-1420*, Baltimore and
London 1989, p. 176-178, n. 66, fig. 133-135 et pl. VIa.

2. BERLIN, Collection Werner Wolffheim.
124 ff. parchemin, 151 × 105 mm. Reliure restaurée. Écriture du XVᵉ siècle.
Décoration soignée se composant de 117 bordures marginales, 170 petites
initiales peintes et enfin 4 initiales historiées (f. 1, saint Dominique ; f. 20,
Résurrection ; f. 105, Assomption ; f. 110, saint Louis). Notation carrée sur

portée de 4 lignes rouges (fac-similé dans le catalogue cité). Provenance :
le manuscrit porte au début les armoiries de la famille d'Argognes et de
Guillard de Bretagne. Le dépôt actuel du ms. est inconnu : sa description
repose sur la notice du catalogue de vente cité.

Processionnal dominicain de Poissy

1, R/ pour saint Dominique. A la fin, In professione sororum : R/ Amo
Christum.

   Bibliographie : Johannes Wolf, *Handbuch der Notationskunde* I, Leipzig
1913, p. 118. *Versteigerung der Musikbibliothek* [...] *Wolffheim*, Zweiter
Teil, p. 22-23, n. 35, mit Tafel im Tafelband.

3. CAMBRIDGE, Fitzwilliam Museum, Mc Clean 63.

   12 + 269 ff. parchemin, 143 × 115 mm. Écriture du XVᵉ-XVIᵉ siècle.
Initiales peintes ; bordures et rinceaux marginaux. Notation carrée sur
portée de 4 lignes rouges ; guidon ; 7 portées par page (fac-similé dans le
catalogue de James, plate XLII). Origine : le couvent Saint-Louis-de-Poissy
(la dédicace de l'église conventuelle figure au calendrier à la date du
12 février). Au f. 1, armoiries de la religieuse utilisant ce ms. : lion rampant.
Acquis en 1892 par le Fitzwilliam Museum.

Processionnal dominicain de Poissy

I-XII : Calendrier (12 février : Dedic. eccles. b. Ludovici de pissiaco, comme
dans deux autres mss. de Poissy : Paris, Bibl. de l'Arsenal, 107 et Bibl.
Mazarine, 381).

1, Purification (2 février) : A/ Lumen, avec rubriques et oraisons. 7v,
Mercredi des cendres (rubriques et oraisons). 14, Dimanche des Rameaux :
A/ Pueri Haebreorum. 25v, Ordo altarium abluendorum : la liste des autels
est identique à celle du ms. suivant. Pour le maître-autel [26v], A/ Ludovicus decus regnantium (A/ des I Vêpres de l'office composé par le dominicain Arnaud du Pré [d 1306] : Cf. Londres, British Library, Add. MS.
23935, f. 7 ; Paris, B.N. lat. 911, office transcrit par M.J. Epstein dans
Speculum LIII, 2 [1978], p. 308-334). 48, Mandatum. 67, Vêpres du Jeudi
saint. Au 26, VIII (sci. Ludovici), bordures et initiale historiée : R/ Felix
regnum. R/ Regnum mundi (comme dans le ms. de Baltimore WAG
W. 107). 98, Corpus Christi : R/ Panis oblatus caelitus v/ Confortantem.
99, R/ Granum excussum. 99v, R/ Discedentem (comme le ms. de
Baltimore). Le sanctoral commence au 24 juin (101v), mais quelques ff.
de cette partie sont intervertis. 105, saint Dominique. 107, fin des pièces
du 26 août. 112, Processions et messes pour diverses circonstances : 126,
Messe de saint Vincent Ferrier [canonisé en 1458]. Missa contra pestem :
Recordare. 130 ss. Prosaire dominicain.

   Bibliographie : M.R. James, *A Descriptive Catalogue of the Mc Clean
Collection...* (1912), p. 127-130 & plate XLII (= f. 84).

4. CHARTRES, Archives du diocèse de Chartres, MS. 6.

128 ff. parchemin (+ 4 ff. de garde en papier) 186 × 125 mm. Reliure veau
XVIIᵉ siècle avec filets dorés d'encadrement ; dorures sur tranche ; 2 fermoirs

cuir. Sur le plat supérieur : THÉRÈSE DE BLAGNY. Sur le plat inférieur :
LE CAMVS. Écriture du XVIe siècle (vers 1540, mais avant 1546). Bordures
à fleurs et à fruits à chaque page. Initiales historiées aux principales fêtes :
1, Purification. 47, Jeudi saint : le Christ avec ses apôtres. 83, Pâques. 89,
Corpus Christi. 93, saint Jean-Baptiste. 97, saint Dominique. 100, As-
somption. 104, sœur dominicaine en prière aux pieds de saint Louis
(Moreau-Rendu, *Le Prieuré royal...*, face à la p. 121). 118, Nativité de la
Vierge. Notation carrée sur portée de 4 lignes rouges ; 7 portées par page.
Ce processionnal a appartenu à la sœur Marie de Pisseleu, prieure de
Saint-Louis-de-Poissy en 1540 (sa devise, « Espoir en Dieu », est peinte au
f. 1), puis abbesse de Maubuisson en 1546. Son livre passa ensuite à l'usage
de Thérèse de Blagny et de Le Camus. Enfin, sur un papier suivant la feuille
de garde, on lit : A Nôtre usage Sr Devillers. Le processionnal passa enfin
entre les mains de Gabriel Buisson (d 1929), conservateur à la Bibliothèque
de Chartres, puis, vers 1932, à son successeur, le chanoine Yves Delaporte
(décédé le 11 avril 1979 dans sa centième année), qui le légua aux Archives
du diocèse de Chartres.

Processionnal dominicain de Poissy

1, 2 février : A/ Lumen. 12v, Dimanche des Rameaux. 24v, Feria V in Cena
Domini : Ordo altarium abluendorum in ecclesia beati Ludovici de Pissiaco
(cf. liste des 21 autels dans Moreau-Rendu, p. 56). 46v, Mandatum. 54v,
Discours après la Cène. 104, Fête de saint Louis. 115, Ad novitiam
recipiendam. 118, De oratione pro capitulo generali et pro pergentibus ad
illud. 121, Missa contra pestem. 124v, De sancto Vincentio [Ferrier],
tractus.

Bibliographie : Y. Delaporte, *Manuscrits liturgiques* [de Poissy], dans
S. Moreau-Rendu, *Le Prieuré royal de Saint-Louis-de-Poissy*, Colmar 1968,
p. 321-322, avec planche, p. 120. — Notes (photocopiées) du chanoine
Y. Delaporte et renseignements complémentaires dus à l'obligeance de
M. l'abbé Pierre Bizeau, archiviste du diocèse de Chartres.

5. *LONDRES*, British Library, Additional MS. 45111.

82 ff. parchemin (plusieurs lacunes), 180 × 130 mm. Reliure moderne,
avec au dos le titre « Processionnal presented anonymously ». Écriture et
décoration du XVIe siècle. Belles initiales, particulièrement au f. 17v, pour
saint Louis. L bleu sur fond jaune, semé de grenades et de feuilles. Notation
carrée sur portée de 4 lignes rouges ; guidon en fin de portée ; 6 portées par
page. Le manuscrit a été acquis en 1938 par la British Library.

Processionnal dominicain de Poissy

Lacune initiale : fin des pièces de la Purification (2.II). 6, Dimanche des
Rameaux : A/ Pueri Haebreorum. 11, Jeudi saint. 17, Ordo altarium
abluendorum in Cena domini in ecclesia beati Ludovici de pyssiaco. Et in
primo de beato Ludovico : [17v] A/ Ludovicus decus regnantium (liste des
autels comme dans l'éd. de S. Moreau-Rendu, *Le Prieuré royal...*, p. 56).
29, Mandatum. 36, Vadat conventus ad ecclesiam et residentibus sororibus
dyaconus stans ad pulpitum sibi preparatum prosequitur... (discours après

la Cène, Jo XIII 1-XIV 31 : Surgite eamus hinc). 47, Vendredi saint et fragments du sanctoral, notamment 72, A/ O lumen ecclesiae (Corpus Christi), 74v, A/ O lumen ecclesiae (saint Dominique), incomplète. A/ O decus ecclesiae (saint Louis) : *AH* 13, p. 198; même mélodie que pour les deux pièces précédentes (cf. Paris, B.N. lat. 911, f. 22). 74, R/ ////valle lubrici mundi...v/ Per quem multos (saint Dominique).

6. OXFORD, Bodleian Library, Rawlinson liturg. f. 35.

181 ff. parchemin, 155 × 106 mm. Reliure à la fanfare; au dos, les initiales M.D. Écriture de la seconde moitié du XVe siècle. Notation carrée sur portée de 4 lignes rouges, sans guidon; 7 portées par page. Origine : le couvent des dominicaines de Saint-Louis-de-Poissy (cf. f. 31v, litanies; f. 130, fête de saint Louis; 153v, ablution des autels). Provenance : « Ex bibliotheca Nicol. Jos. Foucault » [au verso du plat supérieur], conseiller d'État (d 1721).

Heures et Processionnal de Poissy

1-94, Heures de la Vierge, Heures de la mort, Prières privées et méditations sur la Passion.

95, Processionnal : Dimanche des Rameaux. 108 (Jeudi saint) : Hic ponantur antiphonae et V/ et orationes de sanctis secundum disposicionem altarium in quolibet conventu. Les pièces propres en question sont reportées au f. 153v : Ordo ablutionis altarium in Cena domini in ecclesia beati Ludovici de Pissiaco (liste des autels dans le même ordre que dans l'éd. de S. Moreau-Rendu, *Le Prieuré royal...*, p. 56). 130 (26.VIII : sci. Ludovici) ad processionem : R/ Felix regnum v/ Rex erigit. R/ Regnum mundi supergressus v/ Peregre. R/ O sparsor divitiarum v/ Qui tot egris (comme dans le ms. de Baltimore). 132 (Corpus Christi) R/ Panis oblatus celitus. v/ Confortantem.

137, Rituel des funérailles et (168v) office des morts selon l'usage dominicain.

Bibliographie : W.H. Frere, *Bibliotheca musico-liturgica*, I, p. 108, n° 312; S.J.P. Van Dijk [Catalogue dactylographié des livres liturgiques de la Bodleian] II, p. 91; T. Bailey, *The Processions of Sarum and the Western Church*, Toronto 1971, p. 91, n° 90.

7. PARIS, Collection particulière, MS. 8.

103 + 42 ff. parchemin + 8 ff. papier, 110 × 75 mm. Reliure de cuir brun. Dos à 4 nerfs, fleurs d'or dans les compartiments; 2 fermoirs. Écriture de la fin du XVe siècle. Initiales bleues et rouges ou à l'encre noire avec des touches de jaune. Dans le prosaire, initiales d'or sur fond résillé bleu et rouge. Au fol. 0, addition du XVIe siècle : entrée de Jésus à Jérusalem. Notation carrée sur portée de 4 lignes rouges; barres verticales de division rares; guidon menu; 6 portées par page. Provenance inconnue.

Processionnal et Prosaire de Poissy

1-3 (addition) Benedictio candelarum. 4, Dimanche des Rameaux : A/ Pueri Haebreorum. 31v, sci Dominici. 38, Kyrie II du *Graduale romanum* (édition vaticane). 38v, Prosule Sospitati. 43, A/ O lumen ecclesiae, cibus. 43v, A/ O lumen ecclesiae, doctor veritatis. 47 (25.VIII : sci. Ludovici : R/ Felix regnum v/ Rex erigit. 64, Vigiliae mortuorum (notées). 86, A/ Clementissime. 88, Ordo ablutionis altarium in Cena domini in ecclesia beati Ludovici de Pissiaco (liste des autels comme dans l'éd. de S. Moreau-Rendu, *Le Prieuré royal...*, 1968, p. 56), avec en plus un suffrage à saint Antoine de Padoue : O proles Hyspaniae, pavor infidelium [VIe t.] et une antienne à la Croix. 103v, blanc.

Le prosaire qui suit comporte une foliotation recommençant au fol. 1 : 13, In translatione beati Ludovici (renvoi implicite à la fête). 35, De sco. Ludovico : (35v) Regem regum veneremur (*AH* 55, p. 147).

8. PHILADELPHIE, PA. Free Library, Collection John F. Levis, MS. 7. 141 ff. vélin, 185 × 120 mm. Reliure de maroquin bleu estampé à chaud : couronne et filets. Tranches dorées. Écriture du début du XVIe siècle. Initiales historiées; bordures à rinceaux et fleurettes. Notation carrée sur portée de 4 lignes rouges. Provenance : ancien n° 67. Puis vente Sotheby à Londres. Acheté en 1910 par Charles Sessler, le ms. fit partie de la collection de John F. Levis, léguée à la Free Library après sa mort, en 1932.
Processionnal dominicain de Poissy
Outre les chants de procession, ce manuscrit donne encore les versets et oraisons dites par le célébrant.
F. de g. (add.) : 2.VII, Visitation. 1, Dimanche des Rameaux : A/ Pueri Haebreorum, 29, Ordo altarium abluendorum in ecclesia beati Ludovici de Pissiaco (la liste des autels est identique à celle qui a été éditée par S. Moreau-Rendu, *Le Prieuré royal...*, p. 56). Suppléments divers : 97, Corpus Christi. 112, 26. VIII : sci. Ludovici. 125, Vêture novitiale. 130, Missa contra pestem : Recordare domine. 138, sci. Sebastiani.
Bibliographie : Seymour de Ricci, *Census* II, p. 2032, n. 45. J. Wolf, *A Descriptive Catalogue of the John Frederick Lewis Collection of European Manuscripts in the Free Library of Philadelphia* (Philadelphia 1937), p. 10, n. 7, avec planche (= f. 116v).

9. ROUEN, Bibliothèque municipale, Collection Leber 144, MS. 3030. 64 ff. 147 × 100 mm. Reliure de maroquin estampé à chaud : motifs géométriques avec palmettes aux extrémités des diagonales. Écriture du XVe siècle. Initiales bleues à filigranes rouges, quelques-unes (ff. 35 et 55) en or. Notation carrée sur portée de 4 lignes rouges; guidon de seconde main, *passim*; 6 portées par page. Provenance inconnue (le fonds Leber a été catalogué en 1838).
Processionnal dominicain de Poissy
1. Dimanche des Rameaux : A/ Pueri Haebreorum. 9, Jeudi saint : 18v, Hic ponantur antiphonae V/ et orationes de sanctis secundum dispositionem altarium in quolibus (*sic*) conventu. L'Ordo altarium abluendorum... figure au f. 58 : il est identique à celui des mss. précédents, mais présente une lacune au f. 64v, après le suffrage des saints Loup et Éloi. 39v,

R/Granum excussum palea. 46v (26.VIII : sci. Ludovici) R/ Felix regnum v/ Rex erigit, etc. 50v, Dédicace. 55 (sans titre) Corpus Christi : R/ Panis oblatus celitus v/ Confortantem (*AH* 12, p. 31), etc.

Bibliographie : S. Moreau-Rendu, *Le Prieuré royal de Saint-Louis-de-Poissy*, Colmar, 1968, p. 321.

10. WASHINGTON, DC., Dominican College Library, MS. 1.
93 ff. parchemin, 190 × 130 mm. Reliure de cuir estampé à chaud. Écriture du début du XVIᵉ siècle (ca. 1510). Initiales décorées sur fond or et initiales noires à la plume, rehaussées de jaune. Peintures à pleine page ou à trois quarts de page, encadrées de bordures à fleurs, fruits et insectes : 7, entrée de Jésus à Jérusalem. 18, la dernière Cène. 31v, Résurrection. 35, Ascension. 40, saint Thomas d'Aquin tenant un livre ouvert dans la main gauche et un calice dans la main droite. 44, Assomption. 55, Annonciation, 61v, conversion de saint Paul. 63v, Pentecôte. 71v, saint Dominique. 76v, saint Michel. 79, le Christ au milieu de tous les saints.
Notation carrée sur large portée de 4 lignes rouges, habituellement sans guidon ; 5 portées par page. Origine : l'attribution de ce processionnal à Poissy repose uniquement sur le fait de sa décoration, car il ne contient ni suffrages pour l'ablution des autels, ni litanies des saints, ni pièces propres pour la fête de saint Louis au 26 août. Provenance : le manuscrit a été offert à Edward Fenwick par Joseph van Huerne le 1ᵉʳ mars 1826.
Processionnal dominicain (de Poissy ?)
Ce processionnal contient, outre les chants de procession, les versets et oraisons dits par le célébrant en fin de procession. 1, Purification : A/ Lumen. 7, Dimanche des Rameaux. 12v, Genuflexis genibus in navi ecclesiae ante crucem : A/ Ave rex noster. 14, Item duo juvenes : Gloria laus. 18, Mandatum du Jeudi saint. 40, Corpus Christi : R/ Respexit Helyas. 59v, In festo beati Vincentii martyris (22 janvier) : R/ Christi miles pretiosus v/ Inter haec (*CAO* 4, n. 6277). 61v, In utroque festo sancti Pauli (25 janvier et 30 juin) : R/ Magnus sanctus Paulus v/ Christo de caelo (*CAO* 4 n. 7123). 67v, 29 juin : R/ Cornelius centurio v/ Cum orasset (*CAO* 4, n. 6340). 76v, 29 septembre : R/ Te sanctum dominum v/ Cherubim quoque. 79, 1ᵉʳ novembre : R/ Concede nobis v/ Adjuvent nos (*CAO* 4, n. 6305). Après le commun des saints et les pièces de circonstance, un bifolium de papier (ff. 94-98v) a été ajouté pour noter cinq pièces supplémentaires, entre autres l'A/ Haec est preclarum vas (f. 95) et l'H/ Jesu dulcis memoria (f. 96).

Bibliographie : notice dactylographiée du R.P. Matthew Rzeczkowski, o.p., Assistant Librarian (9 septembre 1982).

LE SANCTORAL DU SACRAMENTAIRE
DE LA COLLECTION PHILLIPPS

Mgr Pierre JOUNEL

Le sanctoral du sacramentaire de la collection Phillipps *(Phillipps 1667, Bibliothèque Berlin, ms. lat. 105)*, que dom O. Heiming a publié sous le titre de *Liber sacramentorum Augustodunensis*[1], présente un intérêt exceptionnel. Ce sacramentaire appartient à la famille des Gélasiens du VIIIe siècle. Il est proche du sacramentaire d'Angoulême, dont il possède intégralement le sanctoral, sauf pour les trois mois qui courent du 25 mai au 29 août, car le manuscrit est malheureusement incomplet, mais il y ajoute les formulaires de seize fêtes, dont il est le plus ancien, et, pour certaines, le seul témoin. Parmi elles, dix concernent des saints de la Gaule. Dom P. de Puniet, qui a présenté naguère ces dernières, est toutefois quelque peu anachronique, quand il parle d'un « Propre national »[2]. Toutes les villes, où l'on vénère les tombeaux de ces saints, se situent d'ailleurs à l'intérieur d'un périmètre qui va de Paris à Angers, Poitiers, Autun, Reims et Paris. Un autre formulaire s'impose peut-être encore davantage à l'attention, celui de la Chaire de saint Pierre à Rome, fêtée le 18 janvier. Dom O. Heiming en a analysé les textes, mais sans en percevoir l'importance héortologique. Enfin le *Phillipps* contient, comme d'ailleurs ses congénères, des mentions de saints dont on ne sait guère expliquer la présence dans un sacramentaire de l'est de la Gaule. Autant de questions qui ont suscité notre étude.

I. *L'apport des Gélasiens du VIIIe siècle au sanctoral romain*

Le sanctoral du sacramentaire *Phillipps* est constitué de trois strates bien distinctes. La première consiste dans le sanctoral grégoriano-gélasien des sacrementaires *Paduense D 47* et *Reginensis lat. 316*. La deuxième est constituée du fonds commun des Gélasiens du VIIIe siècle. La troisième tient

---

1. *Liber sacramentorum Augustodunensis* cura O. Heiming *editus* : CC *series latina CLIX B*, Turnhout, Brepols, 1984. Cité sous le sigle *P*.

2. P. de Puniet, Le Sacramentaire gélasien de la collection Phillipps (fin du VIIIe siècle) », *ELit* Romae 1929, p. 1-45.

à l'apport spécifique du *Phillipps* lui-même. Il ne sera pas fait état ici de la source grégoriano-gélasienne, mais le fonds gélasien du VIIIe siècle doit retenir l'attention de qui veut aborder les éléments propres au *Phillipps,* car il en éclaire certaines étrangetés.

Les Gélasiens du VIIIe siècle ont été les premiers à introduire dans la liturgie les fêtes individuelles des Apôtres. On y trouve aussi certaines fêtes de martyrs dont on explique d'autant moins la présence en Gaule que les sacramentaires romains les ignorent. Ils proposent enfin la célébration de plusieurs confesseurs parmi les plus marquants.

Deux fêtes secondaires de Pierre et de Paul

Tous les Gélasiens du VIIIe connaissent la *Cathedra S. Petri* au 22 février. Tous, à l'exception de celui de Gellone, la *Conversio S. Pauli* au 25 janvier. Ces deux fêtes sont inscrites dans le Martyrologe hiéronymien [3] et le Calendrier de S. Willibrord, qui lui fait suite dans le manuscrit d'Echternach [4]. Martyrologe et Calendrier mentionnent même deux fois la Chaire de S. Pierre, à Rome (*MH* 46) et à Antioche (*MH* 109), comme on le verra plus loin. Les livres liturgiques gallicans antérieurs n'ignoraient pas ces fêtes. Le *Missale Gothicum* donne, à la suite, la Conversion de S. Paul et la Chaire de S. Pierre (vraisemblablement au 22 février) [5]. Le Missel de Bobbio [6] et le Lectionnaire de Luxeuil [7] placent la fête pétrinienne en janvier. Le lectionnaire la fait suivre de trois dimanches *post Cathedram S. Petri,* ce qui témoigne de son importance.

Quoi qu'il en soit de ces témoins gallicans, la fête de la Chaire de Pierre au 22 février apparaît pour la première fois en 354 à Rome, où elle s'enracine dans des usages pré-chrétiens relatifs à la commémoration annuelle des défunts de chaque famille [8]. Attestée encore à Rome au temps de Léon le Grand [9], elle en avait disparu ensuite pour des raisons que nous ignorons, mais elle était célébrée au VIe siècle en Gaule, et dans le contexte socio-culturel romain, comme en témoigne le Concile de Tours de 567 [10]. Il n'est donc pas étonnant qu'on la trouve dans un sacramentaire franc du VIIIe siècle. Quant à la fête de la Conversion de S. Paul, on ne connaît ni l'origine, ni la raison, du choix du 25 janvier pour sa fixation. Ignorée à

---

3. *Martyrologium Hieronymianum* : H. Delehaye, *Commentarius perpetuus in. Acta Sanctorum Novembris, tome II Pars posterior,* Bruxelles 1931. Le Martyrologe hiéronymien sera cité sous le sigle *MH.*

4. *The Calendar of St. Willibrord (from MS. Paris. Lat. 10837)* edited by H.A. Wilson, London 1918 (HBS 55).

5. L.C. Molhberg, *Missale Gothicum,* Romae 1961, (REDMF 5), n°s 143-157.

6. E. Lowe, *The Bobbio Missal, Text,* London 1920 (HBS 58).

7. P. Salmon, *Le Lectionnaire de Luxeuil,* Città del Vaticano 1944 (CLB 7), p. 66.

8. *Depositio martyrum,* dans L. Duchesne, *Le Liber pontificalis,* École française de Rome, 2e édition, 1955, tome I, p. 10.

9. *Lettre de Valentinien III,* publiée parmi les lettres de S. Léon le Grand, PL 54, 857.

10. *Concilium Turonense anno 567, 23 (22),* dans *Concilia Galliae a. 511-a. 695,* cura C. De Clercq, CC series latina CXLVIII A, Turnhout, Brepols, 1963.

Rome, attestée par le Hiéronymien et le Calendrier de S. Willibrord, ainsi que par le *Missale Gothicum*, elle est incontestablement d'origine gallicane.

Les fêtes des autres Apôtres

Les Gélasiens du VIIIᵉ siècle sont les premiers à proposer les fêtes des Apôtres (à l'exception de celle de S. Matthias) au long de l'année. Ils le font, en y ajoutant S. Luc, aux dates qui furent celles du Missel romain jusqu'en 1955. Ils tiennent les noms et les dates du Martyrologe hiéronymien, où les Apôtres se trouvent mentionnés deux fois : chacun au jour de sa fête, dans le cours de l'année, et tous ensemble dans une notice initiale, où l'on trouve la date et le lieu de leur mort (*MH* 2-4). Le Hiéronymien est tributaire lui-même des divers Actes apocryphes des Apôtres, dont on trouve des recueils dès le VIᵉ siècle.

Les fêtes des martyrs

Les Gélasiens du VIIIᵉ contiennent les formulaires de cinq fêtes de martyrs, dont les noms sont consignés dans le Martyrologe hiéronymien, mais dont les formulaires se trouvent insérés pour la première fois dans un sacramentaire.

23 janvier. *Emerentiani et Macharii* (*P* 186). Le Hiéronymien annonce à ce jour *Macharius* (*MH* 58). Le manuscrit de Berne y ajoute *Emerentianus*, corrigé en *Emerentiana* par celui de Reichenau. Tous annoncent *Emerentia* ou *sanctus Emerentianites*, au 16 septembre, avec quatre autres martyrs déposés au Cimetière Majeur, sur la via Nomentana, non loin de celui de sainte Agnès (*MH* 511). La *Passio* d'Agnès ayant fait d'Emérentienne la sœur de lait de la jeune martyre et rapportant qu'elle fut lapidée sur son tombeau peu après sa mort, on voulut rapprocher les deux fêtes. Le Martyrologe de Bède assura la perennité à cette date [11]. Quant à Macharius, il était prêtre de l'Église d'Antioche et fut mis à mort sous l'empereur Julien.

25 janvier, *Preiecti* (*P* 190). S. Prix, évêque de Clermont, honoré comme martyr, fut assassiné à Volvic (Puy-de-Dôme), en 676. Quelques fragments de ses restes furent transférés vers 765 à l'abbaye de Flavigny (Côte-d'Or), à laquelle il donna son nom. Or, on pense que la compilation initiale du Gélasien du VIIIᵉ siècle fut réalisée dans cette abbaye. C'est pourquoi il donne à Prix le titre de *fidelis patronus* (*P* 192).

10 février. *Zotici, Herenei et Iachynti* (*P* 229). Les Gélasiens du VIIIᵉ sont seuls à grouper ces trois noms. Le Hiéronymien annonce au 10 février *Romae, via Lavicana, Zotici et Amantii* (*MH* 85), après avoir mentionné

---

11. J. Dubois et G. Renaud, *Édition pratique des Martyrologes de Bède, de l'Anonyme Lyonnais et de Florus*, Institut de recherche et d'histoire des textes, CNRS, 1976, p. 20. Au VIᵉ siècle, Emérentienne a déjà pris rang dans la procession des vierges de la basilique Saint-Apollinaire-le-Neuf à Ravenne, mais elle n'y est pas voisine d'Agnès.

Zoticus avec *Castulus* au 12 janvier (*MH* 37). Il évoque *Iacinthus* le 4 août
(*MH* 417). Tous les quatre reposent au 10ᵉ mille de la via Lavicana. Quant
à *Hireneus*, c'est un martyr de la via Tiburtina, au cimetière de S. Laurent,
annoncé au 23 août (*MH* 460), mais les Actes de S. Sébastien font d'une
Hierenea la veuve de Castulus (*MH* 86). Cette dernière mise à part, il s'agit
donc de quatre martyrs, inhumés dans le même cimetière. En 1956, on a
retrouvé ce cimetière de campagne en ruine. Il contenait, dans sa galerie
principale, une chapelle de quelque ampleur et une petite crypte ornée
d'une fresque fort endommagée où l'on reconnaît la partie inférieure de
trois personnages vêtus de la tunique et du pallium. A leurs pieds, deux
coffrets avec des rouleaux de la Loi[12]. Une fresque du Xᵉ siècle représentait
Zoticus dans la basilique Saint-Sébastien *in Pallara* sur le Palatin. Voilà donc
un groupe de martyrs obscurs, inconnus de la liturgie locale de Rome. Leur
inscription dans les Gélasiens francs constitue une énigme. Il en va de
même pour la mention suivante.

    14 février. *Zenonis* (*P* 238). Le sacramentaire Grégorien donne, en ce
jour, le formulaire de S. Valentin, martyr de la via Flaminia (*MH* 92). Le
Gélasien ancien y ajoute *Felicula*, martyre de la via Ardeatina, ainsi que
Vitalis, martyr à Spolète (*MH* 94). Avec les Gélasiens du VIIIᵉ s., apparaît
un quatrième nom, celui de *Zenon*. Zénon est un martyr du cimetière de
Prétextat, où il reposait avec les saints Tiburce, Valérien et Maxime, dans
une petite basilique, que restaura le pape Hadrien (772-795). L'inscription
au Gélasien franc aurait-elle quelque lien avec l'événement ? Un demi-siècle
plus tard, le pape Pascal Iᵉʳ (817-824) devait lui ériger, dans la basilique
Sainte-Praxède, un oratoire dont la décoration de mosaïques constitue l'un
des chefs-d'œuvre de l'art carolingien (*MH* 96).

    22 septembre. *Mauricii cum sociis.* C'est sous ce titre que le *Missale
Gothicum*[13] donne le texte de la messe des martyrs d'Agaune, dont l'évêque
Eucher de Lyon fit connaître la *Passio* vers 450. Le 22 septembre 515,
l'évêque Avit de Vienne prononça une homélie près de leur tombe. Seul des
Gélasiens du VIIIᵉ siècle, le sacramentaire de Gellone ignore leur fête. Tous
les autres l'annoncent avec des titres plus ou moins détaillés. Le *Phillipps*
nomme avec Maurice ses compagnons Exupère, Candide, Victor, Innocent,
Vital et cinq mille cinq cent quatre-vingt-cinq autres soldats (*P* 877).
Eucher donnait le chiffre de six mille six cent soixante-six martyrs
(*MH* 522).

Les fêtes des confesseurs

    Les sacramentaires gélasiens du VIIIᵉ siècle sont les premiers témoins
d'une large extension du culte d'un certain nombre de saints non martyrs,
dont les activités ou les œuvres écrites étaient déjà connues de tout l'Occi-

---

12. S. Carletti, *Les antiche chiese dei martiri romani*, Edizioni « Roma », *Le chiese di Roma
illustrate, 122-123*, Roma 1972, p. 84.
    13. L.C. Molhberg, *Missale Gothicum*, l. c., nᵒˢ 419-424.

dent. Il s'agit des papes Grégoire le Grand (12 mars), Léon le Grand (11 avril) et Damase (10 décembre), de S. Augustin (28 août) et S. Jérôme (30 septembre) ainsi que de S. Benoît (11 juillet). La date choisie pour chacun d'eux est celle que donne le Martyrologe hiéronymien, à l'exception de Léon le Grand et de Benoît. Le pape S. Léon mourut le 10 novembre 461, mais le *Liber pontificalis* indique par erreur le 11 avril. Les sacramentaires ont suivi la Chronique papale, tandis que le Hiéronymien s'en tient au 10 novembre (*MH* 514). La date des sacramentaires francs sera celle du sanctoral romain jusqu'en 1969. Les manuscrits les plus anciens du Hiéronymien donnent le 21 mars pour la *depositio sancti Benedicti abbatis* (*MH* 155), mais l'Abrégé du Gellone et du *Phillipps* (*P* 273) reproduit la mention au 11 juillet. C'est la date retenue par les sacramentaires. Tandis que le mois de juillet fait défaut dans le *Phillipps*, les autres manuscrits proposent pour S. Benoît les oraisons qui seront affectées au Commun des abbés. La date du 11 juillet est diversement interprétée par les tenants et les détracteurs de la translation des reliques du saint à Fleury (Saint-Benoît-sur-Loire).

Le sanctoral gélasiano-franc devait avoir une influence décisive sur le développement du culte des saints en Occident. Par lui, les fêtes des Apôtres et des grands confesseurs sont entrées d'une manière irréversible dans le Calendrier. Les trois fêtes des martyrs romains se sont répandues dans les Pays francs, en Allemagne et en Angleterre, où elles ont été célébrées jusqu'au XIIe siècle [14]. Elles disparaissent ensuite, à l'exception d'Emérentienne, dont le nom est inséparable de celui d'Agnès. Mais elles n'ont pratiquement pas pénétré en Italie, comme en témoigne Ebner [15], et elles ne s'implantèrent jamais à Rome, où l'on n'en trouve que de rares mentions aux XIe-XIIe siècles [16].

II. *L'apport spécifique du sacramentaire de la collection Phillipps*

L'apport spécifique du sacramentaire *Phillipps* consiste, à son tour, en trois éléments : la double fête de la *Cathedra Petri*, quelques fêtes de martyrs, étrangères aussi bien à la tradition gallicane qu'à celle de Rome, et enfin les fêtes de plusieurs saints de la Gaule romaine ou mérovingienne.

La double fête de la Cathedra Petri

Les Gélasiens du VIIIe siècle ont restauré l'antique fête romaine de la *Cathedra Petri* au 22 février. Le *Phillipps* y ajoute celle du 18 janvier : *Cathedra sancti Petri apostoli qua primo Romae sedit*, en lui consacrant un

14. V. Leroquais, *Les sacramentaires et les missels manuscrits des bibliothèques publiques de France*, Paris 1924, tome III, table générale, p. 361, 423, 425.

15. A. Ebner, *Iter italicum*, Freiburg 1896, p. 471.

16. P. Jounel, *Le Culte des saints dans les basiliques du Latran et du Vatican au douzième siècle*, École française de Rome 1977, p. 136, 147.

formulaire propre (*P* 150-154), tandis que, pour la *Cathedra Petri* du 22 février, il reproduit le texte de ses congénères (*P* 244-246, 248), en y ajoutant toutefois une *contestatio* (*P* 247). Une fois de plus, ce sacramentaire manifeste sa dépendance du Martyrologe hiéronymien (*MH* 45), lequel précise que le 22 février commémore le *Natale cathedrae sancti Petri apostoli qua sedit apud Antiochiam* (*MH* 109). Le terme *natale* évoque la *Depositio martyrum* romaine de 354.

Le martyrologe est une compilation. Il n'est donc pas étonnant que le Hiéronymien se fasse l'écho d'une double tradition. La nouveauté du *Phillipps* tient à la coexistence des deux fêtes du 18 janvier et du 22 février dans la même église. Elle demeurera assez rare jusqu'à ce qu'elle soit imposée par le pape Paul IV en 1558 (*MH* 109).

L'origine gallicane de la fête du 18 janvier est indubitable, comme on l'a noté déjà. Au Missel de Bobbio et au Lectionnaire de Luxeuil (*supra* notes 6 et 7) on peut ajouter le témoignage d'un certain nombre de manuscrits des VIIᵉ-VIIIᵉ siècles répertoriés par dom P. Salmon [17]. Mais les historiens de la liturgie n'ont pas suffisamment relevé le peu de succès qu'a connu cette fête jusqu'à l'époque moderne. Il ne s'agit pas de deux traditions, l'une romaine, l'autre gallicane, qui se seraient maintenues parallèlement. La seconde est infime par rapport à la première. Leroquais renvoie seulement à Troyes et Rennes pour le Missel, y ajoutant Soissons et Strasbourg pour le Bréviaire. Quant à la présence des deux fêtes dans le même manuscrit, il ne signale qu'un sacramentaire de l'abbaye Saint-Melaine de Rennes (1ʳᵉ moitié du XIIᵉ siècle). Il faut y ajouter les deux Missels de Nantes du milieu du XVᵉ siècle, dont il n'a pas relevé le calendrier [18], ainsi qu'un sacramentaire datant de 1009 conservé à la cathédrale de Trèves (ms. 151, *olim* 118). Pour sa part, Ebner ne signale la fête du 18 janvier, dans son *Iter italicum*, qu'à Bobbio et à Fulda [19]. Or il se trouve que Bobbio, Trèves, Fulda et Nantes témoignent d'une filiation indéniable par rapport au *Phillipps* pour leurs formulaires.

Les cinq oraisons de notre sacramentaire sont empruntées au *Veronense* et choisies parmi celles des Apôtres Pierre et Paul au 29 juin [20]. Elles ont ceci de particulier qu'on ne les retrouve reproduites dans aucun sacramentaire grégorien. Quant à la préface (*P* 153), elle est une composition propre, comme la *contestatio* du 22 février. La première oraison (*P* 150) retient l'attention par la plénitude de son contenu, qui est un hommage à la primauté du Siège apostolique : *ineffabili sacramento ius apostolici princi-*

---

17. P. Salmon, *Le Lectionnaire de Luxeuil*, l. c., p. CVIII-CIX.

18. Ces deux manuscrits sont le ms. 223 de la bibliothèque municipale du Mans (Leroquais, l. c., tome III, p. 166-167) et le ms. du Séminaire de Nantes (Jounel, « Un Missel nantais du XVᵉ siècle », dans *Mélanges Martimort, Mens concordet voci*, Paris 1983, p. 508-517).

19. A. Ebner, *Iter italicum*, l. c., p. 82, 209. Ces sacramentaires sont, l'un et l'autre, du XIᵉ siècle.

20. L.C. Molhberg, *Sacramentarium Veronense*, Romae 1956 (REDMF 1), nᵒˢ 292, 344, 347, 349, 350.

patus in Romani nominis arce posuisti, lit-on dans le *Veronense,* qui attribue aux deux Apôtres la prédication de la vérité évangélique dans le monde entier (V 292). Transférant ce texte du 29 juin au 18 janvier, le *Phillipps* attribue la primauté romaine et l'évangélisation du monde au seul Pierre. C'est ce que faisait déjà saint Léon le Grand dans l'un de ses sermons *in natali Apostolorum : Beatus Petrus, princeps apostolici ordinis, ad arcem Romani destinatur imperii ut lux veritatis [...] per totum mundi corpus effunderet*[21]. On se trouve ici à l'un des points de rencontre privilégiés entre le sacramentaire dit « léonien » et l'œuvre de Léon le Grand. Cette oraison d'une si belle facture ne devait passer, par-delà le *Phillipps,* que dans les rares sacramentaires ou missels qui ont adopté après lui la fête du 18 janvier. En la relevant à Bobbio et à Fulda, Ebner a tenu à la citer intégralement chaque fois[22]. On la retrouve aussi dans les deux missels nantais du XVᵉ siècle, sans qu'on puisse s'expliquer par quelle voie a pu se faire la transmission. La préface reprend le même thème de la mission de Pierre qui, ayant confessé sa foi dans le Christ, reçut la mission d'ouvrir la vraie lumière à toutes les églises, car *omnis ecclesia initium in fundamento fabricantis adsumpsit* (P 153).

Fêtes de martyrs et dédicaces d'églises

Le sacramentaire *Phillipps* contient, entre le 30 septembre et le 1ᵉʳ décembre, quatre fêtes de provenances diverses, de même type que celles dont on a relevé les formulaires entre le 23 janvier et le 14 février.

30 septembre. *Depositio sancti Hieronimi et natale Emeli et Casti* (P 918-922). Le 30 septembre est le jour de la déposition de S. Jérôme à Bethléem (MH 534). Mais les martyrs africains Aemilius et Castus, dont font mention Cyprien et Augustin[23], sont inscrits au Hiéronymien le 22 mai (MH 267). Ils sont déjà mentionnés à cette date dans le Calendrier de Carthage (début du VIᵉ siècle). C'est à Plaisance que, par un hasard de substitution de noms, leur fête fut établie à ce jour[24]. C'est donc de cette ville que le sacramentaire *Phillipps* et l'Abrégé du Hiéronymien qui lui fait suite (P 278), l'ont reçue.

18 octobre. *Natale sanctorum martyrum Agne, Luce et Victoris* (P 961-965). Il s'agit ici du groupement en un seul formulaire de trois mémoires étrangères l'une et l'autre. Au natale *sci Lucae evangelistae,* inscrit dans les autres sacramentaires (*Gellone,* 259) on a joint la dédicace d'une basilique élevée en l'honneur de sainte Agnès au Porto romano, près

---

21. Léon le Grand, *Sermo 82, 3,* éd. A. Chavasse, CChr series latina 138 A, Turnhout, Brepols 1973 p. 511-512.

22. Ebner, *Iter italicum,* 1. c. p. 82 (Bobbio, texte intégral), 209, note 1 (Fulda, texte quelque peu abrégé). Dans Nantes (*supra* note 19), le texte est reproduit intégralement.

23. Cyprien, *De lapsis, 13*; éd. Hartel, p. 246. Augustin, *Sermo 285, In die natali Martyrum Casti et Aemilii* (PL 38, 1293-1297).

24. B. de Gaiffier, *Études critiques d'hagiographie et d'iconologie,* Bruxelles 1967, Subsidia Hagiographica, 43, p. 378-388.

de celle d'Hippolyte à Ostie (*MH* 560), et d'un martyr africain nommé Victor impossible à identifier tant le nom de Victor est fréquent dans l'hagiographie de l'Afrique[25]. Le Hiéronymien le mentionne (*MH* 561). Ce groupement témoigne à nouveau de la dépendance inconditionnelle du sacramentaire par rapport au martyrologe (*P* 279).

17 novembre. *Natale sanctorum martyrum Agustini et Felicitatis et depositio sancti Aniani confessoris* (*P* 119). Le sacramentaire rassemble dans un formulaire liturgique unique la mémoire de deux martyrs de Capoue et de l'évêque d'Orléans Aignan. Le Hiéronymien fait mention d'Augustin et Félicité au 16 et 17 novembre (*MH* 602-603). Augustin était évêque de Capoue, où il subit le martyre avec sa mère Félicité. Ils sont représentés, l'un et l'autre, dans la mosaïque absidiale de la basilique Saint-Prisque de Capoue. Leur culte est attesté à Sens du XIIIe au XVe siècle[26]. Le Missel de Sens du XIIIe siècle (1re moitié) rassemble la mention des saints Augustin et Félicité et de saint Aignan dans les mêmes termes que le *Phillipps*. Quant à leurs reliques, transférées à Bénévent, elles connurent une diffusion lointaine. Leur présence est attestée jusqu'en Germanie au Xe siècle[27].

1er décembre. *Dedicatio basilice sancti Stephani protomartyris in Hierusalem*. Le *Phillipps* fait mention de la dédicace d'une basilique Saint-Étienne à Jérusalem tant dans le sacramentaire (*P* 1099-1104) que dans la martyrologe (*P* 281). Leroquais, qui a relevé la date de la dédicace de près de trois cents églises de France, n'en mentionne aucune au 1er décembre[28]. Seul le Calendrier de marbre de Naples, du milieu du IXe siècle, indique en ce jour la *DEDIC. BASIL. STEPHAN.*, en omettant les mots *sancti* et *in Hierusalem*[29]. Or, à la fin du Ve siècle, l'évêque de Naples Étienne avait érigé près de la cathédrale une basilique que l'on appela, selon l'usage de l'époque, la *Stephania*[30]. Le *Phillipps* a donc accueilli la dédicace napolitaine, comme il a reçu les martyrs de Capoue, Augustin et Félicité.

Saints de la Gaule romaine et mérovingienne

Les formulaires attribués par le sacramentaire *Phillipps* aux saints de la Gaule romaine et mérovingienne ont été présentés avec tout le soin désirable

---

25. V. Saxer, « Victor, titre d'honneur ou nom propre ? », *Miscellanea Josi, III, RivAC* 44, 1968, p. 209-218. Dans son étude sur *Les Sacramentaires romains, seconde partie, tome I, Les Gélasiens du VIIIe siècle*, Québec, Presses Université Laval 1952, E. Bourque donne une lecture tout à fait erronée de cette notice. Il y voit les saints Agent, Pient et Colombe, de Moyenvic, en Lorraine, p. 105.

26. V. Leroquais, *Les Sacramentaires*, l. c., II, 83. *Les Bréviaires des bibliothèques publiques de France*, Paris 1934, III, 4 ; IV, 157, 161.

27. « Wolfenbüttel (Manuscrits liturgiques de) », *DACL* XV, 3263.

28. V. Leroquais, *Les Bréviaires*, l. c., V, 78-84.

29. D. Mallardo, *Il Calendario marmoreo di Napoli, ELit* 68, 1944, p. 137. Le texte est reproduit avec sa graphie originale dans art. *Calendrier DACL* II, 1590.

30. Art. *Naples, DACL* XIII, 735-736.

par P. de Puniet et O. Heiming (*supra* notes 1 et 2). On se contentera ici de situer brièvement leurs fêtes dans le calendrier.

Deux des saints, dont on célèbre la mémoire, appartiennent à la Gaule romaine : S. Denys et S. Hilaire.

9 octobre. *Natale sanctorum Dionisi, Eleuteri et Rustici* (*P* 948 a). Le Hiéronymien donne à Denys le titre d'évêque, à Éleuthère celui de prêtre et à Rustique celui de diacre (*MH* 548). Le sacramentaire ne contient aucun formulaire propre. Il renvoie exceptionnellement à celui des saints Simplice, Faustin et Béatrice au 29 juillet.

13 janvier. *Depositio sancti helarii episcopi et confessoris* (*P* 127-132). Inscrite au Hiéronymien, la fête de S. Hilaire († 364) était déjà dotée d'un formulaire dans le *Missale Francorum*[31].

On ne sait s'il faut attribuer à l'époque de la Gaule romaine le martyre de sainte Reine d'Alésia, dont les Actes sont « dépourvus de toute valeur historique »[32], mais qui était déjà vénérée au VIe siècle (*MH* 493). Le sacramentaire *Phillipps* annonce au 7 septembre le *Natale sanctae Reginae virginis et martyris* (*P* 812-814).

Six fêtes honorent en réalité sept saints de la Gaule mérovingienne, celle du 1er octobre en célébrant deux. De ces saints, on peut dire qu'ils sont tous inscrits au Martyrologe hiéronymien. Mais, si leur culte est ainsi attesté à la fin du VIe siècle, le sacramentaire *Phillipps* est le premier à leur consacrer un formulaire liturgique. Il contribue dès lors à une extension certaine de ce culte. Voici les saints concernés.

3 janvier. *Natale sanctae Genoveve virginis* (*P* 96-101). Le nom de sainte Geneviève, morte à Paris au début du VIe siècle (*MH* 24), est inscrit au *Nobis quoque* du Canon du sacramentaire d'Angoulême[33].

1er mars. *Depositio sancti Albini episcopi et confessoris* (*P* 249-253). Saint Aubin, évêque d'Angers, mourut vers 560 (*MH* 121). Son culte est attesté peu après sa mort par Venance Fortunat et Grégoire de Tours[34].

7 septembre. *Natale sancti Clodoaldi confessoris* (*P* 808-811). Petit-fils du roi Clovis et de la reine Clotilde, saint Cloud mourut à Nogent, devenu Saint-Cloud, près de la Seine, vers 560 (*MH* 493). Grégoire de Tours témoigne de ses vertus[35].

13 septembre. *Depositio sancti Maurilionis episcopi et confessoris* (*P* 831-835). Saint Maurille, évêque d'Angers, mourut en 453 (*MH* 504). Sa vie fut écrite par l'un de ses successeurs Magnabodus en 619-620.

---

31. L.C. Mohlberg, *Missale Francorum*, Romae 1959 (REDMF 2) n°s 80-91.

32. H. Delehaye, *Les Origines du culte des martyrs*, Bruxelles 1933 (Subsidia Hagiographica 20), p. 353.

33. *Liber sacramentorum Engolismensis*, éd. par P. Saint-Roch, *CC series latina CLIX C*, Turnhout 1987, n° 1766. On lit aussi les noms de Denys, Rustique et Eleuthère, et celui d'Hilaire au *Communicantes*, n° 1757. Le Lectionnaire de Luxeuil, en donne les lectures, l. c., p. 23-24.

34. Venance Fortunat, *Vita S. Albini*; *PL* 88, 479. Grégoire de Tours, *De gloria confessorum*, 96 (*PL* 71, 899).

35. Grégoire de Tours, *Historia Francorum*, III, c. 18 (*PL* 71, 258).

1ᵉʳ octobre. *Translatio sancti Germani et depositio sancti Remedii episcopi et confessoris* (P 923-927). De nombreux calendriers annoncent simultanément, à la suite de plusieurs manuscrits du Hiéronymien (*MH* 535), la déposition à Auxerre de saint Germain, évêque de cette ville, mort à Ravenne le 31 juillet 448, ainsi qu'une translation des reliques de saint Rémi, évêque de Reims, mort le 13 janvier 533. Cette translation remontait au temps de Grégoire de Tours [36].

2 octobre. *Natale sancti Leudegarii episcopi et martyris* (P 933-937). Saint Léger, évêque d'Autun, fut assassiné près d'Arras (678). Le manuscrit de Reichenau du Hiéronymien annonce sa *depositio* à ce jour (*MH* 537-538).

17 novembre. *Depositio sancti Aniani confessoris* (P 1018-1021). Saint Aignan, évêque d'Orléans, mourut vers 453 (*MH* 605). Grégoire de Tours et Sidoine Apollinaire témoignent de son action comme défenseur de la cité contre les Huns [37].

L'analyse succincte du sanctoral du sacramentaire de la collection *Phillipps* a laissé percevoir, nous l'espérons, l'importance de ce manuscrit comme témoin du culte des saints en Gaule à la fin du VIIIᵉ siècle.

---

36. Grégoire de Tours, *De gloria confessorum*, 79 (*PL* 71, 886).
37. Grégoire de Tours, *Historia Francorum*, II, c. 7 (*PL* 198-199). Sidoine Apollinaire, *Epistola ad Prosperum Aurelianensem*, VIII, 15 (*PL* 58, 613-614).

DIE ORDINATION
BEI JOHANNES BUGENHAGEN

Georg KRETSCHMAR

1. Der Platz Johannes Bugenhagens (1485-1558) im Kreis der Reformatoren in Wittenberger Perspektive tritt wohl am unmittelbarsten in dem
Altarbild heraus, das Lucas Cranach d.Ä für die Stadtkirche 1539 zu malen
begonnen hatte und das 1547 vollendet wurde. Im Mittelfeld des Tripty-
chons ist das letzte Mahl Jesu mit den Zwölfen in der Nacht des Verrates
dargestellt, der Augenblick der Selbstprüfung der Jünger « Bin ich's ? » (Mt
26, 22 ; Mk 14, 19) : Judas ist deutlich im Vordergrund gekennzeichnet.
Einer der anderen, dem Herrn gegenüber sitzend, trägt — halbverdeckt —
die Züge Martin Luthers. In der Mitte der Predella steht der Crucifixus, auf
ihn weist von der Kanzel aus Luther mit ausgestreckter Hand, auf der
rechten Bildseite, dort wo in der klassischen Deesis-Komposition Johannes
seinen Ort hat ; es ist der Gestus des Täufers, der auf den Prediger
übertragen ist, ganz im Sinne der Predigttheologie Luthers. Die andere
Hand des Reformators liegt auf der geöffneten Hl. Schrift. In der linken
Bildhälfte ist die hörende und auf den Gekreuzigten schauende Gemeinde
angeordnet, Wittenberger Bürger in zeitgenössischer Tracht. Darüber, auf
der vom Betrachter aus linken Seitentafel ist die Taufe eines Säuglings
abgebildet, in der damals in Wittenberg geforderten Form [1]; Täufer ist
Philipp Melanchthon ; er war zwar seit 1525 Mitglied an der Theologischen
Fakultät, aber Laie ; deshalb mag es nahegelegen haben, ihn in dieser
liturgischen Funktion zu zeigen, obgleich der Gelehrte natürlich faktisch
auch keinen Taufgottesdienst gehalten hat. Die gegenüberliegende, vom
Betrachter aus rechte Seitentafel, schräg über der Darstellung Luthers in
der Predella, zeigt nun im Zentrum Johannes Bugenhagen mit beiden
Schlüsseln, des Lösens und des Bindens, der sitzend die Beichte abnimmt.
Seine Gestalt ist erheblich größer und beherrschender als die der beiden
anderen Reformatoren. Es ist seine Kirche, in der dieses Altarbild seinen

---

1. Durch Immersion — Bugenhagen hat in der Kirchenordnung für Hamburg 1529 heftig
gegen die längst um sich greifende « Kopftaufe », d.h. die Taufe nur durch Besprengung
polemisiert, natürlich ohne ihre Gültigkeit zu bestreiten, Text : Emil Sehling, *Die evangeli-*
schen Kirchenordnungen des XVI. Jahrhunderts, Bd. V, Leipzig 1913, S. 488-540, hier
Sp. 510ff.

Ort hat, hier waltet er seines Amtes als Pfarrherr oder — wie es der
Theologie und den Aussagen der Wittenberger Reformation entspricht, als
ihr Bischof[2]. Die eigentümliche Weise, in der den Gnadenmitteln, die der
Herr seiner Kirche anbefohlen hat, Verkündigung, Taufe, Buße und
Abendmahl, hier die Reformatoren Luther, Melanchthon und Bugenhagen
zugeordnet sind, mußte bei Fertigstellung des Bildes 1547 noch eine
zusätzliche Sinn-Nuance gewinnen : Nach dem Tode Martin Luthers 1546
trugen Philipp Melanchthon und Johannes Bugenhagen nun in neuer
Weise einsame Verantwortung für die evangelische Lehre und damit die
evangelische Sache in Wittenberg, der eine an der Universität, der andere
in der Stadt und im ganzen Kurfürstentum Sachsen[3].

Es kann jetzt hier nicht darum gehen, der Vorgeschichte dieses Bildpro-
gramms in mittelalterlichen Sakramentsdarstellungen, Stifte- und Bischofs-
bildern nachzuspüren, auch nicht der Nachgeschichte, in der diese Motive
zu für die Reformation lutherischer Prägung im Umkreis Wittenbergs
charakteristischen Kompositionen ausgebaut wurden, die man eigentlich
nur als evangelische Heiligenbilder werten kann[4]. Aber notierenswert ist
wohl, daß der Meister dieses Altars, Lucas Cranach d.Ä. (1472-1553) selbst

---

2. Oskar Thulin, *Cranach Altäre der Reformation*, Berlin 1955; vgl. auch Angelika
Marsch, *Bilder zur Augsburger Konfession und ihrer Jubiläen*, Weißenborn 1980, wo die
Geschichte der Bildprogramme der Wittenberger Reformation auf S. 34-40 knapp und gut
dargestellt ist; der Wittenberger Altar Abb. 7.

3. Wäre es nicht um ein Altarbild gegangen, hätte man wohl den Kurfürsten hinzunehmen
müssen. Das ist dann tatsächlich geschehen in dem Croy-Teppich, den der Pommernherzog
Philipp I. 1554 für sein Schloß in Wolgast von Peter Heymans hat anfertigen lassen und der
seit 1683 im Besitz der Universität Greifswald ist. Ich nenne ihn, weil sein Bildprogramm
deutlich auf den Wittenberger Altar zurückgreift und dieselben Reformatoren nur in pom-
merscher Perspektive zeigt : Die Predella-Szene, Luther predigt und weist auf den Gekreuzigten, ist nun beherrschend in die Mitte gerückt, genauer sogar : die Kanzel ist das Zentrum.
Die « Gemeinde » — nun mit Blick auf den Beschauer, nicht den Crucifixus oder den
Prediger — sind die ernestinischen sächsischen und die pommerschen Fürsten mit den
fürstlichen Damen zu den beiden Seiten der Kanzel, die von Friedrich dem Weisen bis zu
Maria von Sachsen, der Gattin des Stifters und Nichte Kurfürst Friedrichs auf der ganzen
Breite des Teppichs dargestellt sind; hervorgehoben ist Kurfürst Johann Friedrich, seit 1547
der Kurwürde entkleidet, bis 1552 in kaiserlicher Gefangenschaft, als Confessor. Auf der
sächsischen Seite — vom Betrachter aus links — lugt hinter den Fürsten Philipp Melanchthon
vor, auf der pommerschen Seite Johannes Bugenhagen. Die überragende Gestalt ist Luther,
Bugenhagen wird als Reformator seiner pommerschen Heimat gezeigt. Abb. in dem Ausstel-
lungskatalog : *Kunst der Reformationszeit*, Staatl. Museen zu Berlin, Hauptstadt der DDR
1983. Berlin (West) 1983, S. 412/13, E 63; ich habe vor mir zudem die Wiedergabe in :
Croy-Teppich (Bildserien zur Kirchengeschichte der Ev. Landeskirche Greifswald 2),
H.C. Schmiedicke (VOB), Kunstverlag Leipzig o.J. (1985).

4. Im Sinne der Aussagen der Conf. Aug. XXI. Es geht um das Gedächtnis der Reformatoren, denen Gott Gnade erwiesen hat und durch die er zum Segen der Kirche handelte. Es
sind Andachts- und Meditationsbilder, die schon durch den sakramentalen Bezug den
Zusammenhang zwischen dem Heilsgeschehen einerseits, der Reformation als rechter Erneuerung der Stiftung Christi und dem Gottesdienst heute aufzeigen wollen. Das gilt auch für das
Abendmahlsbild Lucas Cranachs d. J. für die Schloßkirche Dessau 1565, von Fürst Joachim
v. Anhalt gestiftet, der im Vordergrund links kniet. Anstelle der Apostel sitzen Reformatoren
zu beiden Seiten des Herrn, rechts von ihm — dort, wo sonst meist Johannes abgebildet ist —

zu den Spitzen des Wittenberger Stadtbürgertums gehörte, auch in Freund-
schaft den Häusern der Dargestellten verbunden [5]. Bugenhagen war nicht
nur Luthers, auch Cranachs Beichtvater. Dies alles verleiht dem Altar eine
besondere Authentizität.

Der theologische Rahmen klang schon an. Das biblische Bischofsamt,
das nach göttlicher Stiftung zur Kirche gehört, wurde nach der Überzeugung Luthers von den mittelalterlichen Fürstbischöfen deutscher Tradition
nicht mehr wahrgenommen. Sie sahen die Mitte ihres Wirkens nicht in der
Verkündigung des Evangeliums und im Spenden der vom Herrn eingesetz-
ten Sakramente, sondern eben darin, daß sie Reichsfürsten waren. Weil
aber Gott diesen für die Kirche fundamentalen Dienst nicht untergehen
lassen konnte, sowenig wie die Weitergabe der Heilsbotschaft, wie die Taufe
oder das Herrenmahl, ohne seiner Verheißung zu widersprechen, deshalb
sind die wahren Inhaber des Bischofsamtes anderswo zu suchen. Luther
findet sie in seiner Umwelt in den Pfarrern der kleinen sächsischen thürin-
gischen Landstädte und dann in den Leitern derartiger Stadtkirchen
überhaupt. In Briefen schreibt er sie deshalb gern als die Bischöfe dieser
Orte an und beruft sich für diese Wertung immer wieder auf die alte
Kirche. Da der Wittenberger Reformator daneben durchaus ein überge-
meindliches, regionales Bischofsamt schätzt und für wünschenswert hält,
ist im Ergebnis dies Amt gleichsam auf zwei Ebenen gesehen, der lokalen
und der regionalen, die im Kern identisch sind, weil sie den gleichen
Auftrag und die gleiche Vollmacht haben, wenngleich der regionale Bischof
für einen größeren Bezirk und damit auch mit der Aufsicht über die
Pfarrherrn, die Ortsbischöfe, in seiner Diözese betraut ist; daraus ergibt
sich, daß die Verpflichtung, über die Lehre zu wachen wie die Schlüsselge-
walt, die im Auftrag zur Verwaltung der Gnadenmittel eingeschlossen sind,

---

Georg III. v. Anhalt, den wir noch als Bischofsadjutor von Merseburg kennenlernen werden,
der Bruder des Stifters, dann Luther und Bugenhagen, der wieder schon durch die Farbe
seines Gewandes klar hervorgehoben ist (Abb. in *Kunst der Reformationszeit* S. 392, F 1). Auf
den vor allen fränkischen Bildern der Augsburger Confession, die Angelika Marsch untersucht
hat (vgl. Anm. 1), stehen die Fürsten im Zentrum, sie waren schließlich formell rechtlich die
Bekenner, aber die Linien zum Gottesdienst werden mit Engagement ausgezogen. In dem
Epitaph für Paul Eber (1511-1569), den Nachfolger Bugenhagens, im Chor der Wittenberger
Schloßkirche ist dieses Thema polemisch-humoristisch ausgeführt : die Reformatoren sind als
Gartenarbeiter im Weinberg des Herrn gemalt, auch von Lucas Cranach d.J. Bugenhagen ist
hier gleichfalls besonders betont; sein Platz ist in der Mitte des gepflegten Weingartens, er
trägt ein (liturgisches ?) Gewand, das ihn von allen anderen unterscheidet. Luther ist etwas
größer gemalt und hat ein übergroßes Werkzeug, einen Rechen, er steht in der Mitte der
Gesamtkomposition ; Melanchthon sieht man am Brunnen, er zieht Wasser aus der Tiefe, wie
es dem humanistischen Ruf *ad fontes* entspricht; vgl. dazu Oskar Thulin, « Die Reformatoren
im Weinberg des Herrn », in *Luther Jahrbuch* 25, 1958, S. 141-145 (mit Abb.).

5. Vgl. dazu jetzt die Art. von Hans Düfel, « Lukas Cranach d.Ä. (1473-1553) », *TRE* 8,
1981, S. 218-225 und « Lukas Cranach d.J. (1515-1586) », ebd. S. 225f., ferner : Peter
Poscharsky, « Lucas Cranach », in Martin Greschat (Hg.), *Gestalten der Kirchengeschichte* 5,
Stuttgart 1981, S. 77-88. Für seinen Kurfürsten hat Lukas Cranach d.Ä. 1547 nach der
Schlacht bei Mühlberg kniefällig um Gnade gebeten und ist ihm dann 1550 in die Gefangen-
schaft nach Augsburg gefolgt. Er ist der bedeutendste Maler der Wittenberger Reformatoren.

für ihn ein spezifisches Gewicht erhalten. Das ist in dieser zusammenfas-
senden Systematisierung nirgends aufgelistet, auch noch kein abgeschlosse-
nes Konzept; aber ich denke, daß die gemeinsame Sicht der Wittenberger
Reformation etwa in dieser Weise wiedergegeben werden kann[6]. Jedenfalls
ergibt sich daraus, daß für den rechten Gottesdienst einer Gemeinde ihr
Bischof verantwortlich ist, in Wittenberg also Bugenhagen.

Aber die geschichtliche Bedeutung dieses Mannes reicht sehr viel weiter.
Der 1485 in Wollin in Pommern geborene Johannes Bugenhagen stammt
aus dem niederdeutschen Raum. In Wittenberg verstand man kein Platt
und die Schriften Luthers mußten nördlich der Sprachgrenze, schon im
benachbarten Brandenburg übersetzt werden. Deshalb haben norddeutsche
Städte und Territorien mehrfach die Bitte an die sächsischen Kurfürsten
gerichtet, Bugenhagen auf Zeit gleichsam « ausleihen » zu dürfen, um in
ihrem Gebiet die Reformation zu strukturieren. So entstanden die Kirchenordnungen für Braunschweig (1528), Hamburg (1529), Lübeck (1531)
u.a.; 1534-1535 ist Bugenhagen in seiner Heimat, arbeitet an der Reformation Pommerns mit und visitiert im Auftrag der Herzöge das Bistum
Kammin : er ist seit seiner Promotion 1533 Mitglied der Fakultät.
1537-1539 weilt er in Dänemark, nach Luthers Worten als : « Bischof der
Kirche Wittenbergs und Legat Christi in Dänemark von Angesicht und

---

6. Ich hoffe, über das Thema : « Das Bischofsamt in der Wittenberger Reformation »
demnächst eine ausführlichere Studie vorlegen zu können. Beide Aspekte des Bischofsamtes
sind in den Lutherischen Bekenntnisschriften verankert, das regionale in Art. 28 des
Augsburger Bekenntnisses 1530, das lokale im *Tractatus de potestate papae* von 1538, das dies
lokale Bischofsamt als Petrusamt begründet; Verf. beider Texte war Melanchthon. Für die
Ortspfarrer als diejenigen, die das Bischofsamt wahrnehmen, vgl. Luther, « An den christlichen Adel deutscher Nation », 1520, Vorschlag 14 (*WA* 6, 440, 21-441, 2) oder auch « Von
der Winkelmesse und Pfaffenweihe », 1533; hier geht es bereits um das Ordinationsrecht. Auf
die These, daß die alten Väter und dann auch der Papst nur Ordinationen anerkannt hätten,
die von Bischöfen gespendet wären, seien es auch Häretiker gewesen, antwortet Luther : « Vnd
ob sie für geben / die Ketzer so geweyhet haben / sind Bisschove gewest / darumb hat der Bapst
vnd die Veter jr Weyhen lassen gelten / Das ist war / Sie sind Bisschove gewest / aber nicht
Fursten noch herrn / Sondern wie Sanct Hieronymus aus Sanct Paulo beweiset / ist Bisschoff
vnd Pfarrher ein ding gewest / vnd haben solche Ketzer vnd andere Bisschove auch / viel nicht
so grosse Pfarhen odder (wie mans nennet) Bistumb gehabt / als itzt ein Pfarrher zu Torgaw
/ Leyptizg odder Grymme / hat / Denn ein igliche Stad hat einen Bisschoff gehabt / wie sie
itzt Pfarrhen haben / Vnd Sanct Augustinus, der von seinem Pfarrher odder Bisschoff Valerio
geweyhet odder geordinirt ward zum Prediger / vnd nach seinem tode / an seine stat Bisschoff
ward / hat nicht eine grösser Pfarre gehabt / denn vnser Pfarre zu Wittemberg ist / ist sie
anders noch so gros gewest / Noch ist der selbe kleine Bisschoff odder Pfarrher zu Hippon
Sanct Augustinus / grösser jnn der Christenheit, weder kein Bapst / Cardinal noch Ertzbis-
schoff / jhe worden ist noch werden kan / Vnd der selbe kleine Pfarrher odder Bisschoff Sanct
Augustinus / hat viel Pfarrher odder Bisschove jnn seiner kleinen Pfarrhen geweyhet vnd
geordinirt (da noch kein Weybisschoff noch Fürstenbisschoff / sondern eitel Pfarrher waren)
die von andern Stedten begerd vnd beruffen wurden / Wie wir aus vnser Pfarhen zu
Wittemberg / andern Stedten / so es begern vnd bey sich keine haben / ordinirn vnd senden
mügen / Denn ordinirn sol heissen vnd sein / beruffen vnd befelhen das Pfarrampt / Welchs
macht hat vnd mus haben Christus und seine Kirche on allen Cresem vnd Platten / wo sie
jnn der welt ist / so wol als sie das wort / tauffe / Sacrament / geist vnd glauben haben mus »
(*WA* 38, 237, 19-238, 10).

Herzen[7]. » In Kopenhagen hat der Wittenberger Reformator das Königspaar gekrönt, sieben Bischöfe für die reformierte Kirche Dänemarks und Norwegens in ihr Amt eingeführt und an der (lat.) Kirchenordnung für Dänemark, Norwegen und Schleswig-Holstein wesentlich mitgearbeitet, der 1542 die (dt.) Kirchenordnung für Schleswig-Holstein folgte. Ihm sind im Laufe seines Lebens die Bistümer Ribe, Schleswig und Kammin angeboten worden. Gerade Kammin auszuschlagen, ist ihm sehr schwer geworden; aber er hielt sein Amt in Wittenberg für wichtiger. Hier war er 1532 Generalsuperintendent für Kursachsen geworden (« Obersuperattendent »), er ist seit 1535 Vollmitglied der Fakultät. Dieser Stadt, diesem Territorium und der Universität hielt er auch die Treue nach der Katastrophe des Schmalkaldischen Krieges 1547 mit Grenzverschiebungen und der Übertragung der Kurwürde an die albertinische Linie des sächsischen Herzoghauses der Wettiner. Hier ist er in den schwierigen und umstrittenen Zeiten des Interims 1548-1555 zusammen mit dem Bischofs-Koadjutor für Merseburg, Georg von Anhalt, der höchste evangelische Prälat im neuen Kurfürstentum Sachsen[8] im Gegenüber zu den altgläubigen Bischöfen von Meißen und Naumburg[9].

In Norddeutschland und Nordeuropa handelt Bugenhagen durchaus selbständig. In Wittenberg steht er eigenständig auf der Seite Luthers, auch als sein Schüler. Für den akademischen Unterricht und die Ausformung der gültigen Lehrformeln hat man den Anteil des dritten auf dem Wittenberger Altar dargestellten Reformators in der Wendung « Melanchthon neben Luther » charakterisiert[10]. Analog könnte man im Bereich der Gottesdienstordnungen « Bugenhagen neben Luther » formulieren und damit eine Zuordnung beschreiben, die nicht ohne Spannungen war, aber nie zu die

---

7. So jedenfalls die Adresse eines Briefes vom 2.1.1581, der nicht erhalten ist, von dem wir aber durch Anton Lauterbach wissen : WA TR 3, 530, 21-24, Nr. 3685.

8. Diese Stellung tritt deutlich heraus bei der Neuauflage der sog. Herzog-Heinrich-Agende von 1539, der « Georgs-Agende » von 1549, die unter der Verantwortung von Georg v. Anhalt, Johannes Bugenhagen u.a. mit einer Vorrede Philipp Melanchthons erschien, Text : Emil Friedberg, Agenda, wie es in des Churfürsten zu Sachsen Landen in der Kirchen gehalten wirdt, 1869. Vgl. dazu Heinz Scheible (Hg.), Melanchthons Briefwechsel Band V, 441 (Nr. 5473); auch der Entwurf für eine evangelische Interimsordnung vom 22.11.1548 war von diesen beiden Männern (mit zwei kurfürstlichen Räten zusammen) vorgelegt worden, ebd. S. 387 (Nr. 5359) − CR 7, 215-221 (Nr. 4409).

9. Zu Biographie und Werk vgl. den Art. von Hans Hermann Holfelder, « Bugenhagen, Johannes (1485-1558) » in TRE 7, 1980-1981, S. 354-363 mit reichen Literaturangaben, ferner Hans-Günter Leder, « Johannes Bugenhagen », in Gestalten der Kirchengeschichte (vgl. Anm. 2), S. 233-246. Aus der im Jubiläumsjahr 1985 erschienenen Lit. nenne ich : Hans-Günter Leder (Hg.), Johannes Bugenhagen. Gestalt und Wirkungen. Beiträge zur Bugenhagenforschung, Berlin 1984; ders. zusammen mit Norbert Buske, Reform und Ordnung aus dem Wort. Johannes Bugenhagen und die Reformation im Herzogtum Pommern, Berlin 1985; Karlheinz Stoll (Hg.), Kirchenreform als Gottesdienst, Hannover 1985, darin u.a. Wolf-Dieter Hauschild, « Biblische Theologie und kirchliche Praxis. Die Kirchenordnungen 1528-1543 in Johannes Bugenhagens Gesamtwerk », S. 44-91.

10. So der Titel der Arbeit von Martin Greschat, Melanchthon neben Luther. Studien zur Gestalt der Rechtfertigungslehre zwischen 1528 und 1537 (Untersuchungen zur Kirchengeschichte 1), Witten 1965.

Zusammengehörigkeit aufhebenden Konflikten führte. In diesem Sinn sind Bugenhagens Reform der Meßliturgie und des Traurituals untersucht worden [11], meines Wissens aber noch nicht zusammenhängend das Ordinationsverständnis und die Ordinationsordnung, obgleich bekannt ist, daß es gerade hier klare Differenzen zwischen Luther und Bugenhagen gab, jedenfalls in der Frage der Einführung der Ordination in Wittenberg. Auch diese kleine Studie hier wird nur ein Beitrag zu diesem Thema sein können. Erst wenn einmal Bugenhagens Schriften in einer greifbaren Ausgabe zugänglich sein werden, ist wohl eine abschließende Darstellung möglich [12].

2. Die Geschichte der Ordination in Wittenberg ist in den Grundzügen bekannt [13]. Als im November 1535 der päpstliche Legat Pietro Paolo Vergerio, apostolischer Nuntius bei König Ferdinand, in Wittenberg weilte, trat er auch mit Luther und Bugenhagen zusammen. An dem *Pomeranus* war er besonders interessiert, er nennt ihn « einen der ersten der (lutherischen) Synagoge, den Pfarrer von Wittenberg und denjenigen, der die Hand auflegt und die Priester in dieser ganzen Sekte ordiniert ». Auf die Frage nach seiner Autorisierung habe er auf *Fra Martin,* also Luther, und auf die Fakultät verwiesen und Luther hätte gesagt : « Wir sind gezwungen, so zu handeln, und es werden Männer ordiniert, die gemeinschaftlich approbiert sind. » Diesen Zwang habe er dann mit der Weigerung der « allerheiligsten » Bischöfe erklärt (Pfarrer für evangelische Gemeinden) zu ordinieren [14].

---

11. Johannes Bergsma, *Die Reform der Meßliturgie durch Johannes Bugenhagen,* Kevelaer-Hildesheim 1966 ; Georg Kretschmar, « Luthers Traubüchlein von 1529 », Anhang zu : « Luthers Konzeption von der Ehe », in Peter Manns (Hg.), *Martin Luther,* « *Reformator und Vater im Glauben* » (VIEG Bh. 18), Stuttgart 1985, S. 178-207, hier S. 193-200 ; Waldemar Leege, *Bugenhagen als Liturgiker,* Theol. Diss. Königsberg 1925.

12. Ein Verzeichnis der gedruckten Schriften : Georg Geisenhof, *Bibliotheca Bugenhagiana,* Leipzig 1908 ; eine Edition der wichtigsten Schriften bereitet Wolf-Dieter Hauschild in Münster vor.

13. Die älteren Arbeiten : Georg Rietschel, *Luther und die Ordination,* Wittenberg 1889[2]; Theodor Kolde, « Zur Geschichte der Ordination und Kirchenzucht », *ThStK* 67, 1894, S. 217-244 ; G. Rietschel, « Luthers Ordinationsformular in seiner ursprünglichen Gestalt », *ebd.* 68, 1895, S. 168-180 ; Paul Drews, « Die Ordination, Prüfung und Lehrverpflichtung der Ordinanden in Wittenberg 1535 », *DZKR* 15, 1905, S. 66-90 ; 273-321 ; ders., Einleitung zum Ordinationsformular Luthers, WA 38, 401-422 (1912), sind in den neuen Untersuchungen teils aufgenommen, teils korrigiert, ich nenne vor allem Hellmut Lieberg, *Amt und Ordination bei Luther und Melanchthon* (FKDG 11), Göttingen 1962, S. 181-207, und Wolfgang Stein, *Das kirchliche Amt bei Luther* (VIEG 73), Wiesbaden 1974, S. 194-196. Die wichtigsten Quellen sind bei Drews 1905 gesammelt, Luthers Ordinationsformular (deutsch und lat.) WA 38, 423-433 ; die Ordinationszeugnisse WA Br 12, 447-485 ; 14, K f. ; vgl. 10, 296-298 ; 11, 155-158.

14. *Vi ho fatto mentione di Pomerano et non detto altro di lui ; egli è uno de primi della sinagoga, parocho di Wittemberga et quello che impone la mano et ordina sacerdoti in tutta quella setta. et me ne diceva egli medesimo di haverne questa autorità data da fra Martino et da quelli altri della Academia, et nelle ordinationi servare il modo tradito da santo Paulo. alle quali parole havendo veduto Luthero che io sorrideva, disse quasi con impeto : nos cogimur ita facere et ordinantur viri qui sunt communiter approbati. et io lo domandai quello che volea*

Dieser Bericht bedarf nach verschiedenen Richtungen hin der Aufschlüsselung. Kurfürst Johann Friedrich hatte im Mai 1535 der theologischen Fakultät Wittenberg den Ordinationsauftrag gegeben, für alle, die ein geistliches Amt im Kurfürstentum begehren, ohne die bischöfliche Weihe empfangen zu haben, um ihnen so « Macht und Gewalt ihres Priester- und Diakonenamtes zu geben » [15]. Daraufhin sind in Wittenberg im Laufe des Jahres Kandidaten für andere Gemeinden geprüft und ordiniert worden; eine Ordinationspredigt Luthers vom 20. Oktober ist erhalten (WA 41, 454-459), er wird dann selbst der Ordinator gewesen sein. An sich hatte die Fakultät aber die Ordination an Johannes Bugenhagen übertragen, eben als den Stadtbischof Wittenbergs und inzwischen Generalsuperintendenten des Kurfürstentums. Luther hat in der Regel nur als Vertreter Bugenhagens ordiniert. Aber die aus seiner Sicht so angemessene Übertragung an den Wittenberger Stadtpfarrer schloß doch ein Problem ein. Denn nach Luthers eigenem Bericht vom 24. Oktober war der D. Pomeranus eben mit dieser Ordinationspraxis, jedenfalls bis jetzt, nicht einverstanden, « jeder solle in seiner Kirche durch seine », also die lokalen « Presbyter ordiniert werden » [16]. Wir werden sehen, daß er Bedenken nicht nur gegen diese Zentralordination hatte. Aber jedenfalls scheint Luther gerade hinter dieser kurfürstlichen Entscheidung gestanden zu haben. Das würde es besonders verständlich machen, daß Bugenhagen gegenüber Vergerio ausdrücklich auf Luther selbst neben der Fakultät verweist und dann dieser und nicht der mit der Ordination Betraute die Begründung für die Wittenberger Praxis gibt.

Zum Verständnis ist darauf zu verweisen, daß nach den Wirren besonders des Bauernkrieges 1525 in vielen Territorien Deutschlands das überlieferte kirchliche Leben tief geschädigt war und dort nur mit Hilfe der Obrigkeit durch Visitationen wieder feste Ordnungen aufgerichtet werden konnten. Rechtlich sah man sich darin durch den Reichstagsabschied von 1526 abgedeckt. Der Unterschied zwischen etwa dem altgläubigen Bayern und dem von evangelischer Predigt erfaßten Kursachsen bestand nur darin, ob diese Visitationen unter Einschaltung der Bischöfe mittelalterlicher Tradition oder ohne sie durchgeführt wurden. In Kursachsen war — im Unterschied zu anderen evangelischen Ständen; vor allem den Städten — das Erlöschen der bischöflichen Jurisdiktion auch als Notstand empfunden

---

inferire dicendo cogimur facere? se forse questo che sanno ben di far cosa absurda et che Pomerano non può haber quella autorità data da loro. rispose che essendo sprezzati dalli nostri santissimi (cosi diceva) episcopi, li quali non voleano nè ordinali nè ascoltarli, erano constretti a provedere al fatto et alle anime loro et col consenso di molti buoni dar la potestà ad uno di essi, che supplisca in loco di episcopo. Nuntiaturberichte aus Deutschland 1533-1559, Band 1, bearb. von Walter Friedensburg, Gotha 1892, Nachdr. Frankfurt 1968, S. 544, 1-15, aus dem Bericht vom gleichen Tage, dem 13.11.1535, an Ambrogio Ricalcati, den Geheimsekretär Papst Pauls III.

15. Diese Anweisung ist nicht erhalten, nur der Erlaß an die Visitatoren von Meißen und des Vogtlandes, derartige Bewerber an die Fakultät zu verweisen, vgl. Drews WA 38, 407.

16. Brief an Friedrich Myconius in Gotha : [...] *qui adhuc sentit, quemlibet in Ecclesia sua ordinandum per suos presbyteros,* WA Br 7, 302, 7 ff.

worden; man suchte Ersatzlösungen und wollte sich gleichzeitig den Weg
für eine Wiederanerkennung dieser Jurisdiktion unter klaren Bedingungen
freihalten; die Mitte dieser Bedingungen war die freie evangelische Predigt
und eine Sakramentsverwaltung, die dem Evangelium nicht widersprach.
Wilhelm Maurer hat gezeigt, daß es darum schon auf dem Augsburger
Reichstag 1530 gegangen war; Art. 28 des Augsburger Bekenntnisses wollte
den Rahmen abstecken, in dem eine solche Wiederanerkennung möglich
wäre [17]. Aber eben diese Bedingungen waren den Bischöfen bisherigen Stils
unannehmbar. So mußten dann eben notwendig Zug um Zug eigene
Ersatzstrukturen aufgebaut werden und als Autorität stand nur der Lan-
desherr zur Verfügung. In diesen Zusammenhang gehört auch die Anord-
nung des sächsischen Kurfürsten für die Übertragung der Verpflichtung
zur Ordination an die Wittenberger Fakultät.

   Kirchenrechtlich gesehen war dies natürlich eine Notmaßnahme,
Durchbrechung bisheriger fester Praxis. Theologisch schien es aber nur ein
geringes Problem zu sein, weil das alleinige Ordinationsrecht des Bischofs
als Thema der Kanonistik galt, als kirchliches, nicht göttliches, in der
Offenbarung selbst verankertes Recht. Wenn Luther die bekannte, in
mittelalterlicher Kanonistik fest verankerte These des Hieronymus aufgriff,
daß Bischof und Presbyter im Grundsatz das gleiche Amt haben, ging es
ihm an sich — wie gesagt — um die Frage, wo die rechten Bischöfe sind,
nicht um Abschaffung der Hierarchie. Aber im Ergebnis war damit die
« Notordination » nicht etwa Durchbrechung oder Abreißen einer Apostolischen Sukzession — dies Thema der heutigen ökumenischen Diskussion war
dem lateinischen Mittelalter und auch den Reformatoren zumindest zunächst völlig unbekannt, es tritt erst allmählich im Zuge des Rückgriffs auf
die frühe Kirche heraus. Die Not ergab sich daraus, daß zum kirchlichen
Amt eben die göttliche und kirchliche Berufung und Bevollmächtigung
gehört, wobei beides nicht gegeneinander gesetzt wurde, das Amt aber zu
den unverzichtbaren Elementen der Stiftung der Kirche durch Christus;
diese Berufung und Bevollmächtigung war aber nun nur noch auf einem
Wege zu vollziehen, der die bisherige im Prinzip gute Ordnung sprengen
mußte.

   Insofern ist der Hinweis auf die Weigerung der bisherigen Bischöfe,
Pfarrer für evangelische Gemeinden zu ordinieren, zutreffende Argumentation. Sie hat nur den Schönheitsfehler, daß sie nicht gleichzeitig zum
Ausdruck bringt, daß die Wittenberger ihrerseits erhebliche Bedenken
gegen die bisherige Praxis der Priesterweihe hatten. Diese Bedenken bezie-
hen sich also nicht primär auf die bischöfliche Ordination, sondern auf die
Gestalt und ihre Deutung, in der diese Weihe vollzogen wurde. Luther hat
seine Kritik bekanntlich zuerst 1520 in der Abhandlung « Von der Babylo-

---

17. Erwägungen und Verhandlungen über die geistliche Jurisdiktion der Bischöfe vor und
während des Augsburger Reichstages 1530 (1969). Jetzt in Wilhelm Maurer, *Die Kirche und
ihr Recht, gesammelte Aufsätze zum evangelischen Kirchenrecht*, hg. von Gerhard Müller und
Gottfried Seebass, Tübingen 1976, S. 208-253.

nischen Gefangenschaft der Kirche » vorgebracht (*WA* 6, 497-575). Gerade dies war aber die Schrift, durch die der damalige Lektor für Schriftauslegung und patristische Studien im Kloster Belbuck in Pommern, Johannes Bugenhagen, 1520 für Luther gewonnen wurde und mit ihm viele seiner Freunde und Kollegen. 1521 war Bugenhagen in Wittenberg und Treptow-Belbuck wurde die Keimzelle der evangelischen Bewegung in Pommern [18]. Die Grundzüge dieser Kritik sind also noch darzustellen, wenn Bugenhagens eigene Theologie und Praxis der Ordination verständlich werden sollen.

Es handelt sich dabei vor allem um zwei Aspekte. Der erste ist das Konzept der Erhebung durch die Ordination, ja faktisch schon durch das Schneiden der klerikalen Tonsur, in einen besonderen, vom getauften Laienchristen qualitativ verschiedenen Stand. Dagegen argumentiert Luther, daß der Amtsträger seinen Ort im Volke Gottes hat, genauer in einer konkreten Gemeinde, nicht neben oder über ihr. Denn das Amt ist Dienst an einer Gemeinde, der entscheidende Dienst der Verkündigung und Sakramentsverwaltung, nicht eine private Würde. Es ist *officium* und *ministerium*, primär nicht *ordo*. Das ist Kritik nicht nur an der liturgischen Tradition, sondern an der ganzen Gesellschaftsverfassung, wie sie sich vor allem seit dem 11. Jh. durchgesetzt hatte, in der die Unterscheidung von Klerus und Laien zwei unterschiedliche Rechtsbereiche gegenüberstellte, eben da es sich um qualitativ verschiedene Stände des Christseins handle. Stichwort für dieses abgelehnte Konzept ist für Luther wie Bugenhagen der durch die Weihe verliehene *character indelebilis* — wobei jetzt nicht zu untersuchen ist, ob die ursprünglich mit diesem Terminus gemeinte Wirklichkeit von der reformatorischen Polemik getroffen wird. Weil die Weihe auf keinen konkreten Dienst in einer Gemeinde ziele, erscheint der *character* als leeres Zeichen. Das heißt, es ist die absolute Ordination abgelehnt. Im Ritus kommen diese kritisierten Aspekte der Priesterweihe und ihrer Theologie vor allem im Schneiden der Tonsur und in der Handsalbung zum Ausdruck — polemisch spricht Luther vom « Platten » und « Schmieren ». Im Unterschied dazu sprechen die Wittenberger von der *vocatio*, der Berufung. Sie ergeht immer auf einen konkreten Dienst in der Gemeinde, eben das Amt der Verkündigung und Sakramentsverwaltung. *Vocatio* und Weihe decken sich nicht; die Berufung Gottes durch Menschen ist kein punktuelles Geschehen. Im Sinne Luthers gehört die Ordination aber unverzichtbar in dieses Handeln Gottes durch die Kirche — oder der Kirche im Auftrag Gottes — hinein.

Der andere Schwerpunkt der Kritik an der Priesterweihe ist ihre Ausrichtung auf das Meßopfer, das den Reformatoren als Wiederholung des einmaligen Selbstopfers Christi am Kreuz durch einen Menschen gilt und

---

18. Vgl. dazu Hans-Günter Leder, « Bugenhagens "reformatorische Wende" », in *Territorialkirchengeschichte. Entwicklung, Aufgaben, Beispiele*, hg. von der Ernst-Moritz-Arndt-Universität Greifswald, Sektion Theologie, Fachbereich Kirchengeschichte. Redaktion : Norbert Buske/H.-G. Leder. Greifswald 1984, S. 59-91.

dann nur eine Blasphemie genannt werden kann. Solche Selbstmächtigkeit hören die Reformatoren aus der Wendung *ex opere operato* heraus. Hier hat dann auch die Polemik im Rückgriff auf das allgemeine Priestertum der Getauften ihren Grund. Wie immer das Verhältnis zwischen dem allgemeinen Priestertum aller Christen und dem besonderen kirchlichen Amt, also zwischen Taufe und Ordination zu bestimmen ist, auch unabhängig davon, ob die traditionelle Bezeichnung des Presbyters als Priester beibehalten wird oder nicht, der besondere Dienst des zur Verkündigung des Wortes Gottes und zur Verwaltung der Sakramente Berufenen schließt keine sakrifizielle Vollmacht ein, die ihn von jedem Getauften unterschiede [19]. Wieder ist hier nicht zu prüfen, ob dies das einzig mögliche Verständnis der Formel *ex opere operato* ist und ob diese Kritik den ursprünglichen Sinn der Rede von der Eucharistie als Opfer und der Beschreibung des Tuns des Liturgen — auch — als « Darbringen » trifft. Aber die reformatorische Deutung der Priesterweihe wurde jedenfalls dadurch unterstützt, daß als der eigentliche sakramentale Ritus in der Abfolge von Handauflegung, Überreichung der Kasel, Händesalbung der letzte Akt galt, die *traditio instrumentorum*, hier von Kelch und Patene, begleitet von den Worten des Ordinators : *Accipe potestatem offere sacrificium Deo, Missasque celebrare, tam pro vivis, quam pro defunctis* [20]. Diese Formel war den Wittenbergern so anstößig, daß Melanchthon in der Denkschrift vom 18. Januar 1540, am Vorabend einer neuen Serie von Religionsgesprächen, in denen noch einmal ausgelotet werden sollte, ob und unter welchen Voraussetzungen die Protestanten doch die Jurisdiktion und damit das Ordinationsrecht der Bischöfe alten Stiles anerkennen konnten, ausdrücklich schreibt : « Item dise Wort mussen abgethon werden : "Ich gib dir gwalt zu opfern fur todten vnnd lebendigen." » Zuvor hatte Bugenhagen hinzugefügt : « Man soll auch die priester mit platten vnd andern narrenwercke nicht beschweren » [21] (*WA Br* 9, 33, 502-505).

Es sind diese Riten und ihre Wertung, die Luther vor Augen hatte, als er 1520 schrieb :

---

19. Die Schwierigkeit, eindeutige Aussagen in diesem Bereich zu erheben, liegt darin begründet, daß Luther das Priestertum aller Getauften fast nur polemisch ins Spiel bringt und nicht positiv entfaltet, worin die priesterliche Vollmacht der Getauften konkret besteht. Das Wort Priester im Deutschen ist aus *presbyterus* entstanden, also an sich bedeutungsmäßig neutral. Aber es ist dann doch sachlich von *sacerdos* gefüllt worden. Die religionsgeschichtliche Ausweitung und dabei dann auch sachliche Verengung des Priesterbegriffes in der Neuzeit liegt den Reformatoren noch fern.

20. Diese Wertung jedenfalls bei Thomas von Aquin s.th. III 82, 1 ad prim. Der Gesamtritus ist seit dem PRG Ottos des Großen belegt, der Überreichung von Kelch und Patene als Abschlußhandlung kommt in jedem Fall großes Gewicht zu. Zum Ganzen vgl. Bruno Kleinheyer, Die Priesterweihe im Römischen Ritus (TThSt 12), Trier 1962, hier bes. S. 154-166; Paul De Clerck, art. « Ordination, Ordre » in *Catholicisme* 10, 1983, sp. 162-206. Es geht mir hier natürlich nicht um eine Untersuchung des Ursprungssinns der Riten, auch nicht ihrer Deutung im Spätmittelalter, sondern nur um die Wertung durch Luther und Bugenhagen und den Anhaltspunkt dieser Wertung im Ritual.

21. Vgl. hierzu auch den in Anm. 6) zitierten Text aus der gleichen Schrift.

Dieses Sakrament kennt die Kirche Christi nicht und ist eine Erdichtung der päpstlichen Kirche, denn es nicht allein keine Verheißung der Gnaden irgend an einem Ort beschrieben hat, sondern das ganze Neue Testament gedenkt seiner nicht mit einem Wort (*WA* 6, 520, 20f.; dort lat.).

Dagegen wollte er — wie seinen Schriften mit zunehmender Klarheit zu entnehmen ist — die Ordnung Christi für eine rechte Ordination aufrichten : « Denn es soll und kann im Grunde die Weihe nichts anderes sein (soll es recht zugehen), denn eine Berufung oder ein Befehl zum Pfarramt oder Predigtamt. Die Apostel haben ohne Chrisam allein die Hände aufs Haupt gelegt und gebetet über die, so sie zum Amt beriefen oder sandten » (*WA* 38, 228, 27-30, sprachlich modernisiert). Doch das ist eben Luther. Wie sah es Bugenhagen ?

3. Will man prüfen, wie Berufung und Einsetzung in das kirchliche Amt im Blick auf den Ritus bei Bugenhagen zu verstehen sind, empfiehlt es sich, bei der Exegese der Pastoralbriefe des Corpus Paulinum einzusetzen, die der Wittenberger Stadtpfarrer 1524/1525 im Rahmen seiner *Annotationes* zu den kleinen Paulusbriefen vorgelegt hat und die sofort von Ludwig Hätzer, dem späteren Täuferführer, ins Deutsche übertragen wurden. Die *Annotationes* erschienen 1524 [22]. Sie waren als Ergänzung zum Galaterkommentar Martin Luthers und zu Melanchthons Auslegung des Römerbriefes gedacht, folgten aber in der Anlage mehr den 1521 erschienenen *Paraphrases* des Erasmus von Rotterdam.

Es ist alte exegetische Tradition, die bereits auf Ambrosius zurückgeht, wenn Bugenhagen in Timotheus und Titus, den Apostelschülern, Bischöfe sieht und davon ausgeht, daß Paulus durch diese Briefe gerade Bischöfe ansprechen will. Überraschenderweise ist er aber an der Frage des Verhältnisses zwischen Bischöfen und Presbytern gar nicht interessiert; das gilt allerdings teilweise schon für Erasmus. Beide setzen voraus, daß die Presbyter, die Titus 1,5 von Stadt zu Stadt — *urbatim* schreibt Bugenhagen — einsetzen soll, Bischöfe sind, ohne dies noch zu begründen, etwa im Rückgriff auf Hieronymus [23]. Petrus Lombardus hatte diese Gleichung

---

22. *Annotationes Ioan. Bugenhagij Pomerani in X Epistolas Pauli, scilicet ad Ephesios [...] Timotheum primam et secundam, Titum [...] item Concordia Evangelistarum de Resurrectione ac Ascensione Domini,* Basel 1524. Die zahlreichen Kommentare Bugenhagens zu alt-und neutestamentlichen Schriften der Jahre 1524-1527 sind aus exegetischen Vorlesungen erwachsen, häufig handelt es sich um mehr oder weniger autorisierte studentische Nachschriften. Das Vorwort des Kommentars zu den kleinen Paulusbriefen von Johannes Hervagius aus Straßburg trägt das Datum des 1. Juni 1524; dem erst seit 1523 lehrenden Magister, heute würden wir sagen Privatdozenten, muß der Text bzw. die Genehmigung zum Druck geradezu aus den Händen gerissen worden sein. Dt. Übers. von Ludwig Haetzer, (Augsburg) 1524, vgl. Geisenhof Nr. 59.

23. Johannes Lang, der Ordensbruder und Freund Luthers aus Erfurt, war dagegen in seiner Wittenberger Vorlesung im Frühjahr 1516 durchaus auf dies Thema eingegangen : *Apostolus, divo Ieronimo teste, idem per episcopum et presbiterum intelligit [...]. Est autem presbiter quasi idem apud nos senior, episcopus autem quod speculator vel superintendens.*

auch aus 1. Tim 4,14 herausgelesen, der Bischofsweihe durch die Auflegung der Hände *presbyterii*, das heißt der Presbyter[24]; bei Erasmus klingt
diese Bedeutung noch nach ohne besonderen Akzent. Bugenhagen hat völlig
andere Fragestellungen. Dagegen bemerkt Erasmus zu 1. Tim 3,13, der
Zusage an die Diakone, sie würden sich *gradum bonum* erwerben, wenn sie
ihren Dienst recht versehen :

Denn auch die Staatsordnung Jesu Christi hat gewisse Stufen und Ränge ihrer
Administration, deren erster der der Diakone ist, der zweite der der Presbyter oder
Bischöfe, der oberste der der Apostel.

Aufstiegsmöglichkeiten gäbe es hier wie im weltlichen Staat[25]. Aber
dagegen protestiert Bugenhagen mit Vehemenz : Verstehe dies ja nicht
von kirchlichen Rangstufen (*uidi ne intellexeris de gradibus Ecclesiasticis, ut hodie dicunt*). Wer nur von Würden und weltlichen Ehren
träumt, irrt. Es geht um Ämter (*officia*) in der Gemeinde. Sie gründen,
wie er im Rückgriff auf die Rede von der Prophetie 1, 18 und im
Vorgriff auf 4, 14 argumentiert, in den Gaben des Hl. Geistes. Er, der
Geist, teilt sie den einzelnen zu, wie Er will (*diuidit singulis prout vult*),
zum Nutzen der Kirche. In solcher Gabe gibt es Wachstum. Die Zusage
an die Diakone heißt also : « Sie schreiten voran aus der Gabe des
mehrenden und reichmachenden Gottes und steigen höher auf in der
gleichen Gabe, so daß sie täglich mehr und mehr als zuvor nützen
können »; denn « wer da hat, dem wird gegeben werden, daß er die
Fülle habe »[26]. Dafür verweist der Wittenberger auf das ganze Gleichnis
von den anvertrauten Zentnern, aus denen dies Herrenwort (Mt 25, 29)
stammt. Es klingt für ihn zusammen mit der zuvor aufgenommenen
paulinischen Rede von den Gnadengaben des Geistes für alle wahren
Christen : « Einem jeden wird die Offenbarung des Geistes gegeben zum
Nutzen » (1. Kor 12,7), Bugenhagen fügt hinzu : « der Kirche ». Der
Schluß aus dieser Einsicht lautet : « Solche sind zum (kirchlichen) Dienst

---

Scholion zu Tit 1, 5 vgl. Reinhold Weijenborg, « Die Wittenberger Titusbriefvorlesung des
Erfurter Augustiners Johannes Lang. Erstausgabe nach dem Vat. Pal. Lat. 132 mit Einleitung
und Kommentar », in *Scientia Augustiniana*. FS Adolf Zumkeller OSA (Cassiacum 30),
Würzburg 1975, S. 423-468, hier S. 436 f. Auch Luther geht auf die Frage nach Bischöfen
damals und heute und die apostolische Identität von Ältesten und Bischöfen in seinem
Tituskolleg 1527 ausführlich ein, WA 25, 6 ff.

24. *PL* 192, col. 350 C; die Auslegung des Lombarden ist eine Zusammenstellung von
Väterzitaten, die genannte Deutung ist eine der von ihm aufgenommenen Möglichkeiten.

25. *Habet enim et Iesu Christi politia magistratuum gradus et ordines quosdam, quorum
primus est diaconorum, secundus presbyterorum sive episcoporum, summus apostolorum.
Atque ut in res publica prophana vocatur ad praeturam, qui in aedilitate strenue se gesserit :
rursus a praetura ad tribunatum aut consulatum, qui illic quoque vicerit seipsum, ita diaconi
functio declarat, qui sit sacerdotis aut apostoli loco dignus.* In : *Paraphrases in Epistolas Pauli
ad Timotheum duas, ad Titum unam, et... per Erasmum Roterodamum*. Basel 1521, Q 3ʳ.

26. *Id est, ex dono Dei augentis et ditantis proficiunt, et altius ascendunt in eodem dono,
ut indies magis ac magis quam ante prodesse possint, quia omni habenti dabitur et abundabit*,
83ʳ.

zu erwählen, von denen zu erhoffen ist, daß ein solcher täglich durch Gott vollkommen wird[27]. » Deshalb kann Bugenhagen durchaus die verschiedenen Ämter unterscheiden. Unter Verweis auf Phil 1, 1 heißt es dazu am Anfang des Bischofs- und Diakonenspiegels in 1. Tim 3, 1-13 :

> Bischöfe sind Prediger des Wortes Gottes, dazu erwählt, und Diakone sind Diener der Heiligen und Fürsorger für die Armen [...]. Sie werden in der Stadt erwählt, wom Volk oder vom Bischof, das heißt einem anderen Apostel oder Prediger, der dort das Volk gelehrt hat und dort nicht mehr bleiben konnte, mit Zustimmung des Volkes, das sie [diese Männer] will. Sie wurden aber aus den bewährtesten Bürgern gewählt, die Frau, Kinder, Familie, Hausverantwortung usw. hatten; so wie jetzt die Bürgermeister erwählt werden, wie du hier siehst. Deshalb waren Episkopat und Diakonat Ämter, nicht bleibende Würden, wie jetzt vom character indelebilis fabuliert wird[28].

Mit dieser Hervorhebung der zwei genannten Ämter in der Kirche schließt Bugenhagen sich übrigens nicht nur dem hier auszulegenden Briefabschnitt an, sondern stimmt auch mit den Sentenzenmeister überein, der ausdrücklich von nur zwei heiligen Amtsstufen spricht, Diakonat und Presbyterat, das auch das Bischofsamt einschließt, « weil man lesen kann, daß die Urkirche sie allein gekannt habe, und wir nur für sie allein Weisung des Apostels haben »[29]. Martin Luther wird 1528 in seiner Vorlesung über den 1. Timotheusbrief konstatieren, daß die Diakone einst auch bisweilen gepredigt hätten wie Stephanus, ihnen auch andere Ämter der Kirche zugewiesen worden seien, vor allem die Fürsorge für die Armen und Witwen; aber : dieser Brauch ist schon lange abgekommen. Er schlägt stattdessen vor, daß die Diakone einer Gemeinde, die den Bischof unterstützen sollen, auch zu seiner Beratung diese Gemeinde in äußeren Angelegenheiten leiten sollten[30]. Das heißt doch aber, daß sich für ihn auch der Diakonat als eine veränderliche Einrichtung der Kirche darstellte, in Gottes Heilsplan selbst ist nur das Amt der Wortverkündigung und Sakramentsverwaltung, also das Bischofsamt verankert. Bugenhagen dagegen wird

---

27. *Tales eligendi sunt in ministerium, ex quibus indies maior speratur per Deum perfectus. Ebd.*

28. *Episcopos esse verbi Dei praedicatores ad hoc electos, et Diaconos esse Sanctorum ministros et pauperum provisores, admonui in principio Epistolae ad Philippenses, hi eligebantur in civitate, a populo, vel ab Episcopo, id est, Apostolo alio sive praedicatore, qui illic populum docuerat, et manere ibi non potuit consentiente tum et volente eos populo. Eligebantur autem ex civibus probatissimis, quibus erat uxor, filii, familia, domus cura etc. Sicut nunc consules eliguntur, ut hic vides. Unde Episcopatus et Diaconatus officia erant, non perpetuae dignitates, ut nunc fabulantur de charactere indelebili, p. 81ᵛ.*

29. *Sent.* IV 24, 12, 1. Im Kommentar zu 1. Tim 3 wird dies durch Hieronymus und Haimo (von Auxerre, Mitte 9. Jh.) bestätigt, *PL* 192, col. 345ᶜ : *De presbyteris tacere videtur, sed nomine episcopi eos comprehendit.*

30. *Debent diaconi ecclesiae, qui debent subservire Episcopo et ad eius consilium regere ecclesiam in externis rebus,* WA 26, 59, 24 f., 15.2.1528.

1529 in Hamburg versuchen, den altkirchlichen Diakonat zu erneuern [31] und entwirft ein System, in dem die für die Kassen verantwortlichen Diakone und die Pfarrer einander eigenständig zuzuarbeiten haben, im Rahmen einer faktischen Integration in die Stadtordnung.

Auch mit der Unterscheidung von Würde (*dignitas*) und Amt (*officium*) steht Bugenhagen auf gutem patristischem Grund [32]. Daß es zur Wahl der Amtsträger gehört, nach dem diesen Christen von Gott verliehenen Geist zu fragen, ist etwa Johannes Chrysostoms gewiß nicht fremd [33]. Aber wenn sich die kirchliche Berufung so an den gottgegebenen Charismen orientiert, gibt es dann noch Ordination?

Die damalige Antwort Bugenhagens läßt sich seiner Stellungnahme zu 1. Tim 4, 14 entnehmen. Zum pastoralen Amt, das hier eine Gabe genannt wird, gehören nach dem hier Geschriebenen für Bugenhagen zwei Dinge, Prophetie und Berufung :

Ohne diese Zwei behaupte niemand, er sei Hirte oder Bischof. Die Prophetie ist die Gabe, daß du vollmächtig das zu lehren vermagst, was zum Glauben gehört; wenn du sie hast, warte bis du berufen wirst, sei es von Gott, sei es von Menschen, so wie alle Propheten und Apostel berufen sind. Die Berufung geschah zur Zeit der Apostel durch Auflegen der Hände auf das Haupt des Berufenen, damit auch durch dies Zeichen erkannt wird, daß jener berufen und aufgenommen ist, [aufgenommen in das ihm übertragene Amt]. So haben — nicht die Apostel, sondern andere Jünger, die von den Aposteln versammelt wurden, damit nicht « unsere Apostel » sich solches zuschrieben — sieben Diakone erwählt und ihnen unter Gebet die Hände im Angesicht der Apostel aufgelegt und durch dieses Zeichen den Aposteln und der übrigen Menge angezeigt, welche Leute sie als Diener wollten und erwählt haben, und Paulus hat die Hand Timotheus aufgelegt, der von Kind an in den Heiligen Schriften unterwiesen und im Glauben erzogen war, wie der zweite Brief, Kap. 1. sagt. Aber er [der Apostel,] hat ihm nicht allein (die Hände) aufgelegt, wie du hier siehst. Denn was hier mit « durch die Autorität des Priestertums » übersetzt ist, findet sich nicht im griechischen Text, sondern « mit der Auflegung usw. », d.h. mit Auflegung der Hände des Presbyteriums, etwa wie wenn du lateinisch sagst « Senat », das ist der Ältesten. Du siehst, daß Timotheus mit dem Konsens der anderen erwählt wurde. So verstehe auch, was später gesagt ist « lege niemandem die Hand vorschnell auf » (5, 22), und was Titus geschrieben wird : « du sollst Presbyter von Stadt zu Stadt einsetzen usw. » (Tit 1, 3). Die Auflegung der Hände war den

---

31. Sehling, *Evangelische Kirchenordnungen* V (vgl. Anm. 1), bes. 532-535, dazu : Paul Philippi, *Vorreformatorische Diakonie in Hamburg*, Stuttgart 1984, trotz des Titels S. 55-67 über die Kirchenordnung Bugenhagens.

32. Wieder ist hier der Lombarde erhellend, der Hieronymus zitiert : *opus vere, non dignitatem*, PL 192, col. 342 D.

33. Für Bugenhagen bezeichnend ist, wie er von diesen Voraussetzungen her mit 1. Tim 2, 15 umgeht. Nachdem er ausgeführt hat, weshalb Frauen zu schweigen haben, wenn das Wort Gottes zu hören ist, durchaus mit kräftigen Aussagen : *mulier est ruina viri* (p. 81), fügt er dann noch an : *Adverte vero et mulieres prophetare, si habent verbum, ubi viri non sunt qui verbum habeant*, 1 ad. Cor. 11 : *Mulier orans aut prophetans etc.* Joel 2 *legis : Et prophetabunt Filii vestri et Filiae vestrae*. Act. 21 : *Erant Philippo quatuor Filiae virgines prophetantes, et Maria canit, Magnificat*. P. 81ᵛ. Wenn der Geist oder das Wort eben einer Frau gegeben ist und nicht einem Mann, dann soll sie reden.

Hebräern vertraut, wo irgend etwas Gott überantwortet wird. So hat Jakob den zwei Söhnen Josefs die Hände aufgelegt, Gen 48. So wird die Hand auf das Haupt des zu schlachtenden Opfertiers gelegt, Lev. 1. So legt Christus die Hände auf die kleinen Kinder und von den Glaubenden sagt er : sie sollen den Kranken die Hände auflegen, und sie sollen gesund werden (Mk 16, 28). Weil dies ein äußeres Zeichen ist, kann es entweder fortgelassen oder anders gemacht werden, denn es [die Handauflegung] ist nicht gestiftet und nicht befohlen. Sie ist nur Zeichen der Wahl [...] — Heute [...] machen wir leere Zeichen groß; ich nenne sie leer, weil die Sache nicht da ist[34].

Lassen wir die Frage beiseite, wieweit der Exeget hier den von ihm herangezogenen Texten, den Pastoralbriefen und Apg. 6 gerecht wird, so ergibt sich für seine eigene Sicht ein klares Bild.

Die kritisierte Übersetzung *autoritate presbyterij* entstammt nicht der Vulgata, aber sie kann als Wiedergabe der Paraphrase des Erasmus gelten. Auch der große Humanist bezieht die Prophetie auf die vorausgehende Gabe Gottes. Sie weist auf, « daß du durch diese Gaben unterwiesen bist, die feststellen, daß du dieser Ehre würdig bist ». Die Handauflegung ist Ausdruck der Autorität der Presbyter. Auf beides, Gottes Gabe und die übertragene Autorität, hat der Ordinierte zu antworten, eben durch das Verhalten, das der Apostel in den Mahnungen der Pastoralbriefe fordert[35]. Dem letzteren hätte Bugenhagen sicher zugestimmt. Aber die Berufung ist für ihn nicht ein Handeln in kirchlicher Autorität, sondern bleibt an die göttliche Vorgabe gebunden. Die Handauflegung ist also kein autoritativer Akt, sie ist apostolischer Brauch, aber nicht sakramentale Stiftung. Sie ist Zeichen, deshalb kann die augustinische

---

34. *Vult non esse neglectorem officij pastoralis, quod hic donum vocat, ad quod donum duo requiruntur, prophetia et vocatio. Sine his duobus nemo praesumat esse pastor vel episcopus. Prophetia est donum, ut possis potenter docere quae fidei sunt, quam si habueris, expecta donec voceris, vel à deo vel ab hominibus, sicut omnes prophetae et Apostoli vocati sunt. Vocatio tempore Apostolorum fiebat per impositionem manuum super caput vocati, quo ceu signo agnoscebatur ille vocatus et susceptus. Sic non Apostoli (ut non sibi hoc arrogent nostri Apostoli) sed discipuli alij ab Apostolis congregati eligunt septem Diaconos, et orantes imponunt eis manus in conspectu Apostolorum, hoc signo ostendentes Apostolis, et reliquae multitudini, quod tales volebant et eligerunt ministros, et Paulus imposuerat manus Timotheo docto sacris literis à puero, et erudito in fide, sicut dicit epistola secunda cap. 1. Sed non solum imposuerat, ut hic vides. Nam quod hic translatum est auctoritate sacerdotij, non est in Graeco, sed* μετά ἐπιθέσεως, *etc. id est, cum impositione manuum presbyterij, quasi dicas latine senatus, id est, seniorum. Vides consensu aliorum Timotheum electum, ita et intellige quod infrà dicitur, manus cito nemini imponas, et quod Tito scribitur, ut constituas per civitates presbyteros etc. Impositio manuum fuit Hebraeis familiaris, ubi aliquid commendabatur deo. Sic Iacob imponit manus duobus filijs Ioseph, Gen. 48. Sic manus super caput hostiae immolandae ponitur Levitici 1. Sic Christus imponit manus super parvulos, et credentibus dicit : Super aegros manus imponent, et bene habebunt. Hoc quia externum signum est, vel omitti potest, vel aliter fieri, quia institutum non est aut mandatum. Electionis tantum signum erat. 87ᵛ.*

35. *Te prophetia ad id muneris designavit, ac mox presbyterorum autoritas rite tibi impositis manibus, episcopi functionem delegavit. Porro divini muneris est, quod his dotibus instructus sis, quae te declarent hoc honore dignum. Proinde duplex tibi cura incumbit, ut et dei beneficio et autoritati mandatae respondeas. Non est ociosa professio, Q 6ᵛ.*

Zuordnung von *signum* und *res* auf sie angewandt werden. Sie soll
Zeichen der sorgfältigen Prüfung der Gnadengabe und der daraus folgenden Wahl für das Amt sein; wenn dies unterbleibt, die *res*, ist es ein
leeres Zeichen. Als verstehbares Zeichen muß die Handauflegung gleich-
sam historisch abgeleitet werden. Diese Fragestellung mußte der bisherigen Tradition fremd sein. Für die Analogie zur Handaufstemmung auf
den Kopf des Opfertiers habe ich nirgends eine Vorlage gefunden; es ist
Bugenhagens eigene Entdeckung. Den gottesdienstlichen Akt, den der
Wittenberger Exeget vor Augen hat, müßte man als Präsentation des
Erwählten beschreiben und zugleich seine Aufnahme in den Kreis der
Kollegen. Die Berufung ist ein göttliches und ein kirchliches Geschehen.
Aber von Ordination wird man eigentlich nicht reden können. Das wird
durch die etwa gleichzeitig entstandenen und bereits 1524 gedruckten
Annotationes in Deuteronomium bestätigt [36].

Diese Position vertritt Bugenhagen auch im folgenden Jahr in einer
für dies Thema immer wieder herangezogenen Predigt am Sonntag Qua-
simodo geniti über die Perikope vom ungläubigen Thomas (Joh 20,
19-29). Mit ihr ist das Stichwort « äußere Zeichen » gegeben, zunächst
durch die Forderung dieses Apostels, die Wundmale des Herren selbst zu
sehen und betasten zu können, dann in einem weiteren Sinn : Den Jün-
gern gab der Auferstandene am Abend des Ostertages den Heiligen Geist
durch Anblasen (Joh 20, 22). Thomas war nicht zugegen, aber auch er
hat den Geist empfangen — wie nach Numeri 11, 24-30 Eldad und
Medad, die nicht bei Mose mit den siebzig waren, die den Geist vor dem
Offenbarungszelt erhielten —; sonst hätte Thomas am Sonntag darauf
nicht das Bekenntnis sprechen können « Mein Herr und mein Gott »
(20, 28). « Der Heilige Geist ist nicht angebunden »; das wird an Apg.
10 aufgezeigt. Die Bischöfe Titus und Timotheus haben die Handauflegung gebraucht, « nicht weil sie etwas vor Gott wäre. Aber sie war das
Zeichen der Übereinkunft, daß dieser (Christ) gewählt ist und dafür, daß
man weiß, er ist gewählt. Das könnte ich auch tun, aber weil daraus
mancherlei Schwärmerei folgen würde, will ich nicht. Wer von der
Kirche gewählt ist und angenommen wird, der ist ordiniert. » Dann wiederholt er die uns schon bekannte Ableitung des Brauchs aus jüdischer
Tradition [37]. Zu den Eigentümlichkeiten dieser Predigt gehört ihr Datum.

---

36. Ich zitiere zu 34,9 nach Drews WA 38, S. 403 : *Impositio tamen manuum servata est
ab apostolis non ut necessaria res, alioqui cur etiam Christus non imposuit apostolis manum ?
sed ad hoc externo signo coram ecclesia, id est, populo in civitate, cui praedicaturus erat cui
imponebantur manus, declararetur hunc esse dignum et spiritu doctum verbi ministrum.
Praedicatoribus imponebant manus, non missariis* (d.h. « Meßpfaffen »). *Sed haec alias in
Paulo*, p. 178. Daß der Deuteronomiumskommentar früher erschienen ist als die Auslegung
der kleinen Paulinen, muß nicht heißen, daß er früher entstanden ist. Die Nennung des
Namens des Apostels Paulus ist jedenfalls ein Verweis auf die Pastoralbriefe.

37. *Spiritus sanctus non est alligatus etc. Quosdam legis accepisse spiritum sanctum sine
impositione manuum Act. X. Petrus non putabat gratiam hanc pertinere ad gentes nec
recordabatur impositionis manuum, non est alligatus spiritus sanctus his. Hoc fecerunt et*

Am 23. April 1525 stehen wir mitten im Bauernkrieg. Thomas Müntzer hat damals seine flammenden Appelle zum Kampf verbreitet. Luther befand sich zu diesem Zeitpunkt noch mitten im Aufstandsgebiet; er kam am 7. Mai tief verstört in seine Universitätsstadt zurück. Wenn man damals in Wittenberg von « Schwärmerei » sprach, hatte man eigentlich anderes vor Augen, als daß der Stadtpfarrer jemandem die Hände auflegen könnte. Es läßt sich auch nicht sagen, daß der Text der alten Perikope vom Sonntag nach Ostern zwingend gerade auf die Erörterung dieser Frage hingewiesen hätte. Aber beides würde verständlich, wenn in diesen Wochen nach Ostern ein akuter Anlaß vorlag, auf den Bugenhagen einging. Tatsächlich hat Martin Luther am 14. Mai 1525, eine Woche nach seiner Rückkehr, einen Tag vor der Schlacht bei Frankenhausen, in der das Heer der aufständischen Bauern vernichtet wurde, in der Wittenberger Stadtkirche den Magister Georg Rörer unter Gebet und Handauflegung als *Diaconus* dieser Kirche ordiniert. Jedenfalls hat Rörer selbst die damals gehaltene Predigt überliefert und den Akt als Ordination bezeichnet[38]. Er wurde später Bugenhagens Schwager. Aber zunächst gilt doch : Daß in Bugenhagens Kirche ein Mann, der zum Dienst an dieser seiner Gemeinde bestimmt war, nicht von ihm, sondern von Luther ordiniert wurde, kann nur als Ausdruck eines Konfliktes verstanden werden. Luther hat in diesem Jahr der apokalyptischen Vorzeichen manche trotzige Tat gewagt, dem Teufel ins Angesicht. Man wird nicht fehlgehen, wenn man auch diese Ordination so versteht : Gerade wenn die Welt untergeht, darf die Verkündigung des Wortes Gottes, die Verwaltung der Sakramente Christi nicht aufhören[39]. Aber Bugenhagen ist damals nicht gewonnen worden.

4. Seit 1527 finden wir den Wittenberger nun als Reformator in norddeutschen Hansestädten. Was er hier tat, wird er selbst vom Auftrag an Titus her verstanden haben, Stadt für Stadt Bischöfe einzusetzen. Tatsächlich sehen alle diese Kirchenordnungen jeweils einen leitenden Geistlichen, einen Superintendenten vor. Der vage Plan, einen eigenen Erzbischof für die Hansestädte zu installieren, mag an die Stellung des

---

Episcopi Titus et Timotheus, non quod aliquid esset coram deo. Sed erat signum conventa concione hunc electum esse et sciretur electus. Ego possem quoque facere, sed quia varia Schwermerei sequeretur, nolo. Qui eligitur ad ecclesia et acceptatur, hic est ordinatus. Georg Buchwald, *Ungedruckte Predigten Johann Bugenhagens aus den Jahren 1524-1529*, Leipzig 1910, S. 212-218, hier 217, 27-36.

38. *WA* 16, 226,6 (Fußnote); 17/1, 243 (Fußnote); vgl. Drews *WA* 38, S. 403; Lieberg S. 182.

39. Diese apokalyptische Perspektive hat besonders Heiko A. Oberman, *Luther. Mensch zwischen Gott und Teufel*, Berlin 1982, herausgearbeitet. Georg Rörer hat übrigens auch am 29. Oktober 1525 bei der ersten Erprobung der « Deutschen Messe » die Liturgie gesungen, *WA* 19, S. XVIII, 12f. Er wurde später der treue Nachschreiber der Predigten Luthers und damit unsere wichtigste Quelle für diese Dimension des Wirkens Luthers. Die Heirat mit Maria, der Schwester Bugenhagens, zeigt, wie sehr er auch in das Haus des Stadtpfarrers hineingewachsen ist.

Apostelschülers Titus selbst erinnern. Aber jedenfalls sehen diese Ordnungen seit 1529 einen Ritus der Amtseinführung für einen neuen Pfarrer in Hamburg, dann auch in Lübeck vor, genannt "Annahme" (*annehminge*) gemäß dem lat. *susceptus* im Kommentar zu 1. Tim 4, 14[40].

Zum Verständnis ist kurz die kirchliche Hierarchie in diesen Städten in den Blick zu nehmen. Die Bischofskirchen St. Marien in Hamburg, der Johannes dem Täufer gewidmete Dom in Lübeck, unterstanden dem Rat nicht, sie blieben außerhalb der Neuordnung; auch als die Reformation längst die jeweiligen Bistümer erfaßt hatte, waren sie politisch und kirchlich der Stadt und ihrer Kirchenordnung gegenüber exemt. Die in Hamburg 4, in Lübeck 5 Pfarrkirchen der Stadt behalten ihren Pfarrer, früher etwa *plebanus* oder *rector* genannt, jetzt meist als Pastor, Prediger oder Lehrer bezeichnet; nur die Verbindung zum Domkapitelist, soweit erforderlich, gelöst. Ihnen waren auch seit langem Kapläne zugeteilt; das bleibt. Derartige Kapläne braucht man auch für Sonderdienste, z.B. an Spitalkirchen. An der Spitze des Stadtklerus steht jetzt der Superintendent, dem ein eigener "Helfer" aus dem Kreis der Pastoren zugeordnet wird. Die Bestimmungen über die Wahl dieser Amtsträger verdeutlicht, wie sehr hier in diesen Städten Stadtgemeinde und Kirchengemeinde ineinander liegen : Der Superintendent wird vom Rat und Vertretern der städtischen Gesamtgemeinde gewählt. In Hamburg sind das die Diakone, in Lübeck ein Bürgerausschuß, unter Mitwirkung der Pastoren; sein Adjutor von den 4 Ratsherren, die für die Kirchenkasse zuständig sind, zusammen mit den ältesten Diakonen (Hamburg) oder Kirchvätern (Lübeck) unter Beteiligung des Superintendenten und der Pastorenschaft. — Ein Gemeindepastor wird in Hamburg von den Kirchspielherren und Diakonen seines Kirchspiels gewählt unter Beteiligung von Vertretern der Gesamtbürgerschaft und des Superintendenten und seines Helfers, in Lübeck von den Kirchvätern aller Kirchspiele mit Beratung und Hilfe des Superintendenten und aller Pastoren. Hier wird die Einstellung besonders geregelt; dafür sind die Ratsherren wie die Mitglieder des Bürgerausschusses mit Superintendent und Pastoren

---

40. Hamburg : Sehling V, 502f. : *Erwelinge des lerers edder predicanten; Wome Sulke denere des wordes in der karken annehmen schall*; Lübeck : Sehling V, 349f. : *Erwelinge der leerers edder predicanten; Van der annehminge sulker deneren des wordes in der kerken*. Der zweite Abschnitt ist bei Sehling nicht ausgedruckt, weil er bis auf kleinste Abweichungen im Wortlaut der Ordnung für Hamburg entspricht. Ich zitiere im folgenden die hochdeutsche Übertragung von Wolf-Dieter Hauschild in *Lübecker Kirchenordnung von Johannes Bugenhagen 1531*, Lübeck 1981, hier S. 94-100 (bzw. 94*-100*). Es ist eine Faksimilewiedergabe der Originalausgabe mit gegenüberstehender Übertragung, hg., erläutert und eingeleitet durch W.-D. Hauschild. Zur Reformationsgeschichte Lübecks generell auch W.-D. Hauschild, *Kirchengeschichte Lübecks. Christentum und Bürgertum in neun Jahrhunderten*, Lübeck 1981, bes. S. 179-242, zur Kirchenordnung 194-211. Für Hamburg vgl. jetzt Rainer Postel, *Die Reformation in Hamburg 1517-1528* (QFR 52), Gütersloh 1986; für das Wirken Bugenhagens noch immer C.H. Wilhelm Sillem, *Die Einführung der Reformation in Hamburg* (SVRG 16), Hamburg 1886. Eine Einzelausgabe der Ordnung Bugenhagens mit hochdeutscher Übers. : *Der Ehrbaren Stadt Hamburg Christliche Ordnung 1528. De Ordeninge Pomerani*, unter Mitarbeit von Annemarie Hübner hg. und übers. von Hans Wenn (Arbeiten zur Kirchengeschichte Hamburgs 13), Hamburg 1976.

zuständig. — Für die Suche nach geeigneten Kaplänen sind grundsätzlich die jeweiligen Pastoren verantwortlich, mit Beratung durch alle zuvor genannten Instanzen der Stadt und ihrer Pastorenschaft. Grundsätzlich gilt, daß die gleiche Instanz, die wählt und einstellt, auch für eine möglicherweise erforderliche Amtsentsetzung zuständig ist. Auch für Bugenhagen war Reformation in der Stadt Erneuerung des ganzen Gemeinwesens mit Beteiligung aller an der Verantwortung.

Dem schließt sich nun der gottesdienstliche Akt als Bestätigung der Wahl und Einfügung der Gewählten in ihr Amt an. Bugenhagen nennt dies, daß die « in der Kirche, vor der Gemeinde den geistlichen "Orden" empfangen und damit *ordinati ad ministerium spiritus non literae* nach 2. Kor 3 [6] sind ». Es geht also um "Ordination". Ausdrücklich heißt es, daß « diese Ordination (*ordeninge*) nach der Gewohnheit der ersten Christenheit mit Gebet und Handauflegung » geschieht unter Berufung auf die Apostelgeschichte und den Apostel Paulus (p. 97*). Aber dies Geschehen wird ebenso ausdrücklich der Annahme eines weltlichen "Ordens" parallelisiert, der auch von Gott kommt wie das Amt eines Bürgermeisters oder Stadtdieners. Damit greift Bugenhagen einen bestimmten Sprachgebrauch Luthers auf[41]; dort liegt der Akzent normalerweise darauf, daß diese "Orden" der bleibend vorgegebene Rahmen christlicher Bewährung unter Gottes Verheißung ist. Bugenhagen entnimmt hier der Analogie zwischen der Berufung zum geistlichen und zum politischen Amt die prinzipielle zeitliche Beschränkung. Verstärkt wird dieser Aspekt durch die durchgehend eingeräumte Möglichkeit, bei allem Bemühen könnten sich die Wählenden ja auch irren. Die Kanzelvermahnung am Anfang des Gottesdienstes spricht sogar davon, daß « wir trotz allem erdenklichen Fleiß unwissend einen Judas erwählt » haben könnten (p. 98*). Weiter ist diese « Annahme » für alle verbindlich, ob sie nun zuvor die bischöfliche Priesterweihe empfangen haben oder nicht. Deshalb wird man gut tun, sie zunächst als Installation zu verstehen. Inwieweit sie darin doch auch Ordination ist, wird noch zu prüfen sein.

Der Gottesdienst soll zeitlich am Sonntag so gelegt werden, daß zu dieser Handlung der Superintendent, alle Pastoren und die Kapläne der jeweiligen Kirche anwesend sein können. Nach der Epistel wird der Gemeinde in einer Kanzelvermahnung das Folgende angekündigt und gedeutet. Der festliegende Text greift auf das öffentliche Gebet in den Sonntagsgottesdiensten zuvor zurück, Gott möge dieser Kirche einen guten Superintendenten,

---

41. Zum Verständnis ist hier Luthers Drei-Stände-Lehre heranzuziehen, die er 1528 besonders prägnant in seinem « Bekenntnis » als Abschluß der Schrift « Vom Abendmahl Christi » gegen die "Schwärmer" vorgetragen hatte : Die heiligen Orden und rechte Stiftungen von Gott eingesetzt, sind diese drei : das Priesteramt, der Ehestand, die weltliche Obrigkeit (*WA* 26, 504, 30f.). Diese Ordnungen sind der Ort der Heiligung für jeden Christen. Zu diesem ganzen Konzept vgl. Wilhelm Maurer, *Luthers Lehre von den drei Hierarchien und ihr mittelalterlicher Hintergrund*, Sitzungsberichte der bayerischen Akademie der Wissenschaften, Phil. Hist. Kl. 1970/4 ; ders., *Historischer Kommentar zur Confessio Augustana 1*, Gütersloh 1976, S. 100-104.

Pastor oder Pfarrer, Kaplan oder Prediger senden. Jetzt sei N. gewählt.
Deshalb beten wir jetzt, Gott möge ihm die Gnade geben, uns durch solches
Amt zur Seligkeit zu führen. « Dieser N. soll nun vor dem Altar mit Gesang
und Gebet und Handauflegung eurer Liebe vorgestellt werden, daß wir ihn
so in diesem unserem Amte der Gnade Gottes anbefehlen und diese
Gemeinde weiß, daß dieser Person bei uns solch Amt anvertraut ist »
(p. 98*). Die ganze Gemeinde in allen ihren Ständen soll nun beten,
während der Kinderchor das Halleluja singt.

Während dieser Gesänge, Halleluja, *veni creator spiritus* usw. ziehen die
Pastoren mit dem Ordinanden ein, sie bilden um ihn einen Kreis und knien
alle nieder. Derjenige, der die dann folgende Kollekte lesen oder singen
wird, das Ordinationsgebet, soll am Altar knien. Das ist, wenn ein Superintendent in sein Amt einzuführen oder zu ihm zu verordnen ist, der Pfarrer
der Marienkirche, denn dort findet in diesem Fall der Gottesdienst statt.
Sonst geschieht dies in der jeweiligen Pfarrkirche und dann fällt die Kollekte
dem Superintendenten zu, bei einem Kaplan dem Pfarrer der jeweiligen
Kirche. Nach dem Gesang stehen alle Prädikanten auf und legen dem noch
knienden Ordinanden die Hände auf, dann liest der dazu Verordnete vor
dem Altar, auch mit Handauflegung das folgende Gebet :

Lasset uns beten. Allmächtiger, ewiger Vater, der du uns durch unseren einzigen
Meister Jesus Christus also gelehrt hast : « die Ernte ist groß, aber wenige sind der
Arbeiter; darum bittet den Herrn der Ernte, daß er Arbeiter in seine Ernte sende »
[Mt. 9, 37]. Diese Worte ermahnen uns, gute Arbeiter, d.h. Prediger deiner Gnade
mit aufrichtigem Gebet zu erbitten. Wir bitten deine grundlose Barmherzigkeit, daß
du ein gnädiges Aufsehen auf diesen deinen Knecht, unsern erwählten Prediger,
haben mögest, daß er fleißig sei, mit deinem Worte, Jesus Christus als unsere einzige
Seligkeit zu predigen, die Gewissen zu unterweisen und zu trösten, zu strafen, zu
drohen, zu ermahnen mit aller Langmütigkeit und Liebe, daß ja das Heilige
Evangelium rein, ohne Zutun menschlicher Lehre, stets bei uns bleibe und Frucht
zur ewigen Seligkeit unter uns allen bringe durch denselben Jesus Christus unsern
Herrn. Respondetur : Amen (p. 99*f.).

Dann singt die Gemeinde « Nun bitten wir den Heiligen Geist », die
Pastoren knien noch einmal nieder und gehen während des Gesanges
« würdig aus der Kirche, ein jeder zu seiner Kanzel ». Dort werden sie für
den neuen Amtsbruder beten. In der Ordinationskirche geht der Gottesdienst mit der Predigt bis zur Kommunion weiter.

Das tragende Element dieser Handlung ist das Gebet, vor allem als Fürbitte.
Sie ist von gesungenen Bitten um den Heiligen Geist umrahmt, der doch
nicht oder jedenfalls nicht in erster Linie für diese Handlung selbst angerufen
wird, sondern für diese Gemeinde mit ihrem neuen Pfarrer oder Superinten-
denten. Das Ordinationsgebet begründet die Weihe des Ordinanden im Auftrag
Christi und ist dann auch Fürbitte für ihn in seinem ihm zugewiesenen Dienst.
Die Handauflegung beteiligt alle an dieser Fürbitte und sie ist zugleich
Ausdruck der Einstimmung aller Pfarrer der Stadt in die Betrauung des neuen
Amtsbruders mit diesem Amt in ihrer Mitte.

Es ist wichtig für das Verstehen dieses Rituals, daß Bugenhagen zwar derartiges in der Kirchenordnung für Braunschweig 1527 noch nicht angeordnet hatte, sich dafür selbst aber am Beginn seines Reformationswerkes in dieser Stadt seine Beauftragung in eben dieser Weise bestätigen ließ. Drews schildert dies so, daß er « am Abend vor Himmelfahrt alle Geistlichen der Stadt in die Andreaskirche rufen [ließ], [er] wies ihnen das Schreiben vor, durch welches Rat und Gemeinde ihn erbeten hatten, eine Zeitlang mit denen, die im Dienst des Wortes hier schon wirkten, das Evangelium zu verkünden, und ließ sich, um der Anerkennung dieser Geistlichen sicher zu sein, unter Gebet und Handauflegung, die alle vollziehen mußten, als Lehrer der Kirche bestätigen » [42]. « Allgemeiner Lehrer und Prediger in allen Kirchen der Stadt » ist die zeitgenössische Beschreibung seines Amtes. Für uns sind diese Worte wohl zu undeutlich. In Lübeck hat Bugenhagen sich für eine bestimmte Regelung ausdrücklich darauf berufen, daß er in dieser Sache « berufener und erwählter Ordinarius » sei, vor Gott und jedermann (Vorrede, p. 9 *). Das war sein bischöfliches Amt und sein Dienst auch in Braunschweig. Zugleich wird an dieser Handlung deutlich, was eine solche "Ordination" auf Zeit sein kann. Gemeinsam ist jedenfalls die Einbeziehung aller Pfarrer der Stadt, in Braunschweig waren es 21; in Hamburg und Lübeck kommt hinzu, daß es um eine gottesdienstliche Handlung vor der ganzen Gemeinde und mit ihrer betenden Beteiligung geht. Vor allem aber ist jetzt der Normalfall eben doch, daß der so "angenommene" Superintendent, Pfarrer oder Kaplan in seiner Stadt, bei seiner Gemeinde bleibt.

Das Ganze ist eine völlig frei, ohne erkennbare Bindung an ältere liturgische Tradition gestaltete Ordnung. Sicher wird man dabei berücksichtigen müssen, daß für Bugenhagen wie Luther die Lage anders war als etwa Thomas Cranmer in Canterbury oder Olaus Petri in Uppsala; sie reformierten nicht von einer Kathedrale aus, sie hatten wohl nicht einmal ein Pontifikale zur Hand. Aber entscheidend war doch, daß solche Anknüpfung gerade bei Bugenhagen auch gar nicht gewollt war. Er hat in einer erstaunlichen Weise seine exegetischen Einsichten von 1524/1525 in liturgisches Handeln umgesetzt [43]. Vor allem tritt die klare Gemeindebezogenheit dieses Ritus heraus.

Sie wird noch prägnanter, wenn die Kirchenordnung für Pommern 1535 festlegt, daß ein Prädikant nach Erfüllung aller Vorbedingungen, wenn er

---

42. *WA* 38, 403 mit Lit. Angaben. Vgl. auch die ältere Arbeit von Hermann Hering, *Doctor Pomeranus, Johannes Bugenhagen. Ein Lebensbild aus der Zeit der Reformation* (SVR 22). Halle 1888, S. 49f. Der die Handlung leitende — im Sinne der Hamburger und Lübecker Kirchenordnungen, der die Kollekte spricht — war Magister Heinrich Winkel aus Halberstadt, der im gleichen Jahr erst aus Jena vom Rat nach Braunschweig geholt worden war, um die Reformation in Gang zu setzen, dieser Aufgabe aber offenbar nicht gewachsen gewesen ist. Eine neuere Untersuchung zur Reformationsgeschichte der Stadt Braunschweig ist mir nicht bekannt.

43. Darauf wie sehr für den Pomeranus Schriftauslegung und Kirchenordnung zusammenhängen, hat vor allem Wolf-Dieter Hauschild in Stoll (Hg.), *Kirchenordnung als Gottesdienst*, S. 44-91 (vgl. Anm. 9) hingewiesen.

in eine Stadt berufen ist, « nach der Epistel mit Auflegung der Hände durch
die anderen Prädikanten und etliche von der Gemeinde und die Ältesten
angenommen werden und der Kirche befohlen, mit den Zeremonien, in der
lübeschen Ordnung verfaßt »[44].

Man wird dies nur als eine bemerkenswerte Konkretisierung der Wieder-
entdeckung der Gemeinde als Urstruktur der Kirche durch die Reformation
bewerten können, einschließlich der damit verbundenen « Koinzidenz von
bürgerlicher und christlicher Existenz »[45]. Gerade unter diesen Bedingungen lag aber Bugenhagen – an sich wie Luther – alles daran, daß die
Eigenständigkeit des Auftrages und Dienstes des geistlichen Amtes in einer
christlichen Gemeinde nicht verloren geht. Das ist Aufgabe des Superintendenten. Die in Pommern an der "Annahme" beteiligten Laien sind Vertreter
der Christengemeinde, nicht des Rates[46]. In all dem ist Bugenhagen Schüler
Luthers, aber auf eigenen Wegen. Denn es ist ja auch einsichtig, daß ein
solches Konzept nicht mit einer zentralen Ordination, wie sie Luther
vorschwebte und wie es der Kurfürst 1535 für Kursachsen in Wittenberg
anordnen sollte, zu vereinbaren war.

Auch diese Praxis blieb auf den Dienst in einer konkreten Gemeinde
bezogen, denn Voraussetzung für Examinierung und Ordination war die
Vokation auf eine bestimmte Stelle durch die dafür zuständige Gemeinde
oder den Inhaber der Patronatsrechte. Luther und Melanchthon deuteten
die Wittenberger Zentralordination als Hilfe für eine Schwestergemeinde
und beriefen sich hierfür in etwas eigenwilliger, aber doch nicht willkürli-
cher Anwendung auf Kanon 4 von Nizäa 325. Notwendige Konsequenz war
die Trennung von Ordination und Installation. Das war aber nur möglich,
wenn die Ordination anders konzipiert war als in den Ordnungen Bugenhagens 1529/1531.

Eine besonders auffallende Eigenart dieser Ordnungen hängt offenbar
auch mit diesem Bild von Gemeindebezogenheit zusammen. Es ist eigentlich eine Ordination ohne Ordinator. Das Amt wird nicht weitergegeben ;
der Gewählte wird in das Amt aufgenommen.

Aber kann man dann diese Handlung überhaupt eine Ordination nennen ; ist sie nicht "nur" eine Amtseinführung ? Der Hamburger und
Lübecker Text ist eindeutig, es soll Ordination sein. Also wird es auf eine
Definition ankommen. Im Sinne Bugenhagens wäre es gewiß nicht, eine
bestimmte Schulmeinung zum Kriterium zu machen – so sehr er unbestreitbar auch selbst in Schultraditionen steht. Wenn man nach historischen

---

44. Sehling IV 331f. sprachlich leicht modernisiert. Der Weg bis zur « Annahme » ist
inzwischen genauer festgelegt : Am Anfang steht das Examen vor den Prädikanten bestimmter
dazu ermächtigter Städte Pommerns, dann die Vokation auf die Pfarrstelle einer Gemeinde,
schließlich die Präsentation vor dem Bischof (in der Regel von Kammin) und seine Konfirma-
tion der Berufung. Wir sind in einem Territorialstaat, nicht mehr in einer freien Hansestadt.
45. Hauschild S. 90.
46. Es ist doch bemerkenswert, daß Bugenhagen 1533 in Wittenberg mit Thesen über den
Unterschied zwischen dem kirchlichen Amt nach dem Evangelium und obrigkeitlicher Gewalt
promoviert wurde.

Vergleichsmöglichkeiten sucht, ist jedenfalls zu konstatieren, daß auch bei der Bischofsweihe in der Kirchenordnung Hippolyts um 200 in Rom — einem Text, den Bugenhagen natürlich nicht kennen konnte — eigentlich die Gestalt eines Ordinators fehlt. Auch hier wird nur gesagt, daß einer von den anwesenden Bischöfen auf Bitte der anderen die Hände auflegen und das Konsekrationsgebet sprechen soll. Dies Gebet ist dann ebenfalls in erster Linie Fürbitte für den Gewählten, Bitte um den Geist, um Kraft und Autorität, sein Amt zu führen. Daß diese Handlung ihn zum Bischof macht, ist im Gebet selbst kaum ausgesagt, nur dem Rahmen ist es zu entnehmen. Auch die Frage nach der zeitlichen Erstreckung einer derartigen Übertragung kirchlicher Ämter ist der frühen Kirche noch fremd gewesen. Schon die strenge Bindung der Ämter von Bischof, Presbyter, Diakon an eine bestimmte Gemeinde in der frühen Kirche schloß hier weitergehende Festlegungen aus. Andererseits ist dies ein Ordinationsverständnis, das von den mittelalterlichen Konzeptionen abweicht und auch von der Konzeption Luthers. Man wird diese gottesdienstliche Handlung also als Installation bezeichnen können, die eine Ordination in sich schloß. Auf die theologische Relevanz der hier angedeuteten Differenz zwischen den beiden Wittenberger Reformatoren ist noch zurückzukommen. Aber sie hat auch etwas mit den konkreten Aufgaben zu tun. Luther hatte sein Bild des rechten Bischofsamtes primär von der Einzelgemeinde aus gewonnen, sah jetzt aber seine Verantwortung in einem weiten Raum, innerhalb des Territorialstaates Kursachsen und darüber hinaus. Bugenhagen ordnet die Reformation in konkreten Stadtgemeinden und schneidet alle Einzelregelungen auf diese spezifisch geprägte Welt zu.

Diese Unterschiede haben das persönliche Verhältnis der beiden Männer zueinander offenbar gar nicht getrübt. Gerade 1527 ist es in noch neuer Weise vertieft worden : in schweren Anfechtungen wußte sich Luther nur noch stärker seinem Beichtvater verbunden. Als die Pest in diesem Jahr in Wittenberg wütete, der Maria Rörer, Bugenhagens Schwester zum Opfer fiel, sind die beiden Familien für längere Zeit zusammengezogen, als Trost und Stärkung für beide.

1535 hat ja dann Bugenhagen, wenn auch zögernd, der Wittenberger Ordination schließlich doch zugestimmt und Luthers Ordinationsformular übernommen, der — wie noch anzusprechen sein wird — seinerseits Elemente der Ordnung Bugenhagens verarbeitet hat.

Aber damit war der Weg des Doctor Pomeranus noch nicht abgeschritten.

5. Als Johannes Bugenhagen 1537 von König Christian III. nach Dänemark geholt wurde, ging es um die Reformation eines politisch eigenen Herrschaftsgebietes außerhalb des Deutschen Reiches. Die Inhaftierung der bisherigen Bischöfe sollte nicht nur den Weg zu einer Erneuerung in Lehre und Ordnungen freimachen, sondern auch die Kirchenherrschaft des Königs sichern. Reformation war Säkularisierung. Die neuen Superintendenten, die an die Stelle der inhaftierten treten werden, sind

— schon im Blick auf ihre finanzielle Abhängigkeit — faktisch hohe königliche Beamte. Jeder Ordination und Installation hat jetzt das Einverständnis des für die Provinz zuständigen Beamten und ein Treueid auf den König voranzugehen.

Diese Entscheidungen waren bereits gefallen, als Bugenhagen im Juli 1537 in Kopenhagen eintraf. Manches mag ihm nicht gepaßt haben, aber grundsätzlich hat er das Kirchenregiment des Königs nicht nur gebilligt, sondern gefördert, darin Melanchthon näherstehend als Luther. Vielleicht kann man sagen, daß Bugenhagen die ihm aus den Städten vertraute Identität von Kirchengemeinde und Bürgergemeinde auch auf das Königreich Dänemark übertrug, faktisch dabei aber um die Eigenständigkeit des geistlichen Regimentes weniger besorgt war als in den Städten; jedenfalls hat er offenbar den Wunsch lutherischer Prädikanten nach Einsetzung eines « Obersuperintendenten » über das ganze Reich, also eines Erzbischofs, nicht unterstützt; der König hat ihn abgewiesen[47]. Jedenfalls handelte es sich hier — auch anders als in den Städten — um eine Reformation primär von oben. Die Grundzüge der neuen Kirchenordnung waren 1536/1537 von einer königlichen Kommission in Kopenhagen ausgearbeitet und von Luther und Bugenhagen im Prinzip gebilligt worden. Der « Bischof der Kirche von Wittenberg und Legat Christi in Dänemark » hatte sie nur noch zu überarbeiten und zu ergänzen.

Die *Ordinatio Ecclesiastica Regnorum Daniae et Norwegiae et Ducatuum Sleswicensis Holtsatiae, etc.*[48] von 1537 ist gegliedert in die *Ordinatio divina*, d.h. die im göttlichen Recht verankerten Lehren und Ordnungen, die nicht durch menschliche Willkür verändert werden dürfen, und die *Ordinatio nostra*, die vom König festgelegten, veränderbaren Bestimmungen (p. 8 aus der Vorrede Christians III. Von Bugenhagen entworfen ?). Faktisch lagen beide Aspekte aber doch ineinander. Das zeigt auch der *Ritus instituendi ministros* (p. 26-28), der mit der Feststellung einsetzt : *Est autem ordinatio nihil aliud quam ritus ecclesiasticus vocandi aliquem in ministerium verbi et sacramentorum.* Hier ist dann — wie schon angedeu-

---

47. Vgl. dazu und zu diesem ganzen Thema Martin Schwarz Lausten, « König und Kirche. Über das Verhältnis der weltlichen Obrigkeit zur Kirche bei Johann Bugenhagen und König Christian III. von Dänemark », in Leder (Hg.), *Johannes Bugenhagen. Gestalt und Wirkung* (Anm. 9), S. 144-167. Zur Reformationsgeschichte Dänemarks (mit Norwegen) überhaupt : siehe : Georg Schwaiger, *Die Reformation in den nordischen Ländern*, München 1962, bes. S. 33-85 ; P.G. Lindhardt, *Skandinavische Kirchengeschichte seit dem 16. Jh.* (Die Kirche in ihrer Geschichte, Lfg. M III). Göttingen 1982, S. 235-314.

48. Text : Ernst Feddersen (Hg.), *Die lateinische Kirchenordnung König Christians III. von 1537 nebst anderen Urkunden zur schleswig-holsteinischen Reformationsgeschichte* (Schriften des Vereins f. schleswig-holsteinische Kirchengeschichte II 18), Kiel 1934, S. 1-93. Tatsächlich galt diese Ordnung aber in den (deutschen) Herzogtümern Schleswig und Holstein noch nicht, hierfür wurde 1542 eine eigene Kirchenordnung in (nieder-) deutscher Sprache erlassen, an der auch Bugenhagen mitbeteiligt war ; der Text jetzt : *Die schleswig-holsteinische Kirchenordnung von 1542*, hg. von Walter Göbell unter Mitarbeit von Annemarie Hübner und Hans-Joachim Ramm (Schriften des Vereins für schleswig-holsteinische Kirchengeschichte I 34), Neumünster 1986. Hier sind die Ordinationsbestimmungen nicht wiederholt.

tet — festgelegt, daß die Presbyter einer Provinz oder Präfektur, die zugleich ein Bischofssprengel ist, sich aus ihrer Mitte einen Propst erwählen. Der Propst — als gewählter Repräsentant der Pfarrerschaft — (oder der Inhaber der Patronatsrechte) wählt einen Kandidaten aus, schickt ihn zum Superintendenten — dem Vertreter der königlichen Kirchenherrschaft — zur Prüfung; der schickt ihn zum « Präfekten », dem Stadthalter der Provinz, wo er den Oboedienzeid leistet; der Superintendent, der jetzt auch wieder als Bischof bezeichnet wird, ordiniert dann im wesentlichen nach der damaligen Wittenberger Ordnung. Am Ende wird ein mit Siegel versehenes Ordinationszeugnis ausgestellt für den Propst, seine künftige Gemeinde, Presbyter und Magistrat, sowie die ganze Kirche, daß er *sacri verbi praedicator et sacramentorum Christi administrator* sei (p. 29).

Über die Superintendenten und Pröpste und ihre Gehilfen wird später gehandelt (p. 47-55; 56f.); dies gehört klarer in den Bereich der königlichen Ordnungen, zumal hier auch die Versorgung und die Dienstwohnungen dieser Amtsträger geregelt werden müssen. Zum Verständnis mag es hilfreich sein, sich zu vergegenwärtigen, daß auch im *Pontificale Romano-Germanicum* Ottos des Großen die Bischofsweihe nicht zusammen mit der Priesterweihe eingeordnet ist : schon hier erscheinen Bischöfe im Kreis der Fürsten.

Den Abschluß der Kirchenordnung Christians III. bilden der Treueid des Superintendenten für den König und der Abschnitt *Hisce Caerimoniis ordinabitur publice Superintendens dominica die aut festo* (p. 61-65). Die *Ordinatio* ist ausdrücklich datiert « in Kopenhagen, im königlichen Schloß, am 2. September 1537, dem Tag, an dem öffentlich die Superintendenten der Diözesen ordiniert worden sind »[49]. Es ist also anzunehmen, daß Bugenhagen bereits nach dem hier festgelegten Ritual die neuen Bischöfe Dänemarks in ihr Amt eingeführt hat.

Es ist ein überaus festlicher Ritus, Ordinator und Ordinand(en) tragen liturgische Gewänder. Zu den einzelnen Handlungen gibt der Liturg in der Regel eine Erklärung. Die Grundstruktur des Ritus folgt offenbar dem Wittenberger Modell vielleicht noch deutlicher als bei der Pfarrerordination. Nach dem Einzug, dem Lobpreis des Amtes der Kirche nach der Heiligen Schrift und dem Gesang von Psalm 8, wieder mit Erklärung, wird der Abschnitt über die Pflichten des Superintendenten aus der Kirchenordnung gelesen, samt den königlichen Zusagen zur Versorgung der Bischöfe. Dann werden dem zu Weihenden seine geistlichen Amtsaufgaben vorgehalten und er hat mit Handschlag dem Ordinator zu versprechen, daß er sich an sie halten will[50]. Es folgt Psalm 134 (Vulg 133), auf den Dienst des Bischofs bezogen :

---

49. *Datum Haffniae in Castro nostro Anno domini M.D. XXXVII secunda Septembris, qua die publice ordinati sunt dioecesium Superintendentes*, p. 9.

50. *Et postea mandat ei ut syncere doceat Evangelium id est remissionem peccatorum et vitam aeternam in Christo Iesu filio dei solum / Item de Charitate / Cruce / Poenitentia / magistratu / obedientia ex verbo dei / Item de sacramentis ex Christi institutione non aliud aut aliter. Promittis?*, p. 62.

Für euch Hirten wird dieser Psalm gesungen, daß ihr eure Hände erhebt, das heißt betet und den Herrn segnet, das heißt den Segen [Gottes] in Christus, Abrahams Samen verkündigt usw., auch nachts, nicht allein am Tage, also ständig und mit äußerster Sorgfalt so gegen das Reich Satans angeht.

Dann kommen die Schriftlesungen, Tit 1 (5-16); Apg 20 (25-38); 2. Tim 3 (wohl 4,1-8). Es sind abgesehen von Apg. 20 andere Texte als im Wittenberger Formular[51]. Wieder legt der Ordinator aus : durch seinen Verkündiger verkündigt Christus selbst, tauft, gibt das Sakrament, überführt, mahnt, tröstet, das ist unser höchster Trost in dieser undankbaren und verächtlichen Welt usw.

Dann folgt die Begründung für die Ordination in einer eigentümlichen Anwendung von 1. Tim 4, 5 : Alles wird geheiligt durch Gottes Wort und Gebet. Das ist offenbar Aufnahme der ältesten Fassung von Luthers Wittenberger Ordinationsformular[52]. Dies wird nun folgendermaßen präzisiert : Gottes Wort, das sind die eben gehörten Lesungen. « Um diese Heiligung zu vollenden, fügen wir nun also ein weiteres Gebet an », das wird mit Lk 6 (12f.) zusätzlich begründet, einem Text, den auch die Kanzelvermahnung der Hamburger und Lübecker Kirchenordnung zitiert (p. 97f.). Dem Gebet hätten die Apostel und Ältesten der Kirche auch die Handauflegung angefügt, was der Apostelgeschichte und 1. Tim 3 zu entnehmen ist. « Einst wurden den Opfertieren die Hände aufgelegt, wie du im Gesetz des Mose siehst. Wißt nun, daß wir auch hier Gott zum heiligen Amt darbringen die, denen wir die Hände auflegen.[53] » Das Ordinationsgebet unter Handauflegung durch den Ordinator, Presbyter und Älteste beginnt mit dem Vaterunser, es folgt das Hamburger und Lübecker Gebet in lateinischer Sprache. Dann singt die Gemeinde : « Nun bitten wir den Heiligen Geist », wieder wie 1529/1531 in den deutschen Hansestädten, nur eben nun in dänischer Sprache. Dann, während des Liedes, begeben sich der Ordinator, der neue Bischof und die Assistenten auf ihre Plätze, die Messe nimmt ihren Fortgang, sie kommunizieren dann mit der Gemeinde.

Hatten die Ordnungen 1529 und 1531 mit der Wendung geschlossen : « Besondere Kleidung oder Pracht brauchen wir nicht zu dieser Sache », so hat sich dies in Kopenhagen anscheinend sehr geändert. Aber bei genauem Hinschauen läßt fast jede Zeile die persönliche Handschrift Bugenhagens erkennen. Noch einmal greift er auf seine exegetischen Einsichten zurück

---

51. Auch im *Ritus instituendi ministros*, p. 28, wird Tit 1 gelesen und nicht einer der in Wittenberg üblichen Texte.

52. *WA* 38, 424, 21ff. H, dort lautet die Fortsetzung : Ihr aber seid nicht nur gute Kreatur, geheiligt durch das Wort und das Sakrament der Taufe, sondern ihr werdet nun durch eine andere Heiligung berufen zum heiligen und göttlichen Amt, damit durch euch viele andere geheiligt werden und durch den Herrn Gewinn davontragen durch euer Wort und Werk (aus dem Lat. übers.). Der Abschnitt ist wichtig für Luthers Bestimmung des Verhältnisses von Taufe und Ordination.

53. *Olim hostiis manus imponebantur ut vides in lege Mosis. Scitote et hic nos deo offere ad sacrum ministerium eos quibus manus imponimus*, p. 64.

und fügt sie immer wieder den Zwischenerklärungen ein. Am Erstaunlichsten ist wohl, wie er jetzt dem alttestamentlichen Opferritus eine sachliche Beziehung zur christlichen Ordination abgewinnt. Sie ermöglicht ihm nun auch eine Aussage, die weit über das hinausführt, was wir bisher gehört haben : wenn die Diener der Kirche, konkret die Bischöfe, in der Ordination Gott zum Opferngeweiht werde, dann können weder sie selber noch andere sie gleichsam wieder zurückholen. Dann sind sie für ihr Leben als Person von dieser Übergabe bestimmt. Man kann ihnen das Amt nehmen, aber nicht die Weihe rückgängig machen. Zudem ist die Handauflegung nicht mehr Bestätigung und öffentliche Bezeugung der Wahl, sondern — klarer als 1529/1531 — des Gebetes. Unverzichtbar ist sie deshalb nicht geworden. Die Berufung auf 1. Tim 4, 5 nennt nur Gottes Wort und das Gebet. Aber der Ritus als ganzer hat nun doch nicht mehr allein den Sinn der Bestätigung der Gabe Gottes samt der kirchlichen Wahl, er ist nun als Amtsübertragung zu verstehen — wobei natürlich diese Ordination ein gestrecktes Geschehen bleibt. Schließlich eröffnet die Bitte um den Geist nicht nur die Handlung, die gleiche Bitte schließt sie auch.

Und nach noch einer anderen Richtung hin hat Bugenhagen frühere Einsicht nicht preisgegeben. Die Krönung des Königs und seiner Gemahlin am 12. August war der Bischofsweihe vorangegangen. Sie folgte viel stärker mittelalterlicher Tradition als der Akt am 2. September. Bugenhagen hat Christian III. sogar gesalbt — dies war durch die Salbung der Könige im Alten Testament legitimiert. Wichtiger aber ist, daß der Wittenberger auch diese Handlung mit 1. Tim 4, 4f. begründet hat. Gottes Wort über dem Amt des Fürsten war Rm 13, 1-7 und 1. Petr 2, 13-17. Auch König ist man übrigens nicht nur auf Zeit — jedenfalls nach der Sicht des 16. Jh.[54]. König und Bischof haben ihren Auftrag unmittelbar von Gott in der Christenheit. Das mochte für Bugenhagen die Aufeinanderfolge beider gottesdienstlicher Handlungen legitimieren. Daß die Krönung dennoch mancherlei Fragen aufwirft, steht auf einem anderen Blatt. Der König, der mit blankem gezücktem Schwert das Evangelium verliest, ist eigentlich ein Symbol, das tiefen Gewißheiten der Wittenberger Reformation vom Unterschied der Regierweisen Gottes widerspricht[55].

6. Die dänische Ordnung ist deshalb so erhellend, weil sie erkennen läßt, in welchem Maße Johannes Bugenhagen das ihm ursprünglich fremde

---

54. Dazu Schwarz Lausten, S. 150-156.

55. Solche Traditionen konnten Bugenhagen oder seine Berater nur aus einem mittelalterlichen Krönungsritual kennen. Dann hatte der Wittenberger aber in Kopenhagen auch die Möglichkeit, ein Ritual für die Bischofsweihe einzusehen, vielleicht vom Dom in Roskilde, dem bis dahin für Seeland zuständigen Bischofssitz. Aber hier hat er keinen Anschluß gesucht. Auch Georg II. von Anhalt, eine der anderen bischöflichen Gestalten der Wittenberger Reformation, seit 1543 als (geistlicher) Koadjutor der Stiftes Merseburg auch im bischöflichen Amt, hat bei allem Festhalten an der liturgischen Tradition sowohl für seine eigene Weihe wie erst recht für das von ihm verwendete Ordinationsformular auf die Wittenberger Ordnung — mit einigen Varianten — zurückgegriffen, nicht das mittelalterliche Ritual; Texte : *Ordination des Bischofs*, Entwurf 1545 bei Sehling 2, 6ff.; *Merseburger Ordnung*, ebd., p. 36-38.

Ordinationsverständnis Luthers aufnehmen konnte und doch ein eigener
blieb. Umgekehrt hat Luther 1535 für sein Formular deutlich an Bugenhagen angeknüpft [56]. Für ihn stand von Anfang an Bevollmächtigung, Segnung und Sendung im Vordergrund. Das gehört zur rechten Vocatio zum
geistlichen Amt. Demgegenüber konnte er, wenn es erforderlich ist, die
Einbeziehung der Gemeinde in die Handlung im Sinne Bugenhagens
zurückstellen. Luther lag viel auch an der Vergewisserung der Berufung für
den Ordinierten selbst; deshalb wäre für ihn der Verweis auf die Charismen
Gottes, die durch die Wahl anerkannt werden, zu wenig gewesen. Bugenhagen hat sich dieser Sicht offenbar erst langsam geöffnet. Auch die leichte
Differenz in der Wertung der Handauflegung bei der Ordination gehört in
diesen Zusammenhang. Bugenhagens Unterscheidung zwischen apostoli-
schem Brauch und apostolischer Weisung im Sinne der Stiftung bleibt
theologisch fundamental, auch wenn sie bei beiden Reformatoren in einer
deutlich vom Nominalismus geprägten Form vorgebracht wird und wir
historisch-exegetisch mit ihr Schwierigkeiten haben [57]. Das Prinzip hat, wie
eben gesagt, Luther geteilt. Aber für ihn war die Handauflegung eben doch
mehr als Brauch der apostolischen Zeit, sondern vorgegebenes, gültiges
Element der apostolischen Ordination. Diese Sicht hat sich auch durchgesetzt. Man wird deshalb auch Bugenhagen mit seiner Zurückhaltung nicht
gegen Luther ausspielen können. Aber er bleibt derjenige unter den
Wittenberger Reformatoren, der zuerst die Aufgabe sah, ein festes Formular für die Aufnahme eines zum Amt der Kirche erwählten getauften
Christen in der Gemeinde seines Dienstes zu schaffen. Und daß alle
kirchlichen Ämter auf Dienste in der konkreten Kirche zielen, in diesem
Sinne *officia* und nicht *dignitates* sind, das hat er überzeugend aus der
apostolischen Tradition, aus der Schrift herausgeholt und kraftvoll in
kirchliches Handeln umgesetzt.

---

56. Ich nenne vor allem den Anfang des Ordinationsgebetes mit der Anknüpfung an Mt
9, 37. Auch Beginn und Abschluß der Handlung durch die zwei Hymnen mit Bitten um den
Geist dürften von Bugenhagen übernommen sein. Die älteste Fassung von Luthers Ordinationsformular (WA 38, 418f.; 423ff. H) kannte noch kein Ordinationsgelübde — eine Art
Lehrverpflichtung dürfte vorangegangen sein im Zusammenhang mit der Prüfung —, es
folgten hier Schriftlesungen und Segen durch das Ordinationsgebet unmittelbar aufeinander.
Das ist die Struktur von Luthers Trauritual. Bugenhagen setzte in Kopenhagen noch diese
ältere Form voraus, wenn er das Gelöbnis des Bischofs vor die Ordinationshandlung im
engeren Sinn stellt. In seiner Trauordnung, die älter als die Luthers ist, hatte er Lesungen und
Traufragen mit Gelübde verbunden. Wenn dann in Wittenberg seit 1538 zwischen Lesungen
und Ordinationsgebet ein Gelöbnis eingefügt ist, mag dies eben auf Bugenhagen zurückgehen,
der sich nach der Rückkehr aus Dänemark wieder stärker um die Wittenberger Verhältnisse
kümmern konnte und nun der ganzen dortigen Ordination wohl unbefangener gegenübers-
tand. Die Analogien zwischen Trau- und Ordinationsformular sind übrigens bemerkenswert,
auch die historische Situation ist entsprechend : Luther formt ein von Bugenhagen zunächst
entworfenes Modell um. Zur Wittenberger Trauung vgl. meine in Anm. 11 genannte Studie,
zu Luthers Ordinationsformular vor allem Frieder Schulz, « Luthers liturgische Reformen.
Kontinuität und Innovation », ALW 25, 1983, S. 249-275.

57. Die ganze frühe Kirche hat eben die Einsetzung der heiligen Taufe, ihre Stiftung, in
der Taufe Jesu durch Johannes im Jordan gesehen, nicht in dem Taufbefehl des Auferstande-
nen nach Mt 28, 19, der für die Reformatoren unverzichtbar wurde.

LE ROI, LA VIERGE, ET LES IMAGES :
LE MANUSCRIT
DES *CANTIGAS DE SANTA MARIA*
D'ALPHONSE X DE CASTILLE

Jacques LE GOFF

L'essor du culte marial du XIᵉ au XIIᵉ siècle est un des grands événements de l'histoire de l'Occident médiéval. Il se cristallise autour de quelques grands thèmes dont l'art témoigne : Vierge à l'enfant en majesté , couronnement de la Vierge, Vierge de douleur dont le culte suit le développement de la dévotion au Christ de la Passion et finalement Vierge protectrice dont le rôle s'accroît avec les calamités des XIVᵉ et XVᵉ siècles. Mais tout au long de la période, avec un apogée au XIIIᵉ siècle, un aspect de la Vierge prend une importance de plus en plus grande : celui d'intercession auprès de son divin fils. Éclipsant les saints dont le pouvoir auprès de Dieu est plus ou moins limité, plus ou moins spécialisé, la Vierge peut tout demander à Jésus et elle en obtient tout ce qu'elle demande. Il n'y a pas pour elle de cas désespéré, de péché irrachetable. Elle est une intermédiaire omnipotente. Se brancher, par la dévotion mariale, sur ce pouvoir, c'est en attirer pour soi une partie. Les dévôts les plus capables de capter les faveurs de Dieu sont les dévôts de la Vierge. Les recueils de ses miracles ne cessent de s'enrichir au cours du XIIIᵉ siècle, les sanctuaires qui lui sont consacrés de se multiplier [1].

Les grands de la Chrétienté médiévale, clercs et laïcs, ont toujours mêlé dans leur dévotion intérêts célestes et terrestres, étroitement imbriqués. Le culte des reliques par exemple n'a pas seulement pour fin d'assurer le salut ici-bas et dans l'au-delà à ceux qui le pratiquent. La possession de reliques pour une église, un seigneur, un prince est source de prestige et de pouvoir. Il y a une politique des reliques et les reliques confortent la politique. Saint Louis est un des grands pratiquants de ce culte « politique » des reliques — pas seulement politique évidemment mais politique aussi, dans un même mouvement qui attend de la possession, et de l'ostension des reliques à la

---

1. On trouvera une bibliographie du culte marial dans Marina Warner, *Seule entre toutes les femmes. Mythes et culte de la Vierge Marie* (1976), traduction française, Paris, Éd. Rivages, 1989. Le point de vue anthropologique de l'ouvrage laisse de côté les aspects proprement spirituels du culte marial.

fois salut et puissance. Le culte marial a fait lui aussi l'objet de cette
politisation. Les Capétiens, passés maîtres dans l'usage politique de la
religion (de la sainte Ampoule de Reims qui en faisait des rois « très
chrétiens », plus chrétiens que les autres, aux reliques de la Sainte Chapelle
qui leur valaient le bénéfice d'être les plus étroitement associés à la Passion
du Christ et aux insignes royaux de Saint-Denis qui faisaient de leur
vexillum, de leur drapeau de guerre celui même d'un saint que l'on croyait
exceptionnel, l'aréopagite, le converti de saint Paul), ont vite compris le
parti qu'ils pouvaient tirer d'un détournement du culte marial à leur profit.
Michel Pastoureau a justement vu dans l'adoption par les Capétiens du bleu
comme couleur dynastique la volonté de s'annexer la couleur symbolique
de la Vierge. Le culte marial a assuré le succès de la couleur bleue et celle-ci
a renforcé, par la captation du symbole marial, le prestige des rois de
France. De même le thème de l'arbre de Jessé que Suger a lancé dans l'art
médiéval lors de la reconstruction de l'église du monastère de Saint-Denis
au milieu du XIIe siècle a été exploité comme thème royal et monarchique,
la Vierge, mère du Christ, apparaissant dans ce thème iconographique
comme la dernière du lignage du roi David, fils de Jessé.

La plus grande entreprise d'exploitation politique du culte marial au
Moyen Age est sans doute celle d'Alphonse X le Sage, roi de Castille de
1252 à 1284. Elle se manifeste surtout par la composition par le roi-poète
de chansons religieuses *(cantigas)* en l'honneur de la Vierge et l'exécution
sur sa commande et sous son contrôle d'un manuscrit d'une richesse
exceptionnelle contenant le texte en galicien-portugais, langue de la poésie
lyrique, des *cantigas* composées par le roi, la musique sur laquelle on devait
les chanter, l'illustration de chacune des *cantigas* par des miniatures dotées
d'une légende en galicien-portugais, et un commentaire en castillan[2].

Ce manuscrit, conservé à la Bibliothèque du monastère de l'Escorial,
comprend 1 262 miniatures réparties sur 212 des 256 pages de 486 × 332
millimètres qu'il compte[3]. Il a dû être réalisé entre 1257 et 1272.

C'est un livre que j'appellerai non pas « de luxe » (notion qui n'appartient

---

2. La bibliographie d'Alphonse X et les *Cantigas* est abondante. La plus complète se trouve
dans le tome II de l'édition fac-similé *El « Codice rico » de las Cantigas de Alfonso X el Sabio,*
Madrid, Edilan, 1979. D'un particulier intérêt est l'article de Peter K. Klein, « Kunst und
Feudalismus zur Zeit Alfons des Weisen von Kastilien und Leon (1252-1284) : Die Illustration
der 'Cantigas' », in Clausberg, Kimpel, Kunst, Suckale, edd., *Bauwerk und Bildwerk im
Hochmittelalter,* Giessen, Anabas, 1981, p. 169-212. En français bonne étude de vulgarisa-
tion : *Vivre au Moyen Age d'après un manuscrit du XIIIe siècle. La documentation photogra-
phique,* n° 6050, 1980, numéro réalisé par Françoise Micheau et Michel Zimmermann,
recherche iconographique et mise au point du dossier par Anne Hillemand.

3. Ce manuscrit comprend les *cantigas* I à CXCV. Un manuscrit illustré de la même façon
et contenant les *cantigas* CXCVI à CCCXX se trouve à la Bibliothèque nationale de Florence
(Firenze, Biblioteca Nazionale, Ms. B.R. 20). Jean-Claude Bonne qui a vu le document m'a
dit qu'il était persuadé que c'était la seconde partie du manuscrit de l'Escorial : ceci confirme
une hypothèse déjà proposée par certains historiens de l'art. J'ai l'intention d'étudier ce
manuscrit, ayant conscience du caractère insuffisant de mon étude qui n'a jusqu'ici porté que
sur le manuscrit de l'Escorial.

pas à l'époque, émergeant partiellement à la fin du XIIIe siècle avec les lois somptuaires surtout dirigées contre l'ostentation vestimentaire des bourgeoises), mais « de prestige ». Ce type de livres était surtout dans le haut Moyen Age la possession des grandes bibliothèques ecclésiastiques, principalement monastiques. Dès l'époque carolingienne on en trouve dans le trésor des laïcs les plus puissants et, à partir des XIIe-XIIIe siècles, il y a une véritable relève des établissements religieux par les princes laïcs dans la commande et la possession de ces manuscrits d'une haute qualité formelle et illustrés de nombreuses miniatures. Parmi ces livres une catégorie m'apparaît d'une importance particulière : les manuscrits que j'appelle « royaux » parce qu'ils ont été commandés ou acquis par un souverain (ou une reine) ou sont entrés en sa possession par héritage ou don.

Ils manifestent, en commençant par le haut de la société, ce qui est habituel, le développement de la piété et du goût des laïcs. Ces manuscrits sont en effet liés aux progrès de la dévotion des laïcs. A côté de la Bible, livre par excellence, ces manuscrits royaux sont des psautiers — livres de lecture et de prière des laïcs le plus souvent dotés de calendrier qui associent les puissants laïcs à la maîtrise du temps — et, à partir de la seconde moitié du XIIIe siècle, les livres d'heures, témoins des progrès de la dévotion féminine laïque et du culte marial. Ces livres sont bien entendu d'abord des instruments de dévotion et ils peuvent aider à définir une piété royale [4], mais la religion et spécialement la pratique religieuse n'étant pas séparée — surtout dans une époque et une société comme le Moyen Age — de motivations que nous avons pris l'habitude d'en distinguer, ces manuscrits royaux répondent aussi à une intention politique.

Une question essentielle est celle de la diffusion de ces livres. N'ont-ils pas été thésaurisés dans des bibliothèques à l'accès réservé au roi, à sa famille, à ses proches ? Dénotent-ils simplement des intentions, des intérêts des souverains ou ont-ils pu avoir une certaine influence ?

Nous sommes assez bien renseignés pour le manuscrit des *Cantigas de Santa Maria*. Dans son testament de 1284, Alphonse X demande que le livre soit placé dans l'église où son corps serait conservé et que des extraits en soient lus et chantés lors des fêtes mariales comme cela a été fait de son vivant, à la cour, dans les églises et sur les places publiques. Le manuscrit était donc promis à une certaine diffusion publique et celle-ci a dû avoir lieu dans certaines limites. On voit donc l'importance, à côté des textes faits pour être chantés, des images faites pour être vues par un certain nombre de personnes, appartenant pour une part à un public « populaire ». D'autre part Alphonse X accordait à ce manuscrit un caractère presque « magique », l'assimilant à une relique puisqu'en cas de maladie il se le faisait apporter et le touchait parce qu'il lui attribuait des vertus thérapeutiques [5].

---

4. Mlle Solange Beltrando a entrepris, sur mes conseils, une thèse de doctorat sur « La piété mariale d'Alphonse X d'après les manuscrits des *Cantigas* ».

5. On sait que les rois de France malades se faisaient apporter les reliques de saint Denis. C'est ce que fit encore Louis XI mourant à Cléry (1483).

Selon la volonté du roi ce manuscrit fut conservé après sa mort dans la cathédrale de Séville où il fut inhumé mais au XVI⁰ siècle Philippe II le fit transporter à l'Escorial devenu le monastère royal par excellence où il se trouve encore sous la cote TI1.

En tant que recueil de miracles de la Vierge il a subi les influences de recueils antérieurs, notamment les *Miracles de Notre Dame* de Gautier de Coincy (mort en 1236 dont plusieurs manuscrits ont été aussi ornés de précieuses miniatures), les *Milagros de Nuestra Senora* de Gonzalo de Berceo (mort en 1246) et le *Mariale magnum* (avant 1247) à identifier probablement avec le texte du manuscrit latin de la Bibliothèque nationale de Paris 17491 et qu'a largement utilisé Vincent de Beauvais dans son *Speculum historiale*. Mais aucun de ces recueils ne présente le caractère « royal » du manuscrit TI1 de l'Escorial.

Alphonse X a consacré une partie importante de son activité royale à une œuvre intellectuelle et culturelle qui s'est souvent traduite par la confection de manuscrits d'une qualité exceptionnelle : des œuvres historiques (*Estoria de Espana, Grande e General Estorial*), des œuvres juridiques dont le célèbre code en sept parties, les *Siete partidas*, des livres sur l'astronomie dont les fameuses *Tables alfonsines* (relatant le mouvement des planètes et des astres) et le *Libro de las cruces* (consacré aux signes du zodiaque et aux effets du mouvement des astres sur les destinées humaines), un lapidaire, un septénaire des arts libéraux, des œuvres sur les jeux symboliques dont l'étonnant *Libro de ajedrez, dados e tablas*, et de nombreuses traductions en castillan (langue dont il accélère l'introduction dans l'administration) de textes astronomiques et astrologiques, des grands livres religieux (Bible, Talmud, Coran) et des encyclopédies comme le *Tesoretto* de Brunetto Latini. Le livre des *Cantigas de Santa Maria* prend place dans cet ensemble. Alphonse X a éprouvé au plus haut degré le sentiment de plus en plus fort dans la Chrétienté depuis le XII⁰ siècle que le savoir, le *studium*, est un *pouvoir* et que les princes doivent l'acquérir et l'utiliser. *Rex illiteratus quasi asinus coronatus* a lancé Jean de Salisbury. Le savoir marial, l'acte de foi en la Vierge qu'y manifeste et réalise Alphonse X couronne son désir de construire et d'exploiter à plein un pouvoir culturel qui doit lui permettre de conforter la place éminente que sa naissance lui vaut parmi les monarques chrétiens : roi de Castille, Navarre et Léon qui se sent appelé à réaliser l'unification politique de l'Espagne, arrière-petit-fils par sa mère, Béatrice de Souabe, de Frédéric Barberousse, roi des Romains de 1267 à 1272, unissant dans ses armoiries le château de Castille et le lion de Souabe, qu'on retrouve dans les encadrements des miniatures du manuscrit des *Cantigas*.

Alphonse X arrive dans l'histoire de Castille à la fin de la grande période de la Reconquista culminant en 1248 avec la prise de Séville à laquelle, infant successeur au trône, il participa. On a soutenu qu'Alphonse X a ressenti comme une frustration l'impossibilité d'ajouter d'éclatantes conquêtes aux précédentes et que son activité culturelle aurait été une sorte de compensation à ce manque obligatoire de gloire militaire. Le manuscrit des *Cantigas* notamment serait une sorte de chef-d'œuvre de la nostalgie[6]. Je ne le crois pas car, si Alphonse X a eu à la fin de son règne de grosses difficultés politiques, notamment avec ses fils, tout son comportement dément la conscience d'échecs, de déclin, de fin de conquête. L'introduction du livre des *Cantigas* exprime au contraire l'orgueil d'un monarque qui a ajouté des conquêtes personnelles importantes à la grande Reconquista et qui, loin de descendre la pente, se situe sur les sommets :

Don Alphonse de Castille, de Tolède, de Leon, roi et, de Compostelle au royaume d'Aragon, de Cordoue, de Jaen, de Séville aussi bien que de Murcie où Dieu lui fit un grand bienfait [Alphonse conquit en 1243 le royaume de Murcie au nom de son père], de l'Algarve, qu'il a conquis sur les Maures et où il a introduit notre foi, qui a aussi peuplé Badajoz, royaume très ancien, et qui a pris aux Maures Niebla et Jerez, Vejer, qui a pris Medina et Alcala en une autre occasion, et qui est Roi des Romains [...].

C'est un roi sûr de sa puissance, et qui veut l'accroître en se faisant le fidèle de la Vierge, qui apparaît dans le manuscrit des *Cantigas de Santa Maria*.

A l'intérieur de ce pouvoir général et suprême d'intercession auprès de Jésus, quels sont les principaux bienfaits que la Vierge assure aux hommes ? On retrouve dans les *Cantigas* la typologie mise au point au milieu du XIVe siècle par le dominicain Jean Gobi dans la *Scala Celi*[7] : 1. elle donne beaucoup de grâces au genre humain ; 2. elle s'oppose à la malice des perfides ; 3. elle rend la parole et l'usage de la voix (aux mourants que le diable veut empêcher de se confesser et de faire contrition) ; 4. elle sauve de la noyade (nombreux cas de sauvetage de bateaux naufragés ou de personnes tombées à la mer en rapport avec une catégorie abondante d'ex-voto) ; 5. elle préserve de la confusion ; 6. elle conserve la pureté (elle est, en particulier vis-à-vis des femmes, une grande protectrice contre les crimes et les péchés sexuels) ; 7. elle aide celui qui est dans les tribulations ; 8. elle honore ceux qui l'honorent elle et ses fidèles (Marie et ses dévôts forment une sorte d'ordre uni par la solidarité) ; 9. elle réconcilie les pécheurs avec son fils et les appelle à l'aimer ; 10. elle met en fuite les démons ; 11. elle libère de la mort ; 12. elle châtie les blasphémateurs ; 13. elle répare les corps mutilés (miracle important dans une société de violence et d'accidents fréquents) ; 14. elle allège les peines (ici-bas et dans l'au-delà au purgatoire) ; 15. elle libère de la damnation ; 16. elle éclaire les

---

6. C'est la thèse de Cajetano Socarras, *Alphonso X of Castille : A study on imperialistic frustration*, Barcelone 1976.

7. Je remercie Marianne Polo de Beaulieu qui m'a permis de confronter les *Cantigas* avec la *Scala Celi*. Le rapprochement avait été fait par José Figueira Valverde dans le second tome de l'édition fac-similé citée plus haut ; les quelques erreurs de transcription de la *Scala Celi* qui s'y étaient glissées ont été corrigées par Mme Polo dans son édition de ce document, à paraître prochainement. Voir ci-dessous, note 8.

errants; 17. elle pousse à la confession (acte central de la dévotion depuis le IVe Concile du Latran de 1215)[8].

En quoi enfin ce manuscrit est-il royal et la Vierge ajoute-t-elle au pouvoir du roi?

On notera d'abord les nombreuses présences du roi dans les miniatures qui le présentent comme un portrait d'auteur ou de commanditaire avec les insignes royaux dans des attitudes de majesté (par exemple au folio 4 verso en tête du Prologue, trônant couronne en tête entouré de scribes, ou au folio 5 verso dans la même attitude entre des scribes, des musiciens et des chanteurs), poète et musicien, tel un nouveau David. Les scènes de jugement sont particulièrement nombreuses et sont destinées à souligner la supériorité de la justice royale sur les justices féodales, urbaines ou même ecclésiastiques.

On remarque surtout qu'il apparaît très fréquemment dans les miniatures du manuscrit comme un acteur privilégié des nombreuses scènes qui y sont représentées. Cela vaut aussi bien pour les miniatures, les plus nombreuses, qui dans un ensemble de 6 ou 12 scènes, montrent un « miracle » de la Vierge, selon une technique narrative, que pour les miniatures qui, tous les dix feuillets, se présentent comme une louange de la Vierge (cantigas de loor) et obéissent à une technique théologique ou spirituelle non narrative[9].

Le roi qui s'est proclamé dans le prologue « trobador » et « entendador » (fidèle) de la Vierge, dans une atmosphère de vassalité courtoise, y est montré recueillant les profits de cette relation particulière avec Marie. Il y apparaît le plus souvent comme le metteur en scène de la dévotion mariale de son peuple lui assurant la protection de Jésus à travers sa mère, l'interlocuteur privilégié de la Vierge, l'intermédiaire obligé entre son peuple et elle, et, grâce à elle, son divin fils. C'est une fonction d'intercession du roi, un privilège institutionnel de la monarchie mise en pratique par la dévotion personnelle du souverain qui est représentée. L'image est bien un instrument de propagande monarchique, de persuasion gouvernementale; elle fonctionne au niveau du politique.

Par exemple dès la première cantiga, cantiga de loor qui illustre les sept joies que Jésus donna à sa mère après l'Annonciation, la nativité et l'annonce faite aux bergers, le thème royal apparaît avec l'offrande des rois mages, montrant que les rois sont les protagonistes de la première scène publique de la vie de Jésus.

La seconde cantiga illustre un miracle accompli à Tolède par la Vierge Marie par l'intermédiaire de saint Alphonse. Ce miracle est destiné à

---

8. 1. Multas gratias dat humano generi; 2. Malitiis perfidorum obviat; 3. Verbum et instrumentum vocis restaurat; 4. A submersione salvat; 5. A confusione preservat; 6. Puritatem conservat; 7. Adjuvat tribulatorem; 8. Honorantes se et suos dilectos honorat; 9. Peccatores suo filio reconciliat et ad suum amorem vocat; 10. Daemones fugat; 11. A morte liberat; 12. Blasfemantes cruciat; 13. Membra restaurat; 14. Poenas alleviat; 15. A damnatione liberat; 16. Errantes iluminat; 17. Ad confessionem provocat.

9. Le roi seul, ou avec sa famille et sa cour apparaît dans 28 des 195 cantigas du manuscrit.

présenter d'entrée de jeu le caractère « national » du roi en évoquant son saint patron, auteur d'une vie de la Vierge au VIIe siècle, qui est aussi le patron de l'Espagne, dans la ville royale de Tolède, première « capitale » de la Reconquista. Le commentaire d'ailleurs souligne : « Et parce que ce fut une grande joie que Sainte Marie fit à *l'Espagne,* en cette cité de Tolède, le roi don Alphonse fait à la louange de Notre Dame une *cantiga.* » Mieux même, on a montré que l'illustration de la *cantiga* change un détail significatif du miracle traditionnel [10]. Pour preuve du miracle dont il s'agit dans la version ancienne c'est l'évêque saint Alphonse qui déchire un morceau du linceul de sainte Léocadie, dont le cadavre s'est levé de sa tombe au passage de la Sainte Vierge invisible pourtant dans une procession. Sur la miniature de notre manuscrit qui illustre cet épisode c'est le roi Receswinthe qui accomplit ce geste pieux et nécessaire car il fournit la preuve matérielle du miracle. Ainsi le manuscrit a trouvé un rôle à donner au roi dans ce miracle « national » et la continuité est établie entre Alphonse X et les rois wisigothiques.

La troisième *cantiga* raconte la célèbre histoire du jongleur Théophile qui fait un pacte avec le diable et que la Vierge sauve en arrachant le pacte au démon. C'est à travers une histoire connue de tous l'occasion de faire apparaître le roi qui s'est fait, lui, le vassal de la Vierge (la scène d'hommage de Théophile à Satan est très intéressante pour l'iconographie de la vassalité) comme un anti-Théophile, qui est susceptible, *a fortiori,* d'obtenir la faveur de Sainte Marie.

S'il est intéressant de voir comment les images sont utilisées par un monarque à des fins politiques, il faut aussi remarquer que cette quête iconique d'un surplus de pouvoir ne se limite pas à l'effet du « pouvoir de l'image » sur ceux qui la regardent.

Une analyse structurale minutieuse — que l'on ne peut mener ici — des miniatures du manuscrit des *Cantigas* révèle que toute une structure de pouvoir régit l'espace et la morphologie des miniatures et que cette structuration s'inspire d'une conception du pouvoir monarchique. Il y a plus [11]. La Vierge dans ces miniatures apparaît dans une dialectique constante entre sa forme « réelle » et sa représentation sous forme d'image, peinture ou

---

10. Cf. P.K. Klein, *loc. cit.,* p. 181-183.

11. Mon étude du manuscrit TI1 de l'Escorial prend place dans une recherche personnelle sur les manuscrits royaux du XIIIe siècle. Cette recherche se situe dans le cadre du séminaire commun que Jean-Claude Bonne, Michel Pastoureau, Jean-Claude Schmitt et moi-même animons à l'École des Hautes Études en Sciences sociales. Sur le statut de l'image médiévale et sa valeur comme document spécifique de l'historien, Jean-Claude Schmitt prépare un ouvrage. Cf. Jean Wirth, *L'Image médiévale. Naissance et développements (VIe-XVe siècle),* Paris, Méridiens Klincksieck, 1989. Je laisse ici complètement de côté un autre aspect très important de ce manuscrit, la musique. Il faut écouter l'enregistrement sur cassette (cassette 59 des Éditions Astrée, AS 5059 Audivis, 1985, avec Esther Lamandier, chant, harpe, orgue portatif et vielle) avec une excellente présentation de Danièle Becker qui éclaire les conditions de diffusion de ces poèmes qui figuraient au répertoire des jongleurs de rue ou de palais ou constituaient des chants de pèlerinage « pour soutenir le moral des voyageurs et édifier les fidèles », le groupe reprenant en chœur les refrains.

statue. C'est donc à travers une réflexion figurée sur les relations entre les êtres (et il s'agit ici de personnes divines ou quasi divines) et les images qui les représentent que s'insinuent et s'expriment une expression et une affirmation du pouvoir monarchique dans la Chrétienté de la fin du XIIIe siècle. Le jeu politique est devenu un jeu d'images — et réciproquement.

TRADITIO PERPETUO SERVATA ?
LA NON-ORDINATION DES FEMMES :
TRADITION OU SIMPLE FAIT HISTORIQUE ?

Hervé LEGRAND, o.p.

Jamais l'Église catholique n'a ordonné de femmes au presbytérat ou à l'épiscopat. Ce constat est universellement accepté. Mais quelle dignité théologique doit-on accorder à une telle abstention ? Suffit-il de la constance d'une coutume depuis les temps apostoliques jusqu'à nos jours pour y reconnaître une Tradition au sens fort de ce terme, révélatrice par conséquent de la volonté de Dieu sur l'Église ?

On devrait évidemment répondre oui, s'il était possible d'identifier l'histoire de l'Église avec la Tradition. Mais chacun sait qu'une telle identification s'oppose à la doctrine catholique la plus officielle, selon laquelle la Révélation est close avec la mort du dernier des Apôtres[1]. La non-ordination des femmes n'est une Tradition que si elle se fonde dans l'Écriture elle-même, ou du moins dans cette période apostolique contemporaine de la Révélation, car il faut pouvoir la relier à la volonté du Christ qui serait connue au moins de cette manière[2].

L'enquête s'impose donc au théologien catholique. L'enseignement de

---

* Le présent essai reprend notre contribution au colloque « Femme et ministère : un problème œcuménique », organisé en novembre 1989 à Palerme par l'Istituto Costanza Scelfo Barberi, sous la présidence de M. le cardinal S. Pappalardo. Nous voudrions ainsi rendre hommage à notre savant collègue et frère, le père Pierre-Marie Gy, dont l'enseignement s'est toujours caractérisé aussi par des préoccupations œcuméniques et pastorales.

1. Ainsi Vatican I, *Pastor Æternus* (DzS 3070) et saint Pie X, *Lamentabili* (DzS 3421).

2. C'est ainsi que les manuels de théologie comprennent classiquement la Tradition (avec une majuscule). Cf. B. Bartmann, *Précis de théologie dogmatique*, t. 1, Mulhouse, 1941, p. 45 : « La Tradition divine remonte soit à "la bouche du Christ", soit aux "communications du Saint-Esprit" faites aux Apôtres après l'Ascension du Seigneur [...]. Seule la Tradition divine est une source dogmatique ; tout ce qui est d'origine humaine, même si on peut le faire remonter aux Apôtres en tant que chefs et organisateurs de l'Église (*traditio mere apostolica*), ou bien aux chefs postérieurs de l'Église (*traditio ecclesiastica*), n'entre pas en ligne de compte, quelle que soit l'importance de cette tradition pour la discipline, le culte, la liturgie et le droit ecclésiastique [...]. Aussi nous comprenons sous le nom de Tradition dogmatique, les vérités révélées que les Apôtres ont reçues du Christ ou du Saint-Esprit et que l'Église, depuis ce temps, a transmises sans altération. »

l'Église n'a pas tranché ce point de manière définitive. Nous l'établirons dans le premier chapitre de cet essai.

Cette première étape franchie, on envisagera directement l'ordination des femmes à la charge pastorale. Par charge pastorale on entendra constamment, dans la présente réflexion, le ministère presbytéral et épiscopal. Bien qu'elle soit importante, nous n'envisagerons donc pas l'ordination des femmes au diaconat. Ceci pour deux raisons. D'abord parce qu'une telle ordination demeure une question ouverte dans l'Église catholique, comme le reconnaît le commentaire d'Inter insigniores, rédigé à la demande de la Congrégation pour la Doctrine de la Foi. Ensuite parce que c'est manifestement l'accès des femmes à la charge pastorale qui représente un contentieux grandissant au plan œcuménique : il faut donc s'attacher en priorité à ce débat. Les termes en sont familiers au théologien. Ils entraînent les points de passage obligé suivants qui constitueront les autres chapitres du présent essai :

— la pratique de Jésus et celle de l'Église apostolique contiennent-elles des indications excluant les chrétiennes de la charge pastorale ?

— à supposer que le Christ ne se soit pas prononcé, y a-t-il dans les affirmations de l'Écriture sur l'anthropologie de l'homme et de la femme des énoncés tels que les femmes ne pourraient exercer les charges pastorales sans trahir l'ordre de la création et donc leur vocation selon Dieu ?

— enfin, selon la Tradition apostolique, les charges pastorales auraient-elles un contenu théologique tel que les femmes ne pourraient les exercer sans rendre vaine leur signification ?

L'état actuel de la discussion théologique dans sa propre Église oblige le théologien catholique à procéder ainsi et pas seulement la pression venant du dialogue œcuménique.

Naturellement, quelle que soit sa confession, un théologien, même spécialisé, ne peut maîtriser l'ensemble des disciplines et encore moins des données nécessaires pour clarifier un débat aussi vaste : on y fait appel non seulement à l'exégèse, à la théologie fondamentale, à la dogmatique, mais encore à l'ensemble des sciences humaines (l'histoire et toutes ses branches, la sociologie, la psychanalyse[3], etc.). L'intégrité intellectuelle m'oblige à confesser que je n'ai pas toutes ces compétences, loin de là. Elle m'oblige aussi à prendre un parti : celui de mettre l'accent sur quelques questions de méthode, dans l'espoir de voir plus clairement comment la question se pose et à quels critères nos réponses doivent correspondre.

---

3. On trouvera une intéressante approche dans « Lectures de textes de Paul concernant les femmes », dans D. Stein, *Lectures psychanalytiques de la Bible*, Paris, Cerf, 1985, 89-113.

I. *L'enseignement catholique actuel sur l'ordination des femmes aux charges pastorales et son degré d'autorité*

Depuis le début des années 1970, les autorités catholiques ont été amenées à confirmer la coutume de la non-ordination des femmes aux charges pastorales et à en réaffirmer le bien-fondé.

Ce fut fait indirectement par le *motu proprio Ministeria quædam* du 15 août 1972. Supprimant les ordres mineurs, il instaurait à leur place les ministères institués d'acolyte et de lecteur pour les futurs clercs[4] et ouvrait en même temps ces deux ministères aux chrétiens laïcs tout en en excluant explicitement les chrétiennes. Pourtant des femmes catholiques exerçaient souvent, de fait, le ministère de lecteur dans le cadre des assemblées dominicales et continuent de le faire depuis. On doit donc voir là l'indication du fait que, à cette date, le Saint-Siège ne veut pas favoriser l'accès des femmes à quelque ministère liturgique officiel que ce soit.

La parution en 1976 de la *Déclaration sur la question de l'ordination des femmes au sacerdoce ministériel*[5], émanant de la Congrégation pour la doctrine de la foi, représente en revanche une prise de position directe sur la question : la première de l'histoire qui soit sans doute aussi explicite. C'est également jusqu'à maintenant le document auquel il convient de se référer. En effet le canon 1024 du nouveau Code de Droit canonique paru depuis ne fait que reproduire littéralement le canon 968 § 1 du Code de 1917. Dans sa correspondance avec l'archevêque Runcie (20 décembre 1984), le pape Jean-Paul II renvoie brièvement à *Inter insigniores*[6]. De même dans son importante Lettre apostolique *Mulieris dignitatem* du 1er octobre 1988, où il ne touche qu'en passant la question de l'ordination des femmes, Jean-Paul II donne « une explication qui confirme la déclaration *Inter insigniores* » par une brève remarque à la fin du paragraphe 26 au sujet du prêtre agissant *in persona Christi*[7].

Si l'on ajoute à cela que dans sa lettre du 17 février 1986 à l'archevêque Runcie, le cardinal J. Willebrands s'appuie aussi sur *Inter insigniores*, on est fondé à conclure que cette Déclaration représente un document de référence auquel tout théologien catholique se doit d'être attentif.

Pour notre propos, il importe avant tout de préciser le contenu doctrinal de cette Déclaration et le degré d'autorité canonique de cet enseignement.

---

4. *AAS* 64 (1972), 529-534, disposition en question au n° 7.
5. *AAS* 69 (1977), 98-196.
6. *DC*, t. 83 (1986), 800.
7. *DC*, t. 85 (1988), 1084.

*Contenu doctrinal d'*Inter insigniores [8]

Le premier but de la Déclaration est de confirmer la *norme* en vigueur :
« L'Église, par fidélité à l'exemple de son Seigneur, ne se considère pas
autorisée à admettre les femmes à l'ordination sacerdotale et elle estime
opportun de l'expliquer » (I.I., Intr.).

Pour fonder cette norme, la Congrégation s'appuie sur des arguments de
valeur différente. Le premier appui est le fait suivant : « Jamais l'Église
catholique n'a admis que les femmes puissent recevoir validement l'ordination presbytérale ou épiscopale » (I.I., 1) ; « Il y a là une tradition continue
dans le temps, universelle en Orient et en Occident » (I.I., 4). Même si dans
le domaine sacramental, on n'exclut pas pour l'Église « le pouvoir de
prescrire ou de modifier ce qui conviendrait le mieux selon les diverses
époques ou les divers pays » (I.I., 4), « en dernière analyse, c'est l'Église,
par la voix de son magistère, qui, dans ces circonstances variées, assure le
discernement entre ce qui peut changer et ce qui doit demeurer immuable »
(ibid.). En l'espèce « cette pratique de l'Église revêt un caractère normatif
[...]. Cette norme s'appuyant sur l'exemple du Christ est suivie parce qu'elle
est considérée comme conforme au dessein de Dieu pour son Église »
(ibid.).

Comment parvient-on à un tel jugement ? La Déclaration reconnaît que
« les constatations [qu'on peut faire au sujet de l'attitude du Christ] ne
fournissent pas d'évidence immédiate [...] car l'exégèse purement historique
ne peut suffire » (I.I., 2).

Bref, c'est la tradition qui permet de voir une norme dans le fait que
l'Église n'a jamais ordonné de femmes à des charges pastorales, et ce fait
est mis en relation avec l'exemple du Christ qui s'est abstenu de mandater
des femmes comme il a mandaté les Douze.

C'est sur ce point, et sur ce point seulement, que la Congrégation engage
son autorité. Comme on peut le lire dans le commentaire officiel annexé :
« Il convient de remarquer la division très nette que marque la Déclaration
entre l'affirmation du donné (enseignement proposé avec autorité dans les
paragraphes 1, 2, 3, 4), et la réflexion théologique qui suit, par laquelle la
Congrégation de la doctrine de la foi cherche à éclairer cette règle en
montrant sa convenance profonde [...]. *Elle n'engage pas le magistère* »
(souligné par nous).

Ainsi la Congrégation n'engage le magistère de l'Église catholique dans
aucune argumentation de type symbolique, pas même relativement à la
formule selon laquelle les prêtres, spécialement lors de la célébration de
l'eucharistie, agissent *in persona Christi capitis*. La plupart des commentateurs n'ont pas prêté une suffisante attention à cette remarque de la
Congrégation. C'est dommage car, sans dénier la validité de telles argumen-

---

8. Cf. H. Legrand, « Die Frage der Frauenordination aus der Sicht katholischer Theologie.
Inter insigniores nach zehn Jahren », dans E. Gössmann/D. Bader (Hrsg.), *Warum keine
Ordination der Frau ?...*, Katholische Akademie, Freiburg 1987, 89-111.

tations symboliques, elle estime qu'elles relèvent de la responsabilité des théologiens ; pour sa part, elle n'y engage pas l'autorité de l'Église, fût-ce de façon mineure.

Autorité doctrinale de la Déclaration

Inter insigniores ne s'est donc prononcé que sur un seul point. L'Église ne se sent pas autorisée à ordonner des femmes aux charges pastorales, parce que cela n'a jamais été fait : elle voit dans ce fait une norme qui lui apparaît en relation avec l'attitude même du Christ.

Mais quelle est l'autorité doctrinale d'un tel énoncé ? *Inter insigniores* n'est pas une déclaration du Pape. Canoniquement, elle émane d'une Congrégation romaine et ne peut donc avoir un caractère irréformable. Certes, elle a été approuvée par le Pape. Ce dernier, comme on le sait, peut approuver un document « *in forma specifica* » — ce qui lui donne une plus grande autorité — ou simplement « *in forma communi* », ce qui se vérifie lorsqu'aucune précision n'est donnée. Tel est le statut d'*Inter insigniores*.

Tout théologien de métier ne peut qu'être sensible à la grande pondération d'un document comme *Inter insigniores,* qui ne méritait pas dès lors les critiques quelquefois violentes dont il a été l'objet. Tout en étant affirmée comme doctrine catholique, la non-ordination des femmes n'est donc déclarée normative qu'avec une autorité mineure. Toutefois il serait imprudent d'en conclure que cette norme puisse être modifiée dans un laps de temps prévisible, ou même qu'elle subisse jamais une révision.

Pour le moment, les intentions du Saint-Siège sont claires : il ne souhaite pas du tout favoriser une discussion ouverte sur ce thème dans l'Église ; toutefois la réflexion scientifique des théologiens, loin d'être interdite, est plutôt favorisée car le document souhaite que cette doctrine soit éclairée par l'analogie de la foi et laisse toute liberté dans la discussion des aspects symboliques de la question.

Ayant vérifié qu'il n'y avait pas d'enseignement décisif sur la question, nous devons maintenant parcourir les trois itinéraires annoncés. Ils représentent une vérification, légitime elle aussi, située en amont : la norme de la non-ordination des femmes est-elle une Tradition exprimant la Révélation ? Ou serait-elle, plus modestement, un simple fait historique ?

II. La pratique de Jésus et celle de l'Église apostolique entraînent-elles l'exclusion des chrétiennes des charges pastorales ?

On distinguera ici la conduite de Jésus à l'égard des femmes de la pratique de l'Église apostolique envers les chrétiennes ; de cette manière on verra mieux si on peut déceler chez cette dernière une volonté de fidélité à l'exemple de Jésus quand elle confie ou refuse des ministères aux chrétiennes.

L'attitude de Jésus à l'égard des femmes : quelle portée accorder à l'absence
de femmes parmi les Douze ?

La Déclaration *Inter insigniores* exprime certainement le consensus des
exégètes et des théologiens catholiques quand elle décrit comme suit
l'attitude de Jésus à l'égard des femmes :

> Au grand étonnement de ses propres disciples, Jésus converse publiquement
> avec la Samaritaine (cf. Jn 4, 27), il ne tient aucun compte de l'état d'impureté
> légale de l'hémoroïsse (cf. Mt 9, 20-22), laisse une pécheresse l'approcher chez
> le pharisien Simon (cf. Lc 7, 37 s.) et, en pardonnant à la femme adultère, il
> tient à montrer qu'on ne doit pas être plus sévère envers la faute d'une femme
> qu'envers celle des hommes (cf. Jn 8, 11). Il n'hésite pas à prendre ses distances
> à l'égard de la loi de Moïse, pour affirmer l'égalité des droits et des devoirs de
> l'homme et de la femme face aux liens du mariage (cf. Mc 10, 2-11 ;
> Mt 19, 3-9).
> En son ministère itinérant Jésus se fait accompagner non seulement par les
> Douze mais aussi par un groupe de femmes : « Marie, dite de Magdala, dont
> étaient sortis sept démons, Jeanne, femme de Chouza, intendant d'Hérode,
> Suzanne et beaucoup d'autres qui les aident de leurs biens » (Lc 8, 2-3).
> Contrairement à la mentalité juive qui n'accordait pas grande valeur au témoi-
> gnage des femmes ce sont elles qui, les premières, ont eu le privilège de voir le
> Christ ressuscité et ce sont elles que Jésus charge de porter le premier message
> pascal aux Onze eux-mêmes (cf. Mt 28, 7-10 ; Lc 24, 9-10 ; Jn 20, 11-18), pour
> préparer ceux-ci à devenir les témoins officiels de la Résurrection (I.I., 2).

S'appuyant précisément sur le contraste singulier entre l'attitude de Jésus
envers les femmes et celle de son milieu (une rupture volontaire et
courageuse, est-il remarqué), *Inter insigniores* souligne que le fait, pour
Jésus, de n'avoir appelé aucune femme à faire partie du groupe des Douze
ne peut résulter d'un quelconque conformisme aux usages du temps, peu
favorables aux femmes. Concernant l'attitude de Jésus, tel est le point
essentiel.

Ici les exégètes ne manquent pas de soulever une question de méthode.
Ils font valoir qu'autant que nous puissions l'atteindre historiquement,
l'acte même de constitution des Douze ne pouvait être gouverné par une
question relative à la place des femmes dans le ministère ultérieur de
l'Église. Il serait indu d'interpréter un tel acte à partir de ce point de
vue : il doit l'être manifestement à partir de son symbolisme même, qui
constitue une mise en garde eschatologique de Jésus pour tout Israël. Au
temps de Jésus, il n'y avait plus que deux tribus et demie, or les temps
eschatologiques devaient voir la recomposition du peuple dans l'unité.
Dès lors, en choisissant douze hommes, Jésus annonce que les temps
eschatologiques se font proches, qu'il vient rassembler tout Israël (*i.e.* les
douze tribus) et que tout le peuple sera jugé sur sa parole. Ainsi les
Douze seront-ils les juges eschatologiques comme les douze fils de Jacob
(cf. Mt 19, 28). La portée du geste eût été immédiatement annulée si

Jésus avait inclus dans le groupe une femme ou de même un samaritain [9].

Si on interprète l'institution des Douze dans cette perspective, il devient également tout à fait artificiel de remarquer que ni Jésus ni l'assemblée d'Ac 1, 15-26 n'adjoignent Marie aux Douze. La présence d'une femme dans ce groupe n'aurait simplement pas eu de sens. La question de savoir si Jésus aurait tenu compte ou aurait au contraire ignoré les préjugés de son temps en n'intégrant pas de femmes au groupe des Douze est également dépourvue de pertinence.

Un second constat des exégètes va tout à fait dans le même sens : lorsque Luc historicise cette fonction symbolique et eschatologique des Douze, il limite leur mission à l'intérieur d'Israël où ils sont vus comme des dépositaires du mandat reçu de Jésus. A partir du moment où les païens commencent à entrer dans l'Église, les Douze disparaissent de l'histoire : ainsi, Jacques Zébédée n'est-il pas remplacé à sa mort (Ac 12, 1 s) [10].

Nous sommes maintenant en mesure de faire une remarque de méthode fondée. De l'absence de femmes dans le groupe des Douze, on ne peut tirer aucune conclusion valide quant aux intentions du Christ relatives à la présence ou à l'absence de femmes dans les ministères de l'Église.

Pour tenter de remonter aux intentions de Jésus concernant les ministères, il devient donc important de vérifier si les communautés apostoliques se réfèrent à son exemple quand elles confient ou refusent l'exercice de ministères à des chrétiennes.

L'attitude des Églises apostoliques à l'égard de l'accès des chrétiennes aux ministères

Tout le monde s'accorde pour dire que l'attitude de Jésus à l'égard des femmes a été libératrice. D'autres constats que ceux déjà faits permettraient de mettre en valeur qu'aux yeux de Jésus les hommes et les femmes sont des partenaires à part entière en humanité et vis-à-vis du salut. Alors que dans le judaïsme, la circoncision masculine est le signe de l'alliance de Dieu avec son peuple, l'entrée dans l'Église se fait par le baptême pour les femmes comme pour les hommes. Le changement est considérable. Il a été

---

9. Cf. H. Moll, « Faithful to her Lord's example. On the Meaning of the Male Priesthood in the Catholic Church », dans H. Moll (éd.), *The Church and Women. A Compendium*, San Francisco 1988, 164.

10. Les anciens et les évêques ne sont pas compris dans les lettres pastorales comme succédant aux Douze, cf. R.E. Brown, *Priest and Bishop*, New York, 1970, 51-69 ; Id., *Brief Survey of the New Testament Evidence on Episkopé and Episkopos* (Faith and Order Paper 102), Genève, s.d. ; R. Schnackenburg, « Lukas als Zeuge verschiedener Gemeindestrukturen », *Bibel und Leben* 12, 1971, 232-247. Nous n'avons pas à discuter ici de la naissance du presbytérat et de l'épiscopat comme structures fermes dans l'Église primitive : comme le note *Lumen gentium* 28, elle est *ab antiquo*. La récente contribution de R.M. Hübner, « Die Anfänge von Diakonat, Presbyterat und Episkopat in der frühen Kirche », dans A. Rauch, P. Imhof (Hrsg.), *Das Priestertum in der einen Kirche. Diakonat, Presbyterat und Episkopat*, Aschaffenburg 1987, 45-89, offre une importante bibliographie à jour.

clairement réfléchi puisque c'est en s'appuyant sur le baptême que Paul proclame en Gal 3, 27-28 le dépassement des dialectiques aliénantes de l'ancien monde :

> Oui, vous tous qui avez été baptisés en Christ, vous avez revêtu le Christ. Il n'y a plus ni Juif, ni Grec ; il n'y a plus ni esclave, ni homme libre ; il n'y a plus l'homme et la femme ; car tous vous n'êtes qu'un en Jésus-Christ.

La perception exprimée par Paul a-t-elle reçu une traduction effective dans l'Église apostolique ? En est-il résulté, par exemple, un certain partage des responsabilités et des ministères dans les communautés ? A cette question, de sérieux indices permettent de répondre affirmativement s'agissant des communautés pauliniennes et pratiquement négativement pour les communautés deutéro-pauliniennes. Que s'est-il passé entre-temps ? Par l'adoption des « codes domestiques », l'Église s'est adaptée à la culture environnante.

Les communautés pauliniennes reconnaissent des responsabilités ministérielles aux chrétiennes

Qu'on songe à Priscille et Aquilas, ce couple proche de Paul, désignés comme « mes collaborateurs en Jésus Christ » (Rm 16, 3), qui ont travaillé avec lui à Corinthe et à Éphèse (cf. Ac 18, 26) ; qu'on songe à Évodie et Syntichè, actives aussi à Philippes (cf. Ph 4, 2). Phœbé est dite *diaconos* et *prostatis* à Cenchrées (Rm 16, 1-2). Junie, avec son époux Andronicus, est déclarée « apôtre éminent dans le Seigneur » (Rm 16, 7)[11]. Marie, Tryphène, Tryphose et Persis sont mentionnées comme missionnaires (Rm 16, 6.12). Certaines de ces femmes ont fait de leurs maisons une maison d'église comme Phœbé à Cenchrées, Lydie à Philippes (Ac 16, 14.40), Nympha à Laodicée (Col 4, 15). On peut aussi mentionner les prophétesses de l'Église de Corinthe ou les quatre filles du diacre Philippe, prophétesses elle aussi (Ac 21, 9).

Les textes deutéro-pauliniens excluent les femmes de tout ministère de la parole et de gouvernement

Dans les hypothèses actuelles, on considère comme authentiquement pauliniennes les grandes épîtres, dont il faut détacher Éphésiens et Colossiens, toutes deux à peu près contemporaines, les épîtres à Timothée et à Tite étant plus tardives qu'elles ; dans le groupe des Pastorales, l'épître de

---

11. On sait que l'exégèse moderne, trahissant ainsi son androcentrisme comme le soulignent les féministes, a compris cette Junie comme étant un homme, contrairement à la tradition patristique. M. Hauke, *Die Problematik um das Frauenpriestertum vor dem Hintergrund der Schöpfungs- und Erlösungsordnung*, Paderborn 1982, 354s. soutient toujours cette opinion. Le dossier décisif sur cette question est celui de V. Fabrega, « War Junia(s), der hervorragende Apostel (Rom. 16, 7), eine Frau ? », *Jahrbuch für Antike und Christentum*, 27/28, 1984/1985, 45-64.

Pierre est sans doute de la même date. Nous ne pouvons entrer ici dans un travail d'exégèse. Pour notre propos, il suffira d'aller au terme de l'évolution et de citer 1 Tm 2, 11-15 qui est remarquable de clarté :

Pendant l'instruction la femme doit garder le silence, en toute soumission. Je ne permets pas à la femme d'enseigner ni de dominer l'homme. Qu'elle se tienne donc en silence. C'est Adam, en effet, qui fut formé le premier. Ève ensuite. Et ce n'est pas Adam qui fut séduit, mais c'est la femme qui, séduite, tomba dans la transgression. Cependant, elle sera sauvée par sa maternité, à condition de persévérer dans la foi, l'amour et la sainteté, avec modestie.

Les femmes, déjà privées de parole dans l'assemblée, sont désormais interdites d'enseignement. Du récit de la création, on croit pouvoir tirer la conclusion de la position définitivement seconde de la femme par rapport à l'homme, c'est-à-dire de toute femme par rapport à tout homme. Si elle est seconde dans l'ordre de la création, la femme est en revanche première dans l'ordre du péché.

Ceci n'est évidemment pas conforme à la Genèse, ni à l'enseignement de Paul. Avant de prendre acte de l'ampleur de l'évolution et d'essayer de l'expliquer, deux remarques s'imposent ici :

1. L'Auteur de l'épître à Timothée a recours à l'ordre de la création et de la chute pour fonder sa position. S'il avait pu s'appuyer sur « l'exemple du Seigneur », est-il vraisemblable qu'il ait passé cet argument sous silence ?

2. Dans l'histoire ultérieure de l'Église, ces deux interdictions seront une justification facile et évidente de l'exclusion des chrétiennes de toute charge pastorale car, en termes classiques, elles sont ainsi exclues du pouvoir de juridiction (interdiction de gouverner l'homme) et de tout ministère de la parole (interdiction d'enseigner).

Par rapport aux communautés pauliniennes, la continuité est très ténue, car les réserves qu'on trouvait chez Paul sur le ministère de la parole n'avaient pas du tout la même portée.

1 Co 11, 3-16 est, en fait, une autorisation donnée aux femmes de prier à haute voix ou de prophétiser dans l'assemblée, à condition d'avoir la tête couverte. D'autre part, 1 Co 14, 34-35 veut dire que les femmes ne doivent pas parler dans l'assemblée, au sens le plus général et le plus naturel du terme. Si elles ne comprennent pas quelque chose, au lieu d'interrompre l'orateur, ce qui serait inconvenant, qu'elles interrogent leurs maris chez elles [12]. Certes, bien des exégètes considèrent ces versets comme interpolés [13], mais même s'ils sont authentiques, Paul n'interdit nullement par là à toutes les femmes de prendre la parole publiquement dans l'Église.

L'évolution par rapport aux communautés pauliniennes est considérable

---

12. Cf. R. Gryson, *Le Ministère des femmes dans l'Église ancienne*, Gembloux 1972, 28.

13. Nous avons donné ce dossier dans H. Legrand/J. Vikström, « L'Admission des femmes à l'ordination » dans Commission internationale catholique-luthérienne, *Le Ministère dans l'Église*, reproduit dans H. Legrand/H. Meyer, *Face à l'unité. Tous les textes officiels*, Paris 1987, 251-253 avec les notes 10, 11, 12.

surtout parce que les femmes, normalement actives et reconnues dans des responsabilités ecclésiales et missionnaires, deviennent désormais ecclésialement presque invisibles. On ne peut plus mentionner que les veuves et les diaconesses. Que s'est-il donc passé ?

L'adoption par les Églises apostoliques des « codes domestiques », facteur d'évolution du statut des chrétiennes

On entend par « codes domestiques » (ou *Haustafeln*, ce terme allemand étant généralement adopté par les exégètes anglophones), des traditions éthiques attestées aussi bien dans le stoïcisme que dans le judaïsme hellénistique, traditions qui consignent les devoirs des habitants d'une même maison. En règle générale ces devoirs sont traités de façon ternaire, développant la soumission de la femme au mari, des enfants aux parents, des esclaves aux maîtres. Christianisés, surtout par la constante référence au Seigneur, ces codes domestiques sont proposés aux chrétiens précisément dans les écrits post-pauliniens : en voici une énumération dans l'ordre de la chronologie admise : Col 3, 18 − 4, 1 ; Ep 5, 21 − 6, 9 ; 1 P 2, 13 − 3, 7 ; Tit 2, 3-5 ; 1 Tm 2, 9-15 ; 5, 9-15.

On voit dans ce texte une évolution vers la soumission unilatérale de la femme à son mari, évolution qui s'achèvera dans les énoncés de 1 Tm. On notera par exemple que si Ep 5, 21 parle encore d'une soumission réciproque, cette soumission n'est en fait développée que pour la femme et qu'elle n'est plus expressément interprétée « dans le Seigneur » comme en Col. La femme doit craindre et respecter son mari. Si la disparité apparaît, si elle est accentuée dans 1 P dans le sens de la soumission, on n'y trouve pas encore d'image négative de la femme, comme ce sera le cas dans les Pastorales.

De bonnes études rendent compte désormais de cette évolution jusque dans la patristique primitive[14]. On ne peut les résumer ici. En gros, cette évolution s'explique par le lien entre l'Église antique et l'*oikos*, et, plus précisément dans ce cadre, par les soucis à la fois apologétiques et missionnaires demandant pour la respectabilité de la Parole que celle-ci ne soit pas confiée à des femmes. Nous sommes donc ici sur un tout autre terrain que celui de la volonté des communautés de s'en tenir à l'exemplarité d'un modèle de ministère fixé par Jésus.

---

14. Bon état de la recherche scripturaire dans J. Gnilka, « Die Haustafeln » dans *Der Kolosserbrief, HThK* X, 1, Freiburg, Basel, Wien 1981, 205-216. Cf. aussi K. Müller, « Die Haustafel des Kolosserbriefes und das antike Frauenthema. Eine kritische Rückschau auf alte Ergebnisse », dans G. Dautzenberg *et alii* (Hrsg.), *Die Frau im Urchristentum* (QD 95), 263-319 ; cf. aussi, spécialement pour 1 P, M.-L. Lamau, *Des chrétiens dans le monde. Les communautés pétriniennes au premier siècle* (LD 134), Paris 1988, 133-230. Pour la première patristique, consulter l'article remarquable de R. Nürnberg, « *"Non decet neque necessarium est, ut mulieres doceant"*. Überlegungen zum altkirchlichen Lehrverbot für Frauen », *Jahrbuch für Antike und Christentum*, 31, 1988, 57-73.

Au terme de cette enquête, la non-ordination des chrétiennes semble une *traditio mere apostolica*, mais non une *traditio divina*. En effet,

1. L'exemple de Jésus dans le choix des Douze n'est pas concluant pour l'intégration ou l'exclusion des chrétiennes des ministères pastoraux.

2. L'absence de Marie du groupe des Douze ne permet pas non plus de conclusion.

3. Les communautés apostoliques permettent d'abord et restreignent ensuite l'activité ministérielle des femmes. La grâce (cf. le baptême selon Ga 3, 27-28) détermine l'ouverture tandis que les nécessités apologétiques et missionnaires déterminent l'exclusion des femmes du ministère de la parole et du gouvernement. Cette exclusion ne semble pas résulter de la conscience d'un « devoir de fidélité à l'exemple du Seigneur ».

4. L'appel à l'ordre de la création et de la chute justifie la subordination des femmes aux hommes et leur exclusion des ministères pastoraux.

Il convient donc maintenant d'envisager la portée de ce dernier point.

III. Y a-t-il des perceptions ou des énoncés bibliques relatifs aux relations entre hommes et femmes ou à la nature des femmes qui empêcheraient ces dernières d'exercer une charge pastorale sous peine de trahir l'ordre de la création et leur vocation propre ?

Anthropologie biblique et androcentrisme

La question est assez communément posée de la manière suivante : parce que le ministère pastoral implique nécessairement d'être à la tête de l'Église et de la représenter, les chrétiennes ne peuvent y accéder sans trahir l'ordre de la création où le premier rang revient à l'homme et le second à la femme (ainsi 1 Tm). Plus encore, dans l'ordre de la création, l'homme et la femme sont naturellement complémentaires : en prétendant assumer un rôle d'autorité ecclésiale, la femme chrétienne ne saurait que s'aliéner par rapport à sa propre vocation spirituelle. Elle se ferait et on lui ferait ainsi violence : elle se déshumaniserait.

L'argumentaire biblique se constitue à partir des affirmations spontanées de Paul dans 1 Co 11, 3 : « Le chef de tout homme, c'est le Christ ; le chef de la femme, c'est l'homme », et au verset 7 : « L'homme est l'image de la gloire de Dieu, mais la femme est la gloire de l'homme. » Des énoncés équivalents se trouvent dans les codes domestiques dont nous avons déjà donné l'énumération. Cette subordination des femmes aux hommes est historiquement l'argument majeur pour les exclure de l'ordination [15].

---

15. Le *status subjectionis* de la femme est une évidence commune de la patristique comme de la théologie jusqu'en ce siècle. Pour une première approche, cf. H. Legrand, « Die Frauen im Verständnis der Kirche : Ergänzung oder Partner der Männer ? » dans *Frau - Partnerin in*

En parlant des codes domestiques, nous avons vu que leur donnée première est la soumission sociale de la femme à l'homme, soumission cependant christianisée par le « *en Christô* ». Derrière cette convenance sociale se profilerait un ordre plus fondamental exprimé par la séquence Dieu, Christ, homme, femme, englobant l'ordre de la création, de la chute et de la rédemption. Dans cet argumentaire biblique on inclut aussi l'absence de Marie du collège des Douze ou le fait qu'elle ne fut jamais prêtre : comme Marie était la plus parfaite et la plus sainte des femmes, cela prouve bien que c'est du fait de son sexe qu'une femme ne saurait être prêtre.

Il y aurait donc une *nature* de la femme, bien différenciée de la nature masculine, si bien que l'identité sexuelle détermine largement la vocation de chaque personne. Les différences biologiques fondent alors des dualités intrinsèques comme la virilité et la féminité, comprises comme activité/réceptivité (ou passivité), rationalité/intuition, agressivité/douceur, attention aux structures/attention aux personnes, etc., une telle phénoménologie sommaire pouvant trouver quelquefois des expressions littéraires comme dans la *Femme éternelle* de Gertrud von Le Fort. Sa valeur scientifique en revanche n'est pas confirmée par les sciences humaines. Quoi qu'il en soit, dans cette perspective demander aux femmes d'assumer un ministère pastoral où il faut activité, rationalité, objectivité, attention aux structures, etc., serait les déshumaniser et les écarter de leur vocation humaine et chrétienne.

Plus profondément encore, cette polarité masculin/féminin s'exprime nécessairement dans le symbolisme nuptial de la révélation biblique où seul l'homme peut représenter Dieu ou le Christ face à l'humanité et à l'Église, qui, dans ce contexte, sont dans une attitude nécessairement réceptive (féminine). Mais cette question devra être traitée pour elle-même bientôt.

Pour le moment, quelques remarques d'ordre épistémologique sont requises pour évaluer ce qui se dit dans un discours qui voit dans la subordination de la femme à l'homme un ordre immuable relevant de la volonté du Dieu créateur, tout comme pour évaluer la possibilité qu'aurait la théologie de définir la « nature féminine » ou la « nature masculine ».

Il s'agit en effet de savoir s'il existe une sorte d'anthropologie biblique révélée qui mettrait en cause l'anthropologie qui caractérise largement la société occidentale contemporaine, anthropologie selon laquelle hommes et femmes sont de plus en plus partenaires, dans une égale dignité et une commune responsabilité. S'il fallait répondre oui, la question ne serait pas

---

der Kirche, Herder, Wien, Freiburg, Basel, 1985, 14-28. C'était aussi la perspective de la tradition canonique, cf. I. Raming, *Der Ausschluß der Frau vom priesterlichen Amt. Gottgewollte Tradition oder Diskriminierung ? Eine rechtshistorisch-dogmatische Untersuchung der Grundlagen von Kanon 968 § 1 des Codex Iuris Canonici*, Böhlau Verlag, Köln, Wien, 1973. Le *Code* de 1983 met fin à ce statut de subordination des chrétiennes.

de savoir si cet idéal de partenariat est effectivement vécu [16], mais il faudrait le dénoncer comme une erreur ne pouvant que faire le malheur des hommes et des femmes. Il faudrait aussi reconnaître que l'androcentrisme qui a caractérisé toutes les cultures qui nous ont précédé serait l'expression d'une vérité « naturelle » (créationnelle) et non pas culturelle.

Comme E.K. Børrensen l'a si remarquablement montré [17], l'anthropologie chrétienne a accepté elle aussi cet androcentrisme. Quelques très brèves remarques sont donc nécessaires sur la constitution de cette anthropologie.

Brèves réflexions sur l'anthropologie chrétienne

Sans aborder ici la vaste question du statut de l'anthropologie chrétienne, quelques remarques seront utiles pour la situer dans sa relation aux cultures changeantes, aux structures sociales et finalement à l'historicité.

Quand la culture change

Les relations hommes/femmes sont entrées dans une phase de redéfinition profonde en Occident. Cela est dû essentiellement à des facteurs objectifs comme les progrès de la médecine (maîtrise de la mortalité des nourrissons et des femmes en couches contrôle de la fécondité, allongement de la vie pour tous) et à la généralisation du travail salarié des femmes dans nos sociétés post-industrielles. L'élargissement de la vie sociale des femmes, l'indépendance financière des partenaires et le nécessaire partage du travail ménager et des soins éducatifs dans les ménages, tout cela a induit le partenariat entre hommes et femmes. Ce partenariat fait bouger les représentations et les valeurs. Ce n'est donc pas une mode mais une transformation qui se poursuivra encore dans la vie publique et privée. Il montre aussi que bien des traits « naturels » à la femme ou à l'homme sont avant tout déterminés par la culture.

Dans ce contexte, quelle est la tâche de l'Église ? Évangéliser une telle anthropologie du partenariat ?... Ce ne serait peut-être pas trop difficile si l'on songe à l'exemple de Jésus ou de Paul. Ou bien demander aux femmes de se considérer subordonnées aux hommes par la volonté du Créateur ? En faisant preuve d'un tel arbitraire culturel, on contribuerait à coup sûr à leur éloignement de la vie chrétienne, c'est-à-dire à leur sécularisation.

---

16. De graves préoccupations sont légitimes à l'égard de l'effectivité de ce partenariat : croissance inquiétante du non-mariage dans toute l'Europe ; en France 37 % des personnes en âge de l'être ne sont pas mariées, 48 % en Suède ; à Paris un foyer fiscal sur deux est composé d'une personne seule. Chiffres pour la France : E. Sullerot, *Pour le meilleur et sans le pire*, Fayard 1984, 10-60. Les taux de divorce s'accroissent également en Europe tandis que la baisse de la natalité n'assure plus le renouvellement des générations dans la majorité des États de l'ouest européen.

17. K.E. Børresen, *Subordination et équivalence. Nature et rôle de la femme d'après Augustin et Thomas d'Aquin*, Paris 1968. Trad. italienne, Assise 1979 ; anglaise, University Press of America, 1981.

Anthropologie et structures sociales

Mais saint Paul, et déjà l'auteur de la Genèse, proposaient-ils une anthropologie révélée de la relation hommes/femmes ? Non, saint Paul a voulu expliquer l'amour du Christ pour l'Église en prenant l'exemple du mariage tel qu'il était vécu à son époque ; la lumière du Christ y introduisait l'*agapè* et faisait découvrir ce qu'elle était, sans que cela implique un changement de la structure même du mariage. De même, l'auteur de la Genèse veut expliquer d'où vient le mal qui s'introduit entre des époux qui sont pourtant attachés l'un à l'autre.

Autrement dit ni l'un ni l'autre ne veulent sacraliser un modèle social de la part de Dieu. Ils nous parlent d'abord de Dieu et du Christ ; là est la révélation, et non dans le modèle social qu'ils ont devant les yeux et que cette révélation même transformera.

On remarquera que la méthode suivie pour reconstruire le modèle soi-disant créationnel de la subordination des femmes aux hommes prend un chemin tout différent. On présente en effet comme révélé un modèle où l'homme assume presque tous les rôles de représentation, d'autorité et de pouvoir. Mais cette différenciation du rôle des sexes n'est-elle pas due aux conditions socio-culturelles des sociétés androcentriques dont nous sortons à peine ? D'une situation historique contingente, on déduit un modèle divin et donc immuable qu'on essaie ensuite d'imposer à des sociétés différentes.

Il convenait de faire remarquer que tel n'est pas le mouvement de la révélation ; il ne doit pas être celui de l'anthropologie chrétienne. Les sciences humaines permettront une vigilance précieuse à cet égard même si, comme *Inter insigniores* 2, 6 le rappelle à juste titre : « Le contenu proprement surnaturel des réalités de la foi échappe à leur compétence. »

Éthique et historicité

Faute des clarifications méthodologiques précédentes, on ne peut que contribuer à faire de l'histoire de l'Église un scandale moral : l'Évangile originel de la communauté des égaux aurait succombé sous une repatriarcalisation encore dominante dans l'Église catholique. Mais si l'on use de tels critères, on serait aussi justifié de se scandaliser du fait que l'Église n'ait pas combattu dès l'Antiquité pour instaurer un régime politique ressemblant à la démocratie occidentale actuelle...

Il est éclairant, en ce domaine, de constater que les perceptions eschatologiques de Ga 3, 28 s'agissant du statut fait par la société chrétienne aux juifs, aux esclaves et aux femmes, soulèvent les mêmes difficultés. Ces différents statuts n'ont été révisés en profondeur que récemment. Est-ce un hasard s'ils ont changé pratiquement ensemble ?

Par souci de clarté, nous résumons ici notre démarche :

1. La subordination hiérarchique des femmes aux hommes est une évidence spontanée de plusieurs auteurs du Nouveau Testament. L'*agapè*

chrétienne ne change pas cette structure mais lui donne une qualité nouvelle et différente.

2. Comme évidence spontanée, la subordination unilatérale des femmes aux hommes ne peut prétendre exprimer l'ordre de la création. Au minimum, d'autres évidences spontanées sont aussi légitimes comme le partenariat entre hommes et femmes, ou l'exercice de l'autorité par des femmes sur les hommes.

3. La subordination des femmes aux hommes a été l'argument majeur de l'exclusion des femmes de l'ordination au cours de l'histoire de l'Église.

4. La théologie n'a pas de compétence particulière pour déterminer les qualités typiquement féminines ou masculines : cela relève de la vie sociale ou des sciences humaines.

5. Bref, l'exercice de l'autorité ministérielle par des chrétiennes ne saurait être contraire à l'ordre de la création ni porter automatiquement atteinte, dans tous les cas, à ce qui est perçu comme la vocation d'une femme dans une société donnée.

Si ni l'exemple de Jésus ni l'ordre de la création n'excluent *a priori* l'ordination des femmes aux charges pastorales, il reste à vérifier si ces charges n'ont pas un contenu tel que leur exercice par une chrétienne en rendrait la signification vaine. C'est ici qu'on rencontre en particulier la question du symbolisme.

IV. *Selon la tradition apostolique, le contenu de la charge pastorale est-il tel que son exercice par une chrétienne la viderait de son sens ?*

Inter insigniores affirme que la charge pastorale est de nature telle que son exercice demande que son détenteur soit un homme, à moins de méconnaître le symbolisme qui est inhérent en particulier à la célébration eucharistique :

On ne peut négliger le fait que le Christ est un homme. Et donc, à moins de méconnaître l'importance du symbolisme pour l'économie de la Révélation, il faut admettre que, dans des actions qui exigent le caractère de l'ordination et où est représenté le Christ lui-même, auteur de l'alliance, époux et chef de l'Église, exerçant son ministère du salut, — ce qui est au plus haut degré le cas de l'eucharistie —, son rôle doive être tenu (c'est le sens premier du mot *persona*) par un homme (I.I., 5).

Juste après cela, la Déclaration ajoute que dans l'eucharistie :

Le prêtre représente l'Église qui est le corps du Christ. Mais s'il le fait c'est précisément parce que d'abord il représente le Christ lui-même qui est la tête et le pasteur de l'Église *(ibid.)*.

Trois exigences symboliques sont ainsi avancées à l'égard de tout détenteur de la charge pastorale : il doit pouvoir représenter le Christ comme tête, comme pasteur et comme époux de l'Église. En se rappelant que la Déclaration ne veut pas engager l'autorité doctrinale de l'Église en cette matière, on croit possible de distinguer entre la symbolisation du Christ tête et pasteur d'une part, et celle du Christ époux de l'Église d'autre part.

Symbolisme du ministère et symbolique des épousailles

On ne peut mettre en doute que le Christ se présente et soit présenté dans le Nouveau Testament comme l'époux de l'Église. Cela est obvie en Mc 2, 19 ; les paraboles de Mt 22, 2-3 et 25, 1 le laissent entendre aussi. Jean-Baptiste désigne le Christ du titre d'époux (Jn 3, 28-29). Paul mentionne ce symbolisme en 2 Co 11, 2 et Ep 5, 21-33 le développe. L'Apocalypse reprend le thème au chapitre 21, vv. 2 et 9 et chapitre 22, v. 17. L'Église est ainsi désignée comme l'épouse du Christ qui est par ailleurs le nouvel Adam. Rien ne peut autoriser l'érosion de ce symbolisme. Mais ce symbolisme doit-il se retrouver nécessairement dans le ministère pastoral ?

L'adage des canonistes médiévaux présentant l'évêque comme l'époux de son Église est certes bien connu[18], mais il appelle deux commentaires : d'une part il est accomodatice visant essentiellement à éviter l'abus des translations ; d'autre part, à notre connaissance, il n'est jamais cité dans un sens eucharistique. On le comprend fort bien car « celui qui a l'épouse est l'époux, quant à l'ami de l'époux, il se tient là, il l'écoute, et la voix de l'époux le comble de joie » (Jn 3, 29). Toute transgression par un ministre ordonné de l'attitude du Baptiste serait spirituellement grave : car il se situerait ou serait situé dans le domaine des fantasmes et non dans celui de la symbolique. L'image du ministre chrétien époux de l'Église ne saurait donc avoir qu'une valeur morale (fidélité, dévouement). Cette valeur morale ne pourrait-elle se retrouver aussi bien chez les chrétiennes que chez les chrétiens ?

---

18. Cf. J. Trümmer, « Mystische Ehe im alten Kirchenrecht. Die geistliche Ehe zwischen Bischof und Diözese », *Österreichisches Archiv für Kirchenrecht*, 2, 1961, 62-75. J. Gaudemet, « Note sur le symbolisme médiéval. Le mariage de l'évêque », *L'Année canonique* 22 (1978) 72 : « Rares et imprécis sont à l'époque patristique les rapprochements entre le mariage et l'union de l'évêque à son Église. » Il conclut : « Au IXe siècle, le symbolisme de l'union conjugale est net [...]. Au XIIe siècle le symbolisme n'a sans doute pas totalement disparu, mais il ne sert plus que d'argument à la subtilité des juristes », *ibid.*, 80.

Symbolisme du ministère comme présidence et pastorat au nom du Christ

Si le ministre ordonné n'est pas l'époux de l'Église, sinon moralement, en revanche, il doit en être symboliquement et réellement le chef et le pasteur. C'est ainsi que l'Église catholique a toujours compris, à juste titre, le ministère pastoral selon la tradition apostolique. La question se pose donc de savoir si une femme, parce que femme, serait dans l'incapacité de présider à l'Église de Dieu et toujours parce que femme, d'agir *in persona Christi* en particulier dans l'eucharistie.

Une femme est-elle, de par son être de femme, dans l'incapacité de représenter l'Église ?

Cette thèse développée par Louis Bouyer [19] a trouvé un grand écho. Nous ne donnerons que deux exemples : Hans Urs von Balthasar [20] et Desmond Connell [21] la reproduisent comme l'argument le plus décisif de l'inaptitude des femmes au presbytérat.

L. Bouyer construit une phénoménologie de l'homme et de la femme en fonction de leur sexualité qui induirait chez eux une manière essentiellement différente de se situer par rapport au monde et à la société. Selon lui, l'activité sexuelle du mâle se réalise en dehors de lui et de façon intermittente ; il en conclut que dans le monde l'homme a uniquement une fonction de représentation, représentation que l'on trouve comme fonction du sacerdoce :

Nous dirons que l'homme, le mâle, en tant que tel, se définit par ce paradoxe qu'il représente essentiellement ce qui le dépasse, ce qu'il est incapable d'être lui-même et par lui-même [22].

H. Urs von Balthasar le paraphrase comme suit :

L'homme, comme être sexué, représente surtout ce qu'il n'est pas et il transmet ce qu'il ne possède pas réellement et ainsi est-il simultanément plus et moins que lui-même. Tandis que la femme repose en elle-même, elle est entièrement son propre être, c'est-à-dire la réalité totale d'un être créé face à Dieu comme son partenaire, recevant, conservant, portant à maturité et nourrissant sa semence dans l'Esprit [23].

Bref,

19. L. Bouyer, *Mystère et ministères de la femme*, Paris, Aubier Montaigne, 1976.

20. Cf. H. Urs von Balthasar dans H. Moll (éd.), *The Church and Women. A Compendium*, San Francisco 1988, 153-160.

21. Cf. D. Connell, « Women priests : why not ? », *ibid.*, 207-227.

22. L. Bouyer, *ibid.*, 47. Il disait auparavant : « Ce n'est jamais, chez un homme, qu'une qualité parmi tant d'autres d'être père et ce n'est que momentanément que celui-là même qui la possède l'exerce de fait » (*ibid.*, 31).

23. H. Urs von Balthasar, *ibid.*, 158.

la différence est si profonde qu'à la femme est assignée non la représentation mais l'être, et à l'homme la tâche de représentation[24].

Au-delà de son arbitraire, un tel discours nous paraît peu fondé méthodologiquement. D'abord, comment attribuer, quasi métaphysiquement, l'être à la femme et la représentation à l'homme à partir d'une certaine vision de leur rôle dans la reproduction? La sexualité est-elle d'ailleurs réductible à la reproduction? La différenciation sexuelle, certes partout présente, opère-t-elle une telle coupure entre ce qui est humain dans les êtres humains? Ensuite, comme on l'a déjà noté, ces auteurs ne prennent jamais en compte la relation existant entre la différenciation sociale des sexes et les conditions culturelles qui la déterminent. Sans pouvoir prouver ici cette lacune, posons une simple question : l'image de la paternité qu'ils décrivent correspond-elle à celle qu'exerce la majorité des pères de moins de quarante ans dans la société occidentale?

Positivement maintenant, c'est devenu une évidence commune, du moins en Occident, que des femmes peuvent s'acquitter aussi bien que les hommes de fonctions de représentation et d'autorité sociales. Ces mêmes femmes pourraient donc plausiblement représenter la foi de l'Église et sa communion tout aussi bien que des hommes à condition d'être ordonnées pour agir *in persona Christi*.

Est-ce qu'une chrétienne, à condition d'être ordonnée, pourrait agir *in persona Christi*? Le cas de l'eucharistie

Nous partons de la donnée selon laquelle le contenu de l'ordination suppose d'agir *in persona Christi* et nous voulons surtout éclaircir cette expression qui joue un rôle clé dans le débat[25].

Le prêtre n'agit pas *in persona Christi* de façon immédiate dans l'eucharistie. Pour être *in persona Christi* il lui faut être *in persona Ecclesiæ*. Il lui faut être ordonné et exercer la charge de représenter la foi et la communion de l'Église. Dans l'eucharistie proprement dite, il agit dans un contexte gouverné par l'épiclèse qu'il prononce au nom de l'Église et avec elle. Des réponses comme *amen* et « avec ton esprit » indiquent qu'il agit dans la communion du Saint-Esprit, dans la communion de l'Église. C'est donc seulement en agissant *in persona Ecclesiæ* que le prêtre agit *in persona Christi*. L'originalité même du ministère pastoral suppose l'articulation de ces deux éléments : il est essentiel de saisir que selon la tradition les prêtres président à l'eucharistie parce qu'ils président à l'Église. L'ordre inverse ne se vérifie pas[26].

---

24. *Id.*, 158.

25. Cf. B.-D. Marliangeas, *Clés pour une théologie du ministère. In persona Christi. In persona Ecclesiae* (Théologie historique 51), Paris 1978.

26. Cf. H. Legrand, « La présidence de l'eucharistie dans l'Église ancienne », *Spiritus* 18, 1977, 409-431. Problématique d'ensemble dans H. Legrand, *Initiation à la pratique de la théologie*, t. III, 2e éd., Paris 1986, 194-273.

Cela bien établi, une chrétienne ne pourrait être ordonnée et se voir donc confier la charge pastorale de la communion de l'Église que si, d'abord et avant tout, elle était reconnue capable de représenter la foi de l'Église et de veiller à sa communion. De par son ordination, elle serait située de fait en altérité vis-à-vis des autres fidèles. Grâce à ce vis-à-vis symbolique, ceux-ci reconnaîtraient qu'ils reçoivent la grâce et le salut du Christ, non pas d'eux-mêmes. Ils feraient l'expérience d'être convoqués par un autre, d'être envoyés par un autre, de bénéficier du ministère du Christ bon pasteur. La chrétienne ordonnée agirait alors *in persona Christi*.

Une telle action ne serait pas une innovation pour la théologie catholique. En effet, tout ministre des sacrements agit *in persona Christi*. Or, dans la tradition latine, les femmes, comme leurs époux, sont reconnues comme ministres de leur sacrement de mariage : elles y agissent donc *in persona Christi*. Depuis le XIᵉ siècle, c'est également une doctrine latine que les femmes peuvent baptiser validement, donc *in persona Christi*. Certains qui reconnaissent très honnêtement aux femmes cette capacité dogmatique de représenter le Christ dans le baptême, sacrement majeur s'il en est, la leur dénient pourtant dans le cas de l'eucharistie : elles peuvent avoir une action en tant que représentantes du Christ, elles n'ont aucune possibilité d'en avoir la représentation [27].

Concluons. Là où il y aurait plausibilité sociale qu'une chrétienne puisse représenter la foi et la communion de l'Église, la présider à ce titre, il y a aussi plausibilité qu'elle puisse représenter le Christ, qu'elle puisse Le symboliser. Quand cette plausibilité sociale existe, et quand les contenus ecclésiologiques et théologiques du ministère pastoral sont respectés, de quel poids pèserait l'absence d'identité sexuelle entre le Christ et le ministre ?

De très peu de poids, semble-t-il, y compris dans l'eucharistie, car celle-ci n'est pas une action théâtrale. Dans une action théâtrale, une femme ne pourrait évidemment pas représenter le Christ : ici l'action se situe dans le mystère, c'est-à-dire dans le sacrement. Dans cette perspective, la représentation du Christ au titre de la foi et de la communion est décisive. En rappelant que le sens premier du mot *persona* indique un rôle joué au

---

27. Telle est la suggestion de D. Connell, article cité *supra*, n. 19, p. 220 : « (The priest acts) not just as minister, but in representational role » et p. 222 : « It is important to distinguish between acting as representative and acting as representation. » Cette distinction permet de reconnaître que dans le baptême la chrétienne agit en représentante du Christ mais l'exclut de la présidence de l'eucharistie parce que le prêtre n'y est pas seulement représentant du Christ, il en serait aussi « la représentation sacramentelle », tout comme en général « le propre de la femme est la représentation sacramentelle de l'Église » *(ibid.)*. Cette distinction, non traditionnelle, nous paraît avoir un double inconvénient : est-il fondé de désigner comme sacramentelle la représentation symbolique de l'Église par la femme dans les termes mêmes dont on désigne le prêtre comme représentation sacramentelle du Christ ? Et, dans ce dernier cas, n'y a-t-il pas un glissement de sens incontrôlé lorsque l'on passe du sacrement de l'ordre au sacrement du prêtre ? Sur ce danger, cf. P.J. Cordes, « "Sacerdos alter Christus". Der Representationsgedanke in der Amtstheologie », dans *Catholica*, 26, 1972, 38-49.

théâtre (I.I., 5), *Inter insigniores* fait une remarque d'ordre philologique et non d'ordre liturgique.

S'agissant de l'argumentation symbolique, il nous paraît capital de constater que :

1. La représentation du Christ comme époux est purement morale dans les ministres. Il est exclu qu'elle soit symbolique, même pour les hommes.

2. Le contenu de la charge pastorale requiert la possibilité de représenter symboliquement le Christ comme chef et pasteur : dans certains contextes chrétiens, là où la société s'y prête, des femmes pourraient plausiblement assumer une telle représentation.

3. La représentation du Christ se fonde dans le sacrement de l'ordre. Les chrétiennes peuvent agir *in persona Christi* dans un sacrement majeur comme le baptême. Dans l'eucharistie, elles pourraient agir *in persona Christi* également si, grâce à l'ordination, elles pouvaient agir *in persona Ecclesiæ*, représentant ministériellement la foi et la communion de l'Église.

V. *Conclusions*

La non-ordination des femmes au ministère pastoral est un fait historique indéniable, ce n'est pas une Tradition au sens fort

La triple enquête que nous avons menée n'a pas permis de conclure avec évidence que la non-ordination des femmes était une Tradition où se manifesterait la volonté révélée de Dieu sur son Église. L'absence des femmes dans le groupe des Douze n'est pas concluante ; la restriction des ministères des femmes à l'époque apostolique s'explique directement par d'autres motifs que la volonté de fidélité au Christ. Ni le symbolisme du Christ tête et époux de l'Église, ni la nature des femmes, ni la nature de la charge pastorale ne permettent d'exclure que dans certaines circonstances des femmes pourraient exercer le ministère de la communion de l'Église et donc des sacrements.

On se trouve ainsi devant une coutume constante qui représente une manière d'agir appropriée aux conditions dans lesquelles l'Église a vécu jusqu'ici ; sans que cette manière d'agir ait été examinée critiquement pour elle-même, au moins en prenant en compte les paramètres qui la caractérisent de nos jours.

A cet égard, *Inter insigniores* nous paraît très heureusement nuancée à la fois en déclarant que l'Écriture seule ne peut trancher la question[28], en

---

28. On sait aussi à ce sujet par indiscrétion que la Commission biblique pontificale consultée avait répondu à l'unanimité que le Nouveau Testament ne peut résoudre avec clarté et définitivement la question de savoir si les femmes peuvent être ordonnées prêtres. La réponse d'ensemble de la Commission a été publiée d'abord dans *Origins*, 1ᵉʳ July 1976, 92-96

montrant un certain embarras pour se justifier historiquement[29], en s'abstenant de recourir à la catégorie de droit divin et finalement en réclamant une adhésion doctrinale d'un faible niveau d'obligation. La Déclaration est donc très fidèle à la situation réelle : « L'Église ne se considère pas autorisée à admettre les femmes à l'ordination sacerdotale » (I.I., Intr.). Compte tenu de tous ces considérants, une telle manière de s'exprimer peut gagner le respect de ceux qui ne sont pas catholiques ; elle peut aussi être considérée comme respectueuse des femmes car elle ne s'appuie plus, comme par le passé, sur la nature inférieure des femmes, mais sur la manière dont l'Église comprend sa propre fidélité au Christ.

Dogmatiquement, l'Église pourrait-elle changer ?

La position d'*Inter insigniores* demande évidemment l'assentiment pratique des catholiques. Mais ce document n'a pas clos la réflexion entamée avant sa parution, réflexion qui amenait beaucoup de théologiens et de pasteurs catholiques à penser que l'ordination des femmes au ministère pastoral serait dogmatiquement possible[30]. En bien d'autres domaines des raisonnements impressionnants ont également empêché de faire « ce qu'on n'avait jamais fait » et pourtant on a changé : mentionnons la réitération du sacrement de la pénitence, la détermination de la matière et de la forme du sacrement de l'ordre (qui en conditionne la validité), le prêt à intérêt... De même, des changements aux grandes conséquences pratiques ont été acceptés sur le nombre des sacrements, la sacramentalité de l'épiscopat, etc.

Le dogmaticien se gardera d'isoler la question de l'ordination éventuelle des femmes de l'ensemble de la théologie et des critères qui la régissent. Sans être exhaustif, mentionnons que cette question renvoie au statut de la relation entre Écriture et Tradition, à l'articulation entre christologie et pneumatologie dans le ministère, au statut théologique des relations entre hommes et femmes dans la société et dans l'Église, à la place de la Vierge

---

puis sous le titre « Biblical Commission Report. Can Women be Priests ? » dans L. and E. Swidler, *Women Priests. A Catholic Commentary on the Vatican Declaration*, New York/Ramsey/Toronto, Paulist Press, 1977, 338-346.

29. On remarquera à ce sujet que les huit autorités apportées à la note 7 d'*Inter insigniores* à l'appui de l'irrecevabilité de l'ordination des femmes selon les Pères ne sont directement concluantes qu'en trois cas. De même, les références de la note 8 ne sont guère probantes, cf. à ce sujet J.M. Higgins, « Fidelity in History », dans L. and E. Swidler, *Women Priests, op. cit.*, 85-91. Enfin le raisonnement explicite des deux citations de S. Thomas d'Aquin alléguées aux notes 18 et 19 recourt directement au *status subjectionis* de la femme par rapport à l'homme (comparaison avec l'esclave) : la *significatio rei* est impossible du fait de l'être social de la femme. C'est en faisant silence sur ce contexte que les rédacteurs d'*Inter insigniores* s'expriment sur la théologie du signe sacramentel chez S. Thomas, théologie qui exclurait l'ordination des femmes.

30. Avant la publication d'*Inter insigniores* nous avons documenté le rapide changement d'attitude des chrétiens, des théologiens et des évêques sur cette question. Cf. H. Legrand, « L'ordination des femmes au ministère presbytéral. Réflexions théologiques au point de vue catholique », *Documents-Épiscopat*, 7, 1976 ; trad. anglaise dans *Origins*, January 1977.

Marie dans l'Église [31], à la manière dont l'Église traduit son enracinement dans l'histoire [32]. Cette énumération indique probablement que la question demande encore à mûrir au seul plan dogmatique. On en a par ailleurs bien d'autres indices. Aussi des théologiens catholiques, dont nous sommes, qui ne seraient probablement pas opposés doctrinalement à l'ordination des femmes, n'y sont pas favorables dans la situation théologique et pastorale présente.

Les circonstances théologiques et pastorales actuelles n'offrent guère la possibilité de changer

L'évaluation de la fin de l'androcentrisme

Le changement culturel qui mène actuellement à la régression de l'androcentrisme n'a pas encore été évalué de façon suffisante par l'Église. La Lettre apostolique, extraordinairement innovatrice, de Jean-Paul II *Mulieris dignitatem* (1988) est le premier document officiel qui récuse systématiquement l'androcentrisme. Mais pour sortir des ambivalences, des confusions, voire de la peur que cette situation entraîne, il faudra peut-être encore des générations.

De grandes confusions persistent

Due, en elle-même, à des facteurs non idéologiques, l'actuelle redéfinition des rapports entre hommes et femmes s'accompagne de grandes perplexités [33] ou de confusions. On les attribue généreusement aux féministes. Certes, il arrive que le féminisme chrétien véhicule des théologies très

---

31. Les spéculations sur le sacerdoce de Marie ont été étudiées par R. Laurentin, *Marie, l'Église et le sacerdoce*, t. 1, Paris 1952; t. 2, *ibid.*, 1953. La question est plus profonde : un certain parallélisme entre les titres donnés à Marie et ceux reconnus au Christ (médiateur/médiatrice ; rédempteur/corédemptrice) a paru un moment se développer dans une partie de la piété catholique. *Lumen gentium* 8 y a mis un terme heureux car ce parallélisme se fonde moins sur la dogmatique que sur la prégnance de la bipolarité sexuelle, si fondamentale à l'existence humaine, opérant sur le mode imaginaire dans l'interprétation de la Révélation. Le symbolisme typologique Christ (masculin)/Marie-Église (féminines) « où le partenaire divin est andromorphe et le partenaire humain gynécomorphe, perd son aptitude à signifier la relation entre Dieu et l'humanité dès lors que la subordination féminine disparaît. L'incompatibilité du divin et de l'humain demeure, mais elle ne peut plus être illustrée par celle qui était postulée entre divinité et féminité », E. K. Børresen, « *Imago Dei*, privilège masculin ? Interprétation augustinienne et pseudo-augustinienne de Gn 1, 27 et 1 Co 11, 7 », *Augustinianum* 25, 1985, 233 (Miscellanea Trapè).

32. Cf. H. Legrand, J. Vikström, *op. cit.*, supra n. 13, 260-270.

33. Un symptôme : le judaïsme lui-même envisage désormais en certaines de ses branches l'ordination des femmes au rabbinat. Cf. S. Greenberg (éd.), *The Ordination of Women as Rabbis. Studies and Responsa*, New York, The Jewish Theological Seminary of America, 1988.

discutables sur Dieu [34], sur la manière d'articuler la différence au sein de l'égale dignité de tous les chrétiens, sur la vocation au ministère, etc. On ne peut pourtant rendre les femmes responsables de ces confusions, car le problème est commun aux hommes et aux femmes; il est aussi trop tôt pour évaluer le mouvement féministe dans son ensemble [35]. Pourtant, bien des théologiens catholiques sont obsédés par une masculinisation possible des femmes. Ils expriment leurs alarmes devant une éventuelle ordination des femmes : ils y verraient la remise en cause de tout l'ordre de la création, de tout le symbolisme de la rédemption.

Tant que de telles objections s'exprimeront, les pasteurs de notre Église ne voudront pas envisager l'ordination des femmes car le ministère de la communion ne doit pas exacerber les divisions. Les théologiens ne pourront que les approuver.

Pas de faux espoirs mais un nécessaire soutien au partenariat entre hommes et femmes

L'Église catholique appellera-t-elle un jour des femmes au ministère pastoral ? Peut-être jamais. Si oui, elle ne le fera que dans la fidélité et par fidélité. Si la préservation de son identité et de sa mission est à ce prix, l'Église doit accepter des changements. La tradition vivante, c'est cela même et elle diffère considérablement de la répétition historique.

Rosemarie Nürnberg se demande dans l'excellent article que nous avons cité, si la raison qui a amené l'Église primitive à exclure les femmes du ministère de la parole ne suggère pas aujourd'hui de le leur confier. De nos jours leur absence de ce ministère ne provoque-t-elle pas cette *irrisio infidelium* qui avait commandé leur exclusion dans l'Antiquité [36] ?

Une chose reste certaine, favoriser la reconnaissance mutuelle entre hommes et femmes, favoriser leur partenariat, doit être aujourd'hui la tâche de l'Église, de chacun et de chacune. Éduquer, contribuer à guérir, élaborer des images-guides constructrices pour l'Église comme pour la société est urgent car ce domaine du partenariat si merveilleux est aussi si

---

34. On trouvera une bonne analyse critique de ce féminisme dans S. Heine, *Frauen der frühen Christenheit*, Göttingen 1986 (trad. anglaise : *Women and Early Christianity*, London 1987) et Id., *Wiederbelebung der Göttinen ?*, 1987 (trad. anglaise : *Christianity and the Goddesses*, London 1988).

35. Cf. par exemple W. Kasper, « The Position of Woman as a Problem of Theological Anthropology » dans H. Moll (éd.), *The Church and Women. A Compendium*, San Francisco 1988, 51-64. Sur la théologie féministe proprement dite nous partageons l'opinion exprimée par H. Moll, " Feminist Theology" - A Challenge » : « Quiconque tente d'évaluer les différents courants de la théologie féministe devra suspendre son jugement pour le moment, car ce mouvement est encore en développement et, au stade actuel, il manque d'homogénéité. Les jugements apodictiques et les conclusions définitives sont prématurées. » dans H. Moll (éd.), *The Church and Women*, op. cit., p. 271. Une direction nous semble positive, celle qui ne dissocie jamais le sort des hommes et des femmes : on appréciera dans cette ligne les suggestions de M.-Th. van Lunen-Chenu, « Le sens profond du féminisme » dans *Le Supplément*, déc. 1978, 507-520.

36. Ainsi p. 73, art. cit., *supra*, n. 14.

menacé. Il est le lieu de beaucoup de joies et de beaucoup de souffrances. Il y a là un lieu privilégié de l'exercice de l'*agapè* chrétienne : sans elle, tous les changements de structure seraient de très modeste portée. Cette *agapè* doit aussi nous aider à porter les divergences actuelles entre nos Églises sur cette question, divergences qui risquent de durer. La présente contribution n'avait d'autre but que de tenter d'éclairer la position catholique, sans maximalisation, mais aussi, nous l'espérons, sans minimisation.

UN RITUEL D'ORDINATION DE TAGRIT

René MOURET

En étudiant les formulaires d'ordination en Orient, on est vite amené à faire une double constatation : la première, c'est que la plupart des liturgies d'ordination en Orient ont un lien avec le rite « syrien-occidental » d'Antioche. On en retrouve quelques formules dans les rites byzantin et arménien, on en retrouve la quasi-totalité dans les rites maronite, copte et éthiopien.

La deuxième constatation, c'est que dans le rite syrien il n'existe pas de texte unique du rituel d'ordination. A côté d'un noyau commun, chaque manuscrit a sa façon de rédiger les rubriques, de choisir les lectures bibliques, d'insérer plus ou moins de chants — et pas toujours à la même place — dans la célébration.

Parmi les rituels syriens, le premier qui ait été publié en Europe est celui de Jean Morin (Paris 1655)[1]. Son texte est bien énigmatique : il ne donne pas les formulaires des prières, sauf quelques incipit. Il a des rubriques surprenantes : l'évêque « prend du calice dans sa main » ou encore l'évêque fait une onction en imposant les mains.

En essayant d'étudier attentivement ce rituel de Jean Morin, nous avons été amené à faire quelques découvertes.

1. Un rituel attesté

Jean Morin a indiqué ses sources : deux manuscrits provenant de Goa, en Inde et un « compendium » trouvé dans les archives de la Congrégation de la Propagande à Rome[2]. Ces manuscrits restent introuvables. La congrégation de l'Oratoire à laquelle appartenait Jean Morin n'a pas gardé la moindre trace des manuscrits de Goa. Quant au compendium romain il n'est plus dans les archives de la Propagande. Il est vrai que, depuis lors, ces archives ont connu bien des péripéties et ont passé quelques années en

---

1. Jean Morin, *Commentarius de sacris Ecclesiae ordinationibus*, Paris 1655 et 1686, Anvers 1695 et 1709, Rituel syrien (introduction, texte syriaque, traduction latine et notes) p. 474-503 (éditions de Paris), p. 402-439 (éditions d'Anvers).

2. J. Morin, *op. cit.*, p. 476-477 (éditions de Paris), p. 404-405 (éditions d'Anvers).

France[3]. Le compendium aurait pu rester à Paris, mais il n'y en a aucune trace dans les Archives nationales.

Par contre on peut trouver et identifier d'autres manuscrits du même rituel qui donnent un texte complet de l'ordination du diacre et du prêtre (mais rien sur l'ordination de l'évêque). Pour trouver ces manuscrits, il fallait remettre en question certaines affirmations des catalogues existants.

A la Bibliothèque nationale de Paris, on trouve deux manuscrits syriaques du xvᵉ siècle : Syr. 110 et Syr. 114. Personne n'avait soupçonné leur identité avec le rituel publié par Jean Morin. Le catalogue de H. Zotenberg les disait différents du texte de Morin. Ils ne sont pas différents, ils sont seulement plus complets.

Un autre manuscrit de la Bibliothèque nationale, Syr. 395, du xviᵉ siècle, donne en partie le même rituel. Récemment acquis — en 1966 — il ne figure pas encore dans les catalogues imprimés. Il est écrit de plusieurs mains, fait de pièces et de morceaux, parmi lesquels une partie du rituel de Jean Morin.

A la Bibliothèque Bodleiane d'Oxford on trouve un autre manuscrit du xvᵉ siècle, Huntington 444, pour lequel il faudrait compléter le catalogue de Payne Smith : le début du rituel est abrégé, et l'incipit un peu modifié, mais un peu plus loin que les premières lignes on retrouve le texte de Jean Morin.

A la Bibliothèque vaticane, on trouve une copie tardive de ce texte d'Oxford : Vat. Syr. 55, de 1715. Il faut donc abandonner la proposition du catalogue d'Assémani d'y voir un rituel maronite.

Le curieux rituel que Jean Morin a publié n'est donc pas une exception, bien au contraire : parmi les manuscrits du rituel syrien conservés dans les bibliothèques d'Europe, il est le mieux attesté[4].

2. Un rituel ignoré

Un des manuscrits de notre rituel, Par. Syr. 110, a été connu par l'abbé E. Renaudot († 1720), qui en a relevé le contenu dans un catalogue resté manuscrit (Par. Syr. 281), mais ne l'a pas utilisé. Pourtant E. Renaudot connaissait le texte de Jean Morin, dont il avait recopié la traduction[5].

Si E. Renaudot a ignoré ce rituel, c'est sans doute parce qu'il a été fasciné par un autre manuscrit, réputé perdu[6]. En sortant un instant des limites

---

3. Ces archives furent confisquées par Napoléon. Cf. N. Kowalsky et J. Metzler, *Inventory of the historical Archives of the sacred Congregation for the Evangelization of peoples or « de propaganda fide »*, New elarged edition. Rome 1983, p. 122.

4. Les autres manuscrits du rituel syrien conservés dans les bibliothèques d'Europe ont une rédaction différente : Vat. Syr. 51 et 304, Borg. Syr. 57, Par. Syr. 112 et 113.

5. Paris, Bibliothèque nationale, *Nv. acq. fr.* 7467. XII fᵒˢ 352-353 (diacres), 376-377 (prêtres), 412v-413v (évêque).

6. Cf. par exemple : A. Baumstark. *Geschichte der syrischen Literatur*, Bonn 1922, Berlin 1968, p. 299 note 2.

de notre sujet, nous pouvons affirmer aujourd'hui que ce manuscrit n'est pas perdu.

E. Renaudot parle souvent à propos des ordinations d'un manuscrit de Florence, provenant de la bibliothèque du grand-duc. Mais aujourd'hui, à Florence, il n'y a aucun manuscrit syriaque des ordinations, ni dans la *Biblioteca nazionale centrale* qui a hérité des volumes du grand-duc de Toscane, ni dans la magnifique *Laurenziana*.

Mais dans les notes de voyage laissées par E. Renaudot [7] on lit que le duc Cosme III, qui l'avait si bien reçu, lui a prêté deux manuscrits. Les notes d'E. Renaudot nous donnent assez de renseignements sur le contenu et l'illustration des manuscrits pour y reconnaître le Par. Syr. 62 (collection canonique) et le Par. Syr. 112 (rituel). C'est sur ce dernier qu'E. Renaudot a fait — un peu vite — sa traduction, publiée près d'un siècle après par le professeur H. Denzinger [8]. Si on a eu du mal à le découvrir plut tôt, c'est sans doute parce que E. Renaudot a mélangé à sa manière les deux rituels d'ordination du prêtre qui se trouvent dans ce manuscrit [9].

Renaudot n'est pas le seul à avoir ignoré notre rituel : Par. Syr. 110 et Par. Syr. 114 ont été négligés par les liturgistes, les jugeant trop tardifs [10].

Mgr R. Graffin avait envisagé de publier le Par. Syr. 114 (cf. note 9) mais il n'a pas réalisé son projet.

3. *Un rituel abrégé*

Alors que les manuscrits retrouvés donnent en entier l'ordination du diacre et l'ordination du prêtre, les manuscrits perdus utilisés par Jean Morin ne donnent que des extraits, et sont donc inutilisables par un évêque pour célébrer une ordination. Mais Jean Morin n'avait pas besoin d'un rituel complet en vue d'une célébration ; le texte qu'il avait trouvé lui suffisait pour une documentation sur les rites à l'usage de la commission romaine [11]. Dans ce rituel abrégé, aucune rubrique n'est omise, et deux textes sont cités en entier : ce sont les textes proclamés par l'archidiacre, c'est-à-dire l'annonce de l'ordination « La grâce de Notre Seigneur [...] » et la proclamation « A été ordonné Untel [...] ». On peut donc raisonnablement supposer que le texte trouvé par Jean Morin était un manuel à l'usage de l'archidiacre. Il existe, dans le rite syrien d'Antioche, d'autres manuels à l'usage des diacres.

---

7. Paris, Bibliothèque nationale, *Nv acq. fr.* 7498 f° 21.

8. H. Denzinger, *Ritus Orientalium [...]* II, Würzburg 1864, Graz 1961, p. 82-100.

9. Ces deux rituels ont été publiés, et un a été traduit, par R. Graffin, « L'ordination du prêtre dans le rite jacobite », *ROC* I, 2, 1896, p. 1-36. (Ce travail devrait être revu.)

10. Cf. *Bulletin du Comité des études de la Compagnie Saint-Sulpice* n° 36, 1962, p. 17.

11. Sur la commission romaine « pour l'union avec l'Église grecque », cf. par exemple : A. Molien, « Jean Morin » dans *DTC* X,2, 1928, col. 2486 s.

4. Un rituel mal traduit

Dans les manuscrits plus complets, comme dans l'abrégé édité par Jean Morin, notre rituel contient des rubriques surprenantes. E. Renaudot a contesté une de ces rubriques avec sa verve habituelle. Il estime, avec raison, qu'il est invraisemblable que l'évêque « prenne du calice » dans sa main [12].

Dans une rubrique du compendium romain de Jean Morin, il est précisé (dans l'ordination de l'évêque) que l'évêque qui ordonne prend la grâce, prend « les dons », du corps et du sang du Christ [13]. Ce mot pourrait être sous-entendu [14], mais une autre solution s'impose ici : il faut seulement corriger la traduction. Le Lhomad préfixé à « ses mains » indique un complément direct et n'a jamais signifié « dans ». Ce n'est pas « dans ses mains » mais « ses mains » que l'évêque prend, c'est-à-dire retire, du calice où il les avait posées.

Une autre rubrique surprenante est la présence du mot qui signifie « oindre » : en imposant les mains l'évêque « oint » celui qui est ordonné. Mais Jean Morin est bien documenté, il sait qu'il n'y a pas d'onction dans les ordinations syriennes. Il sait aussi que le même verbe a une autre signification : « mesurer ». Il traduit donc par « *admetitur* » ou, en note, *commetitur, accomodat*. Il avait écrit à ce sujet au savant Abraham Ecchelensis qui lui avait proposé une meilleure solution : comprendre « oindre » au sens d'une onction spirituelle [15]. Cette signification est habituelle dans la théologie syrienne [16].

5. Un rituel localisé

Notre rituel cite plusieurs noms : le nom d'un siège épiscopal, « Tagrit », le nom d'un lieu, « Alphaph », c'est-à-dire le mont « des Milliers », plusieurs noms de saints : Mar Matthieu, Mar Zachée, Mar Abraham, Mar Behnam. On reconnaît dans ces noms de saints des noms de monastères du mont des Milliers ou des environs [17]. Mais deux noms, Zachée et Abraham, sont les noms de monastères nestoriens. On ne pouvait donc les citer dans un rituel « jacobite ». Leur présence est due au fait que l'on avait regroupé

---

12. Cf. P. Nicole, A. Arnaud, E. Renaudot, *La Perpétuité de la foi de l'Église catholique*, t. 3, Paris 1841, col. 945-946 et 962.
13. J. Morin, *op. cit.*, « sumit Patriarcha dona ex corpore et sanguine... », édit. de Paris, p. 487, édit. d'Anvers, p. 414.
14. C'est le cas, nous semble-t-il dans la rubrique de l'imposition des mains pour l'ordination des prêtres dans Vat. Syr. 51, f° 76v. A l'appui de cette interprétation, on peut citer une note marginale de Par. Syr. 113, f° 109.
15. Cf. R. Simon, *Antiquitates Ecclesiae orientalis [...]*, Londres 1682, p. 478-480, ou un extrait dans M. Breydy, *Le Concept de sacerdoce [...]*, Beyrouth 1964, p. 28.
16. Cf. par exemple P. Hindo, *Disciplina antiochena antica. Siri. III*, Vatican 1941, p. 74 (Vat. Syr. 51), p. 235 (Jean de Dara).
17. Cf. J.-M. Fiey, *Assyrie chrétienne*, 3 volumes, Beyrouth 1965-1968, *passim*. Sur les deux noms de monastères nestoriens, cf. vol. II, p. 783.

au monastère de Mar Matthieu les reliques de plusieurs saints : on retrouve les mêmes saints cités ensemble dans quelques manuscrits[18].

Au sud de ces monastères, sur le Tigre, se trouve Tagrit (ou Tikrit) qui fut pendant longtemps la résidence du « maphrien », second du patriarche dans cette région éloignée d'Antioche, où l'on avait conservé plusieurs particularités liturgiques[19]. Il faudra y ajouter désormais les particularités de la liturgie des ordinations.

6. Un rituel respecté

Dans les manuscrits de ce rituel de Tagrit on trouve presque toujours non seulement quelques éléments propres dans les formules de prière ou dans les rubriques, mais aussi un certain nombre de caractéristiques. Tout d'abord c'est un rituel bien construit, le seul où le déroulement de la liturgie est exactement le même pour l'ordination des prêtres et celle des diacres, où les rubriques des deux ordinations sont identiques chaque fois que c'est possible.

C'est ensuite un rituel développé : il a plus de lectures et de chants que les autres, sans doute parce qu'il est plus tardif. Mais c'est aussi un rituel conservateur : il a gardé quelques lectures bibliques dans l'ancienne version héracléenne. Et il est fort probable que les versets de psaumes qui précèdent les lectures sont un vestige de la version héracléenne des psaumes, aujourd'hui perdue.

C'est enfin un rituel très respecté. Alors que la plupart des manuscrits du rituel syrien ont une certaine liberté par rapport à leurs sources, et gardent chacun une part d'originalité, ici tous les manuscrits de ce rituel gardent au contraire la plus grande fidélité, sont presque identiques les uns aux autres : même plan, mêmes lectures, mêmes chants, même rédaction des rubriques. A peu de chose près, on dirait que tous ces manuscrits ont été copiés l'un sur l'autre. Même l'extrait du rituel publié par Jean Morin n'a rien changé au texte pour le résumer.

Parmi les manuscrits conservés en Occident, le rituel de Tagrit est donc non seulement le plus attesté mais encore le plus respecté.

7. Un rituel exporté

Un tel rituel ne pouvait rester sans influence. Un premier moyen de connaître cette influence nous est fourni par les listes d'ordination, les manuscrits ayant parfois servi de registres d'inscription de ceux qui ont été

---

18. Cf. J.M. Fiey, op. cit., vol. II, p. 773-774, note 5.

19. Ces particularités ont été signalées par J. Mateos, « Les matines chaldéennes maronites et syriennes », OrChrP 36, 1960, p. 51-73 et Lelya-Sapra. Les offices chaldéens de la nuit et du matin, Rome 1972, passim. A Raes, dans L'Orient syrien 21, 1961, p. 78-79. A. du Boullay et G. Khouri-Sarkis, OrSyr 14, 1959, p. 213-314.

ordonnés. Ces listes d'ordinations nous permettent assez souvent de savoir non seulement les noms des ordinands, mais encore le lieu et la date de leur ordination. On sait ainsi que deux manuscrits du rituel de Tagrit ont été utilisés loin de son territoire [20]. Les manuscrits perdus de Jean Morin étaient bien parvenus jusqu'en Inde. Ce rituel a donc eu une certaine notoriété.

Un autre moyen de connaître l'influence d'un rituel est d'en relever les citations. Or, dans tous les manuscrits conservés en Europe (cités plus haut note 4), et surtout dans le célèbre Vat. Syr. 51, on trouve, au moins en marge, des extraits de prières, des lectures, des chants du rituel de Tagrit [21]. Il a donc eu une réelle influence sur les autres rédactions du rituel syrien.

Le rituel de Tagrit est donc bien plus que la liturgie particulière d'un diocèse lointain, il est l'un des chaînons importants de l'histoire des ordinations syriennes.

Il est probable que bien des manuscrits restent encore à découvrir. Ils permettront de mieux connaître les diverses traditions qui ont abouti au rituel actuel, de mieux connaître la liturgie de « l'Église sainte d'Antioche des Syriens » qui, comme le dit le rituel des ordinations, « aime le Christ et est aimée par le Christ ».

---

20. Le manuscrit Par. Syr. 110 a été utilisé de 1478/1479 à 1613/1614 à Diyarbekir (alors Amid. f° 246, etc.), à Damas (f° 133v, etc.) à Jérusalem (f° 1), à Tripoli (f° 246v). Le manuscrit Huntington 444 a été utilisé à Diyarbekir (Amid f° 10v), à Tyr (f° 149v) et autres lieux non identifiés.

21. Par exemple, dans Par. Syr. 113, on retrouve en marge l'évangile de l'ordination diaconale (f° 108v), la même liste de saints et la mention du siège de Tagrit (f° 109), le chant : « cathisme : Vienne l'Esprit Saint [...] », f° 109v). Et dans le rituel d'ordination de Vat. Syr. 51, presque toutes les additions marginales sont des formules propres au rituel de Tagrit.

LES DEUX RITUELS
D'UN *LIBELLUS* DE SAINT-AMAND
(PARIS, BIBLIOTHÈQUE NATIONALE,
LAT. 13764)

Éric PALAZZO

Dans sa thèse inédite sur les rituels manuscrits des bibliothèques publiques de France, le père Gy a consacré une notice à un rituel de la pénitence et de l'onction des malades d'une nature particulière (Paris, Bibliothèque nationale, lat. 13764, f°s 90r-116v)[1]. Il s'agit en effet d'un rituel de type « livret séparé », ou *libellus*, exécuté selon toute vraisemblance à Saint-Amand autour de 900 ou au début du Xe siècle[2].

On sait, essentiellement grâce aux travaux de dom Jean Deshusses, que dans la seconde moitié du IXe siècle le *scriptorium* de Saint-Amand se spécialisa, sous l'impulsion de l'empereur Charles le Chauve, dans la confection de sacramentaires destinés à la diffusion[3]. A côté de ces grands sacramentaires on réalisa des *libelli* qui permettaient notamment la diffusion d'un texte liturgique et servaient parfois, après coup, de noyau pour la constitution d'un nouveau livre (manuscrit) liturgique. Citons, par exemple, le *libellus missae* du manuscrit Rouen, Bibliothèque municipale, A. 566 (275), f°s 1-8, qui fut envoyé dans la seconde moitié du IXe siècle de Saint-Amand à Saint-Denis afin d'y faire parvenir le texte d'une série de messes qui ne figuraient pas dans le sacramentaire de Saint-Denis, exécuté à Saint-Amand même, et qui fut utilisé aux Xe et XIe siècles pour la confection d'un sacramentaire[4].

---

1. *Répertoire des collectaires, rituels et processionnaux des bibliothèques publiques de France*, 1960, p. 85-86. Le père Gy a donné un condensé de ce travail dans l'article « Collectaire, rituel, processionnal », *RSPT* 44, 1960, p. 441-469, p. 457; cf. aussi C. Vogel, *Medieval Liturgy. An Introduction to the Sources*, translated and revised by N.K. Rasmussen and W. Storey, Washington 1986, p. 261.

2. L'expression « livret séparé » est employée par le père Gy dans son article cité à la note précédente; le terme de *libellus* est aujourd'hui plus fréquent. La datation et l'origine du *libellus* de Paris ont été établies par B. Bischoff, sollicité par le père Gy.

3. Dom J. Deshusses, « Chronologie des grands sacramentaires de Saint-Amand », *RBén*, 87, 1977, p. 230-237, et « Encore les sacramentaires de Saint-Amand », *Rbén*, 89, 1979, p. 310-312.

4. E. Palazzo, « Un *libellus missae* de Saint-Amand pour Saint-Denis. Son intérêt pour la typologie des manuscrits liturgiques », *RBén*, 99, 1989, p. 286-292.

Le *libellus* du rituel de la pénitence et de l'onction des malades du lat. 13764 témoigne de cette pratique à une époque légèrement postérieure à la période d'apogée du *scriptorium* de Saint-Amand, du temps de Charles le Chauve.

A la différence du *libellus* de Rouen qui contient sept messes votives (*missa [sic] in honore dei genetricis et omnium sanctorum*), le lat. 13764 présente les textes d'un rituel dans lequel deux actions liturgiques sont regroupées (pénitence et onction des malades). Il est aujourd'hui inséré dans un recueil de plusieurs manuscrits provenant de Saint-Rémi de Reims[5]. Revenant brièvement sur ce rituel, le père Gy a émis l'hypothèse qu'il avait pu être exécuté pour être envoyé à Reims[6]. Étant donné qu'un des sacramentaires de la série de Saint-Amand fut destiné à Saint-Thierry de Reims (Reims, Bibliothèque municipale, ms. 213, vers 869), on peut alors se demander s'il n'existe pas des rapports liturgiques et historiques entre le rituel et ce sacramentaire, et s'il n'a pas été exécuté pour le monastère de Saint-Rémi.

A. Données externes

1. Description et histoire du manuscrit

Le manuscrit comprend 214 folios et mesure 19 × 17 cm. Il est protégé par une reliure en carton rigide recouvert de parchemin. Les inscriptions des feuilles de garde en tête du manuscrit et du f° 1r (cote de Saint-Germain-des-Prés, n. 1040 olim 725) nous renseignent sur son histoire. En 1627, le monastère de Saint-Rémi de Reims entra dans la congrégation de Saint-Maur; c'est vraisemblablement à ce moment, ou peu après, que le manuscrit passa dans la bibliothèque des mauristes, et de là dans le fonds de celle de Saint-Germain-des-Prés[7]. Le *libellus* occupe les f°s 90 à 117, soit quatre cahiers, tous réguliers, dont trois quaternions et un binion (f°s 114-117), réglés à la pointe sèche selon le nouveau style; la justification

---

5. Les autres textes, datant entre le Xe et les XIIe-XIIIe siècles, sont la plupart de nature hagiographique. On y trouve aussi des lettres d'Hincmar (f°s 73r-89v) à propos desquelles on peut consulter l'article de Th. Gross, « Das unbekannte Fragment eines Briefes Hinkmars von Reims aus dem Jahre 859 », *Deutsches Archiv für Erforschung des Mittelalters*, 32, 1976, p. 187-192. Cf. L. Delisle, *Le Cabinet des manuscrits de la Bibliothèque nationale*, II, Paris 1874, p. 411.

6. P.-M. Gy, « Bulletin de liturgie », *RSPT* 70, 1986, p. 275 note 13.

7. Le *Catalogue des manuscrits en écriture latine portant des indications de date, de lieu ou de copiste*, III, Paris 1974, p. 659, donne des dates inexactes pour l'histoire du manuscrit au XVIIe siècle. Sur la réforme de Saint-Rémi de Reims par les mauristes, dom J. Hourlier, « Le monachisme bénédictin dans le diocèse de Reims », *La Champagne bénédictine*, Travaux de l'Académie nationale de Reims, 1981, p. 17-23, p. 22; F. Poirier-Coutansais, *Gallia monastica, I, Les abbayes bénédictines du diocèse de Reims*, Paris 1974, p. 30-31. Sur le transfert de la bibliothèque des mauristes à Saint-Germain-des-Prés, L. Delisle, *op. cit.* en n. 5, p. 44, 55 et 74.

est de 14,3 × 10,5 cm. Les bords de ces cahiers furent manifestement ajustés aux dimensions du recueil. Le texte est écrit à l'encre brune, sur 19 longues lignes à la page[8].

2. Données paléographiques et codicologiques

Les caractéristiques paléographiques du *libellus* orientent directement vers Saint-Amand, mais à une époque légèrement postérieure au troisième quart du IXe siècle au cours duquel fut entreprise la série des sacramentaires, si bien que je suivrai la datation proposée par B. Bischoff (vers 900 ou début du Xe siècle). Le tracé, accusant une certaine brisure, est moins sûr qu'auparavant; les lettres sont légèrement inclinées vers la droite et certaines hastes présentent parfois de faibles empâtements; le *ductus* est parfaitement lisible (fig. 1-7). Deux éléments de l'écriture sont typiques de Saint-Amand : la ligature *ct* (f°s 92v, 93r, 93v, 94v, 95v, 106r), moins élégante qu'au IXe siècle[9] (fig. 2, 3), et le point d'interrogation qui apparaît à plusieurs reprises (f°s 90r, 96v, 105r, 105v; fig. 1, 3)[10]. Les rubriques et les initiales du début des textes sont, selon l'habitude des scribes de Saint-Amand, alternativement rouge-orange et vertes (fig. 2, 3). La décoration de l'initiale *I* au f° 90r (fig. 1), colorée de jaune pâle, de brun, d'orange et de vert foncé, appartient au style franco-saxon, caractéristique de Saint-Amand[11].

Dans une lettre adressée au regretté N.K. Rasmussen, le père Gy avait défini en quatre points, par ailleurs non restrictifs, le *libellus* liturgique[12]. Cette notion, très féconde pour les recherches sur la formation des livres liturgiques, fut développée par divers spécialistes à partir de l'étude de documents variés[13]. Le père Gy a lui-même récemment apporté quelques précisions à sa définition dont voici les quatre points[14] : 1. Le *libellus* comporte un seul cahier ou tout au plus deux à trois quaternions; 2. à l'origine, ces cahiers étaient indépendants; 3. le *libellus* n'est pas relié; 4. au point de vue liturgique, le *libellus* a pour objet non l'ensemble des fonctions d'un ministre, ou l'ensemble des fonctions de l'année liturgique,

---

8. Cf. F. Dolbeau, « Un catalogue fragmentaire des manuscrits de Saint-Rémi de Reims au XIIIe siècle », *Recherches augustiniennes* 23, 1988, p. 213-243, spécialement p. 235.

9. Cette ligature est aussi très fréquente à Fulda au cours des IXe et Xe siècles.

10. B. Bischoff, *Paléographie de l'Antiquité romaine et du Moyen Age occidental*, Paris 1985, p. 187-188.

11. A. Boutemy, « Le style franco-saxon, style de Saint-Amand », *Scriptorium*, 3, 1949, p. 260-264.

12. Lettre du 29-2-1980.

13. Voir surtout les travaux de N.K. Rasmussen : *Les Pontificaux du haut Moyen Age*, Doctorat en théologie de l'Institut catholique de Paris, 3 volumes, Paris 1978, surtout t. 3, p. 431-436; édition en préparation dans la collection du *Spicilegium Sacrum Lovaniense*, par le père Gy et l'auteur de cet article ; M. Huglo, *Les Livres de chant liturgique*, Typologie des Sources du Moyen Age occidental, Fasc. 52, Turnhout 1988, p. 64-75.

14. Article à paraître dans un volume offert à la mémoire du père Rasmussen.

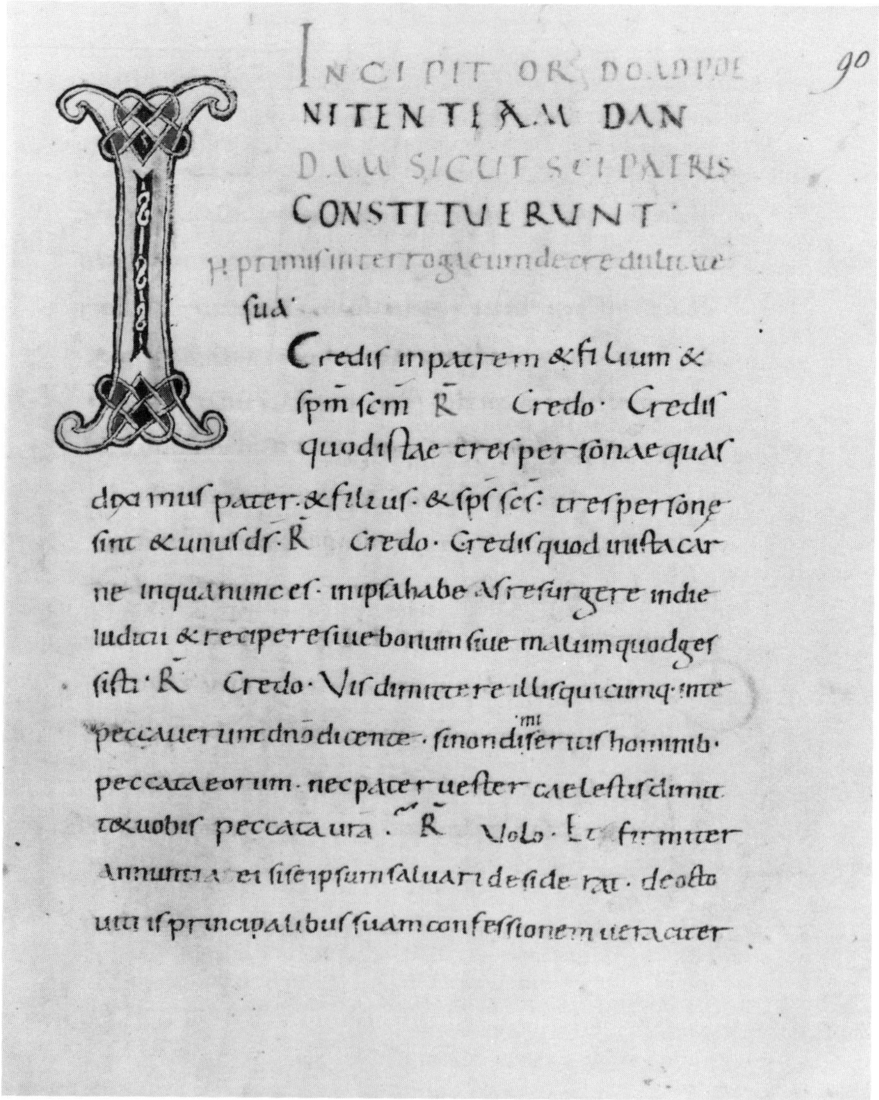
INCIPIT ORDO AD POE
NITENTIAM DAN
DAM SICUT SCI PATRIS
CONSTITUERUNT.
primis interrog eum de credulitate
sua.
Credis in patrem & filium &
spm scm. R. Credo. Credis
quod istae tres personae quas
dicimus pater & filius & sps scs. tres personae
sint & unus ds. R. Credo. Credis quod in ista car
ne in qua nunc es. in ipsa habeas resurgere in die
iudicii & recipere siue bonum siue malum quod ges
sisti. R. Credo. Vis dimittere illis qui tibi in te
peccauerunt dno dicente. si non dimiseritis hominib.
peccata eorum. nec pater uester caelestis dimit
tet uobis peccata ura. R. Volo. Et firmiter
annuntia ei si se ipsum saluari de fide rat. de octo
uitiis principalibus suam confessionem ueraciter

Fig. 1. B.N., lat. 13764, f° 90r

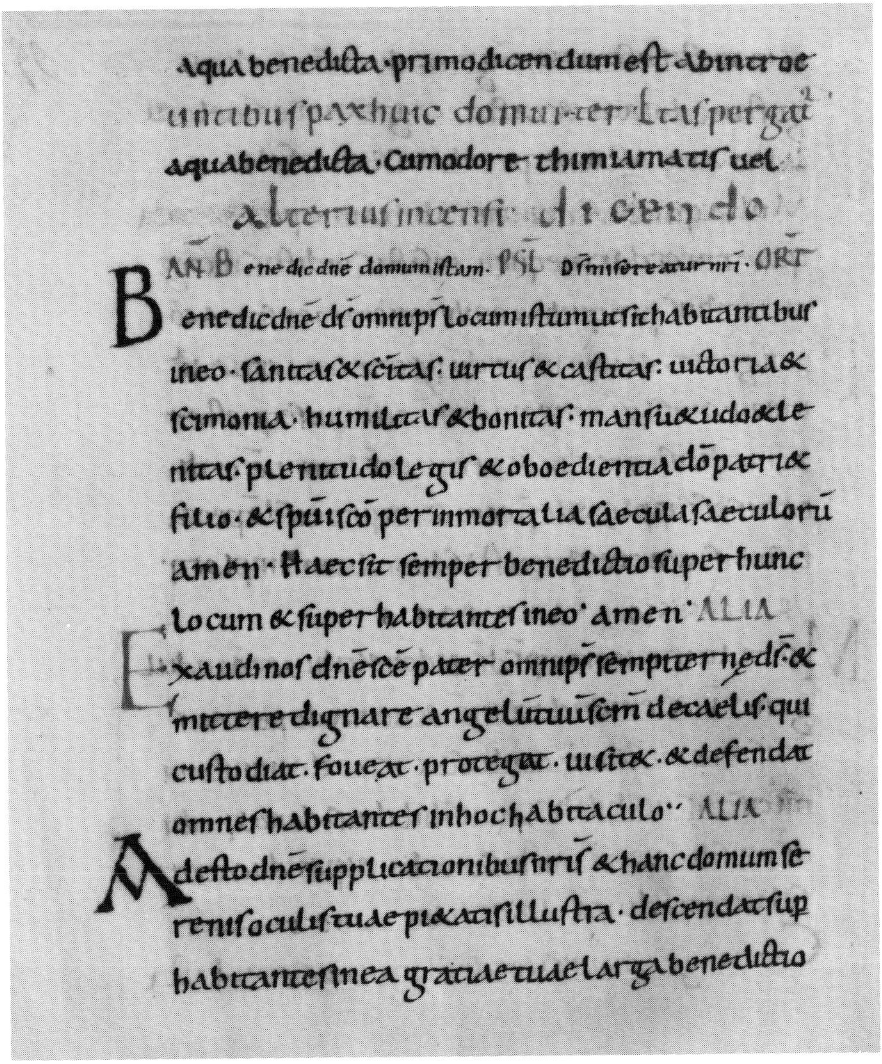

Aqua benedicta · primo dicendum est ab intro e-
untibus psalmum · do mum·ter·Leus pergat
aquabenedicta · cumodore · thimiamatis uel
alterius incensi · dit cenzo

AN B enedic dñe domum istam · PSL Dñm torem nri · ORT
enedic dñe dr omnipr locum istum ut sit habitantibus
in eo · sanitas & scitas · uirtus & castitas · uictoria &
sanctmonia · humilitas & bonitas · mansuetudo & le-
nitas · plenitudo legis & oboedientia dõ patri &
filio · & spu isco per immortalia saecula saeculorum
amen · Haec sit semper benedictio super hunc
locum & super habitantes in eo · amen ' ALIA
Exaudi nos dñe sce pater omnipr sempiter ñ edr &
mittere dignare angelum tuum scm de caelis qui
custodiat · foueat · protegat · uisitet · & defendat
omnes habitantes in hoc habitaculo ·· ALIA
Adesto dñe supplicationibus nris & hanc domum se-
renis oculis tuae pietatis illustra · descendat sup
habitantes in ea gratiae tuae larga benedictio

Fig. 2. B.N., lat. 13764 f° 95 v°

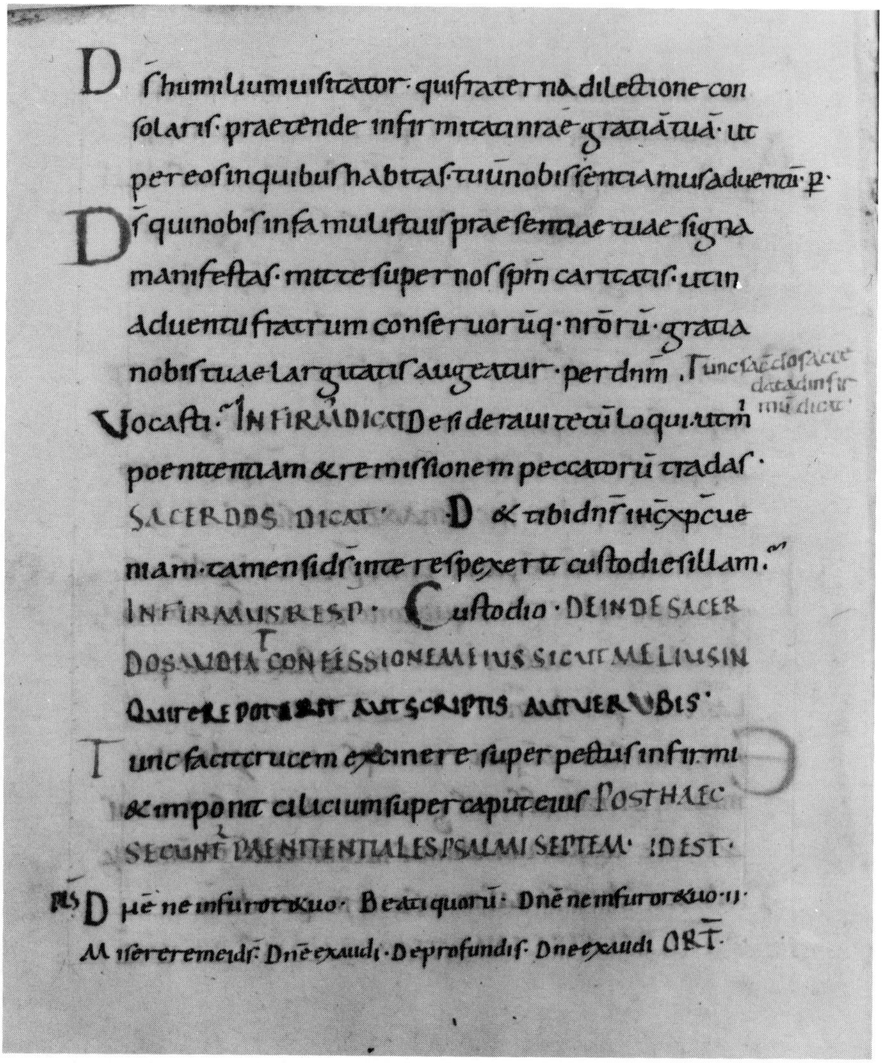

Ds humilium uisitator· qui fraterna dilectione con
solaris· praetende infirmitati nrae gratiam tuam· ut
per eos in quibus habitas tuum in nobis sentiamus aduentum· p·
Ds qui nobis in famulis tuis praesentiae tuae signa
manifestas· mitte super nos spm caritatis· ut in
aduentu fratrum conseruorumq· nrorum gratia
nobis tuae largitatis augeatur· per dnm . Tunc faciat sacer
dos admon[itionem] mordicat
Vocasti. IN FIRM DICIT Deus derault te cum loquutem
poenitentiam & remissionem peccatorum tradas·
SACERDOS DICAT· D & ut bi dnr in xpc ue
niam· tamen si dr inte respexerit custodiet illam.
INFIRMUS RESP: Custodio· DEINDE SACER
DOS AUDIAT CONFESSIONEM EIUS SICUT MELIUS IN
QUIRERE POTERIT AUT SCRIPTIS AUT VERBIS·
Tunc faciat crucem extinere super pectus infirmi
& imponat cilicium super caput eius POST HAEC
SECUNT PAENITENTIALES PSALMI SEPTEM· ID EST·
PS D ne ne in furore tuo· Beati quorum· Dne ne in furore tuo·ij·
Miserere mei ds· Dne exaudi· De profundis· Dne exaudi ORT·

Fig. 3. B.N., lat. 13764 fº 96vº

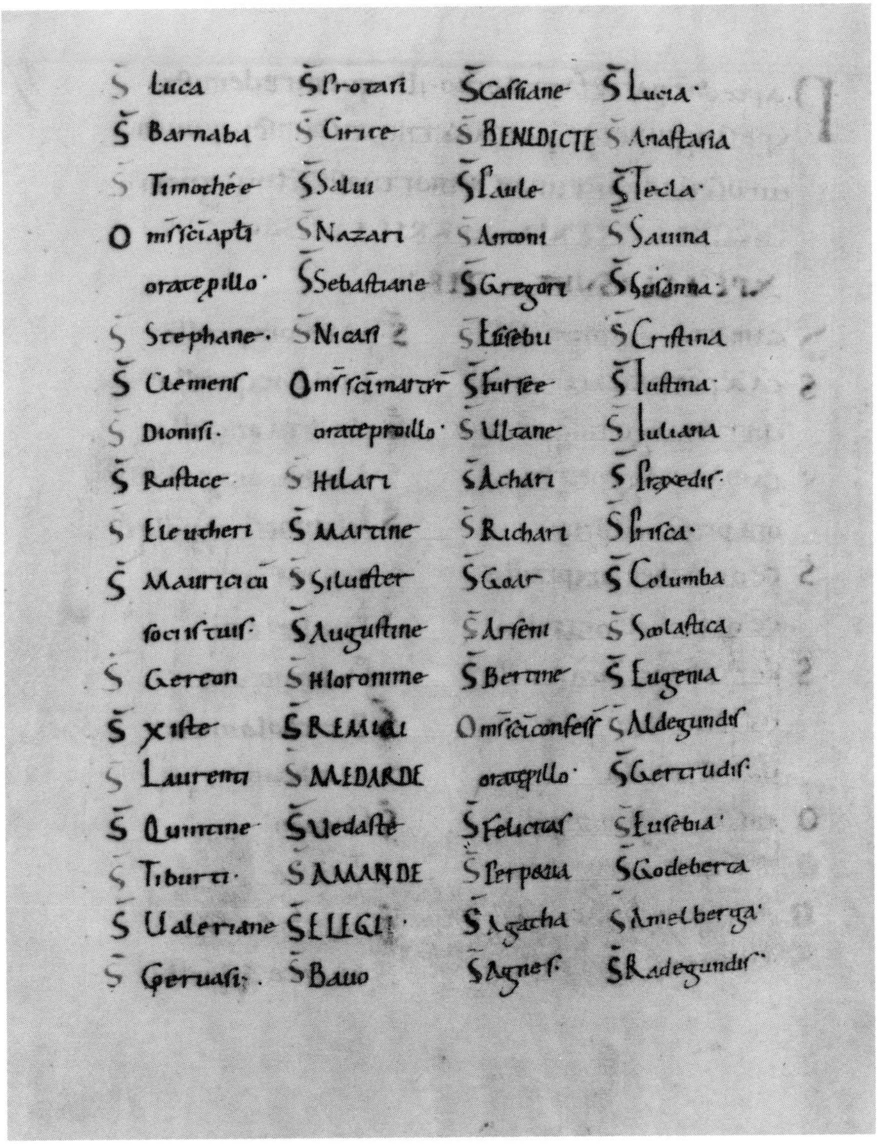

S Luca	S Protasi	S Cassiane	S Lucia
S Barnaba	S Cirice	S BENEDICTE	S Anastasia
S Timothée	S Salui	S Paule	S Tecla
O mis sci apli	S Nazari	S Antoni	S Sauina
orate p illo	S Sebastiane	S Gregori	S Susanna
S Stephane	S Nicasi	S Eusebi	S Cristina
S Clemens	O mis sci martyr	S Fursee	S Iustina
S Dionisi	orate pro illo	S Ultane	S Iuliana
S Rustice	S Hilari	S Achari	S Praxedis
S Eleutheri	S Martine	S Richari	S Prisca
S Mauricii cu	S Siluester	S Goar	S Columba
sociis tuis	S Augustine	S Arseni	S Scolastica
S Gereon	S Hieronime	S Bertine	S Eugenia
S Xiste	S REMIGI	O mis sci confess	S Aldegundis
S Laurenti	S MEDARDE	orate p illo	S Gertrudis
S Quintine	S Uedaste	S Felicitas	S Eusebia
S Tiburti	S AMANDE	S Perpetua	S Godeberta
S Ualeriane	S LEGII	S Agatha	S Amelberga
S Geruasi	S Bauo	S Agnes	S Radegundis

Fig. 4. B.N., lat. 13764 f° 97 v°

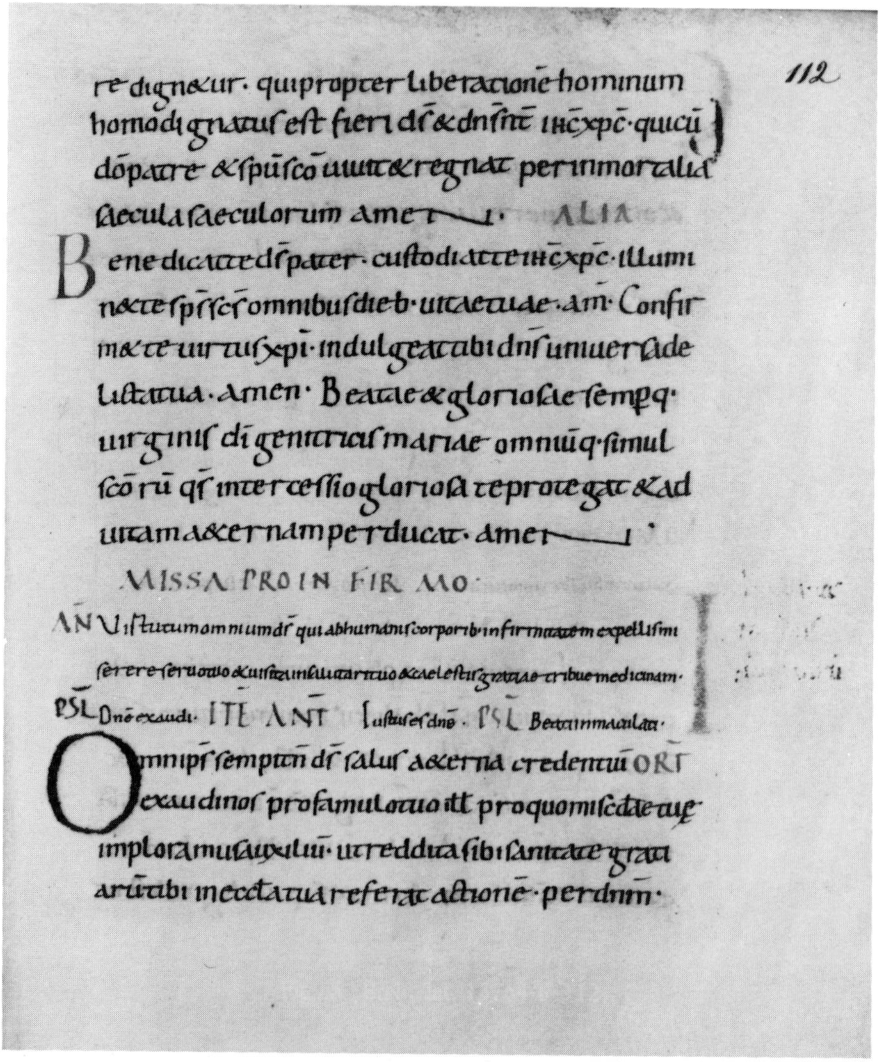

re dignatur· quipropter liberatione hominum
homodignatus est fieri dr & dnr inc xpc· quicu
dopatre & spu sco uiuit & regnat perinmortalia
saecula saeculorum amen ALIA

Benedicat te dr pater· custodiat te inc xpc· illumi
nat te sp scr omnibus dieb· uitae tuae· am· Confir
mat te uirtus xpi· indulgeat abi dnr uniuersa de
lista tua· amen· Beatae & gloriosae sempq·
uirginis dr genitricis mariae omnium q simul
scor u qr intercessio gloriosa te protegat & ad
uitam aeternam perducat· amen ·

MISSA PRO IN FIRMO
AN Vistitucum omnium dr qui abhumanis corporibus infirmitatem expellis ni
se tere seruo tuo & ui sita in falute tua & caelestis gratiae tribue medicanam·
PSL Dnc exaudi· ITE ANT Lustus es dnc· PSL Beati inmaculati·

Omnipr sempitn dr salus aeterna credentiu ORT
exaudinos profamulo tuo ill proquo miscde tue
imploramus auxiliu· ut reddita sibi sanitate grata
a tibi inecclatua referat actione· perdnm·

Fig. 5. B.N., lat. 13764 f° 112

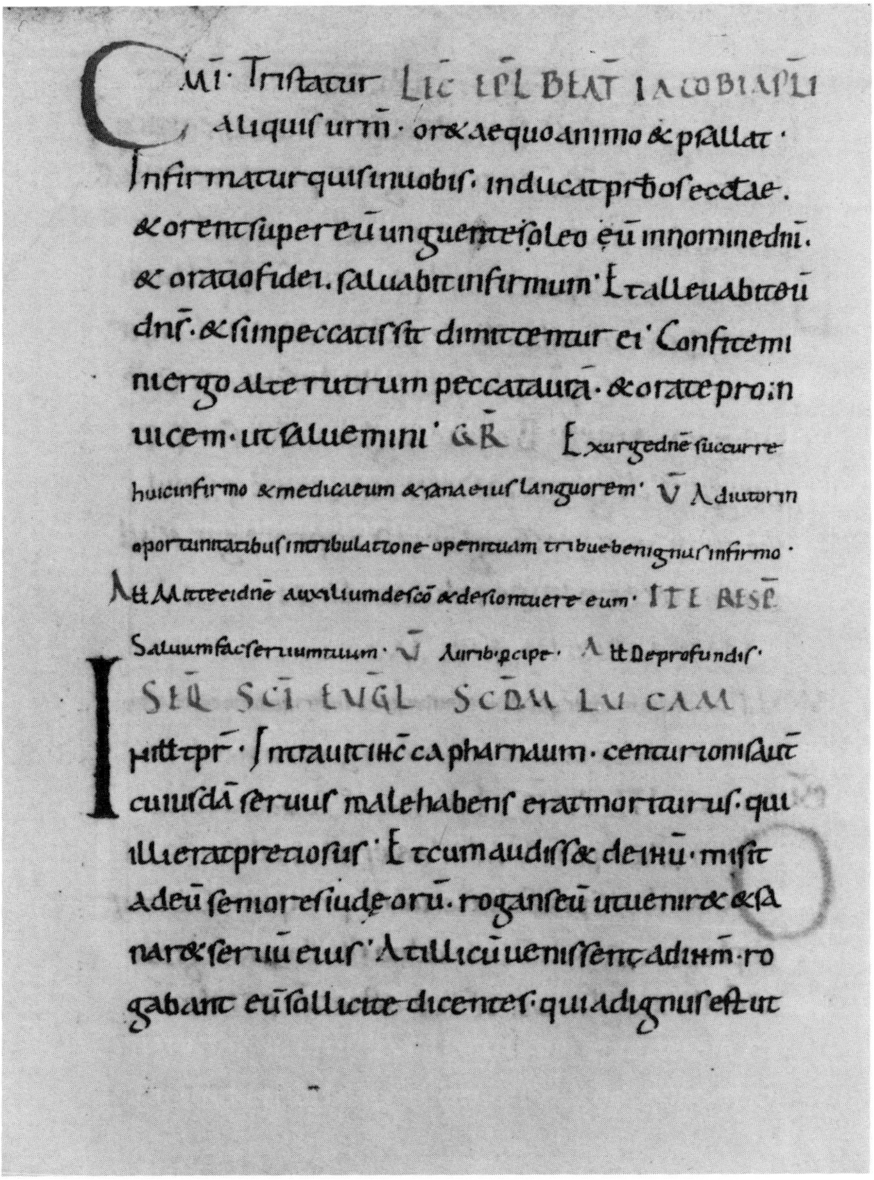
Cui · Tristatur LEC EPL BEAT IACOBI APLI
aliquis urm · oret · aequo animo & psallat ·
Infirmatur quis in uobis · inducat presbiteros ecclesiae .
& orent super eum unguentes oleo eum in nomine dni .
& oratio fidei . saluabit infirmum · Et alleuabit eum
dns · & si in peccatis sit dimittentur ei · Confitemi
ni ergo alterutrum peccata ura · & orate pro in
uicem · ut saluemini · GR Exurge dne succurre
huic infirmo & medica eum & sana eius languorem · V Adiutor in
oportunitatibus in tribulatione opem tuam tribue benignus infirmo ·
All Mitte ei dne auxilium de sco & de sion tuere eum · ITE RESP
Saluum fac seruum tuum · V Aurib. pcipe · All Deprofundis ·
SEQ SCI EVGL SCDM LUCAM
In illo tpr · Intrauit ihc capharnaum · centurionis autem
cuiusdam seruus male habens erat moriturus · qui
illi erat pretiosus · Et cum audisset de ihu · misit
ad eum seniores iudeorum · rogans eum ut ueniret & sa
naret seruum eius · At illi cum uenissent ad ihm · ro
gabant eum sollicite dicentes · quia dignus est ut

Fig. 6. B.N., lat. 13764 f° 112 v°

Discuius nucibus uitae nrae momenta Suf obli
decurrunt suscipe preces & hostias famulicui
itt proquo misericordiam tuam egrotante
imploramus. utdecuius periculo metuimus.
de eius salute laetemur .p . PRAE FATIO
aeterni. Quifamulituui ideocorporaliter
uerberas utmente proficiat. potentiae osten
dens quodsit pietatis tuae preclara saluatio.
dum praestas utoperetur nobis etiam ipsa in
firmitas salutem . per xpm dnm nrm .

co Succurre dne infirmo huic & medica eum spirituali medicamine
utinpristina sanitate exere stuuuis gratiarum tibi simus referre actionem .

πco Redime eum dñt et examinibus angustiis suis. AD COMPLD

Dsinfirmitatis humanae singulare presidium
auxiliatui super infirmum nrm ostende uirtu
tem . utope misericordiae tuae adiutus. eccliae
tuae scae representari mereatur . per dnm .

ORATIO PRO REDDITA SANITATE

Dne sce pater omnipt̃ aetñ ds. quibenedictio

mais seulement une fête déterminée ou une action liturgique *(agenda)* particulière.

Les caractéristiques du *libellus* du lat. 13764 correspondent, pour une très large part, à ces quatre points : il est composé de quatre cahiers, dont trois quaternions ; leur homogénéité codicologique et leur insertion dans un recueil laissent supposer qu'à l'origine ils étaient indépendants ; on ne peut savoir, en revanche, s'ils étaient reliés, mais l'absence de traces d'usure sur le recto du premier folio et sur le verso du dernier résulte probablement d'une protection disparue ; enfin, il contient les textes nécessaires au déroulement de deux actions liturgiques[15]. L'analyse du contenu confirmera l'homogénéité liturgique de ce *libellus*.

B. *Données internes*

Le contenu liturgique détaillé du *libellus* est le suivant : f°s 90r-95r. *Ordo* de la pénitence ; f°s 95r-105v. Visite aux malades et réconciliation *ad mortem* ; f°s 105v-112r. Onctions, réconciliation et viatique ; f°s 112r-113v. *Missa pro infirmo* (avec lectures et *incipit* des pièces de chant) ; f°s 113v-114r. *Oratio pro reddita sanitate* ; f°s 114r-115v. *Missa pro infirmo qui proximus est morte* (avec lectures et *incipit* des pièces de chant) ; f°s 115v-116r. *Fiat item reconciliatio* ; f° 116v. *Benedictio cinerum quibus aspergi opportet penitentem* ; le folio 117 est vide.

L'articulation du bloc des textes liturgiques pour la pénitence, la maladie et la mort ne fait son apparition qu'à partir du sacramentaire *Hadrianum* supplémenté, au début du IXe siècle. Le rituel de la visite et de l'onction aux malades se trouve alors inséré entre des oraisons pour la pénitence et la *reconciliatio paenitentis ad mortem*, elle-même suivie de la liturgie de la mort. Les textes de ces rituels seront développés de façon importante dans les sacramentaires du IXe siècle, en particulier dans la série des manuscrits de Saint-Amand[16].

Les différents textes du rituel de la pénitence dans le *libellus*, dont le titre est *incipit ordo ad poenitentiam dandam sicut sancti patres constituerunt*, n'ont pour la plupart pu être identifiés. Seuls le début de l'*ordo* et quelques oraisons (comme *Domine deus omnipotens propitius esto mihi[...]*, Deshusses, II, 3957) montrent des liens avec l'*ordo* d'un manuscrit tourangeau de la fin du IXe siècle (Paris, Bibliothèque nationale, n.a.l. 1589, f°s 107r-109v et 113v-114r)[17]. Cette constatation n'a pas lieu d'étonner car les sacramentaires de Saint-Amand ont largement bénéficié des créations tourangelles du IXe siècle. Il est intéressant de noter que la forme prise par

---

15. Le fait que le dernier cahier de notre *libellus* soit un binion prouve que le scribe savait qu'il n'avait pas besoin d'un cahier plus important pour écrire la fin de son texte ; d'ailleurs le dernier folio est resté vide.

16. Voir la série de textes édités par dom J. Deshusses, *Le Sacramentaire grégorien*, III, Fribourg 1982, p. 113-175.

17. Deshusses, *op. cit.* en note précédente, n° 429, p. 124-126.

le rituel de la pénitence dans le lat. 13764 diffère des versions moins étoffées des sacramentaires de Saint-Amand. On peut en déduire que le rituel du *libellus* marque une étape dans l'évolution de cet *ordo*. Son développement particulier résulte vraisemblablement de son insertion dans un *libellus* dont l'une des fonctions est justement de servir au déroulement d'une action liturgique précise.

La typologie des « rituels » de l'onction des malades a déjà fait l'objet de recherches approfondies de la part de liturgistes chevronnés[18]. Dans un article récent, R. Dalla Mutta a montré l'importance du rituel « flamand » de Saint-Amand, du IXᵉ siècle, en tant que maillon intermédiaire entre le rituel carolingien et les principaux rituels des Xᵉ et XIᵉ siècles[19]. De fait, la comparaison s'imposait entre le rituel du lat. 13764 et celui de Saint-Amand étudié par le liturgiste italien.

Le rituel « flamand » utilisé par Dalla Mutta pour ses comparaisons figure dans le manuscrit Stockholm, Kungl. Bibl. A. 136, exécuté pour Sens vers 876-877[20]. Ce sacramentaire étant le dernier de la série de Saint-Amand, il a naturellement été choisi comme témoin par Deshusses dans son édition, puisqu'il reflète, par rapport aux manuscrits précédents, l'état le plus complet du rituel.

L'analyse du manuscrit parisien montre, là encore, que sa forme du rituel de l'onction des malades est nettement plus développée que dans le rituel « type » de Saint-Amand, représenté par le témoin de Stockholm. Ceci s'expliquerait à nouveau par le fait que le rituel du lat. 13764 est transcrit dans un *libellus* qui doit servir uniquement dans le cadre de l'action liturgique décrite, en l'occurrence la visite et l'onction aux malades.

La comparaison de notre rituel avec les trois autres formes utilisées par Dalla Mutta (rituel de l'Artois, représenté par le sacramentaire de Fulda de la fin du Xᵉ siècle; le rituel de Rhénanie-Palatinat, représenté par le Pontifical romano-germanique du Xᵉ siècle; et le rituel de Champagne, illustré par l'*ordo* du sacramentaire de Godelgaudus de Reims, du XIᵉ siècle, aujourd'hui détruit mais édité par H. Ménard au XVIIᵉ siècle) situe claire-ment la forme du lat. 13764 entre le type « flamand » et le type « champe-nois ». A l'appui de cette affirmation, citons deux variantes significatives. La première concerne la rubrique juste avant la réconciliation :

---

18. Voir notamment les travaux de A. Chavasse, *Étude sur l'onction des infirmes dans l'Église latine du IIIᵉ au XIᵉ siècle*, I. *Du IIIᵉ siècle à la réforme carolingienne*, Lyon 1942. A. Hänggi, « Zwei interessante alte ordines unctionis infirmorum im Basler Missale des 11. Jahrhunderts », *Traditio et Progressio, Studi liturgici in onore del Prof. A. Nocent*, Roma 1988, p. 225-246. On espère surtout la prochaine publication du répertoire de R. Dalla Mutta.

19. R. Dalla Mutta, « Un rituel de l'onction des malades du IXᵉ siècle en Flandre, chaînon important entre le rituel "carolingien" et les rituels des Xᵉ-XIᵉ siècles », *Mens concordet voci. Pour Mgr A.G. Martimort*, Paris 1983, p. 608-618.

20. Cf. Deshusses, *op. cit.* en note 16, nᵒ 437, p. 148-149.

Flandre	lat. 13764	Champagne
His ita expletis roget	*His ita factis roget*	*His ita factis roget*

La seconde concerne les bénédictions à la fin du viatique :

Flandre	lat. 13764	Champagne
Benedicat te Ds pater sanet	*Benedicat te Ds pater sanet*	*Benedicat te Ds pater sanet*
Benedicat te d. caeli	*Benedicat te Ds pater adiuvet*	*Benedicat te Ds pater adiuvet*
Benedicat te d.p. qui in principio	*Benedicat te Ds p.qui in principio*	*Benedicat te Ds p.qui in princ.*
Benedicat te d.p. custodiat	*Benedicat te Ds p. custodiat*	...

Ainsi, le rituel du lat. 13764 constitue un jalon entre le type de Saint-Amand et le rituel de Champagne dont il représente peut-être la forme primitive[21].

Les textes des deux messes transcrites à la fin du *libellus* (fig. 5, 6, 7) renforcent la certitude qu'il fut utilisé pour les besoins du déroulement intégral d'un acte liturgique précis. Les formulaires des deux messes devaient servir pour le viatique puisque la première est une *missa pro infirmo* (dont les oraisons sont tirées du Supplément à l'*Hadrianum*) et la seconde une *missa pro infirmo qui proximus est morte* (les oraisons de cette messe figurent dans deux sacramentaires, de Saint-Amand et de Tours, cf. Deshusses, II, nº 210). La structure des deux formulaires comprend les oraisons, les lectures et les *incipit* des pièces chantées. L'ensemble du matériel nécessaire à la célébration est réuni : il s'agit donc ici d'une forme de *libellus missae*[22].

C. Destination du libellus

La litanie des fᵒˢ 97r-99r, apparentée à celle du sacramentaire de Stockholm dont il a déjà été question plus haut[23], fournit un indice solide pour penser que le *libellus* fut destiné à l'usage de Saint-Rémi de Reims. Dans la liste des saints du fᵒ 97v (fig. 4), cinq noms sont écrits en lettres capitales : Rémi, Médard, Amand, Éloi et Benoît. Amand et Benoît n'étonnent pas puisque le premier est le patron du lieu de confection du manuscrit, et le second le saint patron des moines. Médard et Éloi orientent en revanche vers Noyon, et Rémi vers Reims. Ayant examiné les noms des

---

21. Cette forme se trouve aussi dans les deux sacramentaires de Tours du IXᵉ siècle, cf. Deshusses, *op. cit* en note 16, nᵒˢ 440 et 441, p. 152-154.

22. Voir l'article cité en note 4.

23. Cf. Deshusses, *op. cit.* en note 16, nº 4027, p. 136-140.

saints figurant au canon du sacramentaire de Saint-Amand destiné à Saint-Thierry de Reims (Amand, Médard, Éloi, Quentin et Nicaise), dom Deshusses a émis l'hypothèse que le scribe de ce sacramentaire aurait copié un cahier, contenant le canon de la messe avec les noms de Médard, Éloi et Quentin, d'un sacramentaire commandé pour Noyon (qui serait aujourd'hui perdu)[24]. Ce copiste ajouta ensuite le nom de Nicaise, second patron de la cathédrale de Reims, puisque ce sacramentaire était, à l'origine, destiné à l'archevêque de Reims, Hincmar. Le même phénomène a dû se renouveler lors de la copie de la litanie du *libellus*. Le scribe a peut-être utilisé comme modèle un cahier contenant la litanie et destiné à être inséré dans l'hypothétique sacramentaire de Noyon, ou bien une copie déjà postérieure à ce dernier. Il aurait alors transcrit en capitales le nom de Rémi puisque le *libellus* était destiné à l'usage de l'abbaye rémoise où il se trouvait au XIIIe siècle[25].

L'étude de ce nouveau *libellus* de Saint-Amand a montré, une fois de plus, l'importance du *scriptorium* flamand pour la confection de livres liturgiques variés, destinés à l'exportation, à une période moins connue de sa production.

---

24. Dom J. Deshusses, « Sur quelques anciens livres liturgiques de Saint-Thierry. Les étapes d'une transformation de la liturgie », *Saint-Thierry, une abbaye du VIe au XXe siècle*, Actes du Colloque international d'Histoire monastique, Reims-Saint-Thierry, 11-14 octobre 1976, Reims 1979, p. 133-145, particulièrement p. 137-138.

25. Les quatre cahiers du *libellus* forment la seconde partie du volume coté « X » (avec *ex-libris* du XIIIe siècle aux f°s 60r et 89v) dans la bibliothèque de Saint-Rémi de Reims, cf. Dolbeau, art. cit. en note 8. Je remercie monsieur Dolbeau pour son aide concernant la cotation du manuscrit.

THE RITUAL OF CLERICAL ORDINATION
OF THE *SACRAMENTARIUM GELASIANUM*
SAEC. VIII : EARLY EVIDENCE
FROM SOUTHERN ITALY

Roger E. REYNOLDS

The years A.D. 963 to 965 have always held a certain fascination for historians of the bizarre, historians of the papacy, and historians of liturgy. For historians of the bizarre and historians of the papacy, 963 was the year that John XII, an ally of the German emperor Otto I, was deposed by this very emperor he had crowned, only to be replaced by another imperially-chosen pope, Leo VIII. The year 964 saw John XII return to Rome to condemn his successor and then promptly die of a stroke after what historians delicately call « a liaison[1] ». In the same year the Roman populace elected Benedict V, but this poor creature's reign was cut short at two months by Otto I, who exiled him to Hamburg. Finally, 965 was to see the imperially-supported Pope John XIII confined by the Roman populace to the Castel Sant'Angelo and exiled to the Campania. But shortly, he returned to hang the leaders of the Roman riones from gibbets, exile the Roman nobles, and humiliate the prefect of Rome by ordering his beard shorn, for him to be hanged by his hair from the equestrian statue of Marcus Aurelius outside the Lateran, and, tarred and feathered, to be ridden around Rome backward on an ass with bells tied to its neck to draw attention to the spectacle. And for good measure John had this poor wretch tormented in prison and exiled to Germany. Otto I further saw to it that the bodies of the pope's opponents were disinterred and thrown outside the city[2].

For liturgical historians, too, this same two-year period in papal history has been of critical importance, especially in the history of the rites of clerical ordination. Of the four popes who lived in this short and brutish period, two became the successors of St. Peter after an extraordinary series of ordinations. The first case is reported by John XII himself, who says that

---

1. See, e.g., Friedrich Kempf, Hans-Georg Beck, Eugen Ewig, Josef Andreas Jungmann, *The Church in the Age of Feudalism*, trs. Anselm Biggs, Freiburg/Br.-Montreal 1969, 209.

2. L. Duchesne, *Le Liber pontificalis : Texte, introduction et commentaire* 2, Paris 1955, 252.

Leo, a layman and protoscrinarius in Rome, was ordained to the clerical grades of doorkeeper, lector, acolyte, subdeacon, deacon, and presbyter before becoming pope (see Table, column 4)[3]. Unlike modern liturgical historians, John XII was not especially concerned with the number of grades through which Leo had passed, but with the fact that he had done so within the remarkably short period of forty-eight hours. The other extraordinary series of ordinations is reported in two catalogues in the *Liber pontificalis*. According to one (see Table, column 5), John XIII, who was the son of a certain Bishop John[4] and who was already bishop of Narni, was made bishop of Rome after being ordained in the Lateran to the grades of doorkeeper, psalmist, lector, exorcist, acolyte, subdeacon, and deacon[5]. The alternative report in the *Liber pontificalis* (see Table, column 6) states that John, who was already the bishop of Ravenna, was raised to the papacy after being ordained as a doorkeeper, lector, exorcist, acolyte, subdeacon, and deacon[6].

Unlike the medieval reporters who showed no special concern about the number or sequence of these ordinations, modern liturgical historians have seized upon them as indicating a decisive turning point in the history of western ordination rites[7]. It is emphasized that before this time the rites in Rome were the ones in the ancient *Ordo Romanus XXXIV*, which gives ceremonies for only the acolyte, subdeacon, and above (see Table, column 1)[8]. Hence, it is argued that the ordinations of Leo VIII and John XIII signal the advent in Rome of a new rite of clerical ordination, a Germanic one found in the *Pontificale Romano-Germanicum* (hereafter *PRG*), which had been brought to Italy by Otto I and imposed on his subjects there in the 960s[9]. Moreover, liturgical historians point out, it was essentially the rite in this pontifical that has been used for ordinations in the western Church down to our present century.

This theory of modern liturgical historians is an attractive one, except

---

3. Mansi, 18.472.

4. On the family of John XIII, see C. Cecchelli, « Note sulle famiglie romane fra il IXᵉ ed il XIIᵉ sec. », *Archivio romano di storia patria* 68, 1935, 72-97. And on the tomb of John XIII see John Osborne, « The Tomb of Alfanus in S. Maria in Cosmedin, Rome, and its Place in the Tradition of Roman Funerary Monuments » *Papers of the British School at Rome* 51, 1983, 245.

5. *Liber pontificalis* 247.

6. *Ibid.*

7. See, e.g., Michel Andrieu, *Les Ordines romani du haut Moyen Age*. I. *Les manuscrits*, Louvain, reprod. anast. 1965, 514; Cyrille Vogel, « Précisions sur la date et l'ordonnance primitive du Pontifical romano-germanique », *Elit* 74, 1960, 151-153 (while noting, p. 152, that we have no direct evidence that Leo and John were ordained according to the *PRG*, Vogel notes it is practically certain that this was the case); and Cyrille Vogel, « Le Pontifical romano-germanique du Xᵉ siècle. Nature, date et importance du document », *Cahiers de civilisation médiévale* 6, 1963, 34-36; and Cyrille Vogel, *Medieval Liturgy : An Introduction to the Sources*, trs. and rev. by W. Storey and N. Rasmussen, Washington, D.C. 1986, 234 f., 244.

8. Andrieu, *op. cit.* 3, Louvain 1951, 533-613.

9. Vogel, *Introduction*, 235.

for three things. First, of the many manuscripts of the *PRG* said to have come to Italy with Otto in the mid-tenth century, only one, a codex now in Lucca and perhaps originating there, has ever been claimed to have been written before the eleventh century [10]. Yet from a paleographical point of view, this codex could as well have been written at the turn of the early eleventh century [11]. Second, the first early eleventh century liturgical manuscript certainly from Lucca has an ordination rite whose texts and arrangement are closer to those in the *Sacramentarium Gelasianum saec. VIII* (hereafter *SG8*) and the *Gregorian Sacramentary of Aniane* than to that of the *PRG* [12], a curious thing if Otto I had actually imposed the *PRG* in Lucca in the 960s [13]. And third, neither the number nor the sequence of the grades into which our two popes, Leo VIII and John XIII, were ordained corresponds exactly to that of the *PRG* (see Table, columns 3-6). It might of course, be that the reports of John XII and the *Liber pontificalis* are confused. Or it might be that the pontifical used was indeed the *PRG* but the popes failed to follow it rigorously. But there is yet another possibility, to wit, that there was in southern Italy and hence in Rome itself

---

10. Lucca, Biblioteca Capitolare Feliniana 607, especially fols. 23v-31v for the ordination rites.

11. Andrieu, *op. cit.* 1.157, dated the manuscript to the second half of the tenth century. Vogel, « Précisions », 149, narrowed this to « vers les années 980/1000 ». Reinhard Elze in his *Habilitationsschrift*, p. 3, dated it « Wahrscheinlich 962/964 in Lucca nach Vorlage aus Mainz geschrieben, vgl. Andrieu Ord. 1, 156ff. » (kindly supplied by Professor Bernhard Schimmel pfennig). Cyrille Vogel and Reinhard Elze, *Le Pontifical romano-germanique du Xe siècle* 3 (Studi e Testi 169), Vatican City 1972, 9, date it to « fin Xe s. ».

12. This manuscript, Lucca, Biblioteca Capitolare Feliniana 606, is a missal with ordination ceremonies added on fols. 187r-188r within an unnumbered mutilated quire written in an eleventh century hand like one occurring elsewhere in the codex. This manuscript has been variously dated. Adalbert Ebner, *Quellen und Forschungen zur Geschichte und Kunstgeschichte der Missale Romanum im Mittelalter : Iter Italicum*, Freiburg/Br. 1896, 65, 302, dates it « s. X und XI ». E.B. Garrison, *Studies in the History of Mediaeval Italian Painting* 1, Florence 1953, 130, and *Early Italian Painting. Selected Studies* 2, *Manuscripts*, London 1984, 325, n. 31, has dated it to the first half of the eleventh century (between 1026-1060) and to the second and third quarters of the eleventh century. Klaus Gamber, *Codices liturgici latini antiquiores*, 2nd ed. (Spicilegii Friburgensis subsidia 1), Fribourg 1968, 380, 533, and *Codices liturgici latini antiquiores/Supplementum* (Spicilegii Friburgensis subsidia 1A), Fribourg 1988, 136, dates it to the « Anfang des 11. Jr., vermutlich Lucca » and to the second and third quarter of the eleventh century and notes the connection with Paul the Deacon and the S-form of the *SG8*. And recently Günther Hägele, *Das Paenitentiale Vallicellianum I. Ein oberitalienischer Zweig der frühmittelalterlichen kontinentalen Bussbücher. Überlieferung, Verbreitung und Quellen* (Quellen und Forschungen zum Recht im Mittelalter 3), Sigmaringen 1984, 94, n. 49, has dated it « s. X/XI ». The manuscript with its Beneventan musical notation clearly has connections with south Italy and the Beneventan-script zone on which see E.A. Loew, *The Beneventan Script : a History of the South Italian Minuscule*, 2nd enlarged edit. prepared by Virginia Brown, 1, Rome 1980, 270, noting Beneventan interrogation signs; and Ernst H. Kantorowicz, « The Baptism of the Apostles », *Dumbarton Oaks Papers* 9-10 (1955-1956), p. 243-245, who dates the manuscript to s. X-XI and notes that it contains Beneventan-rite peculiarities within Roman sets. The specialist in Beneventan musical notation, Professor Thomas F. Kelly, has kindly informed me that in the material at the end of the manuscript there are liturgical texts for Good Friday he has found only in Benevento.

13. Andrieu, *Ordines romani* 1.157, n. 1.

a series of ordination rites beyond those of the ancient *Ordo Romanus XXXIV* and that these popes were ordained according to these rites, not the *PRG*. Until now, liturgical historians have been unable to adduce evidence for such alternative ordination rites in use in southern Italy prior to the *PRG*. But there is now solid manuscript evidence that such rites were known, and it is the purpose of this article, honoring père Gy with his interests in sacred orders and medieval rituals, to draw attention to them.

The first piece of manuscript evidence, was, in fact, published in the eighteenth century by Ludovico Muratori from a codex he identified simply as a Vatican manuscript of the tenth century[14]. Since that time, liturgical historians have, in the very few instances they have cited this ordination rite, referred to it as the ceremony of Muratori's Vatican manuscript[15]. But now, the manuscript that Muratori used has been firmly identified[16]. It is Vatican, BAV Reg. Lat. 1997[17]. From its place in the *fondo* Reginensis it might be thought that the codex was simply another transalpine manuscript brought to Rome by Queen Christine. But in fact, the manuscript came from the Theatine collection of Sant'Andrea della Valle in Rome and was added to the Vatican collection in 1696[18].

For the present article, the significance of this manuscript is two-fold. First, the codex itself was written, according to Bernhard Bischoff, in Chieti (the ancient Teate) late in the eighth and in the ninth century[19], or according to Paola Supino Martini in the mid-ninth century[20]. Moreover, according to Bischoff, it is written largely in a hand that is on the verge of

---

14. Ludovico Antonio Muratori, *Liturgica romana vetus* 2, Venice 1748, 405-414.

15. See, e.g., Adriaan Snijders, « Acolythus cum ordinatur [...]. Eine historische Studie », *Sacris erudiri* 9, 1957, 172, 184.

16. As long ago as 1913, E. Carusi had made this identification (see his « Notizie sui codici della Biblioteca Capitolare di Chieti e sulla Collezione canonica teatina del cod. Vat. Reg. 1997 », *Bulletino della R. Deputazione Abruzzese di storia patria*, ser. 3, t. 4 [1913] 25), but it seems to have escaped the notice of liturgical historians until 1980; on which see Raymund Kottje, *Die Bussbücher Halitgars von Cambrai und des Hrabanus Maurus* (Beiträge zur Geschichte und Quellenkunde des Mittelalters 8), Berlin-New York, 1980, 222, 225f., n. 282.

17. Fols. 156r-160r.

18. See Carusi, 25; and J. Bignami Odier, « Le Fonds de la Reine à la bibliothèque vaticane », *Collectanea Vaticana in honorem Anselmi M. Card. Albareda a Bibliotheca Apostolica edita* (Studi e Testi 219), Vatican City, 1962, 178, n. 3.

19. « Panorama der Handschriftenüberlieferung aus der Zeit Karls des Grossen », *Karl der Grosse. Lebenswerk und Nachleben. 2. Das Geistige Leben*, ed. Bernhard Bischoff, Düsseldorf 1965, 253. See also E.A. Lowe, *Codices latini antiquiores : A Palaeographical Guide to Latin Manuscripts prior to the Ninth Century. I. The Vatican City*, Oxford 1934, nr. 113, p. 34.

20. « Per lo studio delle scritture altomedievali italiane : la collezione canonica chietina (Vat. Reg. lat. 1997) », *Scrittura e Civiltà* 1, 1977, 154. Also see Luigi Pellegrini, *Abruzzo medioevale : Un itinerario storico attraverso la documentazione* (Studi e Ricerche sul Mezzogiorno Medievale 6), Altavilla Silentina 1988, 75-77, for a dating to the mid-ninth century. Kottje, *op. cit.* 220, n. 266, dates the codex to the second quarter to middle of the ninth century.

becoming the characteristic script of south Italy, the Beneventan script[21], or according to Supino Martini in an old Italian hand[22]. Second, although the codex contains primarily a canon law collection, the so-called *Collectio Teatina, Collectio Ingilramni,* or *Collection of Chieti*[23], there is an extensive ordination rite for all of the grades from doorkeeper through presbyter (see Table, column 2). If the rite in this codex is compared with other ordination rites in the early Middle Ages, it is abundantly clear that it is of the type found in several of the so-called S-form manuscripts of the *SG8*[24]. Until now, this form has been reported in the pontifical ritual sections of such renowned French and German sacramentaries as the Gellone, Phillipps, Angoulême, and Freising-Donaueschingen sacramentaries. But the appearance of the rite in the Chieti manuscript is dramatic evidence that this Frankish ordination rite of the eighth century was known in southern Italy well over a century before the supposed advent of the *PRG*[25].

The second piece of evidence is in a pontifical manuscript of the tenth century, now in the Vatican Library, BAV Vat. Lat. 7701[26]. This codex has

---

21. « Panorama », 253. Although our text is written in a Carolingian hand, it is within a quire, fols. 150-157, containing the « near-Beneventan » hand.

22. *Op. cit.* 148. The hand is very close to that in the Abruzzi codex Karlsruhe, Badische Landesbibliothek Aug. CCXXIX, which Supino Martini and Loew-Brown, *op. cit.* 2. 30, classify as Beneventan. On the date, origin, type of script, and peregrinations of this manuscript, see Bernhard Bischoff, « Italienische Handschriften des neunten bis elften Jahrhunderts in frühmittelalterlichen Bibliotheken ausserhalb Italiens », *Il Libro e Il Testo, Atti del Convegno Internazionale Urbino, 20-23 settembre 1982,* eds. Cesare Questa and Renato Raffaelli, Urbino, 1984, 179 ; and Walter Goffart, « The Supposedly "Frankish" Table of Nations : An Edition and Study », *Frühmittelalterliche Studien* 17, 1983, 106-108.

23. See Hubert Mordek, *Kirchenrecht und Reform im Frankenreich. Die Collectio Vetus Gallica, die älteste systematischen Kanonessammlung des fränkischen Gallien. Studien und Edition* (Beiträge zur Geschichte und Quellenkunde des Mittelalters 1), Berlin-New York, 1975, 11, n. 41, who points out the connections of the manuscript with Metz. Also see Kurt Holter, « Der Buchschmuck in Süddeutschland und Oberitalien », *Karl der Grosse. Lebenswerk und Nachleben 3,* eds. Wolfgang Braunfels and Hermann Schnitzler, Düsseldorf 1966, 77. On liturgical texts in manuscripts of early medieval canonical collections, see Roger E. Reynolds, « Pseudonymous liturgica in early medieval canon law collections », *Fälschungen im Mittelalter. Internationaler Kongress der Monumenta Germaniae Historica, München, 16.-19. September 1986. Teil II. Gefälschte Rechtstexte. Der bestrafte Fälscher* (Monumenta Germaniae Historica, Schriften 33.2), Hanover 1988, 67-77.

24. On the S-form and its manuscripts, see Gamber, *op. cit.,* 380-397.

25. There are a number of early S-form manuscripts of the *SG8* from northern Italy listed by Gamber, *op. cit.* 383-388, but only one (without an ordination text) the palimpsest codex, Rome, Biblioteca Angelica 1408, is from the south, having been written in Nonantola in the second half of the eighth century and taken to Salerno. There are, however, several fragments from later codices written in Beneventan script with texts of the *SG8* : Milan, Biblioteca Ambrosiana Q 43 sup., on which see Loew-Brown, *op. cit.* 2.57; and Rimini, Giovanni Luisè Collection s.n., on which see Virginia Brown, « A Second New List of Beneventan Manuscripts (II) », *MS 50,* 1988, 612.

26. Fols. 1r-9v. For the date of the manuscript see Pierre Salmon, *Les Manuscrits liturgiques latins de la bibliothèque vaticane, III. Ordines romani, pontificaux, rituels, cérémoniaux* (Studi e Testi 260), Vatican City, 1979, nr. 114, p. 47.

been relatively neglected by liturgical historians[27], but it is well known to paleographers, who have pointed out that there are numerous Beneventan-script additions throughout the manuscript[28], indicating that it was probably written in southern Italy[29]. If the contents of the pontifical are carefully studied, particularly the rare benedictional formulae[30], it turns out that the manuscript probably originated in Chieti or the vicinity[31]. And if the ordination rite is compared with other early medieval ceremonies, it is clear that it is most closely related to that in the Chieti manuscript just mentioned, Vatican, BAV Reg. Lat. 1997[32]. That is, the ordination ceremonies in this tenth-century southern Italian pontifical manuscript are again of a type found in the pontifical-ritual sections of manuscripts of the S-form of the *SG8*.

The third piece of manuscript evidence has long been known to art historians[33], but the type of its ordination ceremony has been insufficiently appreciated by liturgical historians, perhaps because our first two pieces of evidence from the Chieti manuscripts have not been appreciated. This third

---

27. See e.g., Gerald Ellard, *Ordination Anointings in the Western Church before 1000 A.D.*, Cambridge Mass. 1933, 101; or « Discussione sulla lezione Rasmussen », *Segni e Riti nella Chiesa Altomedievale Occidentale, 11-17 aprile 1985* 2 (Settimane di Studio del Centro Italiano di Studi sull'Alto Medioevo XXXIII), Spoleto 1987, 605f. Dr. Richard Gyug is preparing an extensive study of this early pontifical manuscript.

28. Loew-Brown, *op. cit.* 2.153, where the Beneventan additions are dated to the tenth and eleventh centuries. The tenth-century additions on fols. 81v and 83r are in a quire that may not have been part of the original manuscript, but in the margin of fol. 49v there is an addition, now largely rubbed away, that appears to be in a tenth-century Beneventan hand not dissimilar to that on fols. 81v and 83r.

29. There is, of course, the possibility that the manuscript was written elsewhere and taken to southern Italy where the Beneventan additions were made or that a wandering Beneventan scribe made the additions elsewhere, but this is not likely in view of the internal evidence in the texts of the pontifical and in view of the multiple additions in Beneventan script over two centuries.

30. This manuscript was not used by Edmond (Eugène) Moeller, *Corpus Benedictionum Pontificalium* CCSL 162B, xliii, who notes that the introduction of pontifical benedictions into Italy was late and cites Bonizo of Sutri (†ca. 1090) as his source. Benedictions in this manuscript often resemble those in the Catalan Pontifical of Roda (ca. 1000), on which see Roger E. Reynolds, « The Ordination Rite in Medieval Spain : Hispanic, Roman, and Hybrid », in *Santiago, Saint-Denis, and Saint Peter : The Reception of the Roman Liturgy in Leon-Castile in 1080*, ed. Bernard F. Reilly, New York, 1985, 141.

31. In the benediction « In anniversario dedicationis basilicae » (fol. 54r) (Moeller, *op. cit.*, 744) there are the words « beati Thome apostoli sui »; and St. Thomas is the first saint mentioned in the litany on fol. 57v. On the place of Thomas in Chieti see Roger E. Reynolds, « A South Italian Ordination Allocution », *MS* 47, 1985, 439.

32. To be noted particularly are: 1) the Benedictio acoliti, « Domine sanctae pater omnipotens aeternae Deus qui Moysen... », found in Vat. Reg. lat. 1997, but not in the transalpine Gelasian tradition, with the exception of the Freising-Donaueschingen sacramentary (on which see Snijders, *op. cit.*, 184); 2) the doubling of the rubric from the *Statuta ecclesiae antiqua* for the presbyter's ordination found also in Vat. Reg. lat. 1997; and 3) the lack of the *Capitulum sancti Gregorii* and allocution for the subdeacon found in the transalpine Gelasian tradition but not in Vat. Reg. lat. 1997.

33. For references to the many art historical studies, see Loew-Brown, *op. cit.*, 122.

piece of evidence is in the renowned Landulf pontifical rotulus with its impressive cycle of illustrations depicting the rites of clerical ordination. This sumptuous rotulus, now Rome, Biblioteca Casanatense 724, was almost certainly made for Bishop Landulf of Benevento (957-984) and is written in a beautiful Beneventan script. There are many unique rubrics in the rotulus reflecting actual ordination practice in Benevento[34], but the allocutions, prayers, and benedictions rather than reflecting those of the *PRG*, are again close to those of the *SG8*. This is the more remarkable in light of Landulf's own sensitivities to the power and wishes of Otto I, who had, according to liturgical historians, promoted the use of the *PRG* in Italy[35]. A comparison of the text printed by Muratori, the summary text printed by Avery, and the text of the ordination rite of the *SG8* from the Gellone, Phillipps, Angoulême, and Freising-Donaueschingen sacramentaries will demonstrate the close relationship of these texts from southern Italy to their Frankish counterparts. But there are several broader issues that must be addressed, first, in relation to the texts themselves and their connection to the *SG8;* and second, in relation to their possible connection to the unusual ordinations of Leo VIII and John XIII.

First, one might ask if the texts were indeed extracted from manuscripts of the *SG8*. Msgr. Gamber has speculated, without substantial manuscript basis, that the S-form of the *SG8* was taken to southern Italy by Paul the Deacon[36]. And indeed our texts might have been extracted from now lost exemplars of this type. But there is an additional problem, pointedly stated by Dr. Moreton[37], if it is proper even to include the pontifical-ritual sections of the S-form manuscripts of this eighth-century sacramentary under the title *SG8*. It may be that the ordination rites like ours were kept in *libelli* and were at one time attached to or used to supplement the Mass texts of the *SG8*. And, indeed, the independence of our ordination texts in the south Italian manuscripts from Mass texts of the *SG8* would suggest that our texts were taken from such *libelli* rather than from manuscripts of the *SG8*. Nonetheless, the ordination-rite texts now found in such manuscripts as the Gellone, Phillipps, Angoulême, and Freising-Donaueschingen sacramentaries with their pontifical-ritual supplements

---

34. Rome, Biblioteca Casanatense 724 (B.I.13) part I, on which see Roger E. Reynolds, « Image and Text : The Liturgy of Clerical Ordination in Early Medieval Art », *Gesta* 22, 1983, 31-35.

35. Myrtilla Avery, « The Relation of the *Casanatense Pontifical (MS. Casanat. 724 B.I.13)* to Tenth-Century Changes in the Ordination Rites at Rome », *Miscellanea Giovanni Mercati* 6 (Studi e Testi 126), Vatican City, 1946, 262. In fact, ordination texts from the *PRG* were added later to the rotulus in a Carolingian hand.

36. Kl. Gamber, « Heimat und Ausbildung der Gelasiana saec. VIII (Junggelasiana) », *Sacris erudiri* 14, 1963, 109, 120.

37. M.B. Moreton, « The *liber secundus* of the eighth-century Gelasian sacramentaries : a reassessment », *Studia Patristica* 13 (*TU* 116), Berlin 1975, 382-386.

are of a distinct type, and hence at least for ease of identification should be designated under the title of *SG8*.

The second broader issue deals with the relationship of our texts to the ordinations of Leo VIII and John XIII. Could these popes have been ordained according to texts like ours from southern Italy rather than the *PRG*? There has yet been found in Rome itself no exemplar of either our south Italian texts or even of the ordination rite in the *Gregorian Sacramentary of Aniane*[38]. (Nor for that matter are there any Roman manuscripts of *Ordo Romanus XXXIV*[39].) Hence, to conclude that Leo VIII and John XIII were ordained according to the rite of the *SG8* would clearly be premature. Moreover, there is a further problem. According to one report in the *Liber pontificalis* (see Table, column 5) John XIII was ordained to the grade of psalmist, a grade for which there is no ordination rite in our texts. While the ordination rite for the psalmist was in the *PRG* listed before all the grades[40], it consisted simply of the brief canon from the ancient Gallican *Statuta ecclesiae antiqua*[41], and this canon had been known in Rome long before the advent of the *PRG*, as seen in the manuscripts Rome, Biblioteca Vallicelliana A 5 and Munich, Bayerische Staatsbibliothek Clm 14008, both written in the second half of the ninth century in Rome[42]. Further, by the ninth century the grade of psalmist was often equated with the lector[43], and the compiler of the one report in the *Liber pontificalis* may simply have enumerated two grades that had been bestowed in one ordination rite. In any event, the important point illustrated by our south Italian ordination texts of the *SG8* is that it is entirely possible that the ordinations of Popes Leo VIII and John XIII, which seem not to have struck contemporaries as particularly foreign to Roman practice, could as well have been based on a Frankish rite found in the *SG8* as on the first « universal » pontifical of the western Church, the *PRG*, supposedly brought from Germany to Italy by Otto I.

---

38. For manuscripts of this see Jean Deshusses, *Le Sacramentaire grégorien : ses principales formes d'après les plus anciens manuscrits* 1 (Spicilegium Friburgense 16), Fribourg 1971, 35-47.

39. For manuscripts of this *ordo* see Andrieu, *Ordines Romani* 3.602.

40. Vogel-Elze, *op. cit.*, 1.14f.

41. C. 98(X); C. Munier, *Concilia Galliae A. 314-A. 506*, CCSL 148.183f.

42. *Ibid.*, 162; Mordek, *Kirchenrecht* 59, n. 94; and Bischoff, « Italienische Handschriften », 189.

43. Roger E. Reynolds, « The Portrait of the Ecclesiastical Officers in the *Raganaldus Sacramentary* and its Liturgico-Canonical Significance », *Speculum* 46, 1971, 441.

TABLE

(1)	(2)	(3)	(4)	(5)	(6)
Ordo Romanus *XXXIV* (s. VII)	South Italian *SG8*	*PRG* (s. X/XI)	Leo VIII (963)	John XIII (Report A) (965)	John XIII (Report B) (965)
	Doorkeeper	Psalmist Doorkeeper	Doorkeeper	Doorkeeper Psalmist	Doorkeeper
	Lector	Lector	Lector	Lector	Lector
	Exorcist	Exorcist		Exorcist	Exorcist
(Acolyte)	Acolyte	Acolyte	Acolyte	Acolyte	Acolyte
Subdeacon	Subdeacon	Subdeacon	Subdeacon	Subdeacon	Subdeacon
Deacon	Deacon	Deacon	Deacon	Deacon	Deacon
Presbyter	Presbyter	Presbyter	Presbyter		
Bishop		Bishop	Pope	Pope	Pope

FAUT-IL BAPTISER LES ENFANTS ?

Pierre RICHÉ

Cette question, que l'on entend bien souvent poser dans les milieux protestants et même catholiques[1], a été choisie par saint Thomas d'Aquin comme titre de l'article 9 de la question 68 de la IIIe partie de la *Somme théologique*. Résumant les arguments des adversaires du pédobaptême, Thomas expose que, selon eux, puisque les enfants n'ont pas l'usage de leur libre arbitre et de leur raison, puisque leur conscience ne peut être ni mauvaise ni bonne, ils ne peuvent pas recevoir le sacrement du baptême qu'ils n'ont pas désiré[2]. A cette thèse, Thomas répond en reprenant les idées traditionnelles de l'Église. Mais le fait qu'il ait à débattre cette question en son temps montre qu'elle n'était pas étrangère à bien des esprits. Dans ces quelques pages offertes à un grand historien de la liturgie, je voudrais montrer comment dans le haut Moyen Age et au XIIe siècle le problème du baptême des enfants a été l'objet de débats et comment il était en relation avec la conception que l'on se faisait de l'enfant, ce petit être qui, pour les uns était marqué dès sa naissance par le péché, pour d'autres était semblable au fou sans responsabilité[3], pour d'autres encore était un être privilégié dont l'innocence devait édifier les adultes.

Dans l'Antiquité chrétienne le baptême des enfants est assez exceptionnel, puisque généralement les adultes étaient introduits dans l'Église à la suite d'une longue initiation qui les conduisait de l'état de catéchumènes à celui de *competentes* astreints à différents scrutins[4]. Mais le baptême des jeunes enfants nés de parents chrétiens était très recommandé par les évêques, particulièrement en Afrique. A ceux qui hésitaient en prétextant que l'enfant était incapable de comprendre, Augustin répondait : « Aux petits enfants la mère Église prête les pieds des autres pour qu'ils viennent,

---

1. Cf. J.N. Walty, « Controverses au sujet du baptême des enfants », dans *RSPT* 36, 1952, p. 52-70. J.-C. Didier, *Le Baptême des enfants dans la tradition de l'Église* (Monumenta christiana selecta VII), Paris 1959. (Le chanoine Didier a rassemblé un important dossier de textes touchant à ce sujet.) L'article de J. Bellamy dans *DTC* t. II, col. 281 est dépassé.

2. Thomas, *Somme théologique* III, question 68, n. 9 : *Utrum pueri sint baptizandi ?*

3. Cf. en dernier lieu D. Lett, « L'enfance : *aetas informa, aetas infima* », dans *Medievales*, XV, Paris 1989, p. 85-95.

4. B. Neunheuser, *Baptême et confirmation*, trad. fr., Paris 1966, p. 146 ; A.G. Martimort, *L'Église en prière*, Paris 1961, p. 516 s.

le cœur des autres pour qu'ils croient, la langue des autres pour qu'ils affirment leur foi[5]. »

Augustin eut l'occasion de préciser ses idées lors de la querelle pélagienne. Pélage et ses disciples, on le sait, pensaient que l'enfant avait hérité d'Adam la mort physique, les souffrances, mais non la souillure de l'âme. Il n'était donc pas besoin de le baptiser avant qu'il ne soit coupable de péchés. Augustin affirmant au contraire l'universalité du péché originel rappelait, par suite, la nécessité du baptême précoce. Bien plus, il était conduit à dire que les enfants morts sans baptême étaient privés de la vie éternelle, alors que les pélagiens pensaient qu'ils se trouvaient dans un milieu intermédiaire entre Ciel et Enfer. Les thèses pélagiennes furent condamnées au concile de Carthage de 418, mais il semble que le canon qui rendait l'enfant non baptisé « participant du diable » n'ait pas été inséré dans les collections canoniques romaines[6].

Quoi qu'il en soit, l'influence d'Augustin concernant le péché originel, et par suite le baptême des enfants, marqua les théologiens du haut Moyen Age. Césaire d'Arles justifiait le baptême des tout-petits par le péché originel; Grégoire le Grand pensait que les enfants morts sans baptême étaient destinés aux supplices éternels[7], les évêques avertissaient les parents des risques qu'ils courraient s'ils ne baptisaient pas leurs enfants dès leur premier âge[8]. Le baptême devait se faire, comme par le passé, la nuit de Pâques ou à la Pentecôte au baptistère de l'évêque. Césaire demande aux parents de présenter leur enfant une semaine au moins avant la cérémonie pour qu'il soit inscrit sur la liste des *competentes* et de suivre avec lui les cérémonies préparatoires au baptême[9]. L'enfant une fois baptisé est confirmé par l'évêque et reçoit l'eucharistie. Lorsque par la suite les prêtres donneront le baptême au nom de l'évêque, la confirmation sera différée mais la communion des jeunes enfants se maintiendra jusqu'au XIe siècle[10].

Si lors des conciles ou dans les sermons, les évêques reviennent très souvent sur le baptême des jeunes enfants et même menacent les prêtres négligents de sanctions, d'autant qu'à cette époque la mortalité infantile fait des ravages, c'est que des parents peu informés souhaitent que leur enfant puisse lui-même répondre aux questions de l'évêque ou du prêtre et qu'il ait pleine conscience de son engagement. Les aristocrates avaient coutume

---

5. Augustin, *Sermon* 176 (*PL* 38, 950). Cf. son traité *De peccatorum meritis et de baptismo parvulorum* (*PL* 44, 131-191).

6. G. de Plinval, dans Fliche et Martin, *Histoire de l'Église*, IV, Paris 1948, p. 110. D.E. Boissard, *Réflexions sur le sort des enfants morts sans baptême*, Paris, Éd. de la Source, 1974, p. 85 s.

7. Césaire, *Sermon* 172, 1; Grégoire le Grand, *Moralia*, IX 32.

8. Cf. références dans P. Riché, *Éducation et culture dans l'Occident barbare*, Paris 1962, 3e éd. 1973, p. 534-535.

9. Césaire d'Arles, *Sermon* 225, 6; 229, 6.

10. Cf. P.-M. Gy, « Die Taufkommunion der kleinen Kinder in der lateinischen Kirche », dans *Festschrift B. Fischer*, Zürich-Freiburg, 1972, p. 485-491; et M. Maccarrone, « L'unité du baptême et de la confirmation dans la liturgie romaine du IIIe au VIIe siècle », dans *Istina*, 1986, p. 257-272.

d'agir ainsi, comme en témoignent quelques textes[11]. Même à l'époque carolingienne, princes et grands ne respectent pas les lois de l'Église. Charlemagne fait baptiser son fils Pépin âgé de cinq ans par le pape Hadrien en 781. Au milieu du IXᵉ siècle, Dhuoda écrivant à son fils aîné lui dit que son second fils, né le 22 mars 841, « était encore petit et n'avait pas reçu la grâce du baptême lorsque Bernard (son père) le fit amener auprès de lui en Aquitaine ». Ailleurs elle dit ne pas savoir le nom de ce fils, que pour notre part nous connaissons puisqu'il s'agit de Bernard Plantevelue[12]. Les aristocrates ne se pressent pas pour faire baptiser leurs enfants, et Jonas d'Orléans à la même époque s'en désole :

Puisque maintenant le nom du Christ s'affirme avec force partout et que les enfants naissent de parents chrétiens, il faut les présenter sans tarder pour recevoir la grâce du baptême même s'ils ne parlent pas encore[13].

L'influence de Jonas se fait sentir au Concile de Paris en 829 qui prend plusieurs mesures en faveur du baptême. Le canon 6 souhaite que les enfants soient baptisés avant l'âge de raison — *antequam ad intelligibilem a etatem*[14].

Les Carolingiens sont pris entre deux désirs. Celui de baptiser très tôt selon la tradition et celui de rétablir les rites anciens du baptême tels qu'on les connaissait au Vᵉ siècle. En 812, Charlemagne envoie une circulaire aux évêques et nous possédons les réponses sous forme de missives ou de traités[15]. On souhaite organiser le baptême pendant le carême en revenant aux anciens scrutins. Théodulf d'Orléans écrit :

Si les enfants deviennent auditeurs et catéchumènes, ce n'est pas parce qu'ils peuvent être instruits et enseignés à cet âge, mais pour respecter l'ancien usage selon lequel les Apôtres enseignaient et instruisaient d'abord ceux qu'ils allaient baptiser[16]

---

11. Grégoire de Tours, *HF*, V, 24. *Vita Eucherii*, MGH/SRM VII, p. 47 ; *Vita Geremari* 8 : « *Audoenus suscipiens puerum, cathechizandi eum preparato que fonte baptismati baptizavit.* »

12. Dhuoda, *Manuel pour mon fils*, éd. P. Riché, Paris 1975, p. 85. *Etenim parvulum illum, antequam baptismatis accepisset gratiam...* et p. 116 : *frater cum cujus modo inscia sum nominis, cum baptismatis in Christo acceperit gratiam...*

13. Jonas d'Orléans, *De institutione laicali* I, 8 (PL 106, c. 135) : *Nunc autem quia nomen Christi ubique pollet et parvuli de Christianis parentibus nati ad percipiendam baptismatis gratiam necdum loquentes incunctanter deportantur* [...].

14. *Concilia* II, *MGH*, p. 614.

15. Cf. J. Chélini, *La Vie religieuse des laïcs dans l'Europe carolingienne*, première partie (Thèse de doctorat, université de Paris-X, 1974) sous presse aux Éd. Picard. La lettre de Charlemagne est conservée ainsi que certaines réponses, *PL* 99, 892 et 853.

16. Théodulf, *De ordine baptismi* (PL 105, 334). *Infantes ergo et audientes et catechumeni fiunt non quo in eadem aetate et instrui et doceri possint sed ut antiquus mos servetur quo apostoli eos quos baptizaturi erant primum docebant et instruebant.* Cf. au IXᵉ siècle les idées d'Hincmar, *PL* 125, p. 293-294.

Parce que les Carolingiens savent l'importance de l'instruction chrétienne, ils auraient aimé la donner avant le baptême, comme le recommandent d'ailleurs Alcuin et Paulin d'Aquilée au sujet de la conversion forcée des Saxons et des Avars[17]. Pour les jeunes enfants cela est impossible. Du moins on les baptise en imaginant qu'ils sont adultes et en restaurant une mise en scène archaïsante[18]. On convoque les parents et les parrains à l'avance pour leur enseigner ce qu'ils devront enseigner aux enfants. Le baptême, sauf exception, a lieu à Pâques, il se fait par immersion dans le baptistère. Le sacramentaire de Drogon du IXᵉ siècle nous donne la représentation de scènes de baptême sous la présidence de l'évêque[19]. Ce dernier ensuite procède à la confirmation.

Pour que la liturgie baptismale soit rétablie dans son déroulement ancien, il aurait fallu que l'évêque soit seul à baptiser, ce qui était impraticable en raison du grand nombre d'enfants. D'autre part, à cause de la mortalité infantile, on rappelle aux parents et aux prêtres que les enfants en danger de mort doivent être baptisés à tout moment, sinon ils ne pourraient avoir la vie éternelle. Ceux qui en seraient responsables devront en rendre compte au jugement dernier[20].

Dans son traité sur la liturgie, Walafrid Strabon rappelle qu'autrefois, le baptême était donné aux adultes qui pouvaient comprendre ce que représentait le baptême, mais qu'ensuite en raison du dogme du péché originel le baptême des petits enfants était devenu indispensable. A cette occasion il signale que des hérétiques n'estiment pas nécessaire de baptiser les enfants[21]. Il vise certainement les pélagiens du Vᵉ siècle, car à son époque, le danger vient des thèses augustiniennes poussées jusqu'à l'extrême, plus que d'un néo-pélagianisme.

Il n'en est plus ainsi aux XIᵉ et XIIᵉ siècles. Par suite de l'apparition d'hérésies nouvelles, la question du pédobaptême se pose à nouveau. En 1025, des hommes se réclamant d'un certain Gundulf, un Italien, dont ils ont reçu une règle de vie « conforme aux préceptes évangéliques et apostoliques », sont interrogés par l'évêque Gérard de Cambrai. Dès le début ils exposent leur théorie sur le baptême : ils n'en reconnaissent pas la valeur, car

[...] le baptême donné par un prêtre ne peut servir de remède pour le salut parce qu'on retombe bientôt dans les péchés auxquels on a renoncé par le baptême, et

---

17. E. Amann, *L'Église carolingienne*, Paris 1947, p. 193.

18. Raban Maur, *De clericorum institutione*, I, 27 (PL 107, col. 311) présente le baptême comme s'il s'agissait d'adultes.

19. Couverture en ivoire du ms. latin 9428 de la Bibliothèque nationale. Miniatures au fᵒˢ 51v et 91r. Il semble que le baptistère de la cathédrale de Nevers ait été construit ou restauré « à l'ancienne » au IXᵉ siècle.

20. *Capitula episcoporum*, éd. P. Brommer, *MGH*, 1984, p. 114, 249 ; Textes dans J.-C. Didier, *Le Baptême des enfants*, p. 137 s.

21. Walafrid Strabon, *De ecclesiasticarum rerum exordiis et incrementis*, c. 27 ; *MGH*, *Capitularia* II, 2, p. 511. Cf. de Ghellinck, « Le développement du dogme d'après Walafrid Strabon à propos du baptême des enfants », *RSR*, 1939, p. 481-486.

parce qu'un enfant qui ignore ce qu'est la foi et le salut et qui ne peut en aucune manière demander la régénération ; pour cet enfant une volonté étrangère, une foi étrangère, une confession étrangère, ne peuvent être d'aucune utilité.

L'évêque répond sur le dernier point en disant :

> Si vous refusez de croire que la foi de ceux qui soulèvent un petit enfant au-dessus de la fontaine baptismale n'a aucune utilité pour l'enfant, il en résulte que vous ne croyez pas que la foi de ceux qui présentaient le paralytique au Christ ait pu être utile (Matthieu 9, 2), que la foi de la Chananéenne n'a pas servi au salut de sa fille (*id.*, 15, 28), ni celle du Centurion pour son serviteur (Matthieu 8, 13).

Et il évoque le Christ embrassant les enfants qui n'avaient pas la foi présentés par ceux qui l'avaient [22].

Il est remarquable que ces arguments tirés de l'Écriture furent déjà utilisés au IXe siècle et repris par la suite au XIIe siècle pour répondre aux hérétiques [23].

Ces hérétiques, nombreux en France et en Italie, s'accordent tous sur l'inutilité du baptême pour celui qui n'a pas encore l'âge de comprendre. Qu'il s'agisse de Tanchelin (+ 1115), d'Eudes de l'Étoile (+ 1148), de Pierre de Bruys (+ 1147) ou d'Henri de Lausanne (+ 1149), les arguments sont les mêmes et rappellent ceux des pélagiens. Le Concile de Toulouse de 1119, puis celui du Latran (1139) et celui de Lombez près d'Albi dénoncent entre autres erreurs ce refus du baptême des enfants [24]. Ermengaud dans son traité contre les vaudois écrit :

> Celui qui ne croit pas que le baptême des enfants conduit à la vie éternelle contredit l'Évangile, puisque le Christ a dit : « Laissez venir à moi les petits enfants [25]. »

Pierre le Vénérable compose un important ouvrage contre les disciples de Pierre de Bruys, dans lequel une grande place est faite à la question du pédobaptême [26]. Saint Bernard s'engage lui aussi dans la querelle dans plusieurs écrits et au cours de la tournée de prédication dans le Midi en 1145 qui, reconnaissons-le, eut peu de succès [27]. Il retourne contre les hérétiques l'argument des vagissements du nouveau-né au moment du

---

22. *Acta synodi atrebatensis*; PL 142, col. 1271. On peut consulter J. Le Sergeant d'Hendecourt, *Gérard de Cambrai et le synode d'Arras*, mémoire de maîtrise, université de Paris-X, 1978.

23. Chrétien Druthmar, *Expositio in Matthaeum* (PL 106, 1501) ; Haymon (PL 118, 230 ; Smaragde (PL 102, 132) ; Pierre le Vénérable (PL 189, 755).

24. Mansi, *Concilia* XXI, 226 et 532. Hefele-Leclercq, *Histoire des conciles*, V, 2, p. 1006.

25. *Liber contra hereticos Valdenses* (PL 204, 1258).

26. *Tractatus contra Petrobrusianos hereticos* (PL 189, 719-850). Cf. J.-C. Didier, *Le baptême des enfants* [...], p. 156-163.

27. J.-C. Didier, « La question du baptême des enfants chez saint Bernard et ses contemporains », dans *Saint Bernard théologien*, *Analecta sacri ordinis cisterciensis*, 1953 (PL, p. 191-201).

baptême. A ses adversaires qui estiment que ces cris expriment le refus d'entrer dans la cuve, Bernard répond qu'il s'agit au contraire d'un cri de détresse et d'un appel à Dieu... [28].

A l'époque où Bernard écrit, les théologiens se penchent sur le problème du péché originel [29], ce qui risque de faire évoluer les idées concernant le baptême des enfants. Pierre Abélard pense que le péché originel en lui-même n'est pas un véritable péché mais seulement l'obligation de subir une peine. Les enfants incapables d'acte personnel ne sauraient être dits coupables. Nous sommes bien loin d'Augustin. Pierre Lombard, le « maître des Sentences », écrit que sur la question de la faute originelle « les saints docteurs ont parlé de façon obscure et les théologiens scholastiques ont eu des opinions diverses » [30].

En même temps, nous constatons que les conceptions pessimistes des augustiniens concernant l'enfant laissent place à une reconnaissance de l'innocence enfantine. « Beaucoup croient que les tout petits et les enfants n'ont aucun péché et ne méritent en mourant aucune punition », remarque l'auteur de la *Vision* d'Albéric [31]. Le biographe de saint Étienne d'Aubazine donne des exemples de l'innocence des enfants qui ne connaissent pas la ruse impure du monde [32]. On les appelle *pueri*, dit un autre auteur, parce qu'ils sont « purs ». En eux règnent la simplicité, la virginité, l'innocence et la pureté [33]. L'enfant est alors considéré comme un être aimé de Dieu et des saints. Il est intermédiaire entre la Divinité et les hommes, joue un rôle dans les jugements de Dieu, dénonce les criminels, interprète les apparitions. Les récits des visions les mettent volontiers en scène et eux-mêmes sont les bénéficiaires des visions. Enfin c'est au XIIe siècle que commence à se préciser le concept d'enfance spirituelle [34].

On comprend dans ces conditions que le sort des enfants morts avant le baptême soit reconsidéré. Certains restent fidèles au pessimisme augustinien, tel Guibert de Nogent et son maître Anselme [35]. Pourtant ce dernier reconnaît les difficultés de cette thèse.

---

28. *Sermon 66 sur le Cantique* (PL 183, 1098).

29. Cf. R. Blomme, *La Doctrine du péché dans les écoles théologiques de la première moitié du XIIe siècle*, Louvain 1958, p. 150.

30. *Sententiae* II, dist. 30 c. 5 (PL 192, 721) ; Cf. O. Lottin, *Psychologie et morale aux XIIe et XIIIe siècles*, t. IV, Louvain 1954.

31. Éd. *Bibliotheca Cassinensis* V, 1, p. 191-206. A cette remarque qu'il entend autour de lui, l'auteur répond par la négative.

32. *Vita Stephani* II, 49, éd. M. Aubrun, Clermont-Ferrand 1970, p. 173.

33. Jean de Fruttuaria : (PL 184, 575).

34. Cf. P. Riché, « L'enfant dans la société monastique au XIIe siècle, dans *Colloque Pierre Abélard-Pierre le Vénérable*, éd. du CNRS, p. 696, Paris, 1975, 696, et « L'enfant dans la société chrétienne aux XIe-XIIe siècles », dans *La cristianita dei secoli XI et XII in Occidente. Coscienza e Strutture di una Societa*, Miscellanea del Centro di Studi medioevali, X, Milan 1983, p. 286-289.

35. Guibert, *De vita sua* I, 18. Anselme du Bec, *Liber de conceptu virginali*, chap. 23 : *Cur et quomodo peccatum descendat in infantes* ; chap. 28 : *Contra illos qui non putant infantes debere damnari*, (PL 158, 461).

J'ai parlé selon les lumières de ma raison sans rien affirmer catégoriquement mais en supputant jusqu'à ce que d'une manière ou d'une autre Dieu me révèle quelque chose de mieux. Si quelqu'un d'entre vous pense autrement, je ne rejette aucune opinion pourvu qu'on me la montre fondée.

De fait les théologiens du XIIIᵉ siècle trouvent une autre solution que la damnation éternelle des enfants. Déjà certains estiment que la foi des parents sauve les enfants non baptisés, mais surtout d'autres, Thomas en tête, imaginent un lieu intermédiaire entre Ciel et Enfer, les limbes où seront rassemblés ces enfants incapables de souffrir puisque dans l'ignorance des biens suprêmes dont ils sont privés [36].

Certains diront que Thomas reprend sans le vouloir la thèse des pélagiens. Pour le reste, sur la nécessité du baptême des enfants, il reste fidèle à Augustin qu'il cite souvent. Mais les nouvelles idées sur la nature enfantine, un certain humanisme qui caractérise le XIIIᵉ siècle, éloignent heureusement de ce qu'on a appelé la « pastorale de la peur » qui a pendant trop de siècles troublé les chrétiens [37]

---

36. R. Weberberger, « Limbus puerorum », dans *RThAM*, 1968, p. 81-133. H. Rondet, *Le Péché originel dans la tradition patristique et théologique*, Paris 1966, p. 208-211.

37. J. Delumeau, *Le Péché et la Peur. La culpabilisation en Occident, XIIIᵉ-XVIIIᵉ siècles*, Paris 1983. Cf. particulièrement les pages 296-314.

PÉCHÉ MORTEL ET DISCIPLINE JUIVE DE L'EXCOMMUNICATION

Jean-Marie SELLÈS

Dans son ouvrage *De administratione sacramenti poenitentiae*[1], Jean Morin suppose que la discipline chrétienne de la pénitence plonge ses racines dans la discipline juive de l'excommunication pour les trois péchés mortels d'apostasie, de meurtre et d'adultère :

Antiqua illa Theologia peccata in tres classes distinguebat [...]. Prima classis erat gravissimorum criminum, quae capitalia, et nonnunquam mortalia simpliciter dicebant [...]. In prima classe tria tantum collocabant, idolatriam, moechiam et homicidium[2].

Trium istorum peccatorum prae caeteris deformitatem et pravitatem agnoscebant et praedicabant antiquissimi Judaei, quod etiam nunc celebri apud eos sertu axiomate. Unde forsan non male conjiciet qui dixerit antiquos christianos hanc de tribus istis sceleribus doctrinam a Judaeis accepisse[3].

Dans les lignes qui suivent, nous voudrions essayer de vérifier la justesse des propos de J. Morin, tout en faisant la remarque préalable qu'il va de soi qu'il n'existe pas dans la discipline pénitentielle juive une doctrine du péché mortel, telle qu'elle sera développée dans la discipline chrétienne de la pénitence. Il a paru cependant intéressant d'étudier, à la suite de J. Morin, la possible corrélation sinon la dépendance de la discipline chrétienne par rapport à la discipline juive dans la qualification des péchés gravissimes tels que l'apostasie, l'adultère et l'homicide comme péchés mortels; alors même que de tels crimes entraînaient, dans la discipline juive, l'exclusion de la communauté par la mort.

Concernant la discipline juive de l'excommunication, il nous faut d'abord déterminer, en nous référant à l'Écriture et à la discipline rabbinique, quelles étaient les déviations à la norme communautaire qui entraînaient l'exclusion par la mort; puis analyser les motifs théologiques invoqués pour justifier une telle pratique.

---

1. J. Morin, *De administratione sacramenti poenitentiae*, Bruxelles 1685.
2. J. Morin, *op. cit.*, liber V, 1, 250.
3. J. Morin, *op. cit.*, liber V, 3, 258.

L'Écriture définit trois types de péchés qui sont punis par l'exclusion de la communauté, cette exclusion étant réalisée par la mort du coupable.

Il y a d'abord les péchés qui concernent la sphère divine : le blasphème du Nom [4], le culte des idoles [5], la sorcellerie et la divination [6], le non-respect du sabbat [7], le non-respect de la sainteté du Temple et des prêtres [8].

Puis les péchés d'ordre sexuel dont l'impureté est si grande que seule la mort peut l'effacer. Le livre du Lévitique en dresse la liste : adultère, homosexualité, zoophilie [9].

Enfin les péchés envers le prochain tels le meurtre [10] et le rapt [11].

Ceux qui ont commis de telles fautes, l'Écriture ordonne qu'ils soient retranchés de la communauté en étant mis à mort. L'une et l'autre action étant liées au sens où, pour ces crimes, la seule forme d'exclusion envisagée est la mort.

Cette sentence est exprimée par trois verbes hébreux : *karat* (couper), *badal* (séparer) et *haram* (vouer à l'anathème). C'est ce dernier terme qui est employé, en Josué 7, 19, à propos du crime d'Achan, épisode souvent cité dans la tradition rabbinique et qui sera repris, en Actes 5, au sujet de la faute d'Ananie et Saphire. Le péché d'Achan est significatif puisque c'est le premier péché commis après l'entrée du peuple dans la Terre promise. C'est pourquoi il apparaît dans la réflexion midrashique juive comme un des péchés d'origine [12]. Aussi est-il intéressant de nous y arrêter afin d'apprécier les motifs théologiques invoqués pour justifier la sentence frappant le coupable.

Le chapitre 7 du livre de Josué rapporte la faute d'Achan qui prit « ce qui était interdit », ce qui était consacré à Dieu par l'anathème, après la victoire de Jéricho. Devant un tel acte dont la gravité est d'autant plus grande qu'il représente le premier péché commis en Terre promise, Dieu demande à Josué de rechercher le coupable par le sort et :

Celui qui aura été marqué comme responsable devra être brûlé par le feu, lui et tout ce qui lui appartient car *il a transgressé l'Alliance du Seigneur* [13].

---

4. Lv 24, 16 ; Dt 17, 12.

5. Ex 22, 17 ; Lv 20, 2-4 ; Lv 20, 27 ; Nb 25, 1-5.

6. Ex 22, 17.

7. Ex 31, 14 ; Ex 35, 26.

8. Nb 1, 51 ; Nb 3, 10. 38 ; Nb 18, 7.

9. Lv 20, 10-21.

10. Ex 21, 12-14 ; Lv 24, 17.

11. Ex 21, 16.

12. Il faudrait ici évoquer la réflexion midrashique juive sur le péché des origines : non seulement le péché originaire d'Adam ou celui des Fils de Dieu d'après Gn 6, 1-4, mais plus encore celui de la communauté sainte du Sinaï rassemblée autour de Moïse. Selon le *Midrash*, cette communauté, œuvre de la grâce de Dieu, vivait sans péché dans une sorte de retour à l'état adamique, la mort ne l'atteignant même plus jusqu'à l'épisode du Veau d'or (Ex 32). Cf. C. Perrot, « Ananie et Saphire, le jugement ecclésial et la justice divine, *Année canonique*, XXV, 1981, 109-124.

13. Josué 7, 15.

Le sort tombe sur Achan. Mais avant d'exécuter la sentence, Josué demande à celui-ci de rendre gloire à Dieu et de confesser son péché :

Mon fils, rends gloire au Seigneur, Dieu d'Israël et confesse-lui ton péché[14].

Cette confession d'Achan, et toutes les liturgies pénitentielles le confirment[15], montre qu'en Israël le péché se reconnaît en face de la grandeur de Dieu, le seul Saint. C'est en confessant Dieu comme Dieu que l'on peut confesser son péché. Car celui-ci est conçu avant tout comme une transgression de l'Alliance et comme une souillure envers la sainteté du peuple sanctifié par le don de la *Torah*.

Achan a donc gravement attenté à la sainteté de Dieu en trangressant l'Alliance par un crime dont la seule expiation possible est la mort. Il est exclu et la sentence exécutée :

Tout Israël le lapida et ils les brûlèrent et on leur jeta des pierres[16].

En effet Dieu est saint, le seul Saint. Il a sanctifié Israël en lui donnant sa *Torah* dans le cadre de l'Alliance, donc Israël doit être saint (Lv 20, 7s.). Celui qui a brisé l'Alliance par un péché si grave qu'il souille irrémédiablement la sainteté du Temple, du peuple et du pays[17], ne peut plus se mettre sous la protection de la Loi. Son crime est tel qu'il le met hors de la Loi et n'a donc pas la possibilité d'être expié par le sacrifice pour le péché. Or le coupable ne peut sortir de l'Alliance puisque le rite d'entrée dans cette Alliance, la circoncision (appelée « *berit milah* », « l'alliance de la circoncision ») ne peut être défait. De plus, le pécheur contamine gravement le reste de la communauté :

Le Seigneur dit à Josué : les fils d'Israël ne pourront pas faire face à leurs ennemis, ils tourneront le dos devant leurs ennemis, car ils sont frappés d'interdit ; je cesserai d'être avec vous si vous ne supprimez pas l'interdit qui est au milieu de vous[18].

---

14. Exactement : « Mon fils, rends gloire au Seigneur, Dieu d'Israël et *donne-lui ta* todah. » Ce terme *todah* qui sera traduit par *eucharistia* chez Philon et Aquila, est ici important à souligner. Le sacrifice *todah* était accompagné d'une confession qui pouvait être une confession doxologique ou une confession pénitentielle. L'aspect doxologique était toujours premier, ce que souligne la première expression du texte « donne gloire à Dieu ». En effet, c'est en confessant Dieu comme Dieu que l'on peut reconnaître son péché. Il convient, en outre, de relever l'association des termes « glorification » et « *todah* », association que nous retrouvons dans la liturgie du Temple et aussi dans la liturgie chrétienne primitive entre les termes « *doxa* » et « *eucharistia* ».

15. Ne 1, 4-11 ; Ne 9, 6-37 ; Dn 9, 4-19 : Ba 1, 15-3, 8.

16. Josué 7, 25.

17. Expression fréquente pour les péchés très graves qui sont censés souiller le Temple, le peuple et la terre. Ainsi l'idolâtrie (Hen 19, 1 ; As Mos 5, 3 ; 8, 4 ; S. Lev 18, 5-86d ; Mekh 20, 21 ; Sota 12b ; Ex R. 15, 6), l'adultère (Test Levi 9, 9 ; Eduy 8, 2), l'homicide (Mekh 31, 13 ; S. Num 35, 34 ; S. Lv 16, 81c).

18. Josué 7, 12.

De ce fait, une seule expiation possible, la mort[19]. Cette théologie s'enracine dans le dernier discours de Moïse en Dt 30, 6 :

Le Seigneur ton Dieu te circoncira le cœur à toi et à ta descendance pour que tu aimes le Seigneur ton Dieu de tout ton cœur, de tout ton être et que *tu vives*.

Ainsi il faut choisir entre la vie et la mort. S'éloigner de Dieu par un acte qui nie l'Alliance marquée par la circoncision, c'est choisir la mort.

En l'occurrence de quelle mort s'agissait-il ? Bien sûr, au moins dans un premier temps, de la mort physique. Le coupable était livré au vengeur du sang qui employait n'importe quel moyen, la lapidation était cependant le mode normal d'exécution. Les témoins jetaient des pierres jusqu'à ce que mort s'ensuive. Ainsi s'exprimait jusqu'au bout la dimension communautaire de la justice pour de telles peines[20].

Cette mort physique, accompagnée d'une confession du péché, avait aussi une valeur expiatrice. Selon la doctrine rabbinique postérieure, elle permettait au coupable d'avoir part au monde à venir[21]. Ainsi selon Sanh. 6, 2, le condamné à mort était-il engagé à confesser son péché avant le supplice afin d'obtenir par là son salut. C'est aussi le sort réservé à Achan. Selon les Sages, en effet, sa confession et sa mort lui ont permis d'avoir part au monde futur[22].

Cependant selon les Sages, et c'est là une conception profonde de la piété juive, Dieu est infiniment miséricordieux. C'est pourquoi il n'est pas de péchés si grands et si scandaleux auxquels il ne soit accordé le pardon[23]. Ainsi, pour les péchés gravissimes, ceux-là mêmes qui sont passibles de la peine de mort, il existe une expiation : le rite de l'aspersion du sang le jour de Yom Kippur, le grand pardon annuel.

Les maîtres, en effet, discutent la question de savoir si le Yom Kippur effectue uniquement l'expiation des péchés commis par erreur ou par ignorance, ou également ceux perpétrés avec préméditation, s'il en opère

---

19. « Destinée à sauvegarder l'Alliance, la Loi frappe de pénalités rigoureuses les fautes contre Dieu, idolâtrie et blasphème et celles qui souillent la sainteté du peuple élu » (R. de Vaux, *Les Institutions de l'Ancien Testament*, t. 1, Paris, 5ᵉ éd., 1989).

20. R. de Vaux, *op. cit.*, t. 1, 244-245.

21. C'est exactement ce que demande saint Paul à l'encontre de l'incestueux de Corinthe : « [...] qu'un tel homme soit livré à Satan pour la destruction de sa chair, afin que l'esprit soit sauvé au jour du Seigneur » (1 Co 5, 5).

22. Cf. L. Ginzberg, *The Legends of The Jews*, vol. 1-7, Philadelphie 1938, *ad loc.*

23. Pesiq 163b ; Pesiq 190b ; T. Yom Kip 5, 9. — Cette doctrine est admirablement illustrée par la très belle prière de Manassé que l'on trouve dans le livre des Odes de la Septante. Prière de confession des péchés du roi impie Manassé (dont les crimes sont décrits en 2 Ch 33, 12-13 et en 2 R 21). Celui-ci invoque le Seigneur « miséricordieux, patient, riche en pitié ». Ces termes sont ceux attribués à Dieu lors du renouvellement de l'Alliance, après l'épisode du Veau d'or (Ex 34, 6-7). Ces attributs divins deviendront le lieu théologique par excellence de la miséricorde et du pardon. Ils sont évoqués dans la prière dite des « Treize attributs » récitée au jour du Yom Kippur, comme dans les prières pénitentielles juives de la synagogue, dans le judaïsme de langue sémitique comme dans celui de langue grecque.

l'expiation après le repentir ou sans le repentir (Yoma 85b; Shevu'ot 13a). La réponse est que de même que le bouc émissaire expie les péchés de la nation tout entière, de même le Yom Kippur opère l'expiation des fautes de la nation tout entière *quelle que soit leur nature*, pourvu qu'on *les regrette sincèrement*, car le repentir sincère a le pouvoir de transformer *tous les péchés en simples erreurs*, lesquelles sont pardonnées au peuple élu, selon le mot de l'Écriture : « [...] le peuple entier a péché par inadvertance » (Nb 15, 26). Les Sages mettent ainsi l'accent sur la fonction du repentir sans lequel le Yom Kippur resterait sans valeur. Yom Kippur apparaît de ce fait comme la grande occasion annuelle de *réintégration* de l'homme par l'effet du pardon de Dieu.

Ceci est confirmé par la doctrine rabbinique selon laquelle le jour de Rosh ha Shanah, premier jour de l'année, Dieu exerce son jugement sur les humains. Ce jugement est ratifié dix jours après, le jour de Yom Kippur, et revêt toujours un caractère eschatologique, au sens où il exprime la décision prise par Dieu, après la mort, au sujet de l'âme du défunt [24].

Cependant cette grande facilité avec laquelle Dieu accorde le pardon aux pécheurs ne peut-elle risquer de donner l'impression qu'on peut pécher presque impunément? Les maîtres répondent : « Pour celui qui dit "je vais pécher et le Yom Kippur va opérer l'expiation en ma faveur", le Yom Kippur n'est d'aucune utilité. Ce sont seulement les péchés concernant les relations de l'homme avec Dieu qui sont pardonnés. Les péchés contre le prochain ne sont pardonnés qu'après qu'on a obtenu le pardon du prochain. C'est pourquoi il est dit (Lv 16, 30) : vous serez purs *devant le Seigneur* de vos péchés [25]. » Ainsi, l'expiation nécessite le repentir mais aussi la réparation envers le prochain.

Cette expiation est comprise comme une régénération, comme la restauration de l'état original de l'homme dans son rapport avec Dieu, comme une *taqqanah*, le redressement par excellence [26].

Selon les maîtres, il est néanmoins un péché si grave, que même Yom Kippur ne peut l'expier. Seule, en ce cas, la mort a une valeur expiatrice et sauve le coupable pour le monde à venir. Tel est l'enseignement de R. Ysmaël, célèbre tannaïte du second siècle, souvent repris par la tradition postérieure. Celui-ci dresse une liste des expiations selon la gravité des péchés :

---

24. Pendant les dix jours de pénitence entre Rosh ha Shanah et Yom Kippur, l'homme, par ses actes de pénitence, peut infléchir la rigueur de la sentence divine. Ces dix jours ont leur apogée le jour de Kippur lorsque Dieu offre son plus grand don, son pardon miséricordieux. C'est ce jour, selon la tradition rabbinique, que Moïse serait descendu avec les secondes tables de la Loi accordant le pardon divin après l'épisode du Veau d'or. En ce jour Satan échoue dans ses tentatives d'accusation, car tous les Israélites sont purs comme des Anges (Seder Olam R 6; *PRE* 46). C'est aussi ce jour qu'eut lieu la circoncision d'Abraham et le sang qui a coulé à terre, à l'endroit même où, plus tard, devait s'élever l'autel des holocaustes, constitue toujours, aux yeux de Dieu, un moyen d'expiation (*PRE* 29).

25. Yoma, 8, 9. Cf. K. Hruby, « Le Yom ha-Kippurim ou jour de l'Expiation », *OrSyr* X, 1965, 41-74, 161-192, 413-442.

26. Arakin 15b.

Si quelqu'un a transgressé un commandement positif et a fait pénitence, il ne quitte point sa place jusqu'à ce qu'on lui ait pardonné, car il est dit : Revenez, fils rebelles [...] (Jr 3, 14). Si quelqu'un a transgressé une interdiction et a fait pénitence, l'effet de la pénitence reste en suspens et c'est le Yom Kippur qui en opère l'expiation, comme il est dit : C'est en ce jour qu'on fera sur vous l'expiation pour vous purifier (Lv 16, 30). Si quelqu'un a commis un péché qui normalement entraîne la peine du *karet* (« extermination » c'est-à-dire la punition par intervention divine directe) ou la mise à mort (par la sentence du tribunal) et s'il a fait pénitence, et la pénitence et le Yom Kippur laissent subsister la faute, laquelle n'est effacée que par les châtiments que Dieu envoie, car il est dit : Je visiterai avec des verges leurs péchés, avec des coups leurs méfaits (Ps 89, 33). Si, par contre, quelqu'un s'est rendu coupable de profanation du nom de Dieu, la faute subsiste *et seule la mort peut l'effacer*, comme il est dit : Mes oreilles ont reçu cette révélation du Seigneur Sabbaot : jamais ce péché ne sera expié que vous ne soyez morts[27].

Ainsi même le Yom Kippur ne peut expier le blasphème du Nom. Pour ce crime, seule la mort en a le pouvoir. Elle permet à celui qui a péché si gravement d'être sauvé dans le monde futur.

Le Yom Kippur expie donc les péchés même très graves, et la mort a une valeur expiatrice pour le crime de profanation du Nom. Cela veut-il dire, cependant, que tous auront part au monde futur ? Les maîtres répondent qu'il existe quand même des péchés ou des dispositions désespérées au point qu'elles privent du siècle à venir. Ainsi, ceux qui pèchent avec la pensée de se convertir[28], ceux qui ont entraîné plusieurs de leurs semblables au péché[29], tous ceux enfin qui ne trouvent pas occasion de faire pénitence, car il ne faut pas se flatter que Dieu pardonne toujours[30].

Il est donc des péchés graves qui sont pardonnés dès cette vie, d'autres qui entraînent la mort définitive, et d'autres enfin qui, malgré leur gravité, entraînent la mort du corps mais pas forcément la mort de l'âme. Ceci est exprimé par T.B. Rosh ha Shana (16b-17a). Dans le monde à venir, il y aura trois voies : celle des justes qui reprendront vie, celle des pécheurs pardonnés qui ressusciteront au dernier jour et celle des pécheurs définitivement condamnés qui verront leur âme et leur corps absorbés définitivement dans la mort[31].

Ainsi, au terme de cette rapide enquête, il apparaît que trois péchés sont punis, en raison de la gravité de l'offense commise envers la sainteté de Dieu, du Temple et du peuple, par l'excommunication du pécheur et sa mort : l'idolâtrie, l'adultère et le meurtre. Leur souillure est si profonde

---

27. Shevu'ot I, 1-6.

28. Yoma 8, 9 ; Arn 39, 1 ; Pesiq R. 182b.

29. Sanh 107b ; T. Yom Kip 5, 11.

30. « Celui qui dit que le Miséricordieux relâche les péchés, que ses entrailles se relâchent », disent certains maîtres (P. Seqal V, 2 48d ; P. Taan II, 1 65b ; P. Besa IV, 9, 62B).

31. G.W. Nickelsburg, *Resurrection, Immortality and Eternal Life in Intertestamental Judaism*, Harvard Theo. Studies, 26, Cambridge Mass 1972 ; C. Milikovsky, « Wich Gehenna ? Retribution and Eschatology in the Synoptic Gospels and in Early Jewish Texts », *NTS*, 34, 1988, 238-249.

qu'elle porte gravement atteinte à la sainteté de l'Alliance. Or le rite d'appartenance à celle-ci étant ineffaçable, il n'y a d'autre recours que la mort. Cependant Dieu est miséricordieux. Dès lors, ces péchés, pourvu qu'on les regrette sincèrement, peuvent être expiés au jour du Yom Kippur. Il est néanmoins un péché, celui du blasphème du Nom, que seule la mort peut expier afin que le coupable ait part au monde à venir. Enfin, il est des manquements ou plutôt des dispositions morales telles qu'elles privent du monde futur.

Nous voudrions tenter d'apprécier maintenant en quoi cette discipline pénitentielle juive a pu avoir une quelconque influence sur la discipline chrétienne, notamment en ce qui concerne ces péchés qui, plus tard, seront qualifiés de péchés mortels : idolâtrie, meurtre et adultère.

Tout chrétien, c'est-à-dire quiconque a été marqué du sceau du baptême, est engendré de Dieu, et comme tel ne pèche pas [32], et même, ne peut plus pécher [33]. Marqué par le baptême qui, comme le rite d'entrée dans la première alliance, ne peut être défait, le chrétien est membre de l'Église que « le Christ a aimée au point de se livrer pour elle afin de la sanctifier en la purifiant par le bain de l'eau qu'une parole accompagne. Car il voulait se la présenter à lui-même toute resplendissante, sans tache, ni ride, ni rien de tel mais *sainte* et immaculée » [34].

Membre de cette Église, le baptisé est saint [35]. Telle la Communauté de Qumran [36], l'Église, communauté messianique est pure de tout péché à cause de la présence de l'Esprit dans l'âme des élus. Cette perspective eschatologique dont on retrouve l'expression la plus frappante au niveau de l'individu en 1 Jn 3, 9, n'était pas sans influencer l'Église dans sa compréhension du mystère de la rémission du péché post-baptismal.

Ainsi, dans l'épisode d'Ananie et Saphire [37], est rapporté le premier péché commis dans l'Église. Ananie et Saphire ont détourné à leur profit les biens réservés à la Communauté et donc à Dieu (comme Achan, dans le premier péché perpétré sur la Terre promise, avait détourné les biens voués à l'anathème) [38]. De la sorte, ils ont brisé la *koinônia*. Leur faute réside dans leur mensonge qui lèse gravement l'Esprit et la Communauté.

La Communauté est concernée car tout péché a une dimension communautaire. En vertu de son baptême, en effet, le chrétien est admis dans la Communauté des Saints et, à cause de cela, il n'est plus un individu isolé : « Nul d'entre vous ne vit pour soi-même, comme nul ne meurt pour

---

32. 1 Jn 3, 6.
33. 1 Jn 3, 9.
34. Ép 5, 25-27.
35. 1 Co 1, 2.
36. 1 QS VIII, 21 ; 1 QS IV, 20-21.
37. Ac 5, 1-11.
38. Luc utilise, à propos d'Ananie, le mot rare « *enosphisato* », « il détourna » (Ac 5, 2) que l'on retrouve une seule fois dans la Septante en Jos 7, 1 à propos d'Achan. Cf. C. Perrot, *op. cit.*, 121.

soi-même[39]. » Tous sont membres du Corps du Christ. Ainsi, celui qui pèche, non seulement offense Dieu, mais il blesse aussi l'Église[40].

Selon la discipline pénitentielle de l'Église primitive, il est des péchés si graves qu'ils excluent définitivement de la Communauté ecclésiale. En ce cas, la conséquence inéluctable est la mort du pécheur. En effet, il n'est pas possible d'exclure celui qui a été marqué une fois pour toutes par le baptême. Cependant, il n'est pas non plus possible de le garder au sein de la Communauté puisque cela conduirait celle-ci à ouvrir la vie de l'Esprit à celui qui est irrémédiablement tombé aux mains de Satan. Ce serait, en quelque sorte, donner l'Esprit à Satan, et donc « blasphémer l'Esprit » au sens de Lc 12, 10. C'est-à-dire commettre le péché qui ne peut être pardonné. C'est ce qui survient dans le récit d'Ananie et Saphire. La Communauté ne met pas à mort le pécheur mais elle dévoile le péché, elle annonce le jugement de Dieu à son endroit. C'est Dieu lui-même qui exclut le pécheur en provoquant sa mort.

Il en est de même en ce qui concerne le péché pour lequel il n'y a pas de pénitence possible selon l'Épître aux Hébreux[41]. Celle-ci affirme, en effet, qu'il n'y a pas de conversion possible pour celui qui, après avoir reçu le don du salut, a répudié son Seigneur. Ce péché qui est une faute volontaire d'apostasie ou d'hérésie, est compris comme une chute (*paraptôma*) du croyant. Cette chute est analogue au mystérieux péché pour la mort (*hamartia pros thanaton*) de 1 Jn 5, 16, péché très grave qui fait perdre la vie divine de façon définitive et dont le contexte montre qu'il s'agit d'apostasie[42]. L'apostat s'est séparé du Christ et retranché de l'Église. Il ne participe plus aux fruits de l'universelle rédemption, il refuse le pardon de Dieu et viole son commandement : un tel homme doit être retranché. Comme le dit l'Épître aux Hébreux, cet homme crucifie de ses propres mains le Fils de Dieu[43]. Dans ce cas, il s'agit du péché contre la lumière et le Saint-Esprit qui n'est remis ni dans ce siècle ni dans l'autre.

Il y a aussi des péchés dont la gravité les apparente « au grand péché qui rejette la Loi à jamais ». De ce fait, ils requièrent une pénitence particulière. Ainsi Théodore de Mopsueste distingue clairement les péchés « remis par la réception du corps et du sang du Christ », tels ceux qui étaient expiés par les sacrifices pour le péché et ceux qui nécessitent une pénitence particu-

---

39. Rm 14, 7.
40. Cette dimension communautaire du péché est exprimée dans l'Épître aux Corinthiens : « Ne savez-vous pas qu'un peu de levain (c'est-à-dire malice, iniquité) fait lever toute la pâte » (1 Co 5, 6). Et, comme le fait remarquer C. Perrot à propos d'Ananie et Saphire, c'est dans ce récit du premier péché d'un membre de l'Église, que l'on pourrait qualifier en paraphrasant les rabbins de péché des origines, qu'apparaît pour la première fois la mention du terme *ecclesia* dans le livre des Actes (C. Perrot, *op. cit.*, 114).
41. He 6, 4-6.
42. R.E. Brown, *The Epistles of John*, New York 1982, 610-637.
43. He 6, 6.

lière[44]. En renvoyant à 1 Co 5, Théodore de Mopsueste s'explique sur la possibilité de reconnaître ce genre de péché dans l'inceste, l'adultère et l'idolâtrie.

De même Origène parle de fautes pour lesquelles, sous l'ancienne Loi, on ne pouvait offrir le sacrifice pour le péché et pour lesquelles, sous la nouvelle Loi les prêtres ne peuvent offrir la prière et le sacrifice :

Jamais le prêtre qui avait la faculté de remettre les fautes involontaires et d'offrir le sacrifice de culpabilité n'offrait l'holocauste et le sacrifice pour le péché pour un adultère, un meurtre volontaire ou pour l'un quelconque des péchés plus graves. De même aussi les Apôtres et les prêtres qui leur ressemblent à la manière du Grand Prêtre, savent, parce qu'ils ont la connaissance du culte divin et qu'ils sont enseignés par l'Esprit, pour quels péchés il faut offrir des sacrifices, quand et de quelle manière; et ils connaissent ceux pour lesquels il convient de ne pas le faire[45].

Ainsi, dans la discipline juive et chrétienne se détachent deux grandes catégories de péchés. Les péchés par inadvertance ou même graves qui sont rémissibles par la liturgie sacrificielle, et, attestée de part et d'autre, la catégorie des grands péchés : idolâtrie ou apostasie, adultère et homicide dont l'expiation est soumise à une discipline particulière. Origène explique la gravité de leur traitement en recourant aux mêmes arguments que ceux de la *Mishnah*. Il semble donc que la première distinction entre les péchés qu'opèrent tant la discipline pénitentielle juive que la discipline pénitentielle chrétienne, est d'ordre liturgique[46]. Elle tend à déterminer quels sont, dans la discipline juive, les péchés rémissibles par le sacrifice pour le péché et dans la discipline chrétienne ceux que remet l'Eucharistie, et quels sont les péchés irrémissibles par ces deux modes analogues d'expiation. En ce sens, et Origène en est le témoin, la discipline chrétienne semble avoir hérité cette distinction de la discipline juive.

Une fois cette distinction opérée, il apparaît que les péchés irrémissibles par l'offrande sacrificielle sont de part et d'autre les mêmes. Ce sont ceux qui mettent le coupable *de facto* en dehors de l'Alliance parce qu'ils sont une atteinte à la sainteté de Dieu et qu'ils souillent gravement la sainteté du Temple et du peuple[47]. Or l'appartenance à l'Alliance étant un lien qui ne peut être défait, pour ne pas contaminer le reste de la Communauté et pour

---

44. R. Tonneau, R. Devreesse, *Les Homélies catéchétiques de Théodore de Mopsueste,* Citta del Vaticano 1949, Hom. XVI, 34. Cf. L. Ligier, « Pénitence et Eucharistie en Orient, théologie sur une interférence de prières et de rites », *OrChrP* XXIX, 1963, 5-78.

45. *In Oratione* 18, 9 (*PG* 11, 529 A), cité par L. Ligier, *op. cit.,* 9.

46. En effet, la première distinction des péchés qu'opère la Bible, et à sa suite la discipline chrétienne, est commandée par leur mode de rémission. Ainsi en conclut L. Ligier : « La première des grandes classifications des péchés que présente l'Écriture n'est pas d'abord morale ou canonique; sa préoccupation est pénitentielle et sa référence est liturgique » (*op. cit.,* 11).

47. Selon la première Épître aux Corinthiens, le péché par excellence est de n'avoir pas su discerner le « Corps du Seigneur » (1 Co 11, 27-29). Pareille faute serait une profanation à l'égard de la sainteté incarnée. Selon l'Ancien Testament, elle entraînerait la sanction des

que le coupable puisse avoir part au monde futur, une seule expiation, la mort. Ou bien, en raison de la miséricorde de Dieu, l'expiation accordée par une pénitence particulière.

Il semble ressortir de notre étude que J. Morin a raison de supposer que la discipline chrétienne de la pénitence plonge ses racines dans l'excommunication juive pour les trois péchés « mortels », d'apostasie, de meurtre et d'adultère.

---

péchés qui souillent et profanent : idolâtrie, adultère et meurtre. Sous la nouvelle Loi, ces trois mêmes fautes provoquent la même horreur car elles profanent et souillent la sainteté du Christ dans son corps ecclésial autant que dans son corps sacramentel. Elles excluent donc de l'Église et de la communion.

THE ORIGIN OF THE EMBER DAYS: AN INCONCLUSIVE POSTSCRIPT

Thomas J. TALLEY

Although the temporal cycle of the liturgical year articulates only about half of the annual cycle, leaving the long period from Pentecost to Advent as but Sundays *anni circuli*, we can see in the early Roman Church a liturgical shaping of the entire cycle of the year itself, associated with the turning of the four seasons. In fully established usage, these seasonal fasts were referred to as the *quatuor tempora*, the four seasons. Later this terminology was abbreviated somewhat in German, and the four fasts were known as *die Quatember*. English abbreviated that term still further, and English usage has known these four fasts as « the Ember Days ».

The Ember Days have relatively little importance in the current Roman liturgy. The revised Roman Calendar promulgated on March 21, 1969 speaks of the Ember Days together with the Rogation Days in paragraphs 45-47. Local episcopal conferences are authorized to adapt the time and manner of the observance of these days in accordance with local exigencies, so that they effectively cease to have any settled relation to the liturgical year. In a conference two years after the promulgation of the calendar, however, Pope Paul VI found reason to reiterate to Annibale Bugnini his concern that the Ember Days be truly fixed by the episcopal conferences and that they be observed as days of prayer for ecclesiastical vocations[1]. Nothing of that focus is found in the Missal today, but it is as times of prayer for those called to Holy Orders that they are still provided for in *The Book of Common Prayer* of the Episcopal Church, albeit as « Optional Observances ». The traditional times are given in the Prayer Book calendar : « the Wednesdays, Fridays, and Saturdays after the First Sunday in Lent, the Day of Pentecost, Holy Cross Day, and December 13 », effectively the times restored (after some confusion bred by the Pentecost octave) by Gregory VII at an Easter synod at the Lateran in 1078[2]. The Embertides have been recognized as especially appropriate times for the conferral of the

---

1. Annibale Bugnini, *La riforma liturgica (1948-1975)*. Bibliotheca « Ephemerides Liturgicae », « Subsidia » 30, Centro liturgico Vincenziano, Edizioni liturgiche, Roma 1983, p. 317, n. 39.

2. *MGH Script.*, t. XI, p. 147f.

orders of diaconate and presbyterate since the time of Gelasius I, toward the end of the fifth century. The fasts themselves, however, are older than the assignment of ordination to them, and the liturgical forms for the Ember Days in the preconciliar *Missale Romanum* made no special reference to the conferral of Holy Orders.

In contrast to the slight importance attached to the Embertides today, these fasts received significant attention in the early Roman sacramentaries, and the importance accorded them seems to be greater as the documentary sources are earlier. They loom large indeed in the Sacramentary of Verona, our earliest collection of Roman mass prayers.

Our best early information on the Ember Days comes from twenty-four sermons of Leo I delivered on the Sunday preceding one or another of the fasts. Most of these conclude with a formula announcing the observance in the coming week. There Leo proclaims fasts on Wednesday and Friday, and a vigil on Saturday at the tomb of Peter. It seems certain that already in his day the Friday fast was continued through Saturday and that the vigil extended through the night, concluding with eucharist in the early hours of Sunday. Nine of these sermons are concerned with the fast of the seventh month, nine with the fast of the tenth month, four with the fast after Pentecost, and two are sermons for the feast of Pentecost that nonetheless conclude with the announcement of the impending fast and vigil.

None of Leo's sermons for Lent has this concluding formula of announcement, and such an announcement might well seem redundant, given the lenten fast itself. Still, the Saturday vigil might seem to require the usual warning and bidding on the preceding Sunday. We have one sermon of Leo, *Semo LI*, whose title indicates that it was preached on the Saturday before the second Sunday of Lent, and on the Transfiguration (Matthew 17: 1-13), the gospel assigned to the lenten Ember Saturday in *Missale Romanum* up to Vatican II. The question of whether there was such a Saturday vigil at the end of the first week of Lent is the crux of the question of the number of Embertides, since that week was a fast in any case. It is clear that Leo considered the fasts of the Roman Church to correspond to the four seasons of the year. In *Sermo XIX*, one of those for the fast of the tenth month, he says :

The fasts of the Church [...] in accordance with the Holy Spirit's teaching, are so distributed over the whole year that the law of abstinence may be kept before us at all times. Accordingly, we keep the spring fast in Lent, the summer fast at Pentecost, the autumn fast in the seventh month, and the winter fast in this which is the tenth month, knowing that there is nothing unconnected with the Divine commands, and that all the elements serve the Word of God to our instruction, so that from the very hinges on which the world turns, as if by four gospels we learn unceasingly what to preach and what to do.

The absence of the announcement formula from Leo's lenten sermons has led many writers to conclude that there was no lenten Embertide in

Leo's day, and that in this passage he refers to Lent itself as the spring fast. For that reason, inquiry into the origin of the Ember Days has often searched for a reason for a group of three fasts, rather than four. Indeed, Cyrille Vogel, noting than the ancient resumption of normal fasting at the conclusion of Paschaltide was associated with the fourth month only from the time of Gelasius I, excluded the Pentecost Embertide as well and asserted that there were originally only two seasonal fasts, those of the seventh and tenth months[3]. As perceptive as that viewpoint may be, most writers on the origin of the Ember Days have insisted that the Lenten Embertide was a later addition, and that the institution was originally three-fold.

Dom Germain Morin was one who supposed that there were originally but three Embertides, and that was fundamental to his explanation of the origin of the seasonal fasts, an explanation that from its publication in 1897 to very recent years has, in one form or another, dominated the literature where that has sought to speak of the origin of the observance[4].

It was fashionable in the nineteenth century to find the origins of Roman Christian observances in the pre-Christian culture of the city, and a custom as peculiar to the Roman Church as these seasonal fasts seemed especially to invite such an explanation. Nicholas-Sylvestre Bergier had attracted little attention with his suggestion in 1844 that the Embertides were instituted by Christians in opposition to the Bacchanalia[5]. Morin, however, suggested that the Christian fasts, rather than such counter-observances, were more in direct continuity with three *feriae conceptivae*, observances that he took to be characterized by public announcement such as is encountered in the case of the Embertides in the sermons of Leo and, in the following centuries, in liturgical *denuntiationes* in the sacramentaries. A reviewer five years later found Morin's hypothesis « très séduisante »[6], and it proved to be that at the very least, having been repeated by almost every commentator on the Roman seasonal fasts in this century, the current decade included[7].

As popular as it has been and continues to be in some circles, such appeal to classical Roman religion as background to Christian liturgical practice has not always extended to classical studies the same scientific rigor that the writers expect of themselves when dealing with the data of liturgical history. Morin's treatment of the Roman seasonal fasts was, unfortunately,

---

3. Cyrille Vogel, *Medieval Liturgy : An Introduction to the Sources*, translated and revised by William Storey and Niels Rasmussen, Washington, D.C., The Pastoral Press, 1986, p. 312.

4. G. Morin, « L'origine des Quatre-Temps », *RB* 14, 1897, p. 337-346.

5. N.-S. Bergier, *Dictionnaire de théologie*, Lille 1844, vol. 3, col. 405.

6. Paul Lejay, *RHLR* 7, 1902, p. 361.

7. Most recently by Hansjörg Auf der Maur, *Feiern im Rhythmus der Zeit I : Herrenfeste in Woche und Jahr*, Gottesdienst der Kirche, Handbuch der Liturgiewissenschaft, Teil 5, Regensburg, Pustet, 1983, p. 54. Others have included A. Molien, s.v. « Quatre-Temps », *DTC* XII², 1448; H. Leclercq, s.v. « Quatre-Temps », *DACL* XIV², 2014; L. Eisenhofer, *Handbuch der katholischen Liturgik*, I, Freiburg -im Breisgau, Herder, 1931, p. 483 ; A. Chavasse, *L'Église en prière*, ed. by A.G. Martimort, Tournai, 1961, p. 745; G.G. Willis, *Essays in Early Roman Liturgy*, London, SPCK, 1964, p. 53-54.

an example of this tendency to present classical religious observances in a form that would not be recognized by classical scholarship, even by the authorities cited by Morin himself in his essay [8].

The imprecisions of Morin's essay were made even less precise by those who sought to repeat his theory more concisely, and in the subsequent literature we encounter presentations of Morin's hypothesis that are much less guarded than his original. With that caveat, however, it may not be unfair to include here consideration of this theory of the origin of the Ember Days as it is presented and most frequently encountered in the secondary literature.

According to Morin's hypothesis, Romans observed three agricultural *feriae*, giving thanks for the fruits of the earth. These were associated with sowing, with harvest, and with vintage. Of these, only the sowing festival, *feriae Sementinae* (or *Sementivae*) is attested among the *feriae conceptivae*, but Morin argues that this best-attested observance shows the character of the other two, *feriae messis* and *feriae vindemiales*, as well. Morin appealed to the testimony of Pliny [9] to establish the season of sowing as running from the setting of the Pleiades (November 11) to the winter solstice, and those who followed him did not hesitate to take that as the period within which the *feriae Sementivae* would be celebrated, a time that would allow their association with the December Embertide. In fact, the *Fasti* of Ovid, cited by Morin, assigns the *feriae Sementivae* to January 24-26.

Morin's preoccupation with these *feriae* was based on his perception that just as the Embertides were announced (e.g., by Leo) so these *feriae conceptivae* were announced by the pontifices, by contrast to the *feriae stativae* whose dates were inscribed in the calendar. Classical scholars, however, insist that all *feriae* were proclaimed each month on the nones, for which reason (apart from the unexplained exception of the *Poplifugia* in July) there were no *feriae stativae* prior to the nones [10]. The distinction between *feriae stativae* and *feriae conceptivae*, therefore, must be sought elsewhere.

The most frequently encountered distinction between *feriae stativae* and *feriae conceptivae* is that the former fell on fixed dates while the latter were moveable, the times of their observance determined each year by one or another religious authority [11]. Although that characterization of the *feriae*

---

8. Especially C. Jullian, s.v. « Feriae » in Daremberg et Saglio, edd., *Dictionnaire des antiquités grecques et romaines*, II², Paris, 1896, p. 1042-1073, to which Morin (*op. cit.*, p. 339, n. 3) refers the reader for background on Roman *feriae*. This highly regarded treatment of the subject (see A.K. Michels, *op. cit.*, note 11 below, p. 69, n. 29) lists six *feriae conceptivae*, only one of which is found among the three on which Morin based his argument.

9. His reference to a *Hist. mundi* XVIII.56 of « Pline le Jeune » is actually to the *Historiae Naturalis* of the elder Pliny.

10. H.H. Scullard, *Festivals and Ceremonies of the Roman Republic*, Ithaca, New York, Cornell University Press, 1981, p. 42-43.

11. So, e.g., Agnes Kirsopp Michels, *The Calendar of the Roman Republic*, Princeton 1967, p. 27 ; H.H. Scullard, *Festivals and Ceremonies of the Roman Republic*, Ithaca, New York, 1981, p. 39.

conceptivae will hold true in many instances, there are exceptions. The *Septimontium* was celebrated on the fixed date of December 11, and the *Ambarvalia* on May 29. Still others fell within a very narrow range, the *Compitalia* between January 3-5 and, according to Ovid, the *Sementivae* between January 24-26. Jullian treats the mobility of *feriae conceptivae* as secondary, and characterizes them as *fêtes de quartiers*, popular celebrations of topographical subdivisions of the city or its environs. So *Septimontium* celebrated the seven hills that constituted the city in the time of Numa; the *Fornacalia* was observed on a date in February fixed by the *curio maximus* and was celebrated by each citizen in his curia; the *Compitalia* celebrated the Lares of the thoroughfares of the city, while the *Sementivae* was a festival of the rural canton, the *pagus*, whence it seems also to have been called *Paganalia*. The *feriae conceptivae* were not dedicated to particular deities such as Mars or Jupiter, but were rather festivals of the unnamed tutelaries of localities and other divisions of the city [12].

It is not clear why Morin settled so strongly on the *feriae Sementivae* alone among the six or seven *feriae conceptivae* recognized by classical authorities. To it, nonetheless, Morin added two others, *feriae messis* and *feriae vindemiales*, not mentioned among the *feriae conceptivae* by any classical authority. Jullian notes the occurrence of those phrases in legal contexts, and explains them as judiciary recesses that provided vacations for judges [13]. These were associated with the times of harvest and vintage, but they were not festivals in any religious sense, neither *feriae stativae* nor *feriae conceptivae*: nor do they seem to refer to particular days, but rather to the two months of July and September as times when judges were justified in taking time off from their duties.

In none of this can we see any trace of the group of three agricultural *feriae conceptivae* on which Morin (or others in his name) sought to base the origin of the Ember Days. That triad of observances seems to have existed only in the pages of his essay and of others based on it. Roman religion offers no basis for the Christian observance of these seasonal fasts, beyond the very general, and by no means uniquely Roman, sensitivity to the four seasons as a significant division of the year. Nor, Leo's preaching on the fast of the seventh month not withstanding, can any significant connection be made between Rome's seasonal fasts and the traditions of Israel [14].

If the Ember Days were not built upon Jewish or classical Roman foundations, then we must seek their origin in Christianity istelf, and evidently in Roman Christianity, given the peculiarity of the observance to that city in the fifth century. At that point, however, it becomes important to bring some precision to the quest for origins. What is it whose origin we

---

12. Jullian, *op. cit.*, p. 1051-1052.

13. Jullian, *op. cit.*, p. 1047.

14. See Jean Daniélou, « Les Quatre-Temps de Septembre et la fête des Tabernacles », *LMD* 46, p. 114-136.

seek? Surely not the fasts of Wednesday and Friday, since these were observed in every week outside paschaltide from a very early time, if not from the apostolic age itself. The fast on Sabbath, while it was extended to normal weekly fast practice in the fifth century, reported by Innocent I [15], was a more occasional phenomenon earlier. Indeed, in most of the Church the Jewish prohibition of fasting on Sabbath continued to be observed with the single exception of the Paschal Sabbath, an exception consequent upon the second-century determination to close the one-day Paschal fast only on the day of the resurrection. In the third century, the Montanist Tertullian excoriated the « Psychics » of the West (The Romans, almost surely) for their occasional extension of fasting to other Sabbaths than the one Paschal Sabbath that was elsewhere the sole exception to the rule against fasting on Sabbath or Sunday.

Quamquam vos etiam sabbatum, si quando, continuatis, numquam nisi in pascha ieiunandum secundum rationem alibi redditam [16].

That passage can be read as supportive of the otherwise negligible ascription of the institution of three Sabbath fasts to Callistus (Bishop of Rome in Tertullian's later years) in Liber Pontificalis [17]. That source, a sixth-century collection of papal biographies, is usually regarded as of steadily decreasing evidential value before 440 and as virtually worthless for the third century. More important than the question of the role of Callistus or any other single figure, however, is the assertion of Tertullian that Sabbath fasting was practiced « sometimes » (si quando), by contrast to the regular Sabbath fast reported by Innocent I. That testimony should encourage us, perhaps, to remain open to the possibility that the earliest roots of the Ember Days reach back to the third century.

The one universally observed exception to the rule against Sabbath fasting was intimately bound to the Paschal Vigil that marked the end of the fast. Just such a vigil through the night from Saturday to Sunday was characteristic as well of the Embertide observance as conclusion of the Sabbath fast. It is the recurrence of the Sabbath fast and vigil at times other than Pascha that seems to be the characteristic phenomenon that distinguishes the Embertides. However, apart from Tertullian's reference to occasional Sabbath fasting, we have no certain evidence of this phenomenon before the preaching of Leo, although he himself speaks of the Embertides as reflecting a deeply entrenched tradition.

Reference to the seasonal fasts (but not the vigils) may be seen in the Liber de haeresibus 149 [121] of Filastrius, written at Brescia between 385 and 391 [18]. This is in the context of a discussion of Zechariah 8: 19 in which

---

15. Epistle 25, cap. IV.

16. De Ieiunio, XIV.3.

17. L. Duchesne, ed., Le Liber Pontificalis : Texte, introduction et commentaire, Paris, 1886, vol. I, p. 141.

18. CChr Series Latina, vol. IX, Turnholt, Brepols, 1957, p. 311-312.

Filastrius lists the fasts observed by the Church (in Brescia and its environs, evidently). These are at the nativity of Christ, the forty days of Lent, before the Ascension, and then from the Ascension to Pentecost, although he adds the words, *aut postea*, suggesting that he was aware of the practice of resuming fasting only after Pentecost. Both Karl Holl [19] and José Janini [20] recognized reference to the Roman seasonal fasts in Filastrius' statement some lines later : *Alii autem putant secundum quattuor tempora anni cuiusque dixisse scripturam...* G.G. Willis took those words to refer to the fasts enumerated earlier, and denied that they refer to the Roman fasts since none falls at the same time as the Embertides. It would seem, however, that he mistook Filastrius' meaning. Certainly, his argument is weakened by his dependence upon a defective text of Filastrius [21].

Encouraged by the testimony of Filastrius, Karl Holl suggested that we might best think of Damasus as the founder of the Ember Days, but that suggestion receives no comment in M.H. Shepherd's learned essay on the liturgical reforms of Damasus [22]. José Janini, in an essay whose premises are arguable, assigned their foundation rather to Damasus' successor, Siricius [23].

In neither case, however, would we be required to think of an institution *de novo* of this system of fasts whose pattern differs so markedly from the largely Christologically oriented development of the liturgical year in the fourth century. Whatever liturgical institution we might assign to the later fourth century could still represent the standardization of earlier ascetical patterns. Especially intriguing is the independence of the December fast from the feast of the nativity of Christ in the preaching of Leo. The pernocturnal vigils suggest a replication of the paschal vigil, the more so if we suppose that there was none in the first week of Lent in Leo's day. Such considerations prompt one to question whether the earliest roots of these ascetical exercices at Rome do not reach behind Lent (340?) or Christmas (336?). Can we imagine a replication of the spring paschal fast and vigil in the summer to mark the resumption of fasting after the pentecost, and a further replication to mark the autumn and winter, all a liturgical shaping of the year without regard to festivals other than pascha and its pentecost? To dare such a question brings one back to the complaint of Tertullian about the Psychics fasting on some Sabbaths other than that of Pascha.

---

19. K. Holl, « Die vier Fastenzeiten der griechischen Kirche », *Gesammelte Aufsätze zur Kirchengeschichte*, II. *Der Osten*, Tübingen, 1928, p. 187.

20. José Janini, *S. Siricio y las Cuatro Temporas : Una investigación sobre las fuentes de la espiritualidad seglar y del Sacramentario Leoniano*, Valencia, 1958, p. 22, 28.

21. G.G. Willis, *Essays in Early Roman Liturgy*, Alcuin Club Collections XLVI, London, SPCK, 1964, p. 62-63. The text known to Willis (that of the 1738 edition of Paulus Galeardus, reproduced in Migne *PL* 12.1286-1287) has *epiphania* where the established critical texts today have *ascensione*.

22. Massey H. Shepherd, « The Liturgical Reform of Damasus I », *Kyriakon : Festschrift Johannes Quasten*, vol. II, Münster Westfalen, Verlag Aschendorff, 1970, p. 847-863.

23. *Op. cit.*, note 20 above.

Such questions do not, however, constitute the materials for a serious hypothesis. At best, they may serve to palliate somewhat our disappointment that a liturgical institution of such evident importance for early Rome has thus far left every attempt to discover its origin finally inconclusive. The question of the origin of the Ember Days remains totally open, and their diminished significance in contemporary liturgical observance leaves that question more purely historical than was once the case. The student of early medieval liturgy, however, will continue to encounter their surprising prominence, and we may hope that new and better questions will be asked regarding the institution and further light shed on the problem of its elusive origin.

L'ÉVOLUTION DU CULTE DES SAINTS A PARIS AUX XIIIᵉ ET XIVᵉ SIÈCLES

Jean VEZIN

En notre siècle, deux auteurs surtout se sont intéressés au calendrier de l'Église de Paris, Paul Perdrizet * et le chanoine Victor Leroquais **. Tous deux ne manquent pas d'observer que ce calendrier a subi de multiples additions pendant le Moyen Age. Ces changements furent particulièrement nombreux au cours des XIIIᵉ et XIVᵉ siècles. Pour les étudier, le chanoine Leroquais a eu notamment recours aux registres des délibérations prises par le chapitre de Notre-Dame; mais comme il le remarque lui-même, ces registres ne remontent pas au-delà de 1326.

Heureusement, la Bibliothèque nationale conserve un recueil complexe destiné à la lecture au chapitre après l'office de Prime, qui a été transcrit au milieu du XIIIᵉ siècle. Ce volume contient notamment un calendrier à l'usage de l'Église de Paris, le martyrologe d'Usuard, l'obituaire de Notre-Dame, une liste des fêtes célébrées dans cette église avec leur degré. De nombreuses mentions et même huit enluminures ont été ajoutées à ce volume *** qui est une véritable mine de renseignements sur l'histoire du culte à Notre-Dame. En effet, pour de nombreux obits, sont indiqués non seulement les dons effectués par le défunt, mais aussi les fêtes qu'il a instituées ou les changements de degré qu'il a prescrits. Ainsi peuvent s'expliquer certaines particularités du calendrier parisien à première vue surprenantes.

Nous avons relevé ces indications dans les éditions de l'obituaire données

---

* Paul Perdrizet, *Le Calendrier parisien à la fin du Moyen Age d'après le bréviaire et les livres d'heures*, Paris, 1933 (Publications de la Faculté des lettres de l'Université de Strasbourg, fascicule 63).

** Victor Leroquais, *Le Bréviaire de Philippe le Bon, bréviaire parisien du XVᵉ siècle* [...], Paris, 1929, en particulier p. 55-110 et 134-137 ; *id., Les Bréviaires manuscrits des bibliothèques publiques de France*, t. I, Paris, 1934, p. LXVII-LXIX, traite des saints locaux qui font la personnalité du calendrier parisien et p. CXII-CXIII, publie un tableau chronologique des fêtes parisiennes dressé par Mlle Alice Drouin.

*** Paris, Bibl. nat., lat. 5185CC. (sera désormais cité MS.). - Jean-Loup Lemaître, *Répertoire des documents nécrologiques français*, [...], Paris, 1980, t. I, p. 556-557, n° 1198 (Recueil des Historiens de la France... Obituaires, t. VII).

par Benjamin Guérard et Auguste Molinier **** en les complétant parfois à l'aide du manuscrit lui-même car les deux éditeurs ont trop souvent effectué des coupes de longueur variable dans le texte qu'ils publiaient.

Nous aurions pu répartir les différentes fêtes suivant l'ordre chronologique de leur apparition comme l'a déjà fait le chanoine Leroquais. Cette méthode a l'avantage de la clarté pour le lecteur qui cherche à dater un manuscrit liturgique, par exemple. Mais on s'apercevra que, dans certains cas, nous ne proposons qu'une date approximative. Pour éviter de donner une fausse impression de précision, nous avons préféré dresser cette liste en suivant l'ordre de l'année liturgique. Nous avons complété les indications tirées de l'obituaire avec celles que donne le chanoine Leroquais. Cet ensemble permettra, espérons-nous, de mieux comprendre l'évolution complexe du culte des saints dans une église aussi importante que la cathédrale de Paris. On pourra aussi dater avec une meilleure précision certains manuscrits liturgiques parisiens dont il subsiste un assez grand nombre. Ce travail n'est évidemment qu'un point de départ. Il faudrait comparer entre eux les calendriers parisiens subsistants, notamment pour faire une étude de l'évolution du degré des fêtes plus complète que celle qu'autorise le dépouillement de l'obituaire.

8 janvier. — **S. Rigobert,** évêque de Reims dans la première moitié du VIIIe siècle, est célébré le 4 janvier dans le martyrologe romain. L'évêque de Paris Simon de Bucy († 1304) donna, de son vivant, au chapitre de Notre-Dame 600 livres parisis pour la construction de la chapelle des saints Nicaise, Marcel et Rigobert[1] et il institua la fête de ce saint au rit semi-double[2].

10 janvier. — **S. Guillaume,** archevêque de Bourges († 1209), canonisé en 1218.

27 février. — Le culte de **ste Honorine** semble avoir été introduit relativement tard dans l'Église de Paris[3].

7 mars. — **S. Thomas d'Aquin.** L'adoption de sa fête par l'Église de Paris a suivi non sa canonisation en 1323, mais la translation de son corps dans l'église des dominicains de Toulouse (1368) et la déposition d'un de ses bras dans l'église des jacobins de la rue Saint-Jacques le 13 juillet 1369[4].

**** Benjamin Guérard, *Cartulaire de l'église Notre-Dame de Paris,* t. IV, Paris 1850, p. 1-212 ; Auguste Molinier, *Obituaires de la province de Sens,* t. I, Paris, 1902, p. 93-214. Ces deux ouvrages sont cités en abrégé, Guérard et Molinier.

1. Guérard, IV, 32-34, 92, 117 ; Molinier, p. 112-113, 143, 158 et MS., ff. 224-226v.

2. MS., fol. 224v. La fête de S. Rigobert est indiquée comme semi-double dans une liste dressée, semble-t-il, entre 1306 et 1316. Cf. A. Vidier, *Les Marguilliers laïcs de Notre-Dame de Paris* [...], Paris, 1914, p. 238.

3. On ne la trouve citée que dans les mss. Paris, B.N., lat. 862, 1023, 13238 et 15613 des XIIIe et XIVe siècles. Son nom figure de seconde main dans le martyrologe de Saint-Merry (XIIe s.). Cf. dom Jacques Dubois, « Le martyrologe de la collégiale Saint-Merry de Paris identifié », dans *An Boll,* 86 (1968), p. 135-136.

4. Victor Leroquais, *Bréviaire de Philippe le Bon,* p. 136-137.

1er ou 2 avril. — **Ste Marie l'Égyptienne.** Raoul de Chevry, archidiacre de Paris puis évêque d'Évreux (1259-1269), érigea sa fête au rit semi-double dans l'Église de Paris[5]. Le 1er mai 1263, l'évêque de Paris Renaud de Corbeil ordonnait de célébrer cette fête conformément aux désirs de Raoul de Chevry[6].

23 avril. — **S. Georges.** Le cardinal Jacques Cajetan de Stefanescis († 1343) fonda un office double en son honneur[7].

26 avril. — **Dédicace de la Sainte-Chapelle** en 1248[8].

29 avril. — **S. Pierre Martyr,** canonisé en 1253. Une chapellenie fut fondée sous son nom en 1318 en mémoire de Jacques Boucel[9].

30 avril. — **S. Eutrope de Saintes** était l'objet d'une dévotion particulière de la part du roi de France Philippe le Bel et de son épouse Jeanne de Navarre. En 1296, ils donnèrent au chapitre de Paris 20 livres tournois pour établir sa fête au rit semi-double[10].

4 mai. — **S. Quiriace.** Étienne de Provins, archidiacre de Paris († après 1251), institua sa fête dans l'Église de Paris[11].

9 mai. — La fête de la **translation de s. Nicolas** à Bari en 1087, célébrée à Paris depuis 1200[12], fut élevée au rit semi-double à la suite d'une donation faite à Notre-Dame par le chanoine Hervé Le Breton. Ce personnage intervient dans des actes datés des années 1260, 1275 et 1276[13].

17 mai. — **Translation du chef de s. Louis** le 17 mai 1306[14].

19 mai. — **S. Pierre Célestin** († 1296), canonisé en 1313. Le même jour, s. Yves était célébré dans la cathédrale de Paris au rit double solennel depuis une donation de 200 livres parisis faite dans ce dessein par Jean de Karoullay, chanoine de Notre-Dame, en 1398[15].

28 mai. — **S. Germain,** évêque de Paris, figure sur la liste des fêtes semi-doubles dans le ms. Paris, B.N., lat. 5185 CC, fol. 335v. A l'exception du ms B.N. lat. 862 qui indique neuf leçons, tous les calendriers parisiens

5. Guérard, IV, 39 ; Molinier, p. 116 ; MS., fol. 175v.

6. Guérard, II, 254 ; Josette Metman, dans *Huitième centenaire de Notre-Dame de Paris* [...], Paris, 1967, p. 117, n. 7.

7. Molinier, p. 217.

8. Victor Leroquais, *Bréviaires,* I, p. CXIII.

9. H. Kraus, dans *Gazette des Beaux-Arts,* 74, 1969, p. 127-128.

10. Guérard, IV, 182.

11. MS., fol. 174v. Barthélemy Hauréau, dans *Notices et extraits des manuscrits ...* XXI, 2, 1865, p. 225 ; Henri Denifle, et Émile Chatelain, *Chartularium Universitatis Parisiensis* [...], t. I, Paris, 1889, p. 143-144.

12. Victor Leroquais, *Bréviaires,* I, p. CXIII.

13. Guérard, II, 128, 138, 143, III, 128, IV, 139 ; Molinier, p. 172.

14. Victor Leroquais, *Bréviaire de Philippe le Bon,* p. 135.

15. Guérard, IV, 49 ; Molinier, p. 120.

du XIIIe siècle s'accordent à lui attribuer le rit semi-double; mais, dès le début du XIVe siècle, cette fête est au rit double [16].

16 juin. – Les **ss. Ferréol et Ferjeux** sont célébrés dès le XIIIe siècle à Paris. Le 9 juillet 1320, Hugues de Besançon, chantre de l'Église de Paris, fonda une chapellenie en l'honneur des deux saints bisontins [17]. Dans le bréviaire de Charles V, une note avertit que « de s. Feriol et de s. Ferrut, martyrs, est fait double en l'église de Paris » [18].

25 juin. – Translation en 1212 à Notre-Dame du bras de **s. Éloi** envoyé par l'Église de Noyon. Le chanoine Hugues de Viry († entre 1249 et 1273) fit élever sa commémoration au rit semi-double [19].

7 juillet. – Translation du corps de **s. Thomas Becket** à Cantorbéry le 7 juillet 1220. Elle doit être célébrée au rit semi-double à Paris [20].

9 juillet. – **S. Thibaud de Provins.** Thibaud de Corbeil, chanoine et sous-chantre de l'Église de Paris qui figure dans un acte de 1288, obtint du chapitre l'élévation de sa fête au rit semi-double [21].

25 juillet. – **S. Jacques le Majeur.** Sa fête fut élevée au rit semi-double à la requête du chanoine Hugues de Chevreuse « dictus Aculeus » († entre 1249 et 1259) [22]; conformément à la décision prise par Boniface VIII en 1295, elle passa ensuite au rit double.

26 juillet. – Vers 1200, célébration de la **translation de s. Marcel** [23].

28 juillet. – **Ste Anne.** Parmi les bréviaires décrits par le chanoine Leroquais, seuls les bréviaires parisiens et ceux de Tournai placent cette fête au 28 juillet. Petrus de Columpna, chanoine de Chartres, puis de Paris, († après 1259) la fit instituer au rit double [24]. On observera que les premiers lieux où le culte de ste Anne s'impose à l'attention sont Apt et Chartres. L'examen des livres chartrains montre que son culte s'est diffusé dans le diocèse au cours de la première moitié du XIIIe siècle [25].

---

16. Cf. Paris, B.N., lat. 861, 835, par ex.

17. Guérard, IV, 79, 81 ; Molinier, p. 139.

18. Victor Leroquais, *Bréviaires*, III, p. 52.

19. Guérard, II, 186, 414, 443, IV, 160 ; Molinier, p. 235.

20. Guérard, IV, 105 ; MS., fol. 232 ; Victor Leroquais, *Bréviaire de Philippe le Bon*, p. 86 ; id., *Bréviaires*, I, p. CXIII.

21. Guérard, III, 375 ; IV, 106 ; Molinier, p. 150 ; Léopold Delisle, *Le Cabinet des manuscrits* [...]; t. II, Paris, 1874, p. 224.

22. Guérard, II, 298, 357, 414, 453, IV, 125 ; Molinier, p. 163.

23. Victor Leroquais, *Bréviaires*, I, p. CXIII.

24. Guérard, IV, 19 ; Molinier, p. 103 ; Denifle et Chatelain, *t. cit.*, p. 379, 381 ; Élie Berger, *Les Registres d'Innocent IV*, n° 292.

25. Victor Leroquais, *Les Sacramentaires et Missels manuscrits des bibliothèques publiques de France*, t. I, Paris, 1924, p. XXIX ; id., *Bréviaires*, t. I, p. XCV ; André Wilmart, *Auteurs spirituels et textes dévots* [...], Paris, 1932, p. 47-48, 203.

1ᵉʳ dimanche d'août. — Fête de **la sainte Croix** propre à Paris pour célébrer la réception d'un fragment de la vraie Croix envoyé à Notre-Dame en 1109 par Anselme, chanoine de Paris, préchantre du Saint-Sépulcre[26].

5 août. — **S. Dominique** canonisé en 1234[27].

11 août. — Réception de **la Couronne d'épines** le 11 août 1239[28].

19 août. — **S. Louis d'Anjou** († 1297) canonisé le 7 avril 1317[29].

25 août. — **S. Louis,** roi de France, canonisé en 1297. Son culte est adopté à Notre-Dame dès 1298[30].

26 août. — **S. Bernard.** L'évêque de Paris, Eudes de Sully († 1208) décida qu'on célébrerait sa fête au rit semi-double[31]. La concurrence de la fête de s. Louis a fait déplacer la célébration de s. Bernard au 26 août après 1297 dans le diocèse de Paris.

30 août. — En 1234, translation de **s. Fiacre**[32].

14 septembre. — Réception des fragments de **la vraie Croix** à la Sainte-Chapelle en 1241[33].

17 septembre. — **S. Omer.** Adenulfe d'Anagni, neveu du pape Grégoire IX, prévôt de Saint-Omer, chanoine de Notre-Dame, évêque élu de Paris en 1288 et mort en 1289 ou 1290, fonda un office double de s. Omer[34].

27 septembre. — **SS. Côme et Damien.** Le chanoine Hugues de Viry († entre 1249 et 1273) institua un office semi-double en leur honneur[35].

3 octobre. — **S. François d'Assise,** canonisé en 1228, est célébré ce jour à Paris et non le 4 octobre pour ne pas entrer en concurrence avec ste Aure, première abbesse de Saint-Martial de Paris[36].

13 octobre. — **S. Géraud d'Aurillac.** Une chapellenie fut fondée en son honneur en 1320[37].

---

26. Guérard, IV, 126; Molinier, p. 164; Victor Leroquais, *Bréviaire de Philippe le Bon*, p. 92; id., *Bréviaires*, I, p. CXII.

27. Victor Leroquais, *Bréviaires*, I, p. CXIII.

28. Victor Leroquais, *Bréviaires*, I, p. CXIII.

29. Victor Leroquais, *Bréviaire de Philippe le Bon*, p. 94; Marie-Hyacinthe Laurent, *Le Culte de saint Louis d'Anjou à Marseille au XIVᵉ siècle* [...], Roma, 1954 (Studi e Testi, 2).

30. Victor Leroquais, *Bréviaires*, , I, p. CXIII.

31. Guérard, IV, 108; Molinier, p. 152.

32. Victor Leroquais, *Bréviaires*, I, p. CXIII.

33. Victor Leroquais, *Bréviaire de Philippe le Bon*, p. 98.

34. Guérard, IV, 36, 149; Molinier, p. 114, 178; Martin Grabman, « Adenulf von Anagni, Probst von Saint-Omer († 1290) : ein Freund und Schüler des hl. Thomas von Aquin, », dans *Traditio*, V, 1947, p. 269-283.

35. Cf. ci-dessus, p. 476, n. 19.

36. Victor Leroquais, *Bréviaires*, I, p. CXIII, V, p. 115.

37. H. Kraus, dans *Gazette des Beaux-Arts*, 74, 1969, p. 130.

22 octobre. — **S. Mellon,** évêque de Rouen. Sa fête est attestée au rit semi-double vers 1266-1280 dans l'obit du chanoine Hugues de Pontoise [38].

28 octobre. — **Seconde translation de ste Geneviève** en 1242 [39].

2 novembre. — La **commémoration des défunts** était célébrée au rit semi-double depuis le XIIIᵉ siècle, au moins. Le doyen Jacques Divitis la fit transformer en fête double en 1384 [40].

5 novembre. — **S. Clair,** évêque de Lectoure. Noël, official de Paris († entre 1249 et 1256), fonda un office semi-double en son honneur [41].

16 novembre. — **S. Edmond Rich,** archevêque de Cantorbéry († 1240), canonisé en 1246.

19 novembre. — **Ste Élisabeth de Hongrie,** canonisée en 1235.

26 novembre. — Fête de **ste Geneviève des Ardents** instituée en 1131 [42].

4 décembre. — **Invention des reliques** trouvées le 4 décembre 1218 lors de la démolition de l'ancienne cathédrale Saint-Étienne et transférées le même jour dans la cathédrale actuelle [43]. A sa mort, le 14 juillet 1223, Philippe Auguste donna à la cathédrale un certain nombre de reliques découvertes à Saint-Étienne [44].

6 décembre. — **S. Nicolas de Myre.** En 1186, deux chapellenies furent fondées à l'autel de s. Nicolas par le roi Philippe Auguste et par Marie, comtesse de Champagne [45]. Vers 1188, le chanoine Étienne, doyen de Senlis, fit une donation à Notre-Dame à la condition que la fête de s. Nicolas serait célébrée au rit double [46].

8 décembre. — La **Conception de la Vierge** fut dotée d'un « festum annuale » à Notre-Dame de Paris en 1196 [47]. L'évêque Ranulphe d'Hom- blonière († 1288) légua à la cathédrale une somme de 300 livres parisis dont le revenu devait être employé à la célébration de cette fête [48].

14 décembre. — **S. Nicaise,** évêque de Reims, était particulièrement

38. Guérard, I, p. 164, 166, 168; MS., fol. 202v.

39. Victor Leroquais, *Bréviaires*, p. CXIII.

40. Guérard, IV, 177.

41. Guérard, II, 159-160, 509, IV, 56; Molinier, p. 124.

42. Victor Leroquais, *Bréviaire de Philippe le Bon*, p. 135.

43. Victor Leroquais, *Les Sacramentaires et Missels*, II, p. 47.

44. Guérard, IV, 29, 110; Molinier, p. 110, 153; Victor Leroquais, *Bréviaire de Philippe le Bon*, p. 62.

45. Guérard, I, 296, 297.

46. Guérard, IV, 196; Molinier, p. 206.

47. Victor Leroquais, *Bréviaires*, I, p. CXII.

48. Guérard, IV, 184-185; Molinier, p. 199; E. Vacandard, *Les Origines de la fête et du dogme de l'Immaculée conception - Études de critique et d'histoire religieuse*, 3ᵉ série [...], Paris, 1912, p. 274.

vénéré par Simon de Bucy, évêque de Paris († 1304). Ce prélat se fit enterrer à Notre-Dame dans la chapelle du chevet qui était dédiée à ce saint. Il ordonna de célébrer sa fête au rit semi-double le 14 décembre[49], en accord avec le martyrologe d'Usuard, alors que l'ensemble des livres liturgiques parisiens la célèbrent le 10[50].

26 décembre. — S. **Étienne** fut doté d'un « festum annuale » en 1196[51]. L'évêque de Paris Eudes de Sully ordonna à sa mort (13 juillet 1208) que le saint soit célébré « sollempniter et regulariter » dans l'Église de Paris[52].

---

49. MS. ff. 224-224v. Cf. ci-dessus, p. 474, n. 2.

50. Victor Leroquais, Les Sacramentaires et Missels, II, p. 293 et 365; id., Bréviaires, II, p. 366, 476; III, p. 52 et 237.

51. Victor Leroquais, Bréviaires, I, p. CXII.

52. Guérard, IV, 108; Molinier, p. 152.

INDEX DES NOMS DE LIEUX
Établi par Sylvie Chaussat

INDEX DES MANUSCRITS CITÉS
Établi par Sylvie Chaussat

TABLE DES MATIÈRES

Achevé d'imprimer le 12 octobre 1990
dans les ateliers de Normandie Impression S.A.
à Alençon (Orne)
N° éditeur : 9005
N° d'imprimeur : 900830
Dépôt légal : octobre 1990

DATE DUE

APR 24 1998			
MAR 0 1 2001			
11 14 11			